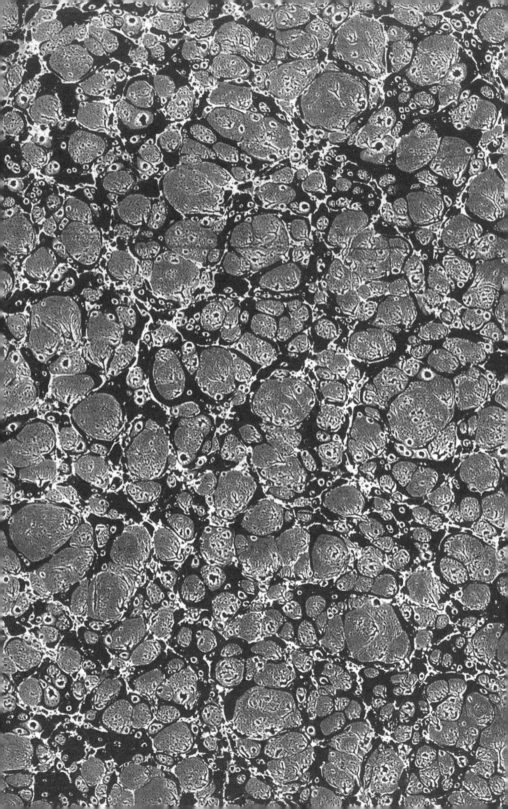

THE
GARNETT BOOK
OF RUSSIAN
VERSE

A TREASURY OF RUSSIAN POETS

FROM 1730 TO 1996

Edited by DONALD RAYFIELD
with
JEREMY HICKS, OLGA MAKAROVA
and ANNA PILKINGTON

THE GARNETT PRESS

LONDON

The Garnett Book of Russian Verse. Texts chosen, translated, edited and introduced by Donald Rayfield, with Jeremy Hicks, Olga Makarova and Anna Pilkington. London: The Garnett Press, 2000. Over five hundred poems by seventy-five Russian poets of the 18th, 19th and 20th centuries, from Lomonosov to Brodskii. xxvi + 750 pp. With introduction, English prose translations and index.

This anthology of Russian verse brings together the best and most interesting work of some seventy-five Russian poets over three hundred years, with an English prose version at the bottom of each page. It is aimed at a wide range of interested readers of poetry, from those with a rudimentary knowledge, but strong interest in Russian, to university students of Russian poetry. It can be a bedside book for a reader of poetry, or a textbook for a postgraduate course on Russian literature. As well as the familiar canon of Russian verse, much unusual work of interest has been uncovered. Care has been taken to establish authoritative texts of the Russian originals and accurate, transparent yet readable English versions. The fullest use has been made of the textological and research work of the last decade in Russia which has retrieved so much forgotten and repressed verse.

ISBN 0 9535878 2 7

*Published by The Garnett Press, Queen Mary College,
London E1 4NS, Great Britain*

INTRODUCTION

THE MOST generally valued and influential Russian gift to the world's culture, apart from music, is probably its nineteenth-century narrative fiction: the variable qualities of translations into the world's languages of Turgenev, Dostoevsky, Tolstoy and Chekhov have proved to be a trivial barrier to their influence on our culture, not only readers but writers.

Poetry, however, is another matter. Only a handful of poems, in the work of a very few translators, have succeeded in bridging the linguistic chasm that yawns between us and perhaps the finest body of poetry, lyrical and narrative, in nineteenth-century Europe. Poetry, true, has largely to be read only in the original. But when an adequate knowledge of Russian is the exception among English-speaking readers of poetry, the only solution is to persuade them to acquire at least an introductory knowledge of the language (the Cyrillic alphabet and its approximate sounds can be learnt in an evening, even if to acquire a substantial vocabulary and an understanding of Russian grammar needs a year's hard labour), and then, by providing texts and translations, to motivate them in this effort with an insight into the enormous rewards that a working knowledge of Russian can bring.

THIS IS the first volume of an anthology of Russian verse (a second will be devoted to mediæval, folk, spiritual, comic and other anonymous poetry) and it consists primarily of poetry of the nineteenth and the first two thirds of the twentieth centuries, with a substantial choice of eighteenth-century verse.

In compiling and setting out this anthology we have borrowed some of the principles of the undeservedly defunct and much lamented Penguin series of foreign-language verse. Here too prominence is given to the original poem, and a prose translation, as close to the original as the dictates of English grammar and idiom allow, is placed at the bottom of the page, in a font that emphasises the subsidiary role of the English as a crib for translation, rather than as a text with equal rights to the reader's mind. The anthology strives to give a thorough selection of the poetry of the best, and the best of the minor, Russian-language poets of the modern period. We have tried first of all to satisfy the exacting requirements of a native speaker of Russian, then to meet the needs of a serious student of Russian literature and, finally, to give a translation which will help an anglophone student of Russian, whether his or her competence is precarious or masterly, to derive both pleasure and instruction.

In some aspects we have tried to go further than the fine *Penguin Book of Russian Verse* (later *The Heritage Book of Russian Verse*) edited by Dmitri Obolensky in the 1960s, with its scrupulously presented texts and superb English crib. Firstly, by extending our anthology over nearly twice as many pages of a larger format, we have found space for a much fuller, and in some ways more representative, selection than Professor Obolensky was able to make. Secondly, we have benefited from the tremendous advances in scholarship since *perestroika* in the late 1980s. Uncensored and more definitive texts, and the appearance of previously unknown work, notably in the new 'green' series of the *Biblioteka poèta*, have improved in particular our knowledge of twentieth-century poetry, particularly of the Soviet period (1917–1989). Thirdly, we have extended our choice to include some poetry previously considered too outlandish, frivolous (and, very rarely, obscene) to receive its due place in the canon.

Any anthology naturally carries the imprint of the anthologists' subjectivity: the more recent the poet, the greater this imprint becomes. We have sought to achieve a balance between poems which have made their mark for very different reasons: firstly, poems which by traditional critical standards, are works of genius; secondly, poems which have played an important part in reflecting or forming the outlook of a civilisation, or have come to play an integral part in the phraseology of the language. The two aspects are, of course, often — but not always — interlinked. In an anthology as extensive as this, we have sometimes included poems whose primary importance is that they shed light on the development of a poet, perhaps by bridging two aspects of his or her work; likewise, we have included poems that have a referential value, to which other poets have responded, or whose phrases have become a sort of shorthand in speech or literature.

There is nothing egalitarian in this anthology: certain poets, Pushkin in the nineteenth century and Mandelshtam in the twentieth, for instance, occupy a disproportionate space, simply because they tower over their age. Other poets, such as Nekrasov or Maiakovskii, may seem to have allotted to them more space than they merit, or, like Tiutchev, less. There are poets who write 'long', in whom the narrative or rhetorical element requires room to develop, and there are poets, such as Tiutchev or, arguably Anna Akhmatova, of a natural laconicism. The number of pages allotted or of poems included is no reliable guide to a poet's 'ranking'.

The quandary of which poets to exclude or include can be resolved by consensus until the second half of the nineteenth century, where we first encounter poets (e.g. Nadson, Fofanov) who enjoyed enormous popularity but who have left nothing except a testimony to the vagaries of taste peculiar to their time. In the twentieth century, especially after the nineteen-thirties, the difficulties of choice become intractable. Under Soviet rule, as a whole generation of poets was exterminated or terrorised, they were replaced by a new generation who undoubtedly wrote much interesting, even moving poetry which we have decided to exclude. The problem is not as clear-cut as, for instance, deciding on how to deal with Spanish poets who wrote under Franco, or German poets who chose neither silence nor exile under Hitler, for the Soviet period was much longer than Fascist rule and offered artists fewer options: many of these (to write or to be silent, to live or not to live) were zero options.

Nevertheless, after Mandelshtam or Tsvetaeva, it is difficult to regard, say, Tikhonov or Bagritskii as serious contenders for eternity. The Second World War produced poetry which was voluntarily appreciated by, and genuinely important for, the Russian reader; nevertheless, we have decided not to include any poetry by Simonov or Slutskii. (This is not an anti-Soviet principle: we have in fact included a remarkable fable by the lick-spittle Stalinist, Sergei Mikhalkov.) A later generation in the freer 1960s (Rozhdestvenskii, Voznesenskii, Evtushenko, Akhmadulina, for example) gave us poets who steered the best course they could between stultifying conformism and arrestable dissidence, often making up by public performance for the deficiencies of their work's printed form. They too have also been left out, as have the guitar poets, Okudzhava, Vysotskii and Galich, whose verse would be better published in live performance on a multi-media compact disc.

Our oddities of both omission and inclusion are mitigated by the need to wait for time to filter poetry. An anthologist is not a judge in a poetry festival; with the exception of a very few thunderbolts — the work of Iosif Brodskii, one or two poems by Naum Korzhavin and Nina Iskrenko — a spontaneous response to a poem has to be tested against a consensus that may require decades to develop. An objective and full anthology of twentieth-century verse may well have to wait until the middle of the twenty first century.

Thus, demographically, there appears to be an implausible thirty-year gap in Russia's poetic progeny, between the birth of great poets — between, for example, Zabolotskii and Brodskii.

An anthology of living poets differs from this anthology as a zoo differs from a natural history museum, where the animals do not alter or move. Instinct tells one that the poetry of, say, Gennadii Aygi or Elena Shvarts will be read long after their deaths. But for two minor (and elderly) exceptions, we have decided not to include living poets. Precisely because they are alive, mobile and willing to be interviewed, however, living poets are more frequently seen, heard and translated. For the extraordinary waves of good and innovative Russian poetry that have struck Russia (and communities outside Russia) since the 1970s, we refer the reader to such bilingual anthologies as J. Kates *In the Grip of Strange Thoughts*. [Newcastle upon Tyne: Bloodaxe, 1999].

On the texts we have included, the default principle we have adopted is to take our primary version from the Soviet 'blue' large-format series of the *Biblioteka poèta* — above all because of the care with which these texts were established on a principle of reconciling the last freely-consenting version printed in the poet's lifetime with extant authorial manuscripts, but also because in Soviet times a misprint was considered an 'incursion of the class enemy', severely punished as such, and very, very rare. The post-*perestroika* series of the same edition, now in green, is superior in that the censorship no longer interferes for political reasons (e.g. as it did in the 1973 edition of Mandelshtam); it is inferior because misprints proliferate appallingly and also because it occasionally foists on the reader arbitrary revisions, particularly noticeable when relatives of the poet or over-eager and under-resourced scholars have taken charge of the text.

Nevertheless, in the fourteen years since the last year of Soviet denial, 1986, there has been an enormous change in our knowledge, and consequently our judgements, of Russian twentieth-century poetry. Khlebnikov, Kuzmin, Mandelshtam, Tsvetaeva, Akhmatova. In fact, virtually every major poet of Russia and many émigré poets have been disinterred, major work published for the first time or republished for the first time as the poet wished. Apart from the *Biblioteka poèta*, a number of publishing houses and scholars, despite the economic and cultural chaos of modern Russia, have worked miracles in this process of restoration, repatriation and discovery. For this reason alone, a new anthology of Russian poetry is timely.

Prudery has affected our knowledge of some Russian texts: only since *perestroika* has it been possible to see major erotic poetry, Barkov or Kuzmin, in print. Even today, Kliuev at his greatest is only to be found in an American-German edition, and such important poets as Polezhaev can be read only in bowdlerised versions. For this reason, we have occasionally had to restore texts from a very heterogeneous range of sources, include Ogariov's 1862 edition of 'Secret Russian Poetry'. Significant work by a number of minor poets still lie interred in the archives of Pushkinskii Dom in St Petersburg or the Russian State Archives for Literature and Art in Moscow. We have occasionally taken poems from unpublished manuscripts (e.g. a lyric by Tatiana Shchepkina-Kupernik). Punctuation and orthography follow the practice of standard editions since 1989; a few exceptions to this rule arise when old or innovative orthography, use of upper- and lower-case letters or punctuation is inseparable from the poet's conception of the poem's visual or rhythmic features.

THIS COLLECTION was composed first by one editor (Rayfield) setting out his personal choice and giving his version of a crib. Each of the other three editors then had a veto over both what had been chosen and what had been excluded, and a series of new versions evolved. A few poems are included that one editor or another would prefer not to see in print; a few poems have been excluded that one editor or another wanted to see in print. Working within the limits of our material resources, time and compatibility of intellect, education and instinct, the editors still agree on the nature, purpose and extent of this anthology and its englishing. A camel has been called 'a horse designed by a committee', but it is still a useful and sometimes admirable beast.

The English translation evolved after being submitted to two native speakers of Russian to eliminate as many misunderstandings and *mots injustes* as possible. The two native speakers of English concentrated particularly on reducing infelicities and obscurities. We hope that this quadruple filter will give us an accuracy comparable with what Professor Obolensky achieved forty years ago.

Any English translation has nevertheless to make compromises in resolving the question of what sort of translation is right, when the object is that it should enable the reader to understand a poem in the original. We have tried to meet such elementary requirements as that the English should turn the page at the same time as the Russian text (which accounts for occasional variations in page length, leading etc.). We have tried to keep the translation transparent, so that the learner of Russian can see how a Russian phrase has resulted in the English. Now and again the exigencies of strict English word order and the irreducibly idiomatic nature of some Russian phrases cloud transparency. At the same time, we have tried to make the English a readable, fluent, literate prose version of the original, to reflect abnormalities of register in the original without forcing the English reader mentally to re-edit the text. Any pursuit of such a golden mean entails the dangers of playing too safe: a genuinely equivalent version of a good Russian poem can be hoped for only from an adequate English poet.

The narrative poem [*poèma*] is an important genre for a number of Russian poets: Pushkin, Lermontov, Nekrasov, Maiakovskii, Tsvetaeva. Frequently, to include a *poèma* in full would have made this anthology physically unmanageable; to exclude it (and in one or two cases, to rule out verse drama) would have impoverished our view of Russian poetry. We have taken a middle road by including substantial extracts from a number of narrative poems, even though their narrative thread is thus frayed, if not broken. The same applies, especially in the twentieth century, to cycles of poems, where the impact and meaning may amount to more than the sum total of the constituent lyrics: we have sometimes had to give just a group, or even a representative sample of poems from a cycle conceived as a whole.

In the translation we have adopted a transliteration system similar to that of the Library of Congress, thus using the letter [y] only to transliterate [ы]. Where Cyrillic [e (ё)] is pronounced [io] we have transliterated it accordingly. In the running headers and translations we have however not distinguished between [и] and [й] (both are rendered by [i]), or between [e] and [э] (both are [e]); we have transliterated [ь] as [i] before a vowel and omitted it everywhere else. In the index the names of poets are transliterated more exactly and the stressed syllable is marked by [´].

Some cultural or topical references that are self-explanatory to an educated Russian reader may be opaque to an English reader: we have, if we could be succinct, dealt with them in the translation, in italics in square brackets. (Italics in square brackets are also used to give words implied, but not uttered.) We have dispensed with any further annotations than the dates of a poem's composition or first publication (when known) and the years for the birth and death of each poet (to be found in the index). The alternative would have been to add another volume of notes. Instead, wherever a more extended background information is needed, we refer readers to one of several handbooks or encyclopaedias of Russian literature that have appeared in the last decade. For information on, and appraisal of, almost all of the poets in this volume, readers may find most useful a massive volume edited by Neil Cornwell: *A Reference*

Guide to Russian Literature [London, Chicago: Fitzroy Dearborne, 1998]. The bibliographies in this and other reference works will guide the reader to the impressive number of monographs that British and American scholars (often in collaboration with Russian colleagues) have written on Russian poets over the last fifty years: virtually all the major poets of the twentieth, and many of the nineteenth century, are the subject of a thorough critical study and a biography in English.

In this anthology an index of poems is given in Cyrillic alphabetical order, and both first lines and titles (where they exist) are given for each poem. The title is given in italics; if a title is not followed by a poem's first line in brackets, this implies that the work is a longer poem represented by an extract which does not include the first line.

In the main body of this volume poets are ordered by the dates of their birth. Within this ranking each poet's work is then ordered chronologically, as far as possible. Dates are given when known; very often they are dates given by the poet; sometimes they are dates of first publication in the poet's lifetime. If no exact dating is given, then we have placed the poem in its likely chronological sequence. Where a group of lyrics form a cycle, the cycle may consist of poems written over a number of years and it may have been necessary to break the chronological sequence in order not to destroy the cumulative sense a poet has built up in a cycle or book.

*   *   *

UNLIKE French, German or Spanish poetry, Russian poetry has only a threadbare history to link together the mediæval and the modern ages. What little secular poetry that survives from the states of *Rus'* and Muscovy from the ninth to the sixteenth century is largely anonymous and reflects the Byzantine and Norse traditions of cultural missionaries and invaders who sought to convert or conquer Russia, rather than those of native oral poetry. Russia's magnificent heroic and lyrical folk poetry, which began to be recorded in the eighteenth century but undoubtedly dates from much earlier times, is in any case very remote from the western European influences that were to lead to the emergence of Russian secular poetry in the eighteenth century. Not until the middle of the nineteenth century was there any real attempt by Russian literary poets to assimilate folk genres and devices.

Historical, religious and political reasons aside, the main factor in Russia that hindered the development of poetry as we recognise it in the west was the lack of a language to write in. The language in which Peter the Great and his officials corresponded, in which they administered their empire or even eventually published newsletters, was an uneasy and unstable compromise between the Russian they spoke and the Slavonic language that they heard and chanted in church services. The forms and vocabulary of Church Slavonic were almost as far from everyday Russian speech as Latin would have been from the speech of those living in Dante's Italy. The tension between an artificial unspoken Slavonic and a natural unwritten Russian was not finally resolved until Pushkin's day in the early nineteenth century. In the eighteenth century it was the job of poetry, even before narrative prose, to grope by experimentation for an acceptable compromise, to create a Russian literary language. While such a Herculean task exonerates the failure of the eighteenth century to produce more than a handful of great poets, it also provided a challenge for the genius of such poets as Gavrila Derzhavin.

Finding new norms for an intelligible vocabulary and syntax was only part of the first secular Russian poets' task. Adapting, and adapting to, western European genres was relatively easy: the influence of Catholicism and classicism that stemmed from sixteenth-century Poland showed Russians how to write adaptations of the Psalms, civic odes and even satire. Verse drama, love poetry or narrative poems, however, required a more genuinely western culture, as well as a natural literary language, and were thus tardy in appearing.

Poets first had to search for a metrical system that would suit the dynamic and mobile stress of the Russian language. For some decades Russian poets attempted to adapt the Latin and Greek hexameter, with little success, for the Russian language never makes the distinction between short and long vowels which is essential to the dynamics of Latin or Greek verse. Imitating Polish, with its light but fixed penultimate stress, or French with its light final stress was successful only in that the device of end rhyme common to both these literatures is particularly fruitful in Russian. But counting syllables for the 12-syllable alexandrine verse of French or Polish poetry strangles the dynamic rhythm of the Russian language. It was not until the 1730–40s that Lomonosov, Trediakovskii and Sumarokov finally established the so-called 'syllabo-tonic' system, very close to that of English or German verse, where the stress of a word corresponds to the strong beat in the metre, and the verse is divided into 'feet', each consisting of a strong beat and a weak beat. It was Lomonosov in 1739 who decided that the basic rhythm and metre must have the strong beat preceded by the weak beat: the 'iambic' metre.

The pattern of Russian stress, where the first syllable is less likely to be stressed than a subsequent syllable, but where each word, no matter how long, has only one stressed syllable, fits perfectly with a 'syllabo-tonic system' and its repeated weak-strong beat, providing not just a perfect fit, but often a syncopation full of possibilities. As a result, Lomonosov's first major ode set the precedent for Russian poetry. As Vladislav Khodasevich said in 1938, in the last poem he ever wrote, 'the first sound of [*Lomonosov's*] Khotin ode became the first yell of life for us.'

No wonder that to this day the rhymed quatrain in iambic pentameters is still the most productive of Russian forms, even though other rhythms and even free and blank verse have over the last hundred and fifty years crept in and, every now and again, poets prove their virtuosity by making a classical hexameter or a French alexandrine work in Russian.

The tenacity to this day in Russian poetry of rhyming quatrains consisting of four or five iambic feet is comparable to the persistence of European classical and popular music written 3:4 or 4:4 time and in a minor or a major key. The rhythm of a piece of music can be jazzy, i. e. syncopated, and yet conform to the scheme of regular three or four beats in the bar: our interest lies in the contrast between our expectations (the three or four beat bar with its stress on the first beat) and the actual realisation of the music, where the stressed beat may be late or absent, but where there is a dynamic relationship between what we actually hear and the framework we fit it in.

In English where every alternate syllable carries some stress, any regular rhythm soon sounds like uninventive doggerel. Russian is different. We can take two lines from Pushkin's *Autumn*:

Огóнь опя́ть гори́т — то я́ркий свéт лиёт,

fire burns again, now it pours out bright light

and:

И пробужда́ется поэ́зия во мнé

and poetry awakens in me

Metrically, they both have same the six-foot iambic metre:

ti-**tum**, ti-**tum**, ti-**tum**/ti-**tum**, ti-**tum**, ti-**tum**

The first example, consisting of one and two-syllable words has the identical six ti-**tum** iambic beat. The second example, however has one five-syllable and one four-syllable word. Consequently of its twelve syllables, only three, instead of six, are actually stressed, so that there is a tension between the metrical scheme and the actual realisation of the line:

ti-ti ti-**tum**, ti-ti,/ti-**tum**, ti-ti ti-**tum**

The contrast between the iambic (or any other regular metre) and the reality of Russian speech rhythm (one stressed syllable per word) creates an infinity of possibilities for any poet. Rhyme is another matter: English, with its extraordinarily heterogeneous syllable structure, has long exhausted its limited stock of interesting rhymes; Russian, somewhere between Italian and English in its facility for rhyme, still has not used up its chances of finding innovative rhymes.

In one choice only did Russia's final surrender to western models result in poetics which were completely contrary to the spirit of the Russian language: by accepting the French and Italian concepts of sonority, based on a discrete use of consonant clusters and relying on the contrast of the 'light' front vowels *e* and *i* with the 'dark' back vowels *o* and *u*, the Russian language with its magnificently muscular consonant clusters and its sparse vowel system (where there are few diphthongs, no contrast of long and short, open and closed, and where such key sounds as *e* and *o* can only be heard in stressed syllables) was forced into a straitjacket from which only the most innovative poet was able to release it. When we consider that Russian (like most Slavonic languages) has complex consonant clusters that are to be found elsewhere in Europe only in the languages of the Caucasus, the waste of poetic resources seems prodigal.

By the middle of the eighteenth century, once the polymath Lomonosov and the would-be court poets Trediakovskii and Sumarokov had created the conditions for intelligible and natural-sounding verse to be written, all that was lacking for poetry was an audience. The tiny number among the aristocracy who were educated and attuned to secular literature as something to be read and emulated could have been gathered into one modest assembly room for the first two thirds of the eighteenth century. Poetry was nurtured by its patrons, an empress and her courtiers, and the poet was inhibited by such patrons' disdain for anything that went beyond the concerns of their civic and official life and suspicion of any ideas that threatened to shake the security of the throne. No reading public could sustain a poet morally or financially. The only sources of encouragement they could find were from an intimate circle of friends or from a patron: poetry was forced to be cheerful, celebratory and conventional.

The achievements of the nineteenth century nevertheless stand on the eighteenth-century pioneers: Lomonosov's scientific analysis of the language, in his *Handbook of Eloquence*, guided poets on the effect of each consonant and the choice of register. His odes and adaptations of the psalms taught poets to ponder and to praise. Lomonosov was within a decade complemented by Sumarokov whose pastiches of French courtly pastoral love poetry have a flexibility and musicality that make them the indoor equivalent to Lomonosov's outdoor genres. Sumarokov, perhaps because of his lifelong unhappiness, sometimes hits a note of real feeling missing from his chief predecessor, the much-mocked Trediakovskii, whose thorough exploration of every verse genre and interesting metrical experiments never succeeded in sparking a single witty or moving sentiment or melodic line (which is why he is missing from this anthology). Ivan Barkov, equally with Lomonosov and Sumarokov, deserves recognition as a progenitor of Pushkin and much that follows. Barkov was flattered by very many anonymous imitators: the pseudo-Barkov poems concocted in the 1860s exceed in quantity the sparse genuine work that survives in manuscript from the 1750s. Barkov has a natural lightness of language; he relishes his own improvisatory wit; he goes against every established canon of decency in a way that no poet of his century dared to in Russia. Unfortunately his poetry, until ten years ago, was regarded as unprintable, for his heroes are sets of genitalia rather than individual human beings. Even today in an anthology he sits uncomfortably among his proper contemporaries, so that some readers may prefer to glue together or even rip out pages five to seven. Barkov's poems on boxing, blasphemy and drunkenness are, unfortunately, inferior to the Priapic odes, of which we have chosen one.

Under Catherine the Great a court poet could find the courage and even popularity needed to sustain independence. Baroque in several senses of the word, Gavrila Derzhavin is undoubtedly Russia's first great poet by international standards. He adds to Lomonosov's grandeur, Sumarokov's tenderness, and Barkov's vitality an inventive, original effusive mind which spans the whole gamut of emotions from civic pride to existential despair and, above all, a capacity to make the Russian language sing, to vary the speed and sonority of his lines with a virtuosity which makes the reader feel that the literary Russian language had existed for centuries.

In originality Derzhavin is matched by Ivan Krylov, who is known almost solely for his Æsopian fables. Many of them are adaptations of Lafontaine, but the others (as well as some adaptations) not only have originality but an ironic Voltairean wit. By using Lafontaine's device of lines that vary in length from four to sixteen syllables, Krylov gave Russian a flexible verse language without which the greatest of verse comedies, Griboedov's *Woe from Wit*, could not have been written.

Although a handful of works by other poets of the eighteenth century have left a permanent mark on Russian literature, it was the remarkable flowering of the next generation which lifted Russian poetry to the level of a major European literature. Whether the reasons for this flourishing — the beginning of the so-called Golden Age of Russian literature — are astrological, biological or cultural, it is certain that all the poets a little older or younger than Pushkin were marked by the Napoleonic war, directly by participating in military action, or indirectly in reflected glory. The war had proven Russia to be a major power in Europe not only militarily but spiritually: the Holy Alliance was taken seriously by Russia's rulers as a treaty of equals. Russia could feel itself morally superior in having restored order to continental Europe, in the restraint of its soldiers, the culture of its officer class. With the ideas and self confidence that came flooding back from Russia the predominance of French as a cultural language faded away. Now poets wrote in their own language not by default, not as a patriotic effort, but as though no other form of expression were conceivable.

In virtually every year of the first decade of the nineteenth century a major poet was born. They had two precursors from a previous decade. One was Zhukovskii, who by translation and imitation brought into Russia the *Sturm und Drang* of German Romanticism. The other was Batiushkov, who refined to perfection the elegiac decadent dream world of the last pre-revolutionary French poets, such as Evariste Parny, the unjustly forgotten author of *The Disguises of Venus* and *The War of the Gods*. Zhukovskii, the more modern of the two, was more parodied than imitated, but he introduced a morbidity and a narrative subtlety for other poets to develop. Thanks to Napoleon, Russia had been isolated from the Romanticism of the English and the Germans until a period when it could easily absorb what it needed and reject what it did not, without any initial period of intoxication. German poetry was not in the nineteenth century to have the effect it had, say, in the eighteenth, when Lomonosov so slavishly followed Klopstock in praising of God. French poetry, notably the verse of André Chénier, guillotined in the revolution, and English poetry (especially Byron in French translation) were to have a powerful effect on Pushkin and his contemporaries.

The new generation of poets did not however turn their backs on the eighteenth century. In fact, they were inoculated against too powerful a Romantic infection by that hedonistic and rational approach to life and verse which gives the eighteenth century such vitality: Pushkin's uncle Vasilii, author of *The Dangerous Neighbour*, the most irreverent and wise of burlesque poems in the language, did as much as Byron or Shakespeare to form his nephew's poetry.

If there is a Romantic aura about Russia's 'Golden Age', it is because most of the Pushkin *pléïade* died young: in duels, on the gallows, of disease and melancholy. The few that lived to the end of the century outlived their fashionability and lapsed into obscurity. At the height of the Golden Age which the *pléïade* created in the 1820s and 1830s, Russian poetry conquered every genre: it fed on Chénier, Byron, Goethe, it discovered Italian culture, and poetry embraced every domain: elegy, satire, narrative tales, dramatic comedy, tragedy. It combined the heady excitement of European Romanticism with the sceptical worldly wisdom and sense of harmony of eighteenth-century classicism. Even the English Romantic movement is not as rich in its range of poets and the capacity of their verse to captivate their readers as was the Russian Golden Age.

What brought an end to the Golden Age of Russian verse was not just the shortening by half of the natural life span of Delvig, Pushkin, Lermontov, Griboedov, Polezhaev. Nicolas I's retribution on the Decembrist rebels in 1826, which resulted in five being hanged and over a hundred sent to Siberia, was a crippling blow to Russia's intellectuals, as much to those who escaped punishment as those who underwent it. The survivors were scattered, not just from St Petersburg to Moscow (where Baratynskii and Tiutchev were based), but abroad: to Germany and Italy. Politics and government service, civilian or military, broke up the *pléïade* spiritually as well as physically.

Perhaps more significant than any other factor in the extinction of lyrical poetry within a generation was the Voltairean view held by Pushkin that lyric and narrative poetry were mainly an apprenticeship for more serious and objective work: prose fiction and, finally, historical chronicles. While never abandoning lyrical verse, both Pushkin and Lermontov made this transition to prose and, although their example was not followed by most of their fellow poets, the new generation of readers and writers, by 1840, were shifting to a new set of values putting information above inspiration, fact above fantasy, moral and social purpose above aestheticism, prose above verse. However reactionary Nicolas I's censorship, it nevertheless gave ground to an ever larger readership hungry for books, journals and newspapers; translations of the new post-romantic prose of Balzac and Stendhal led to a demand for a native prose literature.

By a strange demographic response, nature dried up the supply of poets: in the forty years after 1825, only six major poets were born, compared with, say, two dozen in the preceding forty. Those poets who continued writing in the 1840s and 1850s, such as Karolina Pavlova, Tiutchev and Fet, were more likely to be ignored or mocked than appreciated. 'Junk' poetry (Maikov, Benediktov, much of Mei) commanded a following, but of the new poets only those won attention whose work claimed a share of the moral and progressive high ground occupied by the prose of the young Dostoevsky and Tolstoy or of Turgenev, who had abandoned verse for prose in his thirties. Nekrasov almost alone of his contemporaries was idolised as a poet for the three middle decades of the nineteenth century, and this largely for the proximity of his themes and moral purposes to those of the urban novelists and publicists.

Only in this century has Nekrasov's poetry found a stable critical reception, with Vasilii Rozanov's declaration that ten percent of Nekrasov was genuine poetry, somewhere between Turgenev's claim that 'Poetry never even spent the night there' and the radical student opinion that Nekrasov was, because of his social concerns, 'greater than Pushkin'. We can forgive the sententious sentimentality and long-windedness for his intense evocations of lost love or peasant death. The other major poets of the middle of the nineteenth century — Tiutchev, Fet, Grigoriev — had to wait until well after their deaths, usually the centenary of their birth, to be properly appreciated and, thus, to generate a new wave of poetry, the Silver Age which was to dominate the first twenty years of the twentieth century.

Nevertheless, without always being aware of it, the readers of the great Russian novel were imbibing the poets whom the writers of novels had read. Tiutchev's last love poems, ridden with guilt, and Fet's late poetry, in the grip of Schopenhauerian despair, underpin Tolstoy's *Anna Karenina* and Turgenev's *Smoke*.

The new generation of *poètes maudits* in France — Baudelaire, Verlaine, Mallarmé — did not meet the same instant response from Russian poets that the Romantics had aroused sixty years earlier. Verlaine, in fact, was denounced by Tolstoy in his diatribe *What is Art?* as a charlatan who typified the degeneration of art in Europe. Until well into the 1890s, only an isolated handful of Russian readers realised what new horizons had been opened up in France by the appearance of *Les Fleurs du mal*. With the exception of Konstantin Sluchevskii and Vladimir Soloviov, Russian poets, such as Innokentii Annenskii, who appreciated French symbolism in their youth were not to publish until their middle age in the twentieth century.

Public taste in the 1880s and 1890s was in Russia, as in England, stuck in the last throes of imitative, sentimental, if melodic verse, still in thrall to the romantic 'belle dame sans merci' of the beginning of the century. Even Anton Chekhov reckoned such self-pitying nonentities as Nadson to be the best of living poets.

Just as the 'Golden Age', begotten by the emotional stir of victory over Napoleon, inaugurated the second decade of the early nineteenth century, so the 'Silver Age' of the twentieth century began, as Akhmatova was to put it, not with the 'calendar' twentieth century, but with the 'real' one, a little later, around 1913. A lot of poetry was written and published in the 1890s, and lesser-known younger poets tried to break away from their dependence on the Romantic canon, which the older generation still kept to. (In English poetry, Tennyson and Gerard Manley Hopkins coexisted in the same way as did the elderly Polonskii and younger Sluchevskii, like the last dinosaurs and first mammals.)

Some of the new poets, such as Annenskii and Sologub, were slow to acquire the confidence to publish. Like their counterparts in the west (Mallarmé, Verlaine, Matthew Arnold) for much, or even most of their lives they were schoolteachers — a profession that has led to some very pessimistic expressions of decadence. A second generation, poets by profession as well as vocation, twenty years younger than the isolated Soloviov, Sologub and Annenskii, was born between 1880 and 1893. Neither group achieved maturity or wide recognition until a cataclysm — defeat in the Russo-Japanese War, a threat of revolution and the inauguration of an elected parliament — had destroyed apathy and *idées reçues* as radically as the Napoleonic War of 1811–12. The Russian public was ready to abandon rational prose for irrational verse only when history itself began to turn frighteningly unpredictable.

The new and older generation that came to the fore in 1906 were generally known as Symbolists: believing that every image expressible in language made sense only as part of an otherworldly myth, by symbolising what could not be directly expressed. Inseparable from this belief was the conviction that all art aspired to the condition of music, to express nothing but itself, to be organised polyphonically. Compared with their French models, however, Russian Symbolists remained relatively autobiographical in their lyricism and their philosophy was tied closely to historical reality. Nobody reading Mallarmé would guess that he had lived through the siege of Paris in 1870; a reader of Sologub or Blok cannot escape the uprising of 1905 or the revolutions of 1917.

The Symbolists were split between a Moscow group and a St Petersburg group: perversely, the Muscovites, led by Briusov, were more demonstratively European, publishing together with Belgian Symbolists in the bilingual Franco-Russian journal *The Balance* [*Vesy*] from 1904 to 1909. Russian Symbolism was also split between those who, like Annenskii, were overwhelmingly indebted to French poetry (to Verlaine, Laforgue and Corbière) and who came to write lyrical poetry through translation, and those, like Blok, whose urban poetry derives as much from Dostoevsky's *White Nights* as from Heine and Baudelaire. The poets of the 1900s can also be divided between true Symbolists, who saw their poetics as a religious, demonic power — a theurgy — which could alter the world, and the decadents, who despaired of finding meaning or happiness and saw their existence in terms of a Roman poet in the 5th century AD, awaiting destruction by the Visigoths. The novelty of early air shows and their fatal, public crashes (which affected the young Kafka as much as they did Blok) prompted Andrei Belyi to define poets as pilots taking a frail aircraft into the air, the Symbolists attempting to land successfully, the decadents deliberately crashing their craft.

Certain — and not necessarily the greatest — Russian Symbolists aspired to the status of *maestro*. For the first time since the eighteenth century poets were seduced by a theory of poetry and by schools where its craft might be learnt. They grouped themselves into cliques, centring around the house of a maestro, such as Viacheslav Ivanov in St Petersburg, or Valerii Briusov in Moscow, and around a sympathetic journal and publishing house. These schools became fractious imitations of Russia's infant political parties, with all their baggage of manifestos, feuds, expulsions. If many poets were eventually to be destroyed by the Bolshevik party it is in part because they themselves behaved as menacingly as political factions.

Some poets, notably Viacheslav Ivanov himself and Mikhail Kuzmin, a homo-erotic dandy and musician, imitated the revolutionaries of the time by infiltrating several camps: the opposition between Symbolist, Acmeist and Futurist that resulted in so many literary (and occasionally real) duels is less significant when we trace the devious loyalties of some individuals. The greater the poet, the more ambiguous his or her relationship to the groups: from 1908 they became as fissile as amoebas and generated new forms and ideologies. Under Italian influence futurists had appeared, soon dividing into publicly aggressive ego-futurists and introspective linguistic innovators, cubo-futurists. In 1912 under the influence of the French poets Jean Moréas and Paul Valéry a group preaching eclecticism, clarity and craftsmanship proclaimed themselves Acmeists and took control of poetry in St Petersburg: theirs was the journal *Apollon* from 1909 to the revolution of 1917.

The greater the poet, the more irrelevant the poetic alliance and the editorial outlet. Blok as a poet develops despite, rather than because of his status as a Symbolist icon. Osip Mandelshtam and Anna Akhmatova recalled Acmeism as a group of like-minded friends and lovers, and the ideology of the movement was important only for its minor adherents. Similarly, the ideology of futurism does not help us to understand better the extraordinary linguistic experiments of Khlebnikov, as he devised new layers of language (or revived old ones), or the performance poetry of Maiakovskii.

The twentieth century resembled the eighteenth century in the awareness that a new literary language was needed: while rhymed iambic quatrains continued (and still do so) as an apparently inexhaustible medium for invention and expression, Russian poetry learnt much from the other arts. From the music of Stravinsky it learnt the importance of rhythm and percussion, and new violent rhythms began competing with the iambic and anapaest. Composers such as Skriabin went more than half way to meet poets. Inspired by Wagner's ideas of opera unifying all the arts, the 'Silver Age' took synaesthesia further than anywhere in Europe. Boris Pasternak, who was briefly a pianist and composer before he became a poet, was by the First World War to revolutionise poetry by using purely musical techniques: by composing poems around key syllables that are varied and re-combined like musical motifs and by generating images not semantically but by internal sound associations.

Russian painters were finally learning from French Impressionists and German expressionists to abandon *trompe-l'œil* representation to the photographer: a subjective and non-representational painting had a devastating effect on conventional lyrical poetry. Visual arts taught Russian poets to attempt non-representation themselves, even (in the case of Terentiev) to make a poem a visual object, not merely a string of phonetic code. Linguistics suggested to Russian poets that the resources of the Russian language should be surveyed again. If the Golden Age had tried to make Russian a language like Italian, sonorous, heavily orchestrated by vowel sounds, the Silver Age, despite the 'musicality' of so many Symbolists, realised that Russian was in its sound system — having a wealth of consonants, mighty consonant clusters, a paucity of vowels and an absence of diphthongs — much closer to an Asiatic, a Semitic or a Caucasian language. Maiakovskii knew Georgian and

Khlebnikov knew Tatar far better than either knew any western language: their violent percussive devices, their use of internal declension, grouping words by their consonant structure, take them away from the Franco-Italian domination to new areas, where in later decades even the culturally 'Hellenic' Mandelshtam was willing to follow.

In the nineteenth-century poetry was largely monopolised by males who were ethnic Russians and members of the gentry, however impoverished. The puzzling dearth of women is inexplicable, given their prominent role in Russian intellectual life; other nationalities of the Russian empire, understandably, could express themselves in their native language, for example Yiddish, Georgian, Finnish, Polish, or if their native language had no literary tradition, might choose German or Ottoman Turkish. From the 1890s women, such as Mirra Lokhvitskaia and Tatiana Shchepkina-Kupernik, begin to compete, and by the First World War poets such as Anna Akhmatova, Marina Tsvetaeva and Zinaida Gippius began to receive the same critical attention and public adulation any other leading poet. The infant political activity of the beginning of the century united radicals, particularly from the Jewish 'Bund', behind Russian socialists and anarchists. At the same time a number of poets who were Jewish (whether by ancestry or by belief) deserted Yiddish and German for Russian. Had Mandelshtam or Pasternak been born fifty years earlier, it is likely that their poetry would now belong to the German, Yiddish or Polish heritage. The union of Jewishness (whether avowed or disavowed) with a Hellenic, Christian, European culture is the key factor in making Mandelshtam, like Kafka, Proust, Canetti, Celan, a writer whose cultural roots spread over an enormous area and whose universality transcends the language he writes in. Thus Russia's Silver Age was built on a complex cultural framework and its poetry (if not its prose) was even richer than that of the Golden Age. Yet it lasted no longer than the Golden Age had a century before.

In all European cultures poets have a life expectancy about five years less than the average for the population of their time and country. The Silver Age, too, was shortened by a high death rate. Some died before they had reached their potential: Konevskoi drowned, Komarovskii went mad, Ignatiev cut his throat. Very few lived to see their fiftieth birthday: of the major poets who made the Silver Age only one, Anna Akhmatova, would outlive Stalinism. To blame this extinction on alcohol, dissipation and suicidal morality is to ignore the *Zeitgeist* of a civilisation that knew it was doomed. The stress of living in a suicidal culture was a more powerful determinant of the early deaths of Blok or Annenskii than any personal tragedy. Even the executioner's bullet and the murderous régime of the concentration camp were factors subordinate to the lethal effect of despair and fear. The subsequent poverty of poetry under Stalin and after is partly accounted for by the dearth of surviving masters for new poets to apprentice themselves to, or to rebel against.

By 1914 history had proved the Symbolists to be better predictors of the future than any rational realistic writer. The apocalyptic mood that preceded (and largely followed) the revolution put poetry on very different tracks from those of western Europe. If World War I killed half the poets of England, France and Germany, in Russia only one major poet — Gumiliov — even saw enemy action. Very few believed in victory or even survival for the state as they knew it. When revolution broke out, with few exceptions poets tended neither to berate it nor acclaim it — any more than they would a volcanic eruption. A reading of Blok's *The Twelve* or Mandelshtam's poem known as 'Twilight of Freedom' as 'for' or 'against' the revolution misses the point: an inevitable apocalypse has happened.

The choice remaining was between death, survival in a post-holocaust Russia, or emigration. In 1918 Russia produced its first diaspora, a diaspora which grew until 1923: this diaspora was renewed only by a 'second wave', the displaced of 1945–7. In the 1960s and 1970s there was a 'third wave' of defectors and dissidents: since 1990, despite the exodus of millions of Russians, poets have tended to return rather than leave. With the exception of Iosif Brodskii, the later waves left little mark on Russian poetry: the first wave had a virtual monopoly of poets: despite a scattered, demoralised and diminishing audience and a paucity of journals and publishing houses, Russian poetry in the 1920s was as alive in Prague, Berlin, Paris or Riga as it was in Petersburg and Moscow. While a figure such as Marina Tsvetaeva was never underestimated, only recently have such major émigré poets as Khodasevich and Georgii Ivanov been ranked as the equal of those who decided to stay.

The first Bolsheviks were wary of killing intellectuals; the revolution shot very few poets: Gumiliov is the only important victim of the Cheka's firing squads. For a while after the revolution poets continued to converge and diverge in fractious groups linked around whatever means of publicity or publishing could be found. As paper disappeared from the market, poets made their impact by shock performance: the revolutionary experiments of Kruchionykh and Terentiev with form, sense and ideas are meant to leave an impression after a single exposure.

Some new theorising was more organised. A 'formalist' (now 'structuralist') school of linguistics and poetics gave strong support to poets whose explorations fed their theories. Western Imagists found their counterparts in Russian *imazhinisty*. But the poets of real genius usually remained peripheral to the career theoreticians of poetry.

Physically, many poets were saved in the hungry years of Civil War by the grandiose cultural schemes devised by Maxim Gorky and Anatolii Lunacharskii: the translation of all world literature into Russian, the training of proletarian writers, new scholarly editions of the Russian classics all provided hundreds of writers with ration cards, a room to live in and protection from execution as a hostage or class enemy. Those schemes still bring fruit: such hundred-volume series as the *Biblioteka poèta* ensure to this day the importance of poetry in Russian life.

Even before the revolution, there had been a conscious search for poets from the people: a search that was satisfied by a number of specious discoveries. A charlatan, however, can be an original poet. Sergei Esenin, glossing over his prosperous peasant background in the heartland countryside near Riazan, cleverly combined the musicality, anti-social mood and self-pity of Lermontov with imagery and phrases that had a peasant tang to them, even though much of his work is brilliant invention. From the forests of the far north, the traditional refuge of the Old Believers and their spiritual songs, appeared Nikolai Kliuev, who for some time struck up an alliance, even a love affair with Esenin. Kliuev's 'brotherly songs' were not authentic, but he too invented a heritage and a language that made audiences feel they were recapturing native roots from which western poetics had cut them off. Maiakovskii, born to a modestly prosperous family of a colonial official in Georgia, cultivated the attitudes and ideals of an embittered proletarian; the original speech rhythms with which he transformed Russian lyrical poetry into a one-man performance art are derived from Walt Whitman and Guillaume Apollinaire, but Maiakovskii's political stance made him very careful in concealing his reading and introspection. In revolutionary times the proletarian poet was, ironically, more suspect still than the aristocrat: Esenin was to kill himself in 1926, Maiakovskii followed suit in 1930, while Kliuev was first harassed and then judicially murdered in Siberia in 1937. The genuine proletarian poets who followed in their wake and who were encouraged to see themselves as inheritors of the revolution — Klychkov, Oreshin — were shot before they could even find their voice.

The Golden Age came to an end not just because of the repression of Nicolas I's censorship but because poetry was ousted from public attention by a generation of prose writers whose concerns seemed more public, topical and urgent. Likewise, the Silver Age fell victim at the end of the 1920s not only to the assertion of party control over literature — resulting in Stalin's creation of a Union of Writers that would ensure complete conformity and universal terror. The pendulum of public preference had also swung, perhaps of its own accord, in the direction of the epic, the journalistic — towards a literature that would complement cinema, to bear witness in prose to social and political changes that required chroniclers and interpreters.

Nevertheless, much great poetry was created in Soviet terror and isolation: when Maiakovskii killed himself in 1930, he seemed to annul a vow of lyrical silence that Akhmatova, Mandelshtam and Pasternak had imposed on themselves. Pasternak's *Second Birth*, the handful of poems that Mandelshtam managed to publish in 1932 (and the two hundred that he wrote in the mid 1930s that remained unknown until the 1960s), Akhmatova's *Requiem*, likewise known only to a few intimates until the end of her life, testify to suicidal courage born perhaps of complete despair. Stalin's espousal of classical Italian poetry (in the cause of anti-fascism) is partly responsible for this underground flowering: Dante and Petrarch surviving under murderous feuds of Guelphs and Ghibellines were exemplary guides to living as a poet in a totalitarian state.

Mandelshtam is almost unique in accelerating his development with every turn of the state's screw: the adrenalin of fear spurred him on. A handful of other poets, largely what was to be known as the Leningrad group, as if avenging their city for the abolition of its power by Moscow, also continued to innovate: many of them were children's poets, and children's poetry, like translation, was for a while given a licence to experiment formally. Of this group, Samuel Marshak, translator of Burns and children's writer, survived the NKVD net by a miracle; Russia's most gifted 'absurdists', Oleinikov and Kharms, were destroyed. One major poet alone survived: Nikolai Zabolotskii, a boy when the revolution began, was marked by an originality that could not be classified. His early satirical work at the end of the 1920s strongly reminds one of T. S. Eliot. Satirising Prufrock from a patrician point of view or the new socialist philistines, the Ivanovs, from a proletarian point of view results in an extraordinary identity of stance and satirical language which, fortunately, was at first missed by Zabolotskii's critics. By the mid-1930s, even the NKVD understood the meaning of irony and the double meaning of Zabolotskii's 'celebration' of collectivisation and his pagan pantheism became obvious. After ten years in Siberian labour camps Zabolotskii was plucked out to survive: only recently have readers come to realise that the muted, apparently conformist poetic language of this last years resulted in poetry even more powerful than the bold experiments that had sealed his fate. Zabolotskii's last work, on the journey of the mediaeval Flemish monk Rubrouck to the court of the Mongol Khan, is almost the sole testimony in verse to the desolation, physical and spiritual, left by Stalinism.

Unlike Zabolotskii or Kharms, most of the generation of Soviet poets avoided innovation (lest it be formalism) and were afraid to learn much from the classics (lest it be counter-revolutionary). Any talent one can see in a Bagritskii or a Tikhonov is vitiated by their conformism to the dictates of the party and the NKVD through the Union of Writers, which corrupted with dachas and holidays as it subordinated with fear of expulsion and arrest. The confines for non-dissident and publishable poetry were so narrow that, as this anthology implies, we can declare the Stalin period of Russian history a desert, which only a very few established entities — Pasternak and Akhmatova — and a few lesser, unnoticed writers, such as Tarkovskii, managed to cross. In the post-Stalin thaw public attention in Russia and abroad was caught by poets who had learnt how to perform: Voznesenskii, Rozhdestvenskii, Akhmadulina, Evtushenko had acquired the techniques that Maiakovskii had learnt in pre-revolutionary night clubs. They seemed to herald a new dawn. Forty years on, we wonder why we mistook these opportunistic seagulls for stormy petrels.

Only in the mid-1960s, does poetry appear which is certain to survive its first readership: first and foremost Iosif Brodskii, and a number of writers still living whom we have left for future anthologists. If there is a major difference now in Russian poetry, it follows the changes in other global languages such as English for two new types, once marginal, predominate among the major poets: women (Olga Sedakova and Elena Shvarts), and writers of non-Russian origin, (Gennadii Aygi, Bakhyt Kenjeev). Poets, however, belong first to their poetic language and then to their gender or ethnos, and living poets must be read with a full awareness of the tradition that brought them forth.

London, 2000   *Donald Rayfield*

МИХАИЛ ВАСИЛЬЕВИЧ ЛОМОНОСОВ
MIKHAIL VASILIEVICH LOMONOSOV

Утреннее размышление о Божием величестве

Уже прекрасное светило
Простерло блеск свой до земли
И Божие дела открыло:
Мой дух, с веселием внемли;
Чудяся ясным толь лучам,
Представь, каков Зиждитель сам!

Когда бы смертным толь высоко
Возможно было возлететь,
Чтоб к солнцу бренно наше око
Могло, приближившись, воззреть,
Тогда б со всех открылся стран
Горящий вечно Океан.

Там огненны валы стремятся
И не находят берегов;
Там вихри пламенны крутятся,
Борющись множество веков;
Там камни, как вода, кипят,
Горящи там дожди шумят.

Сия ужасная громада
Как искра пред Тобой одна.
О коль пресветлая лампада
Тобою, Боже, возжжена
Для наших повседневных дел,
Что Ты творить нам повелел!

Morning Reflection on God's Majesty

The fair luminary has now shed its radiance over the earth and revealed God's works: my spirit, perceive with good cheer; wondering at such clear rays of light, imagine what the Architect Himself is like!

If mortals could soar up so high that our short-lived eye could come close to and behold the sun, then on all sides an eternally burning Ocean would be revealed.

Fiery billows drive on there and find no shores; there flaming storms swirl, battling for many centuries; there stones boil like water, there burning rain roars.

This horrific mass is like one spark before You. O how bright a lamp has been lit by You, God, for our everyday deeds, which you have ordered us to do.

От мрачной ночи свободились
Поля, бугры, моря и лес
И взору нашему открылись,
Исполненны твоих чудес.
Там всякая взывает плоть:
Велик Зиждитель наш Господь!

Светило дне́вное блистает
Лишь только на поверхность тел;
Но взор Твой в бездну проницает,
Не зная никаких предел.
От светлости Твоих очей
Лиется радость твари всей.

Творец! покрытому мне тьмою
Простри премудрости лучи
И что угодно пред Тобою
Всегда творити научи,
И на Твою взирая тварь,
Хвалить Тебя, бессмертный Царь.

1743

Fields, hills, seas and forest have been freed from dark night and are revealed to our gaze, filled with Your wonders. There all flesh calls out: great is the Architect our Lord!

The day's luminary shines only onto the surface of bodies; but Your gaze penetrates the abyss, knowing no boundaries. From the brightness of Your eyes pours the joy of all creation.

Creator, stretch out rays of wisdom to me who am covered with darkness, and teach me to do whatever is pleasing to You, and, looking at Your creation, to praise You, immortal King.

АЛЕКСАНДР ПЕТРОВИЧ СУМАРОКОВ
ALEKSANDR PETROVICH SUMAROKOV

* * *

Уже восходит солнце, стада идут в луга,
Струи в потоках плещут в крутые берега.
Любезная пастушка овец уж погнала
И на́ вечер сегодня в лесок меня звала.

О темные дубравы, убежище сует!
В приятной вашей тени мирской печали нет;
В вас красные лужайки природа извела
Как будто бы нарочно, чтоб тут любовь жила.

В сей вечер вы дождитесь под тень меня свою,
А я в вас буду видеть любезную мою;
Под вашими листами я счастлив уж бывал
И верную пастушку без счету целовал.

Пройди, пройди скорее, ненадобный мне день,
Мне свет твой неприятен, пусть кроет ночи тень;
Спеши, дражайший вечер, о время, пролетай!
А ты уж мне, драгая, ни в чем не воспрещай.

1755

Now the sun is rising, the herds go to the meadows, the currents in the streams splash
against the steep banks. The darling shepherdess has now driven out her sheep and today
has invited me for the evening to the woods.

O dark oak groves, refuge for cares, in your pleasant shade there is no wordly woe;
nature has set out fair meadows in you as if on purpose for love to live there.

This evening expect me under your shade, and in you I shall see my darling; under
your leaves I have been happy before and kissed the faithful shepherdess times without
number.

Pass, pass more quickly, day useless to me, I dislike your light, let it be covered by
night's shade; hurry, most precious evening, o time, fly by! And you, my dear, this time
forbid me nothing.

Любовная элегия № 12

Веселие мое уходит от меня.
Я, в сердце жар любви всегда к тебе храня,
Тебе противен стал; хотя того не знаю.
За что тобою я и рвуся и стонаю.
Или, переменив совсем ты прежний нрав,
Стараешься искать уж новых днесь забав?
В намерении сем имей себе успехи,
Ищи, жестокая, ищи другой утехи;
Как я, другой тебе равно быть может мил;
Но льзя ли, чтобы он, как я, тебя любил!
Как новым жаром ты, забыв мя, тлиться станешь,
Не раз, но многажды о мне тогда вспомянешь.
И будешь вображать нередко те часы,
Как были в области моей твои красы.
Я знаю, что твой дух меня не позабудет,
Да только, может быть, меня уже не будет.
Воспоминание тебя хотя смутит,
Но уж раскаянье меня не возвратит.

1774

Love Elegy No. 12
My cheerfulness is leaving me. I, always keeping love's ardour for you, have become loathsome to you; although I do not know why I am tearing myself and groaning because of you. Or, having completely changed your previous mood, are you today trying to seek new amusements? Have success in this intention, seek, cruel woman, seek other consolations; another can be just as dear to you as I was, but is it possible that he should love you as I did! When you, having forgotten me, begin to smoulder with new heat, then you will remember me not once, but many times. And you will often imagine those hours when your beauty was in my possession. I know that your spirit will not forget me, only, perhaps, I shall be no more. Although memory will perturb you, repentance will no longer bring me back.

ИВАН СЕМЕНОВИЧ БАРКОВ
IVAN SEMIONOVICH BARKOV

Утренней заре. Ода

Уже зари багряной путь
Открылся дремлющим зеницам,
Зефир прохладный зачал дуть
Под юбки бабам и девицам.
Раскинувшись, пизды лежат,
От похоти во сне дрожат.
Иная странным зевом дышит,
Иная нежно губки жмет
И нестерпимо хуя ждет,
Во всех ебливой пламень пышет.

О, утра преблаженный час,
Дражайший нам златого века,
В тебе натуры сладок глас,
Зовет к работе человека,
Приход твой всяку тварь живит,
В тебе бодрее хуй стоит,
Ты нежну похоть всем вливаешь.
В ебливы жилы кровь течет
И к ебле всех умы влечет,
Ты нову силу всем влагаешь.

Корабль в угрюмых как волнах
Кипящи их верхи срывает,
Сквозь бурю, тьму и смертный страх
Разит и бездну презирает,
Подобно так в пиздах хуи,
Напрягши жилы все свои,

To Dawn. An Ode

Now dawn's crimson path has opened to the slumbering eyeballs, a cool breeze has begun to blow up women's and girls' skirts. In abandon, cunts are lying, quivering in sleep from lust. One breathes with a strange gape, another tenderly squeezes its lips and impatiently waits for the prick, in all the fire of fucking seethes.

O, morning's most blessed hour, dearer to us than the golden age, in you nature's sweet voice calls man to work, your arrival enlivens every creature, in you the prick stands more valiantly, you imbue tender lust in all. Blood flows into the veins of fucking and draws all minds to fucks, you infuse new strength in all.

As a ship in angry waves tears through their boiling crests, through storm, dark and mortal fear forges on, and scorns the chasm, so pricks in cunts, straining all their veins,

Во влажну хлябь вступить дерзают,
Штурмуют, мечутся везде
И в самой узенькой пизде
Пути пространны отворяют.

Везде струи млечны текут,
С стремленьем в бездну изливаясь,
Во все суставы сладость льют,
По чувствам бодро разделяясь,
Восторгом тихим всяк объят,
Но побежденных томный взгляд
Еще ко брани звать дерзают.
Опять вступают в ярый бой
И паки сладкий ток млечной
Во всех жар брани прохлаждает.

Что бьет за странный шум в мой слух?
Чердак, подклеть и спальня воет,
Боязнь во всех стеснила дух,
Слабеет хуй и сердце ноет.
Внезапно отворилась дверь,
Старик, как разъяренный зверь
С толпой народа в дом приходит.
«Лови, — кричит, — всех режь и бей. —
Жену, служанок, дочерей.»
Сей вопль сынам всем страх наводит.

dare to enter a moist abyss, they storm, they rush everywhere and in the narrowest cunt open up wide paths.

Everywhere milky streams flow, pouring urgently into the chasm, they pour sweetness into all joints, spreading gladly over all feelings, each man is overcome by quiet delight, but the languid gaze of the conquered dare to summon them to more bouts. Again they embark on furious battle and then a sweet milky flow cools the heat of battle in all.

What strange noise strikes my ears? The attic, the wooden ground floor and the bedroom howl, fear grips everyone's spirit, prick weakens and heart aches. Suddenly the door is opened, an old man, like an enraged wild beast, comes into the house with a crowd of people. 'Catch them,' he shouts, 'slaughter and beat them all — my wife, the servant girls, my daughters.' This howl brings down fear on all sons of men.

Но что, старик, твой дух мятет,
Какая злость тебя снедает?
Не толь, что старость хуй твой гнет,
Не толь тебя так разъяряет
Иль что жена мила другим,
Но вялым хуем ты своим
Какую ей подашь отраду?
Восьмнадцать лет и шестьдесят
Вовеки вас не согласят,
Твой мрачный взор ей злее яду.

Пусть всяк, кто может, хуй трясет,
Пускай кровати, лавки стонут,
Восторг от глаз пусть кроет свет,
Хуи в заебинах пусть тонут.
Закрой от них свой мрачный взор,
Младых хуев и пизд собор
Оставь их роскошам на жертву,
Иль вынув свой завялый хуй,
Беги, мечись, рвись, плачь, тоскуй,
Зря плоть свою уж полумертву!

1750-е годы

But what, old man, crushes your spirit, what spite is eating you? Is it just that old age weighs down your prick, just this that enrages you so, or that your wife is fancied by others, but with your jaded prick what joy can you give her? Eighteen years and sixty will never put you in harmony, your gloomy expression is nastier than poison to her.

Let any man who can shake his prick, let bedsteads and benches groan, let ecstasy shield the eyes from light, let pricks drown in love juice. Shut your gloomy gaze at the sight of them, leave the congregation of young pricks and cunts to their delights, as a sacrifice, or taking out your hang-down prick, run, toss about, rush about, weep, pine, seeing your flesh already half dead.

ГАВРИЛА РОМАНОВИЧ ДЕРЖАВИН
GAVRILA ROMANOVICH DERZHAVIN

Бог

О Ты, пространством бесконечный,
Живый в движеньи вещества,
Теченьем времени превечный,
Без лиц, в трех лицах Божества!
Дух всюду сущий и единый,
Кому нет места и причины,
Кого никто постичь не мог,
Кто всё собою наполняет,
Объемлет, зиждет, сохраняет,
Кого мы называем: *Бог*.

Измерить океан глубокий,
Сочесть пески, лучи планет
Хотя и мог бы ум высокий, —
Тебе числа и меры нет!
Не могут духи просвещенны,
От света Твоего рожденны,
Исследовать судеб Твоих:
Лишь мысль к Тебе взнестись дерзает,
В Твоем величье исчезает,
Как в вечности прошедший миг.

Хаоса бытность довременну
Из бездн Ты вечности воззвал,
А вечность, прежде век рожденну,

God

You, infinite in space, living in the movement of matter, eternal in the flow of time, without personas, in the three persons of the Divinity! Spirit existing and single everywhere, Who has no place and cause, Whom nobody has been able to perceive, Who fills, embraces, builds, preserves all things with Himself, Whom we call *God*.

Though a lofty mind might measure the deep ocean, count the sands, the rays of the planets, You have no number and measure. The enlightened spirits generated by Your light cannot examine your destinies: only thought dares to aspire to You, disappears in Your majesty like a past moment in eternity.

You called up chaos's pre-temporal being from abysses; eternity, born before time,

В себе самом Ты основал:
Себя Собою составляя,
Собою из Себя сияя,
Ты свет, откуда свет истек.
Создавый всё единым словом,
В твореньи простираясь новом,
Ты был, Ты есть, Ты будешь ввек!

Ты цепь существ в Себе вмещаешь,
Ее содержишь и живишь;
Конец с началом сопрягаешь
И смертию живот даришь.
Как искры сыплются, стремятся,
Так солнцы от Тебя родятся;
Как в мразный, ясный день зимой
Пылинки инея сверкают,
Вратятся, зыблются, сияют,
Так звезды в безднах под Тобой.

Светил возжженных миллионы
В неизмеримости текут,
Твои они творят законы,
Лучи животворящи льют.
Но огненны сии лампады,
Иль рдяных кристалей громады,
Иль волн златых кипящий сонм,
Или горящие эфиры,
Иль вкупе все светящи миры —
Перед Тобой — как нощь пред днем.

You founded in Yourself: composing yourself of Yourself, radiating Yourself from Yourself, you are the light whence light has emerged. Creating all things with a single word, extending in new creation, You were, You are, You will be forever.

You incorporate the chain of beings in Yourself, preserve and animate it; You combine end and beginning and give life through death. As sparks scatter and fly, so suns are born of you; as on a frosty clear winter's day particles of frost shine, revolve, ripple, radiate, so do the stars in the abysses beneath You.

Millions of ignited planets move in immeasurable space, they do your laws, shed life-giving rays. But these fiery lamps or piles of glowing crystals or seething host of golden waves, or burning ethers, or all the shining worlds together are before You as night before day.

Как капля, в море опущенна,
Вся твердь перед Тобой сия.
Но что мной зримая вселенна?
И что перед Тобою я?
В воздушном океане оном,
Миры умножа миллионом
Стократ других миров, — и то,
Когда дерзну сравнить с Тобою,
Лишь будет точкою одною;
А я перед Тобой — ничто.

Ничто! — Но Ты во мне сияешь
Величеством Твоих доброт;
Во мне Себя изображаешь,
Как солнце в малой капле вод.
Ничто! — Но жизнь я ощущаю,
Несытым некаким летаю
Всегда пареньем в высоты;
Тебя душа моя быть чает,
Вникает, мыслит, рассуждает:
Я есмь — конечно, есть и Ты!

Ты есть! — природы чин вещает,
Гласит мое мне сердце то,
Меня мой разум уверяет,
Ты есть — и я уж не ничто!
Частица целой я вселенной,

All this firmament before you is as a drop poured into the ocean. But what is the cosmos seen by me? And what am I before You? In that aerial ocean, multiplying the worlds by a hundred million other worlds, even then, when I dare to compare all this with You, it will be just a dot; and I am before You nothing.

Nothing! But you radiate in me with the majesty of your goodness; You represent Yourself in me as the sun does in a tiny drop of water. Nothing! But I feel life, I constantly fly with some unsated soaring to the heights; my soul senses that You are, it understands, thinks, reasons: I am, therefore You are too!

You are! the order of nature tells us, my heart proclaims the same to me, my reason assures me, You are — and I am no longer nothing! I am a particle of the whole cosmos,

Поставлен, мнится мне, в почтенной
Средине естества я той,
Где кончил тварей ты телесных,
Где начал ты духов небесных
И цепь существ связал всех мной.

Я связь миров, повсюду сущих,
Я крайня степень вещества;
Я средоточие живущих,
Черта начальна Божества;
Я телом в прахе истлеваю,
Умом громам повелеваю,
Я царь — я раб — я червь — я Бог!
Но, будучи я столь чудесен,
Отколе происшел? — безвестен;
А сам собой я быть не мог.

Твое созданье я, Создатель!
Твоей премудрости я тварь,
Источник жизни, благ податель,
Душа души моей и царь!
Твоей то правде нужно было,
Чтоб смертну бездну преходило
Мое бессмертно бытие;
Чтоб дух мой в смертность облачился
И чтоб чрез смерть я возвратился,
Отец! — в бессмертие твое.

I fancy I am put at that honoured centre of nature where you ended bodily creatures, where you began heavenly spirits and bound the chain of all beings with me.

I am the link of worlds existing everywhere, I am the last stage of matter; I am the focus of living creatures, the first boundary of divinity; with my body I rot in dust, with my mind I command thunderbolts, I am a king, I am a slave, I am a worm, I am God! But being so wondrous, whence did I come? I am unknown; yet I could not be by myself.

I am Your creation, Creator. I am a creature of Your wisdom, o source of life, giver of good things, soul of my soul and king. Your truth needed my immortal being to cross death's abyss, my spirit to take mortal form and for me to return through death, Father, to Your immortality.

Неизъяснимый, непостижный!
Я знаю, что души моей
Воображения бессильны
И тени начертать Твоей;
Но если славословить должно,
То слабым смертным невозможно
Тебя ничем иным почтить,
Как им к Тебе лишь возвышаться,
В безмерной разности теряться
И благодарны слезы лить.

1784

Соловей во сне

Я на хо́лме спал высоком,
Слышал глас твой, соловей,
Даже в самом сне глубоком
Внятен был душе моей,
То звучал, то отдавался,
То стенал, то усмехался
В слухе издалече он;
И в объятиях Калисты
Песни, вздохи, клики, свисты
Услаждали сладкий сон.

Если по моей кончине,
В скучном, бесконечном сне,
Ах! не будут так, как ныне,

Inexplicable, incomprehensible God! I know that my soul's imaginations are incapable of sketching even your shadow; but if you are to be glorified, then weak mortals cannot respect you otherwise than by their merely aspiring to You, to lose themselves in measureless variety and to shed grateful tears.

Nightingale in Sleep
I was sleeping on a high hill and heard your voice, nightingale, even in deepest sleep my soul could catch it: now it rang out, now it echoed, now moaned, now laughed from afar in my ears; and in Callisto's embrace songs, sighs, calls, whistles sweetened my sweet sleep.

If after my death, in dreary endless sleep, alas, these songs are to be no more, as now,

Эти песни слышны мне;
И веселья, и забавы,
Плясок, ликов, звуков славы
Не услышу больше я, —
Стану ж жизнью наслаждаться,
Чаще с милой целоваться,
Слушать песни соловья.

1797

Признание

Не умел я притворяться,
На святого походить,
Важным саном надуваться
И философа брать вид;
Я любил чистосердечье,
Думал нравиться лишь им,
Ум и сердце человечье
Были гением моим.
Если я блистал восторгом,
С струн моих огонь летел,
Не собой блистал я — Богом;
Вне себя я Бога пел.
Если звуки посвящались
Лиры моея царям, —
Добродетельми казались
Мне они равны богам.
Если за победы громки

audible to me, and I shan't hear the sounds of merriment, amusement, dances, choirs and glory — then I will enjoy life now, kiss my darling more often and listen to the nightingale's songs.

Confession

I was unable to pretend, to be like a saint, to puff up with self-importance and to adopt a philosopher's mien; I loved sincerity, I tried to please only thus, a mind and a human heart were my genius. If I shone with delight, fire flew from my strings, I shone not by myself, but by God; apart from myself I sang of God. If my lyre's sounds were dedicated to kings, they seemed in virtues the equals of gods. If for resounding victories

Я венцы сплетал вождям, —
Думал перелить в потомки
Души их и их детям.
Если где вельможам властным
Смел я правду брякнуть вслух, —
Мнил быть сердцем беспристрастным
Им, царю, отчизне друг.
Если ж я и суетою
Сам был света обольщен, —
Признаюся, красотою
Быв плененным, пел и жен.
Словом: жег любви коль пламень,
Падал я, вставал в мой век.
Брось, мудрец, на гроб мой камень,
Если ты не человек.

1807

          * * *

Река времен в своем стремленьи
Уносит все дела людей
И топит в пропасти забвенья
Народы, царства и царей.
А если что и остается
Чрез звуки лиры и трубы,
То вечности жерлом пожрется
И общей не уйдет судьбы.

1816

I plaited wreaths for leaders, I was thinking to pass on as heritage their souls to their children. If at times I dared to blurt out aloud the truth to powerful grandees, I fancied I was with my unbiased heart a friend to them, the king, my homeland. If I myself was seduced by the vanity of the world, I admit being captivated by beauty, I sang also of women. In a word: when love's fire burned, I fell and I rose in my lifetime. Sage, throw a stone at my coffin if you are not human.

The river of time in its flow carries away all human deeds and drowns in oblivion's chasm nations, kingdoms and kings. And if anything remains after the sounds of lyre and trumpet, it will be devoured in eternity's maw and not escape the general fate.

ИППОЛИТ ФЕДОРОВИЧ БОГДАНОВИЧ
IPPOLIT FIODOROVICH BOGDANOVICH

На злоречие

Хоть я бранен везде тобою,
А ты хвален повсюду мною,
Имеем оба мы несчастьем общим то:
Ни в первом, ни в другом не верит нам никто.

1763

Из второй книги поэмы «Душенька»

[...]
Увидя Душенька прекрасно божество
Наместо аспида, которого боялась,
Видение сие почла за колдовство,
Иль сон, или призра́к, и долго изумлялась;
И видя наконец, что каждый видеть мог,
Что был супруг ее прекрасный самый бог,
Едва не кинула лампады и кинжала,
И, позабыв тогда свою приличну стать,
Едва не бросилась супруга обнимать,
Как будто б никогда его не обнимала.
Но удовольствием жадающих очей
Остановлялась тут стремительность любовна;
И Душенька тогда, недвижна и бесловна,
Считала ночь сию приятней всех ночей.

On Calumny
Although I am everywhere denigrated by you, and you are universally praised by me,
our common misfortune is that nobody believes us on the first or the second count.

From Book 2 of 'Psyche'
Psyche, seeing the fair divinity and not the serpent whom she feared, thought this vision
was sorcery, or a dream or a ghost and was long amazed; and finally seeing what anyone
could see, that this fairest god was her husband, almost flung down lamp and dagger
and, then forgetting her proper status, nearly rushed to embrace her husband as if she
had never embraced him. But here the pleasure of thirsting eyes halted love's urgings;
and then Psyche, motionless and dumbstruck, thought this night the most pleasing of all.

Она не раз себя в сем диве обвиняла,
Смотря со всех сторон, что только зреть могла,
Почто к нему давно с лампадой не пришла,
Почто его красот заране не видала;
Почто о боге сем в незнании была
И дерзостно его за змея почитала.
        Впоследок царска дочь,
        В сию приятну ночь
        Дая свободу взгляду,
Приближилась, потом приближила лампаду,
        Потом, нечаянной бедой,
При сем движении, и робком и несмелом,
        Держа огонь над самым телом
        Трепещущей рукой
Небрежно над бедром лампаду наклонила
        И, масла часть пролив оттоль,
Ожогою бедра Амура разбудила.
        Почувствуя жестоку боль,
Он вдруг вздрогнул, вскричал, проснулся
И, боль свою забыв, от света ужаснулся;
Увидел Душеньку, увидел также меч,
        Который из-под плеч
        К ногам тогда скользнулся;
        Увидел все вины
Или призна́ки вин зломышленной жены;
        И тщетно тут она желала
        Сказать несчастья все с начала,
Какие в выправку сказать ему могла. [...]

1783

Several times she blamed herself for this odd fact, looking all round at whatever she could see, why she hadn't brought a lamp to see him for such a long time, why she hadn't seen his beauty earlier, why she was ignorant of this god and arrogantly considered him to be a snake. Thereupon the princess on this pleasant night gave her eyes freedom, came close, and then brought the lamp close and then, an unexpected disaster, in this movement, shy and timid, holding the light close to his body, with a quivering hand she carelessly spilling some of the oil from it, awoke Eros with a burn on his thigh. Feeling a cruel pain, he suddenly shuddered, shouted, woke up and, forgetting his pain, was horrified by the light; he saw Psyche, also saw the weapon which then slipped from under her shoulders to her feet; he saw all the guilt or signs of guilt of a malevolent wife; and in vain did she now try to tell all her misfortunes from the beginning which she could have said in justification.

АЛЕКСАНДР НИКОЛАЕВИЧ РАДИЩЕВ
ALEKSANDR NIKOLAEVICH RADISHCHEV

Эпитафия

О! если то не ложно,
Что мы по смерти будем жить, —
Коль будем жить, то чувствовать нам должно;
Коль будем чувствовать, нельзя и не любить.
Надеждой сей себя питая
И дни в тоске препровождая,
Я смерти жду, как брачна дня;
Умру и горести забуду,
В объятиях твоих я паки счастлив буду.
Но если ж то мечта, что сердцу льстит, маня,
И ненавистный рок отъял тебя навеки,
Тогда отрады нет, да льются слезны реки.

Тронись, любезная! стенаниями друга,
Се предстоит тебе в объятьях твоих чад;
Не можешь коль прейти свирепых смерти врат,
Явись хотя в мечте, утеши тем супруга...

1783

Epitaph
O, if it is not a lie that we shall live after death, if we shall live, then we must feel; if we shall feel, we cannot fail to love. Nurturing myself with this hope and spending my days in anguish, I wait for death as for my wedding day; I shall die and forget griefs, in your embraces I shall be happy again. But if this is a dream which flatters and allures the heart and hateful fate has taken you away for ever, then there is no joy and rivers of tears flow.

Be moved, beloved, by the groans of your friend, behold he stands before you in the embraces of your offspring; if you cannot cross the furious gates of death, at least appear in a dream and thus console your husband...

Из стихотворения «Осьмнадцатое столетие»

Урна времян часы изливает каплям подобно:
    Капли в ручьи собрались; в реки ручьи возросли
И на дальнейшем брегу изливают пенистые волны
    Вечности в море; а там нет ни предел, ни брегов;
Не возвышался там остров, ни дна там лот не находит;
    Веки в него протекли, в нем исчезает их след.
Но знаменито вовеки своею кровавой струею
    С звуками грома течет наше столетье туда;
И сокрушил наконец корабль, надежды несущий,
    Пристани близок уже, в водоворот поглощен,
Счастие и добродетель, и вольность пожрал омут ярый,
    Зри, восплывают еще страшны обломки в струе.
Нет, ты не будешь забвенно, столетье безумно и мудро,
    Будешь проклято вовек, ввек удивлением всех,
Крови — в твоей колыбели, припевание — громы сраженьев,
    Ах, омоченно в крови ты ниспадаешь во гроб,
Но зри, две вознеслися скалы во среде струй кровавых:
    Екатерина и Петр, вечности чада! и росс.
Мрачные тени созади, впреди их солнце;
    Блеск лучезарный его твердой скалой отражен.
[...]

1801–2

From 'The Eighteenth Century'
Time's urn pours out hours like drops; drops have gathered into streams; streams have
swollen into rivers and on the far shore pour foaming waves into eternity's sea; and
there are no boundaries or shores there; no island has risen up there, nor does the
plummet find the bottom; centuries have flown into it, their trace has vanished in it. But
notorious for ever for its stream of blood, our century flows there with sounds of
thunder; and at last the ship, that was bearing hopes, is wrecked, now near to harbour, it
is swallowed up in the maelstrom, the furious slough has devoured happiness and virtue,
and freedom. Behold, terrible fragments still drift up in the current. No, you will not be
forgotten, crazed and wise century, you will be cursed for ever, for ever a source of
amazement to all, bloodshed in your cradle, the thunder of battles — the songs to see
you out. Alas, wet with blood you fall into the coffin; but behold, two rocks have stood
out amid the streams of blood: Catherine and Peter, children of eternity, and Russian.
Dark shadows are behind them, the sun before them; its radiant light is reflected by a
hard rock.

ИВАН АНДРЕЕВИЧ КРЫЛОВ
IVAN ANDREEVICH KRYLOV

Гуси

Предлинной хворостиной
Мужик Гусей гнал в город продавать;
 И, правду истинну сказать,
Не очень вежливо честил свой гурт гусиной:
На барыши спешил к базарному он дню
 (А где до прибыли коснется,
Не только там гусям, и людям достается).
 Я мужика и не виню;
Но Гуси иначе об этом толковали
 И, встретяся с прохожим на пути,
 Вот как на мужика пеняли:
«Где можно нас, Гусей, несчастнее найти?
 Мужик так нами помыкает,
И нас, как будто бы простых Гусей, гоняет;
 А этого не смыслит неуч сей,
 Что он обязан нам почтеньем;
Что мы свой знатный род ведем от тех Гусей,
Которым некогда был должен Рим спасеньем:
Там даже праздники им в честь учреждены!» —
 «А вы хотите быть за что отличены?» —
Спросил прохожий их. — «Да наши предки...» — «Знаю,
 И все читал: но ведать я желаю,
 Вы сколько пользы принесли?» —
 «Да наши предки Рим спасли!» —
 «Все так, да вы что сделали такое?» —
«Мы? Ничего!» — «Так что ж и доброго в вас есть?

The Geese
A peasant was driving Geese with a very long stick to town for sale; and, to tell the real truth, he did not treat his flock of geese very politely: he was hurrying to market day for profit (and where profit is concerned, not just geese, but people suffer). I don't blame the peasant; but the Geese viewed this differently and, meeting a passer-by on the journey, they complained thus of the peasant: 'Where can you find creatures unhappier than us Geese? The peasant treats us so badly and drives us as if we were simple Geese; but this ignoramus doesn't understand that he owes us respect, that we derive our noble race from those Geese to whom Rome once owed its salvation; there even holidays are instituted in their honour.' — 'And what do you want to be distinguished for?' the passer-by asked them. 'But our ancestors...' — 'I know, I've read it all: but I wish to know how much good you have done?' — 'But our ancestors saved Rome.' — 'That's all very well, but what did you do?' — 'Us? Nothing!' — 'So what use are you then?

Оставьте предков вы в покое:
Им поделом была и честь;
А вы, друзья, лишь годны на жаркое».

Баснь эту можно бы и боле пояснить —
Да чтоб гусей не раздразнить.

1811

Лещи

В саду у барина в пруде,
В прекрасной ключевой воде,
Лещи водились.
Станицами они у берегу резвились,
И золотые дни, казалось им, катились.
Как вдруг
К ним барин напустить велел с полсотни щук.
«Помилуй! — говорит его, то слыша, друг, —
Помилуй, что ты затеваешь?
Какого ждать от щук добра:
Ведь не останется Лещей здесь ни пера.
Иль жадности ты щук не знаешь?» —
«Не трать своих речей, —
Боярин отвечал с улыбкою, — все знаю:
Да только ведать я желаю,
С чего ты знал, что я охотник до Лещей?»

1830

Leave your ancestors in peace: they deserved the honour, but you, friends, are good only for the roast course.'

This fable could be made more explicit — but let's not irritate the geese.

The Bream

In a pond in a gentleman's garden in fine spring water there were Bream. They gambolled in shoals by the bank and, they thought, golden days passed. When suddenly the gentleman ordered about fifty pike to be released with them. 'Please,' said his friend on hearing this, 'please, what are you trying to do? What good can you expect from pike: not a scale of the Bream will be left, after all. Or don't you know the greed of pike?' — 'Don't waste your words,' replied the lord with a smile. 'I know it all; but I only wish to know what made you think that I like Bream?'

ВАСИЛИЙ ЛЬВОВИЧ ПУШКИН
VASILII LVOVICH PUSHKIN

Опасный сосед

Ох! дайте отдохнуть и с силами собраться!
Что прибыли, друзья, пред вами запираться?
Я всё перескажу: Буянов, мой сосед,
Имение свое проживший в восемь лет
С цыганками, с блядьми, в трактирах с плясунами,
Пришел ко мне вчера с небритыми усами,
Растрепанный, в пуху, в картузе с козырьком,
Пришел, — и понесло повсюду кабаком.
«Сосед, — он мне сказал, — что делаешь ты дома?
Я славных рысаков подтибрил у Пахома;
На масленой тебя я лихо прокачу».
Потом, с улыбкою ударив по плечу,
«Мой друг, — прибавил он, — послушай: есть находка;
Не девка — золото; из всей Москвы красотка.
Шестнадцать только лет, бровь черная дугой,
И в ремесло пошла лишь нынешней зимой.
Ступай со мной, качнем!» К плотско́му страсть имея,
Я, виноват, друзья, послушался злодея.
Мы сели в о́бшивни, покрытые ковром,
И пристяжная вмиг свернулася кольцом.
Извозчик ухарский, любуясь рысаками,
«Ну! — свистнул, — соколы! отдернем с господами».
Пустился дым густой из пламенных ноздрей

The Dangerous Neighbour

Ugh, let me rest and get my strength back. What's the point, friends, of being obstinate with you? I'll tell everything: Buianov, my neighbour, who spent his estate in eight years on gypsy girls, with whores, in inns with dancers, came to see me yesterday with whiskers unshaven, dishevelled, covered in down, in a peaked cap, he came and there was a smell everywhere of the pub. 'Neighbour,' he said to me, 'What are you doing at home? I've snitched some fine trotting horses from Pakhom; I'll take you for a fast run on Shrovetide.' Then, clapping me on the shoulder with a smile, he added: 'My friend, listen: there's a find, a treasure of a girl; the best beauty in all Moscow. Only sixteen, black arched eyebrows, and she's only started on the game this winter. Come with me, let's be off!' Having a passion for the flesh, I'm sorry, friends, I listened to the villain. We got into a sledge covered with rugs, and the trace-horse instantly coiled its body. The dashing cabby, admiring the trotting horses, whistled: 'Right, my hawks, let's move off sharp with the gentlemen.' Thick vapour burst from the fiery nostrils of the horses,

По улицам как вихрь несущихся коней.
Кузнецкий мост, и вал, Арбат и Поварская
Дивились *двоице*, на бег ее взирая.
Позволь, варяго-росс, угрюмый наш певец,
Славянофилов кум, взять слово в образец.
Досель, в невежестве коснея, утопая,
Мы, *парой* двоицу по-русски называя,
Писали для того, чтоб понимали нас.
Ну, к черту ум и вкус! пишите в добрый час!
«Приехали», — сказал извозчик, отряхаясь.
Домишко, как тростник от ветра колыхаясь,
С калиткой на крюку представился очам.
Херы с *Покоями* сцеплялись по стенам.
«Кто там?» — нас вопросил охриплый голос грубый.
«Проворней отворяй, не то — ракалью в зубы, —
Буянов закричал, — готовы кулаки», —
И толк ногою в дверь; слетели все крюки.
Мы, сгорбившись, вошли в какую-то каморку,
И что ж? С купцом играл дьячок приходский в горку;
Пунш, пиво и табак стояли на столе.
С широкой задницей, с угрями на челе,
Вся провонявшая и чесноком, и водкой,
Сидела сводня тут с известною красоткой;
Султан Селим, Вольтер и Фридерик Второй
Смиренно в рамочках висели над софой;
Две гостьи дюжие смеялись, рассуждали
И *Стерна Нового* как диво величали.
Прямой талант везде защитников найдет!

which raced down the streets like a tempest. Kuznetskii Bridge, the city wall, Arbat and Povarskaia admired the *twosome*, looking at their speed. Allow me, Viking-Russian, our sullen bard, mate of the Slavophiles, to take the word as an example. Until now, steeped, drowning in ignorance, calling a twosome a *pair* in Russian, we wrote to be understood. Well, to hell with sense and taste! Write and be lucky! 'We're there', said the cabby, shaking himself down. We beheld a hovel, swaying like a reed in the wind, its gate hanging on a hinge. *P—s* and *C—s* were entwined on the walls. 'Who's there?' a coarse gravelly voice asked us. 'Open up faster or the bastard gets it in the teeth,' Buianov shouted, 'My fists are ready.' And he kicked in the door; all the hinges flew off. Bending double, we entered a pantry, and what? The parish cantor was playing rummy with a merchant; punch, beer and tobacco were on the table. With a broad behind, with blackheads on her forehead, stinking thoroughly of garlic and vodka, the madame sat there with the famous young beauty. Sultan Selim, Voltaire and Frederick the Second calmly hung in frames over the sofa; two large lady guests were laughing, discussing and praising *The New Sterne* as a wonder. Outright talent will find defenders anywhere!

Но вот кривой лакей им кофе подает;
Безносая стоит кухарка в душегрейке;
Урыльник, самовар и чашки на скамейке;
«Я здесь», — провозгласил Буянов-молодец.
Все вздрогнули — дьячок, и сводня, и купец;
Но все, привстав, поклон нам отдали учтивый.
«Ни с места, — продолжал Сосед велеречивый, —
Ни с места! Все равны в борделе у блядей,
Не обижать пришли мы честных здесь людей.
Панкратьевна, садись; целуй меня, Варюшка;
Дай пуншу; пей, дьячок». И началась пирушка!
Вдруг шепчет на ухо мне гостья на беду:
«Послушай, я тебя в светлицу поведу;
Ты мной, жизненочек, останешься доволен;
Варюшка молода, но с нею будешь болен;
Она охотница подарочки дарить».
Я на нее взглянул. Черт дернул! — так и быть!
Пошли по лестнице высокой, крючковатой;
Кухарка вслед кричит: «Боярин тороватый,
Дай бедной за труды, всю правду доложу,
Из *чести* лишь одной я в доме здесь служу».
Сундук, засаленной периною покрытый,
Огарок в черепке, рогожью пол обитый,
Рубашки на шестах, два медные таза,
Кот серый, курица мне бросились в глаза.
Знакомка новая, обняв меня рукою,

But now a one-eyed footman is serving them coffee; the kitchen maid with no nose stands there in her jerkin; a chamber pot, a samovar and cups are on a bench. 'I'm here,' proclaimed Buianov with bravado. Everyone shuddered — the cantor, the madame and the merchant; but everyone rose and offered us a respectful bow. 'Stay where you are,' my garrulous Neighbour continued. 'Stay where you are. In a brothel with whores all men are equal. We haven't come to do decent people here wrong. Pankratievna, sit down; kiss me, Variushka; give me some punch; drink, cantor.' And a party began. Suddenly one of the ladies whispers in my ear, to my misfortune: 'Listen, I'll take you to a bedroom; my darling, you'll be pleased with me; Variushka is young, but she'll make you ill; she likes giving little presents.' I looked at her. The devil came over me — so be it! We went up a high, twisting staircase; the kitchen maid shouts after us: 'Generous sir, give a poor woman a tip for her work, I'll tell you the full truth, I work in this house only for *honour*.' A trunk covered with a stained feather mattress, a candle stump in a pottery shard, the floor carpeted in matting, petticoats on rails, two brass wash-basins, a grey cat, a hen struck my eyes. My new friend, putting an arm round me,

«Дружок, — сказала мне, — повеселись со мною;
Ты добрый человек, мне твой приятен вид,
И, верно, девушке не сделаешь обид.
Не бойся ничего; живу я на отчете,
И скажет вся Москва, что я лиха в работе».
Проклятая! Стыжусь, как падок, слаб ваш друг!
Свет в черепке погас, и близок был сундук…
Но что за шум? Кричат. Несется вопль в светлицу,
Прелестница моя, накинув исподницу,
От страха босиком по лестнице бежит;
Я вслед за ней. Весь дом колеблется, дрожит,
О ужас! Мой Сосед, могучею рукою
К стене прижав дьячка, тузит купца другою;
Панкратьевна в крови; подсвечники летят,
И стулья на полу ногами вверх лежат,
Варюшка пьяная бранится непристойно;
Один кривой лакей стоит в углу спокойно
И, нюхая табак, с почтеньем ждет конца.
«Буянов, бей дьячка, но пощади купца», —
Блядь толстая кричит сердитому герою.
Но вдруг красавицы все приступают к бою.
Лежали на окне *«Бова»* и *«Еруслан»*,
«Несчастный Никанор», чувствительный роман,
«Смерть Роллы», *«Арфаксад»*, *«Русалка»*, *«Дева Солнца»;*
Они их с мужеством пускают в ратоборца.
На доблесть храбрых жен я с трепетом взирал;

said: 'Darling, have fun with me; you're a kind man, I like the look of you, and surely you won't do a girl wrong. Don't be afraid; I'm checked over, and all Moscow will tell you I'm good at my work.' Damned woman. I'm ashamed how easily led and weak your friend is. The light in the shard went out, and the trunk was close… But what's the noise? Shouting. Yells reach the bedroom. My charmer, throwing on a shift, runs barefoot downstairs in fear. I follow her. The whole house trembles, shakes. O horror! My Neighbour, pushing the cantor to the wall with a mighty hand, is punching the merchant with the other; Pankratievna is covered in blood; candlesticks are flying, and chairs lie overturned on the floor, drunken Variushka swears obscenely; only the one-eyed lackey stands calmly in a corner and, taking snuff, respectfully awaits the end. 'Buianov, hit the cantor, but spare the merchant,' a fat whore shouts to our angry hero. But suddenly all the beauties join in battle. *Bova* and *Eruslan, Unhappy Nikanor,* a sentimental novel, *The Death of Rolla, Arfaxad, The Water Nymph, The Sun Maiden* lay on a window sill. They boldly hurl them at the warrior. Trembling, I watched the brave women's valour.

Все пали ниц; Сосед победу одержал.
Ужасной битве сей вот было что виною:
Дьячок, купец, Сосед пунш пили за игрою,
Уменье в свете жить желая показать,
Варюшка всем гостям старалась подливать;
Благопристойности ничто не нарушало.
Но Бахус бедствиям не раз бывал начало.
Забав невинных враг, любитель козней злых,
Не дремлет сатана при случаях таких.
Купец почувствовал к Варюшке вожделенье
(А блядь, в том спору нет, есть общее именье),
К Аспазии подсев, дьячку он дал толчок;
Буянова толкнул, нахмурившись, дьячок;
Буянов, не стерпя приветствия такого,
Задел дьячка в лицо, не говоря ни слова;
Дьячок, расхоробрясь, купца ударил в нос;
Купец схватил с стола бутылку и поднос,
В приятелей махнул, — и сатане потеха!
В юдоли сей, увы! плач вечно близок смеха!
На быстрых крылиях веселие летит,
А горе тут как тут!.. Гнилая дверь скрипит
И отворяется; спокойствия рачитель,
Брюхастый офицер, полиции служитель,
Вступает с важностью, в мундирном сертуке.
«Потише, — говорит, — вы здесь не в кабаке;
Пристойно ль, господа, у барышень вам драться?

All fell down; my Neighbour had won a victory. This was the cause of the horrible battle: the cantor, the merchant and my Neighbour had been drinking punch and playing cards; wishing to show her skill at life in society, Variushka tried to top up all the guests' glasses. Nothing violated decency. But Bacchus has often been the start of troubles. The enemy of innocent amusements, the lover of evil conflicts, Satan does not slumber at such instances. The merchant felt concupiscence for Variushka (and a whore, there's no dispute, is common property), moving up to Aspasia, he gave the cantor a push; the cantor, frowning, pushed Buianov; Buianov, not putting up with such a reception, struck the cantor in the face, without speaking a word. The cantor, emboldened, struck the merchant in the nose; the merchant grabbed a bottle and a tray from the table and flung them at his friends — and fun for Satan. Alas, in this earthly life weeping is eternally close to laughter. Merriment flies on quick wings and woe is right there… The rotten door squeaks and opens; the guardian of the peace, a paunchy officer, servant of the police, enters with gravity, in uniform coat. 'Quieter,' he says, 'Here you're not in a pub. Gentlemen, is it decent to fight where there are young ladies?

Немедленно со мной извольте расквитаться».
Тарелкою Сосед ответствовал ему.
Я близ дверей стоял, ко счастью моему.
Мой слабый дух, боясь лютейшего сраженья,
Единственно в ногах искал себе спасенья;
В светлице позабыл часы и кошелек;
Чрез бревна, кирпичи, чрез полный смрада ток
Перескочив, бежал, и сам куда не зная.
Косматых церберов ужаснейшая стая,
Исчадье адово, вдруг стала предо мной,
И всюду раздался псов алчных лай и вой.
Что делать! — Я шинель им отдал на съеденье.
Снег мокрый, сильный ветр. О! страшное мученье!
В тоске, в отчаяньи, промокший до костей,
Я в полночь наконец до хижины моей,
О милые друзья, калекой дотащился.
Нет! полно! — Я навек с Буяновым простился.
Блажен, сторкат блажен, кто в тишине живет
И в сонмище людей неистовых нейдет;
Кто, веселясь подчас с подругой молодою,
За нежный поцелуй не награжден бедою;
С кем не встречается опасный мой Сосед;
Кто любит и шутить, но только не во вред;
Кто иногда стихи от скуки сочиняет
И над рецензией славянской засыпает.

1811

Kindly settle with me at once.' My Neighbour answered him with a plate. I, luckily for me, was standing near the door. My weak spirit, afraid of a very savage fight, sought salvation only in my legs. I had forgotten watch and purse in the bedroom. Leaping across beams, bricks, through a rivulet full of stinking mess I ran, not knowing where. A most horrible pack of shaggy Cerberi, hell's offspring, suddenly stood in front of me and everywhere was heard the barking and howling of hungry curs. What was I to do? I gave them my greatcoat to eat. Wet snow, strong wind. O, terrible torment. In anguish, in despair, wet to the bone, I finally dragged myself at midnight to my hut, a cripple, o dear friends. No, enough! I have said farewell forever to Buianov. Blessed, a hundred-fold blessed, is he who lives in tranquillity and does not go into the council of the raging, who, occasionally having fun with a young girl friend, is not rewarded with disaster for a tender kiss, he whom my dangerous Neighbour does not meet, who loves a joke, but not a harmful one, who sometimes composes verses out of boredom and who goes to sleep over a Slavonic review.

АННА ПЕТРОВНА БУНИНА
ANNA PETROVNA BUNINA

Майская прогулка болящей

Боже благости и правды!
Боже! вездесущий, сый!
Страждет рук твоих созданье!
Боже! что коснишь? воззри!..

Ад в душе моей гнездится,
Этна ссохшу грудь палит;
Жадный змий, виясь вкруг сердца,
Кровь кипучую сосет.
Тщетно слабыми перстами
Рву чудовище... нет сил.
Яд его протек по жилам:
Боже мира! запрети!

Где целенье изнемогшей?
Где отрада? где покой?
Нет! не льсти себя мечтою!
Ток целения иссяк,
Капли нет одной прохладной,
Тощи оросить уста!
В огнь дыханье претворилось,
В остру стрелу каждый вздох;
Все глубоки вскрылись язвы, —
Боль их ум во мне мрачит.
Где ты смерть? — Изнемогаю...
Дом, как Тартар, стал постыл!

A Sick Woman's Walk in May
God of goodness and truth, God ubiquitous, Who art! A creature of your hands is
suffering. God, why do you hold back? Look down.
  Hell nests in my soul. Mt Etna fires my dried-up breast; a hungry snake, winding
round my heart, sucks my boiling blood. Vainly my weak fingers tear at the monster... I
am too weak. Its poison has flowed through my veins: God of the world, forbid it.
  Where is a cure for the exhausted woman? where is joy, where is peace? No, don't
flatter yourself with a dream. The flow of healing has dried up, there is not a single cool
drop to wet the emaciated lips. Breath has turned into fire, each sigh into a sharp arrow;
all the deep sores have opened up, — their pain darkens my mind. Where are you,
death? — I can take no more... Home, like Tartary, is loathsome to me.

Мне ль ты, солнце, улыбнулось?
Мне ль сулишь отраду, май?
Травка! для меня ль ты стелешь
Благовонный свой ковер?
Может быть, мне там и лучше...
Побежим под сень древес.

Сколь всё в мире велелепно!
Сколь несчетных в нем красот!
Боже, Боже вездесущий!
К смертным ты колико благ!

Но в груди огонь не гаснет;
Сердце тот же змий сосет,
Тот же яд течет по жилам:
Ад мой там, где я ступлю.
Нет врача омыть мне раны,
Нет руки стереть слезы,
Нет устен для утешенья,
Персей нет, приникнуть где;
Все странятся, убегают:
Я одна... О, горе мне!

Что, как тень из гроба вставша,
Старец бродит здесь за мной?
Ветр власы его взвевает,
Белые, как первый снег!
По его ланитам впалым,
Из померкнувших очей,

Sun, did you smile at me? May, do you promise me joy? Grass, are you spreading your fragrant carpet for me? Perhaps, I shall be better off there... Let's run to the shade of the trees.

How splendid everything is in the world! How many countless beauties there are in it! God, ubiquitous God, how good you are to mortals.

But fire in the breast does not go out. The same snake sucks my heart, the same poison flows in my veins: my poison is wherever I walk. There is no doctor to wash my wounds, there is no hand to wipe away a tear, there are no lips for consolation, there are no breasts for me to lay my head. All back off, run away: I am alone. O woe is me!

Why, like a shade risen from the coffin, does an old man follow me here? The wind ruffles his hair, as white as first snow. Down his fallen cheeks, from his dimmed eyes,

Чрез глубокие морщины
Токи слезные текут;
И простря дрожащи длани,
Следуя за мной везде,
Он запекшимись устами
Жизни просит для себя.
На́ копейку, старец! скройся!
Вид страдальца мне постыл.
«Боже щедрый! благодатный! —
Он трикратно возгласил, —
Ниспошли свою ей благость,
Все мольбы ее внемли!»
Старец! ты хулы изрыгнул!
Трепещи! ударит гром...
Что изрек, увы! безумный?
Небо оскорбить дерзнул!
Бог отверг меня, несчастну!
Око совратил с меня;
Не щедроты и не благость —
Тяготеет зло на мне.

Тщетно веете, зефиры!
Тщетно, соловей, поешь!
Тщетно с запада златого,
Солнце! мещешь кроткий луч
И, Петрополь позлащая,
Всю природу веселишь!
Чужды для меня веселья!
Не делю я с вами их!
Солнце не ко мне сияет, —
Я не дочь природы сей.

over deep furrows rivers of tears flow; and, holding out his shaking hands, following me everywhere, with cracked lips he begs for life for himself. Here's a penny, old man, be off. The sight of the long-suffering man is loathsome to me. 'Generous God, gracious God,' thrice he pronounced, 'Send her your goodness, listen to all her prayers!' Old man, you have uttered blasphemies. Tremble! thunder will strike you... What have you said, alas, madman? You have dared to offend heaven. God has cast me out as a wretch, he has averted his eye from me; evil, not munificence or goodness, hangs over me.

In vain you waft, breezes. In vain you sing, nightingale. In vain, sun, you cast from the golden west a meek ray and, gilding Petropolis, cheer all nature. Cheer is alien to me. I don't share it with you. The sun shines not on me, I'm no daughter of this nature.

Свежий ветр с Невы вдруг дунул:
Побежим! он прохладит.
Дай мне челн, угрюмый кормчий!
К ветрам в лик свой путь направь.
Воды! хлыньте дружно с моря!
Вздуйтесь синие бугры!
Зыбь на зыби налегая,
Захлестни отважный челн!
Прохлади мне грудь иссохшу,
Жгучий огнь ее залей.
Туча! упади громами!
Хлябь! разверзись — поглоти...

Но всё тихо, всё спокойно:
Ветр на ветвиях уснул,
Море гладко, как зерцало;
Чуть рябят в Неве струи;
Нет на небе туч свирепых;
Облак легких даже нет,
И по синей, чистой тверди
Месяц с важностью течет.

1812

A fresh wind has suddenly blown from the Neva: let's run, it will cool me. Give me a boat, sullen helmsman. Direct your path into the face of the winds. Waters, rush in unison with the sea. Rise up, blue hillocks! Piling swell upon swell, lash at the bold vessel! Cool my dried up breast, flood its burning fire. Cloud, fall in thunderbolts! Watery abyss, open up, swallow me.

But all is quiet, all is still: the wind has gone to sleep in the branches, the sea is as smooth as a mirror; the currents in the Neva barely ripple; there are no furious clouds in the sky, there aren't even light clouds, and over the clear blue firmament the moon passes gravely.

ИВАН ИВАНОВИЧ КОЗЛОВ
IVAN IVANOVICH KOZLOV

Послание из поэмы «Чернец»

Прекрасный друг минувших светлых дней,
Надежный друг дней мрачных и тяжелых,
Вина всех дум, и грустных, и веселых,
Моя жена и мать моих детей!
Вот песнь моя, которой звук унылой,
Бывало, в час бессонницы ночной,
Какою-то невидимою силой
Меня пленял и дух тревожил мой!
О, сколько раз я плакал над струнами,
Когда я пел страданье Чернеца.
И скорбь души, обманутой мечтами,
И пыл страстей, волнующих сердца!
Моя душа сжилась с его душою:
Я с ним бродил во тьме чужих лесов;
С его родных Днепровских берегов
Мне веяло знакомою тоскою.
Быть может, мне так сладко не мечтать;
Быть может, мне так стройно не певать! —
Как мой Чернец, все страсти молодые
В груди моей давно я схоронил;
И я, как он, все радости земные
Небесною надеждой заменил.
Не зреть мне дня с зарями золотыми,
Ни роз весны, ни сердцу милых лиц!

Prologue to 'The Monk'
Fair friend of past bright days, steady friend of dark and dreary days, cause of all thoughts, both sad and cheerful, my wife and mother of my children! Here is my song, whose sad sound used at a sleepless hour of the night to enchant me and disturb my spirit by an invisible force. O how often I wept over the strings when I sang of the Monk's suffering. And the grief of a soul let down by dreams, and the ardour of passions stirring the heart! My soul became one with his: I wandered with him in the darkness of alien forests; from the shores of his native Dnepr I felt a familiar yearning come over me. Perhaps, I shall no longer dream so sweetly; perhaps I shall no longer sing so harmoniously! — Like my Monk, I have long ago buried all youthful passions in my breast; and I, like him, have given up earthly joys for heavenly hope. I shall not see the daylight with its golden dawn, nor spring's roses, nor faces that are dear to my heart.

И в цвете лет уж я между живыми
Тень хладная бесчувственных гробниц.
Но я стремлю, встревожен тяжкой мглою,
Мятежный рой сердечных дум моих
На двух детей, взлелеянных тобою,
И на тебя, почти милей мне их.
Я в вас живу, — и сладко мне мечтанье!
Всегда со мной мое очарованье.
Так в темну ночь цветок, краса полей,
Свой запах льет, незримый для очей.

1824

Вечерний звон

Вечерний звон, вечерний звон!
Как много дум наводит он
О юных днях в краю родном,
Где я любил, где отчий дом,
И как я, с ним навек простясь,
Там слушал звон в последний раз!

And in my prime I now am a cold shade of unfeeling tombs among the living. But, perturbed by the heavy gloom, I direct the rebellious swarm of my heartfelt thoughts at the two children nurtured by you, and at you, who are almost dearer than they are to me. I live in you, — and dreaming is sweet to me. My enchantment is always with me. Thus in the dark night a flower, the beauty of the fields, pours out its scent, invisible to the eyes.

The Evening Peal
Evening peal, evening peal, how many thoughts it evokes of young days in one's native land, where I loved, where my father's house was, of my taking leave of it for ever, my listening to the peal for the last time.

Уже не зреть мне светлых дней
Весны обманчивой моей!
И сколько нет теперь в живых
Тогда веселых, молодых!
И крепок их могильный сон, —
Не слышен им вечерний звон.

Лежать и мне в земле сырой!
Напев унылый надо мной
В долине ветер разнесет;
Другой певец по ней пройдет,
И уж не я, а будет он
В раздумье петь вечерний звон!

1828

I shall not see the bright days of my disenchanting spring. And how many people then cheerful and young are no longer alive! And their sepulchral sleep is deep, they cannot hear the evening peal.

I too shall lie in the cold raw earth. The wind will carry over the valley the mournful tune over me; another singer will pass over the valley, and it will not be me any more but him who sings pensively the evening peal.

ВАСИЛИЙ АНДРЕЕВИЧ ЖУКОВСКИЙ
VASILII ANDREEVICH ZHUKOVSKII

Из баллады «Эолова арфа»

[...]

    Сидела уныло
Минвана у древа... душой вдалеке...
    И тихо все было...
Вдруг... к пламенной что-то коснулось щеке;
    И что-то шатнуло
    Без ветра листы;
    И что-то прильнуло
К струнам, невидимо слетев с высоты...

    И вдруг... из молчанья
Поднялся протяжно задумчивый звон;
    И тише дыханья
Играющей в листьях прохлады был он.
    В ней сердце смутилось:
    То друга привет!
    Свершилось, свершилось!..
Земля опустела, и милого нет.

    От тяжкия муки
Минвана упала без чувства на прах,
    И жалобней звуки
Над ней застенали в смятенных струнах.
    Когда ж возвратила
    Дыханье она,
    Уже восходила
Заря, и над нею была тишина.

From 'The Aeolian Harp'

Minvana sat sadly beneath a tree, her soul far away... and all was quiet... Suddenly, something touched her fiery cheek, and something, with no wind, made the leaves tremble, and something, invisibly descending from above, stuck to the strings.

And suddenly, a pensive resonance rose slowly from the silence; and it was quieter than the breath of coolness that played in the leaves. Her heart was taken aback: this is my beloved's greeting. It has come true, come true! The earth was empty and her darling was not there.

From heavy agony Minvana fell unconscious into the dust, and the sounds moaned more pathetically in the confused strings above her. But when she got her breath back the dawn was already rising and there was silence over her.

С тех пор, унывая,
Минвана, лишь вечер, ходила на холм
И, звукам внимая,
Мечтала о милом, о свете другом,
Где жизнь без разлуки,
Где все не на час —
И мнились ей звуки,
Как будто летящий от родины глас.

«О милые струны,
Играйте, играйте... мой час недалек;
Уж клонится юный
Главой недоцветшей ко праху цветок.
И странник унылый
Заутра придет
И спросит: где милый
Цветок мой?.. и боле цветка не найдет».

И нет уж Минваны...
Когда от потоков, холмов и полей
Восходят туманы
И светит, как в дыме, луна без лучей, —
Две видятся тени:
Слиявшись, летят
К знакомой им сени...
И дуб шевелится, и струны звучат.

1814

Since then, melancholy, Minvana went to the hill as soon as evening fell and, listening
to the sounds, dreamt of her darling, of another world, where life has no partings, where
everything is not just for an hour — and she fancied that the sounds were a voice
apparently flying from her homeland.

'O dear strings, play, play... my hour is near; the young flower is now bending its still
furled head to the dust. And a sad wanderer will come next morning and ask: where is
my dear flower, and will find the flower no more.'

And Minvana is no more... When mists rise from the currents, hills and fields, and the
moon shines without rays, as through smoke — two shades can be seen: merging, they
fly to the shelter they know... and the oak moves and the strings sound.

Песня

Минувших дней очарованье,
Зачем опять воскресло ты?
Кто разбудил воспоминанье
И замолчавшие мечты?
Шепнул душе привет бывалой;
Душе блеснул знакомый взор;
И зримо ей минуту стало
Незримое с давнишних пор.

О милый гость, святое *Прежде*,
Зачем в мою теснишься грудь?
Могу ль сказать: *живи*, надежде?
Скажу ль тому, что было: *будь*?
Могу ль узреть во блеске новом
Мечты увядшей красоту?
Могу ль опять одеть покровом
Знакомой жизни наготу?

Зачем душа в тот край стремится,
Где были дни, каких уж нет?
Пустынный край не населится;
Не у́зрит он минувших лет;
Там есть *один* жилец безгласный,
Свидетель милой старины;
Там вместе с ним все дни прекрасны
В единый гроб положены.

1818

Song
Past days' enchantment, why did you resurge again? Who woke memory and dreams
that fell silent? A familiar greeting whispered to the soul, a well-known gaze shone to
the soul; and what was invisible for a long time became for a minute visible to her.
    O dear guest, sacred *Before*, why do you huddle in my breast? Can I say to hope
'*Live!*' Shall I tell what was '*Be!*'? Can I see in new radiance a faded dream's beauty?
Can I again clothe familiar life's nakedness with a veil?
    Why does the soul head for a region where there were days which are no more? A
wilderness will not be peopled, it will not see past years; there is *one* voiceless
inhabitant there, a witness to the dear past; there all beautiful days are put with him into
a single coffin.

Море

Элегия

Безмолвное море, лазурное море,
Стою очарован над бездной твоей.
Ты живо; ты дышишь; смятенной любовью,
Тревожною думой наполнено ты.
Безмолвное море, лазурное море,
Открой мне глубокую тайну твою:
Что движет твое необъятное лоно?
Чем дышит твоя напряженная грудь?
Иль тянет тебя из земныя неволи
Далекое светлое небо к себе?..
Таинственной, сладостной полное жизни,
Ты чисто в присутствии чистом его:
Ты льешься его светозарной лазурью,
Вечерним и утренним светом горишь,
Ласкаешь его облака золотые
И радостно блещешь звезда́ми его.
Когда же сбираются темные тучи,
Чтоб ясное небо отнять у тебя —
Ты бьешься, ты воешь, ты волны подъемлешь,
Ты рвешь и терзаешь враждебную мглу...
И мгла исчезает, и тучи уходят,
Но, полное прошлой тревоги своей,
Ты долго вздымаешь испуганны волны,
И сладостный блеск возвращенных небес
Не вовсе тебе тишину возвращает;
Обманчив твоей неподвижности вид:

The Sea (An Elegy)
Silent sea, azure sea, I stand enchanted before your abyss. You are alive; you breathe; you are filled with thwarted love, anxious thought. Silent sea, azure sea, tell me your deep secret. What moves your immense womb? What does your tense breast breathe? Does the far bright sky draw you from earthly thrall?.. Full of mysterious, sweet life, in its pure presence you are pure: you infuse its radiant azure, you burn with evening and morning light, you caress its golden clouds and joyfully reflect its stars. But when dark clouds gather to take the clear sky from you, you fight, howl, raise waves, rush and rip hostile gloom... And the gloom vanishes and the clouds go, but full of your old alarm, for a long time you stir the frightened waves, and the sweet radiance of restored skies does not utterly bring you back calm; the appearance of your immobility is deceptive:

Ты в бездне покойной скрываешь смятенье,
Ты, небом любуясь, дрожишь за него.

1822

Мотылек и цветы

Поляны мирной украшение,
Благоуханные цветы,
Минутное изображение
Земной, минутной красоты;
Вы равнодушно расцветаете,
Глядяся в воды ручейка,
И равнодушно упрекаете
В непостоянстве мотылька.

Во дни весны с востока ясного,
Младой денницей пробужден,
В пределы бытия прекрасного
От высоты спустился он.
Исполненный воспоминанием
Небесной, чистой красоты,
Он вашим радостным сиянием
Пленился, милые цветы.

in the peaceful abyss you hide confusion; admiring the sky, you tremble for it.

The Butterfly and the Flowers
Ornament of the peaceful field, fragrant flowers, momentary representation of earthly, momentary beauty, you blossom in indifference, looking at the stream's waters, and with indifference you reproach the butterfly for its inconstancy.

Woken in spring days, by new dawn light from the clear east, it has come down from the heights into the regions of beauty's domain. Filled with memory of heavenly pure beauty, it has become captivated, dear flowers, by your joyful radiance.

Он мнил, что вы с ним однородные
Переселенцы с вышины,
Что вам, как и ему, свободные
И крылья и душа даны;
Но вы к земле, цветы, прикованы;
Вам на земле и умереть;
Глаза лишь вами очарованы,
А сердца вам не разогреть.

Не рождены вы для внимания;
Вам непонятен чувства глас;
Стремишься к вам без упования;
Без горя забываешь вас.
Пускай же к вам, резвясь, ласкается,
Как вы, минутный ветерок;
Иною прелестью пленяется
Бессмертья вестник мотылек...

Но есть меж вами два избранные,
Два ненадменные цветка:
Их имена, им сердцем данные,
К ним привлекают мотылька.
Они без пышного сияния;
Едва приметны красотой:
Один есть цвет воспоминания,
Сердечной думы цвет другой.

It believed that you were of the same kind as it, migrants from above, that you, like it, have been given free wings and a free soul. But, flowers, you are fixed to the earth, you are to die on earth too; only our eyes are enchanted by you, but you cannot warm our hearts.

You are not born for attention; the voice of feeling is meaningless to you; one turns to you without aspiration, one forgets you without grief. Let the breeze, as momentary as you, caress you and gambol around you; the butterfly, herald of immortality, is captivated by other charms.

But there are among you two elect and modest flowers: their names, given by the heart, draw the butterfly to them. They have no luxuriant radiance, they are barely noticeable in their beauty: one is the flower of memory, the other the flower of the heart's thought.

О милое воспоминание
О том, чего уж в мире нет!
О дума сердца — упование
На лучший, неизменный свет!
Блажен, кто вас среди губящего
Волненья жизни сохранил
И с вами низость настоящего
И пренебрег и позабыл.

1825

O dear memory of what no longer exists in the world. O heart's thought — aspiration for a better, unchanging world. Blessed is he who amid life's destructive disturbance has preserved you and, like you, has scorned and forgotten the vileness of the real.

КОНСТАНТИН НИКОЛАЕВИЧ БАТЮШКОВ
KONSTANTIN NIKOLAEVICH BATIUSHKOV

Тень друга

> Sunt aliquid manes: letum non omnia finit;
> Luridaque evictos effugit umbra rogos.
> *Propertius*

Я берег покидал туманный Альбиона:
Казалось, он в волнах свинцовых утопал.
    За кораблем вилася Гальциона,
И тихий глас ее пловцов увеселял.
      Вечерний ветр, валов плесканье,
Однообразный шум, и трепет парусов,
      И кормчего на палубе взыванье
Ко страже, дремлющей под говором валов, —
      Всё сладкую задумчивость питало.
Как очарованный, у мачты я стоял
    И сквозь туман и ночи покрывало
Светила Севера любезного искал.
    Вся мысль моя была в воспоминанье
Под небом сладостным отеческой земли,
    Но ветров шум и моря колыханье
На вежды томное забвенье навели.
      Мечты сменялися мечтами,
И вдруг... то был ли сон?.. предстал товарищ мне,
      Погибший в роковом огне
Завидной смертию, над плейсскими струями.
      Но вид не страшен был; чело

A Friend's Shade

> Ghosts are real: the Lethe does not end everything; and a
> pale shadow escapes from the extinguished pyre. *Propertius*

I was leaving Albion's misty shore: it seemed to drown in leaden waves. A halcyon hovered behind the ship, and its quiet voice cheered the sailors. The evening wind, the breakers' lapping, the monotonous noise and trembling of the sails, and the call of the helmsman on deck to the watch slumbering to the murmur of the waves, — everything fostered a sweet pensiveness. As if bewitched I stood by the mast and through the mist and the cover of night sought out the stars of the beloved North. All my thoughts were in memory of my fatherland under a sweet sky, but the noise of the wind and the rolling of the sea brought a wary oblivion to my eyelids. Dreams followed dreams and suddenly... was it a dream?.. there appeared to me my comrade who had died an enviable death in fateful fire, by the currents of the Pleiss. But the sight was not frightening; his forehead

Глубоких ран не сохраняло,
Как утро майское, веселием цвело
И всё небесное душе напоминало.
«Ты ль это, милый друг, товарищ лучших дней!
Ты ль это? — я вскричал, — о воин вечно милый!
Не я ли над твоей безвременной могилой,
При страшном зареве Беллониных огней,
        Не я ли с верными друзьями
Мечом на дереве твой подвиг начертал
И тень в небесную отчизну провождал
        С мольбой, рыданьем и слезами?
Тень незабвенного! ответствуй, милый брат!
Или протекшее всё было сон, мечтанье;
Всё, всё — и бледный труп, могила и обряд,
Свершенный дружбою в твое воспоминанье?
О! молви слово мне! пускай знакомый звук
        Еще мой жадный слух ласкает,
Пускай рука моя, о незабвенный друг!
        Твою с любовию сжимает...»
И я летел к нему... Но горний дух исчез
В бездонной синеве безоблачных небес,
Как дым, как метеор, как призрак полуночи,
        И сон покинул очи.

Всё спало вкруг меня под кровом тишины.
Стихии грозные катилися безмолвны.

had not kept the deep wounds, it blossomed with gaiety, like a May morning and reminded the soul of everything heavenly. 'Is that you, dear friend, comrade of better days! Is that you,' I shouted, 'O ever dear warrior? Did I not over your untimely grave, in the terrible glow of the fires of War, together with faithful friends, carve with a sword your exploit on a wooden cross and send your shade to its heavenly homeland with entreaties, sobbing and tears? Shade of an unforgettable man! Respond, dear brother, or was all that happened a sleep, a dream: all, all, — the pale corpse, the grave and the ceremony, performed by friendship in your memory? O! Utter a word to me! Let a familiar sound still caress my eager ears, let my hand, o unforgettable friend! press yours lovingly...' And I rushed towards him... But the ethereal spirit vanished in the bottomless azure of the cloudless skies, like smoke, like a meteor, like a midnight spectre, it vanished — and sleep left my eyes.

All was asleep around me under cover of silence. The dreadful elements rolled mutely.

При свете облаком подернутой луны
Чуть веял ветерок, едва сверкали волны,
Но сладостный покой бежал моих очей,
    И всё душа за призраком летела,
    Всё гостя горнего остановить хотела:
Тебя, о милый брат! о лучший из друзей!

Июнь 1814

Мой гений

О, память сердца! Ты сильней
Рассудка памяти печальной
И часто сладостью своей
Меня в стране пленяешь дальной.
Я помню голос милых слов,
Я помню очи голубые,
Я помню локоны златые
Небрежно вьющихся власов.
Моей пастушки несравненной
Я помню весь наряд простой,
И образ милый, незабвенный
Повсюду странствует со мной.
Хранитель гений мой — любовью
В утеху дан разлуке он:
Засну ль? приникнет к изголовью
И усладит печальный сон.

1815

By the light of the moon, veiled by cloud, a breeze just moved, the waves dimly flashed, but sweet peace evaded my eyes, and my soul kept rushing after the spectre, it kept trying to stop the celestial visitor: you, o dear brother! o best of friends!

My Spirit
O heart's memory! you are stronger than reason's sad memory and your sweetness often captivates me in a far country. I remember the voice of dear words, I remember blue eyes, I remember golden locks of carelessly curling hair. I remember all the simple dress of my incomparable shepherdess, and a dear unforgettable image wanders everywhere with me. My guardian spirit is given me by love as a consolation for separation. If I fall asleep it bends down to the head of my bed and sweetens my sad sleep.

Пробуждение

Зефир последний свеял сон
С ресниц, окованных мечтами,
Но я — не к счастью пробужден
Зефира тихими крылами.
Ни сладость розовых лучей
Предтечи утреннего Феба,
Ни кроткий блеск лазури неба,
Ни запах, веющий с полей,
Ни быстрый лет коня ретива
По скату бархатных лугов
И гончих лай и звон рогов
Вокруг пустынного залива —
Ничто души не веселит,
Души, встревоженной мечтами,
И гордый ум не победит
Любви — холодными словами.

1815

Awakening
Zephyr has scattered the last sleep from my eyelashes, fettered by dreams; but I have not been awoken to happiness by Zephyr's quiet wings. Neither the sweetness of rosy sunbeams, herald of morning Phœbus, nor the meek radiance of the sky's azure, nor the scent wafting from the fields, nor the quick flight of a lively horse over the slope of the velvety meadows and the barking of hounds and sound of horns around the deserted bay — nothing gladdens the soul, a soul disturbed by dreams, and the proud mind will not conquer love with cold words.

Подражания древним

1

Без смерти жизнь не жизнь: и что она? Сосуд,
     Где капля меду средь полыни;
Величествен сей понт! Лазурный царь пустыни,
О солнце! чудно ты среди небесных чуд!
     И на земле прекрасного столь много!
Но все поддельное иль втуне серебро:
     Плачь, смертный! плачь! Твое добро
     В руке у Немезиды строгой!

2

     Скалы чувствительны к свирели;
Верблюд прислушивать умеет песнь любви,
Стеня под бременем; румянее крови —
     Ты видишь — розы покраснели
В долине Йемена от песней соловья...
А ты, красавица... Не постигаю я.

3

Взгляни: сей кипарис, как наша степь, бесплоден —
     Но свеж и зелен он всегда.
Не можешь, гражданин, как пальма, дать плода?
     Так буди с кипарисом сходен:
Как он уединен, осанист и свободен.

Imitations of the Ancients
1. Life is not life without death: what is it? A vessel, where there is a drop of honey in the wormwood. This sea is majestic! The azure king of the desert, o sun! wondrous are you amid heavenly wonders! And how much beauty there is on earth! But all silver is fake or vain: weep, mortal, weep! Your goods are in strict Nemesis's hand.

2. Rocks are sensitive to the panpipes; the camel can listen to a song of love, groaning beneath its burden; ruddier than blood — you see — the roses have blushed in the Yemen valley at the nightingale's songs... But you, beautiful girl... I do not understand.

3. Look: this cypress is as barren as our steppe — but it is always fresh and green. Can you not, citizen, bear fruit like a palm? Then be like the cypress: like it solitary, stately and free.

4

Когда в страдании девица отойдет,
    И труп синеющий остынет, —
Напрасно на него любовь и амвру льет,
    И облаком цветов окинет.
Бледна, как лилия в лазури васильков,
    Как восковое изваянье;
Нет радости в цветах для вянущих перстов,
    И суетно благоуханье.

5

О смертный! хочешь ли безбедно перейти
    За море жизни треволненной?
Не буди горд: и в ветр попутный опусти
    Свой парус, счастием надменный.
Не покидай руля, как свистнет ярый ветр!
Будь в счастьи — Сципион, в тревоге брани — Петр.

6

Ты хочешь меду, сын? — так жала не страшись;
    Венца победы? — смело к бою!
    Ты перлов жаждешь? — так спустись
На дно, где крокодил зияет под водою.
Не бойся! Бог решит. Лишь смелым он отец,
Лишь смелым перлы, мед, иль гибель... иль венец.

Июнь 1821

4. When the maiden departs in suffering and the livid corpse grows cold, — vainly love pours ambergris and flings a cover of flowers over it. She is pale as a lily in the cornflowers' azure, as a wax cast; limp fingers take no joy in flowers, and fragrance is vain.

5. O mortal, do you want to cross turbulent life's sea unharmed? Do not be proud, and in crosswinds lower your sail, swollen with happiness. Do not quit the helm when the furious wind whistles. Be Scipio in happiness, Peter the Great in the alarms of battle.

6. Do you want honey, son? then fear not the sting; a crown of victory? — boldly to battle! You long for pearls? — then go down to the bottom where the crocodile gapes under the water, do not be afraid! God will decide. He is a father only to the bold: only the bold win pearls, honey or perdition... or a crown.

* * *

Ты знаешь, что изрек,
Прощаясь с жизнию, седой Мельхиседек?
Рабом родится человек,
Рабом в могилу ляжет,
И смерть едва ли скажет,
Зачем он шел долиной чудной слез,
Страдал, рыдал, терпел, исчез.

1821–1824

Do you know what grey-haired Melchisedek said as he parted with life? Man is born a slave and lies down in the grave a slave, and death is unlikely to tell him why he walked through the wondrous valley of tears, suffered, sobbed, endured, vanished.

ПЕТР АНДРЕЕВИЧ ВЯЗЕМСКИЙ
PIOTR ANDREEVICH VIAZEMSKII

Русский бог

Нужно ль вам истолкованье,
Что такое русский бог?
Вот его вам начертанье,
Сколько я заметить мог.

Бог метелей, бог ухабов,
Бог мучительных дорог,
Станций — тараканьих штабов,
Вот он, вот он русский бог.

Бог голодных, бог холодных,
Нищих вдоль и поперек,
Бог имений недоходных,
Вот он, вот он русский бог.

Бог грудей и жоп отвислых,
Бог лаптей и пухлых ног,
Горьких лиц и сливок кислых,
Вот он, вот он русский бог.

Бог наливок, бог рассолов,
Душ, представленных в залог,
Бригадирш обоих полов,
Вот он, вот он русский бог.

The Russian God

Do you need an explanation of what the Russian God is? Here is a sketch for you, as far as I have been able to note.

God of blizzards, God of gullies, God of agonising roads, of stations which are cockroach headquarters, that is him, the Russian God.

God of the hungry, God of the cold, of beggars up and down the land, God of unprofitable estates, that is him, the Russian God.

God of floppy breasts and arses, God of bark shoes and swollen legs, of bitter faces and sour cream, that is him, the Russian God.

God of liqueurs, God of brines, of souls used as pawns, of Brigadiers' wives of both sexes, that is him, the Russian God.

Бог всех с анненской на шеях,
Бог дворовых без сапог,
Бар в санях при двух лакеях,
Вот он, вот он русский бог.

К глупым полон благодати,
К умным беспощадно строг,
Бог всего, что есть некстати,
Вот он, вот он русский бог.

Бог всего, что из границы,
Не к лицу, не под итог,
Бог по ужине горчицы,
Вот он, вот он русский бог.

Бог бродяжных иноземцев,
К нам зашедших за порог,
Бог в особенности немцев,
Вот он, вот он русский бог.

1828

God of all with St Anna round the neck, God of house serfs with no shoes, of lords in sledges with two lackeys, that is him, the Russian God.

Full of grace to the stupid, mercilessly strict to the clever, God of everything inappropriate, that is him, the Russian God.

God of everything that is outlandish, unseemly, out of place, God of mustard after supper, that is him, the Russian God.

God of homeless foreigners who have crossed our threshold, God especially of Germans, that is him, the Russian God.

Ночью на железной дороге
между Прагою и Веною

Прочь Людмила с страшной сказкой
Про полночного коня!
Детям будь она острасткой,
Но пугать ей не меня.

Сказку быль опередила
В наши опытные дни:
Огнедышащая сила,
Силам адовым сродни,

Нас уносит беспрерывно
Сквозь ущелья и леса,
Совершая с нами дивно
Баснословья чудеса.

И меня мчит ночью темной
Змий — не змий и конь — не конь,
Зверь чудовищно огромный,
Весь он пар и весь огонь!

От него, как от пожара,
Ночь вся заревом горит,
И сквозь мглу, как Божья кара,
Громоносный, он летит.

At Night on the Railway between Prague and Vienna
Away with Liudmila and the frightening fairy tale about the midnight horse! Let it be scary for children, but it can't frighten me.

Reality has overtaken fairy tales in our sophisticated days: a fire-breathing force, like the forces of hell,

Carries us constantly through ravines and forests, wondrously accomplishing fabulous miracles with us.

And I am rushed through dark night by a something neither dragon nor horse, a monstrously enormous beast, all steam and all fire.

He, like a fire, makes the whole night burn with a glow, and through the mist, like God's punishment, thunderous, he flies.

Он летит неукротимо,
Пролетит — и нет следа,
И как тени мчатся мимо
Горы, села, города.

На земле ль встает преграда —
Под землей он путь пробьет,
И нырнет во мраки ада,
И как встрепанный всплывет.

Зверю бесконечной снедью
Раскаленный уголь дан.
Грудь его обита медью,
Голова — кипучий чан.

Род кометы быстротечной,
По пространностям земным
Хвост его многоколечный
Длинно тянется за ним.

Бьют железные копыта
По чугунной мостовой.
Авангард его и свита —
Грохот, гул, и визг, и вой.

Зверь пыхтит, храпит, вдруг свистнет,
Так, что вздрогнет всё кругом,
С гривы огненной он вспрыснет
Мелким огненным дождем,

He flies indomitably, when he has flown there is no trace, and like shadows, mountains, villages, towns rush past.

If a barrier arises on earth he makes a path through the earth and dives into the darkness of hell, and surfaces again no worse for the experience.

Red-hot coals are given to the beast as its endless food. Its breast is plated with bronze, its head is a boiling pot.

A sort of momentary comet, its many-jointed tail stretches a long way behind through the earth's space.

Iron hooves pound the cast-iron road. Its vanguard and its suite are clanking, roar, screeches and howls.

The beast pants, snorts and suddenly whistles, so that all around shudders, from its fiery mane it spatters a fine rain of fire.

И под ним, когда громада
Мчится бурью быстроты,
Не твоим чета, баллада:
«С громом зыблются мосты».

Мертвецам твоим, толпами
Вставшим с хладного одра,
Не угнаться вслед за нами,
Как езда их ни скора.

Поезд наш не оробеет,
Как ни пой себе петух;
Мчится — утра ль блеск алеет,
Мчится — блеск ли дня потух.

В этой гонке, в этой скачке —
Всё вперед, и всё спеша —
Мысль кружится, ум в горячке,
Задыхается душа.

Приключись хоть смерть дорогой,
Умирай, а всё лети!
Не дадут душе убогой
С покаяньем отойти.

Увлеченному потоком
Страшен этот, в тьме ночной,
Поединок с темным роком,
С неожиданной грозой.

And under that fire, compared with the giant rushing with a storm of speed, your words '*the bridges shake with thunder*', [*Zhukovskii's*] ballad, are no match.

Your dead men, rising from their cold bed in crowds, will never catch up with us, however fast they ride.

Our train will not shy, however much the cock crows; it rushes whether morning's red light shows, it rushes whether the day's light is extinguished.

In this race, in this gallop, always onwards, always hastening, thoughts swirl, the mind is fevered, the soul is out of breath.

Even if death happens on the way, die, but still fly on. The poor soul will not be allowed to repent before it departs.

To him who is carried away by the flow, this duel with dark fate, with the unexpected thunderstorm, in the night's darkness is terrifying.

Силой дерзкой и крамольной
Человек вооружен;
Ненасытной, своевольной
Страстью вечно он разжжен.

Бой стихий, противоречий,
Разногласье спорных сил —
Всё попрал ум человечий
И расчету подчинил.

Так, ворочая вселенной
Из страстей и из затей,
Забывается надменно
Властелин немногих дней.

Но безделка ль подвернется,
Но хоть на́ волос один
С колеи своей собьется
Наш могучий исполин, —

Весь расчет, вся мудрость века —
Нуль да нуль, всё тот же нуль,
И ничтожность человека
В прах летит с своих ходуль.

И от гордых снов науки
Пробужденный, как ни жаль,
Он, безногий иль безрукий,
Поплетется в госпиталь.

Май 1853

Man has been armed with a bold and rebellious force; he is burning for ever with an insatiable, uncontrollable passion.

The battle of elements, of contradictions, the discord of conflicting forces has all been trampled down by the human mind and subordinated to calculation.

Thus ploughing through the universe, because of his passions and plans the master of limited days arrogantly forgets himself.

But if the slightest mishap occurs and our mighty giant goes off the tracks, if only by a hair's breadth,

Then all the calculation, all the wisdom of the age is just zero, and the same zero and nonentity of man will fly off its stilts into dust and ashes.

And awoken from science's proud words, however regrettably, legless or armless, he will stagger to hospital.

*
**

Жизнь наша в старости — изношенный халат;
И совестно носить его, и жаль оставить;
Мы с ним давно сжились, давно, как с братом брат;
Нельзя нас починить и заново исправить.

Как мы состарились, состарился и он;
В лохмотьях наша жизнь, и он в лохмотьях тоже,
Чернилами он весь расписан, окроплен,
Но эти пятна нам узоров всех дороже;

В них отпрыски пера, которому во дни
Мы светлой радости иль облачной печали
Свои все помыслы, все таинства свои,
Всю исповедь, всю быль свою передавали.

На жизни также есть минувшего следы:
Записаны на ней и жалобы, и пени,
И на нее легла тень скорби и беды,
Но прелесть грустная таится в этой тени.

В ней есть предания, в ней отзыв наш родной
Сердечной памятью еще живет в утрате,
И утро свежее, и полдня блеск и зной
Припоминаем мы и при дневном закате.

Our life in old age is a worn-out dressing-gown: one is embarrassed to wear it, loth to throw it away. Like two brothers, we are long used to living together. We can't be repaired and made as good as new.

As we have got old, so has it; our life is in rags, it is too, it is decorated and spattered with ink, but these stains are dearer to us than any patterns;

These are the spatterings of the pen to which we confided all our thoughts, in days of bright joy or clouded grief, all our mysteries, all our confessions, all our life's story.

Life too bears traces of the past, complaints and forfeitures are written on it, and the shadow of grief and calamity has fallen on it, but this shadow conceals a sad charm.

It has traditions, in it our intimate response still lives in the loss as the heart's memory, and we recall both the fresh morning and the noon's light and heat even as the day fades.

Еще люблю подчас жизнь старую свою
С ее ущербами и грустным поворотом,
И, как боец свой плащ, простреленный в бою,
Я холю свой халат с любовью и почетом.

Между 1875 и 1877

I still often love my old life with its losses and sad turn of fate and, as a warrior his cloak, bullet-ridden in battle, so I look after my dressing-gown with love and respect.

ИВАН ПЕТРОВИЧ МЯТЛЕВ
IVAN PETROVICH MIATLEV

Розы

Как хороши, как свежи были розы
В моем саду! Как взор прельщали мой!
Как я молил весенние морозы
Не трогать их холодною рукой!

Как я берег, как я лелеял младость
Моих цветов заветных, дорогих;
Казалось мне, в них расцветала радость,
Казалось мне, любовь дышала в них.

Но в мире мне явилась дева рая,
Прелестная, как ангел красоты,
Венка из роз искала молодая —
И я сорвал заветные цветы.

И мне в венке цветы еще казались
На радостном челе красивее, свежей,
Как хорошо, как мило соплетались
С душистою волной каштановых кудрей!

И заодно они цвели с девицей!
Среди подруг, средь плясок и пиров,
В венке из роз она была царицей,
Вокруг ее вилась и радость и любовь.

Roses

How beautiful, how fresh the roses were in my garden! How they enchanted my eyes! How I besought the spring frosts not to touch them with a cold hand.

How I protected, how I nurtured the youth of my sacred, precious flowers; I thought joy was blossoming in them, I thought love breathed in them.

But a maiden of paradise appeared to me in the world, charming as an angel of beauty, the young girl sought a crown of roses and I plucked the sacred flowers.

And in the crown the flowers seemed to me on her joyful brow still fairer, fresher; how beautifully, how sweetly they entwined with the fragrant wave of auburn curls.

And they blossomed at the same time as the maiden! Among her friends, amid dances and feasts, she was an empress in a crown of roses, around her wove joy and love.

В ее очах — веселье, жизни пламень;
Ей счастье долгое сулил, казалось, рок,
И где ж она?.. В погосте белый камень,
На камне — роз моих завянувший венок.

1834

In her eyes is merriment, life's flame; fate, it seemed, promised her long happiness. And where is she then? There is a white stone in the graveyard, on the stone a faded crown of my roses.

ВИЛЬГЕЛЬМ КАРЛОВИЧ КЮХЕЛЬБЕКЕР
VILGELM KARLOVICH KIUKHELBEKER

Вопросы

Ужель и неба лучшие дары
В подлунном мире только сновиденье?
Ужель по тверди только до поры
Свершают звезды давнее теченье?
Должно ли ведать гнев враждебных лет,
Душа Души, святое вдохновенье?
Должно ли опадать в одно мгновенье,
Как в осень сорванный со стебля цвет?
Увы мне! с часу на час реже, реже
Живительным огнем согрет мой дух!
И тот же мир и впечатленья те же,
Но прежних песней не уловит слух.
Но я не тот; уж нет живого чувства,
Которым средь свободных, смелых дум
Бывал отважный окрыляем ум:
Я робкий раб холодного искусства —
Седеет волос в осень скорбных лет;
Ни жару, ни цветов весенних нет...

1832

Questions

Are even heaven's best gifts in the sublunary world really only a dream? Do the stars complete the ancient orbit over the firmament really only for a limited time? Must sacred inspiration, the soul's soul, know the hostile years' wrath, must it fall in a moment like a flower torn from the stem in autumn? Woe is me, every hour more and more seldom is my spirit warmed by the life-giving fire. The world and the impressions are the same, but my hearing no longer catches the songs it used to. But I am not the same; there is no longer the live feeling by which the mind used to be given wings amid free, bold thoughts: I am cold art's meek slave — my hair is greying in the autumn of grievous years; there is no heat, nor are there spring flowers...

Участь русских поэтов

Горька судьба поэтов всех племен;
Тяжеле всех судьба казнит Россию:
Для славы и Рылеев был рожден;
Но юноша в свободу был влюблен...
Стянула петля дерзостную выю.

Не он один; другие вслед ему,
Прекрасной обольщенные мечтою,
Пожалися годиной роковою...
Бог дал огонь их сердцу, свет уму,
Да! чувства в них восторженны и пылки —
Что ж? их бросают в черную тюрьму,
Моря морозом безнадежной ссылки...

Или болезнь наводит ночь и мглу
На очи прозорливцев вдохновенных;
Или рука любезников презренных
Шлет пулю их священному челу;

Или же бунт поднимет чернь глухую,
И чернь того на части разорвет,
Чей блещущий перунами полет
Сияньем облил бы страну родную.

1845

The Fate of Russian Poets
Bitter is the fate of poets of all races; fate punishes Russia worst of all: Ryleev too was born for fame; but the youth was infatuated with freedom... The noose strangled his insolent neck.
He wasn't alone; others followed, seduced by the beautiful dream, they were mown down by the fateful hour... God gave their hearts fire, their minds light, yes, their feelings were inspired and ardent — What then? They are hurled into dark prisons, killed by the freezing cold of hopeless exile...
Either disease brings night and fog to the eyes of the far-sighted and inspired; or the hand of despicable favourites puts a bullet in their sacred brows;
Or else rebellion rouses the deaf rabble, and the rabble tears to bits him whose flight, dazzling us with thunderbolts, would have flooded his native land with radiance.

Из стихотворения «Клеветнику»

. . . .
Полковник некогда преториян России,
Ты ныне атаман опасных, черных жаб,
Мужчин по имени, на деле старых баб,
Они твои послы, разносчики, витии,
Ты Какодемон их, незримый ты паук.
Но ткань вся от тебя, и от тебя все сети;
Их выдумки — твои и крестники и дети,
Им шепчешь каждый склад, внушаешь каждый звук.
[...]
Посадишь, и потом ты вышлешь простяка
Нелепость возглашать преклонно, свысока;
Жестокость! всё равно: вело бы только к цели...
Нет у тебя друзей: лжецы и пустомели
Твои орудия: ты выгоняешь их
Как бешеных собак на всех врагов твоих!
Но есть, поверь мне, есть на свете Немезида,
И ею всякая приемлется обида
И в книгу вносится, и молча книгу ту
Читает день и ночь таинственная дева;
И выбирает жертв, и их казнит без гнева,
Но и без жалости. За ложь и клевету

From 'To a Slanderer'
. . .   Once a colonel of Russia's Praetorians, you are now the chieftain of dangerous
black toads, of men in name, old women in deed. They are your emissaries, messengers,
orators, you are their Kakodemon, you invisible spider. But the web is all from you and
all the nets too; their devices are your godchildren and children, you whisper to them
each syllable, inspire each sound. [...]
  You will imprison and then send a simpleton to announce reverently, from on high an
absurdity; cruelty, it does not matter: if only it had an aim... You have no friends: liars
and windbags are your instruments: you drive them out like rabid dogs against all your
foes. But, believe me, there is Nemesis in the world, and she notes any offence and
enters it in a book, and silently a mysterious maiden reads this book day and night and
chooses victims and punishes them without wrath, but without pity too. Lies and slander

Заплатят некогда такою ж клеветою,
И в сердце и твое убийственной стрелою
Вонзится злая ложь... берет меня печаль;
Клянуся господом, в душе тебя мне жаль:
Наказан будешь ты сообщников рукою,
И, рано ль, поздно ли, они когда-нибудь
Вольют смертельный яд тебе в больную грудь.

1846

will eventually be paid for with the same slander, and the murderous arrow of evil lies
will penetrate your heart too... I am moved by sadness; I swear to God, in my soul I pity
you: you will be punished by your accomplices' hands and, sooner or later, some time
they will pour lethal poison into your sick chest.

АНТОН АНТОНОВИЧ ДЕЛЬВИГ
ANTON ANTONOVICH DELVIG

Вдохновение

Не часто к нам слетает вдохновенье,
И краткий миг в душе оно горит;
Но этот миг любимец муз ценит,
Как мученик с землею разлученье.

В друзьях обман, в любви разуверенье
И яд во всем, чем сердце дорожит,
Забыты им: восторженный пиит
Уж прочитал свое предназначенье.

И презренный, гонимый от людей,
Блуждающий один под небесами,
Он говорит с грядущими веками;

Он ставит честь превыше всех частей,
Он клевете мстит славою своей
И делится бессмертием с богами.

1822

Inspiration

Not often does inspiration fly down to us, and it burns for a short instant in the soul; but the muses' darling values this instant as a martyr does separation from the earth.

Disappointment in friends, disillusion in love and poison in everything the heart treasures are forgotten by him: the ecstatic poet has now read his predestination.

And despised, persecuted by people, wandering alone under the skies, he talks to coming ages; he places honour above all parts, he avenges slander by his glory and shares immortality with the gods.

Из поэмы «Конец золотого века (Идиллия)»

Путешественник

Нет, не в Аркадии я! Пастуха заунывную песню
Слышать бы должно в Египте иль Азии Средней, где рабство
Грустною песней привыкло существенность тяжкую тешить
[...]
Пастух
[...]
Страшно поющая дева стояла уже у платана,
Плющ и цветы с наряда рвала и ими прилежно
Древо свое украшала. Когда же нагнулася с брега,
Смело за прут молодой ухватившись, чтоб цепью цветочной
Эту ветвь обвязать, до нас достающую тенью,
Прут, затрещав, обломился, и с брега она полетела
В волны несчастные. Нимфы ли вод, красоту сожалея
Юной пастушки, спасти ее думали, платье ль сухое,
Кругом широким поверхность воды обхватив, не давало
Ей утонуть? Не знаю, но долго, подобно Наяде,
Зримая только по грудь, Амарилла стремленьем неслася,
Песню свою распевая, не чувствуя гибели близкой,
Словно во влаге рожденная древним отцом Океаном.
Грустную песню свою не окончив — она потонула.

From 'The End of the Golden Age (an Idyll)'
Traveller. No, I am not in Arcadia. One should hear the shepherd's sad song in Egypt or Central Asia, where slavery is used to comforting a heavy existence with a sad song. [...]
Shepherd. [...] The maiden who sang so frighteningly was now standing by the plane tree, she tore ivy and flowers from her dress and worked at decorating her tree. When she bent over the bank, grabbing a young switch boldly, to tie this branch, which gave us shade, with a flower chain, the switch, crackling, broke off and she flew off the bank into the unfortunate waves. Did the water nymphs, pitying the young shepherdess's beauty, think to save her, or did her dry dress, spread over the surface of the water in a wide circle, not let her drown? I don't know, but for a long time, like a Naiad, visible only to the breast, Amarylla was borne by the current, singing her song, not feeling perdition close, as if born to be in water by her ancient father Ocean, without finishing her sad song, she drowned.

Ах, путешественник, горько! ты плачешь! беги же отсюда!
В землях иных ищи ты веселья и счастья! Ужели
В мире их нет, и от нас от последних их позвали боги!

1828

* *
*

За что, за что ты отравила
Неисцелимо жизнь мою?
Ты как дитя мне говорила:
«Верь сердцу, я тебя люблю!»

И мне ль не верить? Я так много,
Так долго с пламенной душой
Страдал, гонимый жизнью строгой,
Далекий от семьи родной.

Мне ль хладным быть к любви прекрасной?
О, я давно нуждался в ней!
Уж помнил я, как сон неясный,
И ласки матери моей.

И много ль жертв мне нужно было?
Будь непорочна, я просил,
Чтоб вечно я душой унылой
Тебя без ропота любил.

1829–1830

Oh traveller, it's too sad, you are weeping, flee from here! Look in other lands for merriment and happiness! Do they really not exist in the world and have they been called away from us, the last, by the gods!

Why, why have you poisoned my life beyond cure? Like a child you used to tell me 'Believe the heart, I love you!'

Was I not to believe? I had suffered so much so long with my fiery soul, persecuted by strict life, far from my own family.

Was I to be cold to fair love? O, I had so long needed it! I already recalled even my mother's caresses as a vague dream.

Did I need a lot of sacrifices? Be virtuous, I asked, so that I could eternally with my melancholy soul love you without a murmur of protest.

АЛЕКСАНДР СЕРГЕЕВИЧ ПУШКИН
ALEKSANDR SERGEEVICH PUSHKIN

Пролог поэмы «Руслан и Людмила»

У лукоморья дуб зеленый;
Златая цепь на дубе том:
И днем и ночью кот ученый
Всё ходит по цепи кругом;
Идет направо — песнь заводит,
Налево — сказку говорит.

Там чудеса: там леший бродит,
Русалка на ветвях сидит;
Там на неведомых дорожках
Следы невиданных зверей;
Избушка там на курьих ножках
Стоит без окон, без дверей;
Там лес и дол видений полны;
Там о заре прихлынут волны
На брег песчаный и пустой,
И тридцать витязей прекрасных
Чредой из вод выходят ясных,
И с ними дядька их морской;
Там королевич мимоходом
Пленяет грозного царя;
Там в облаках перед народом
Через леса, через моря
Колдун несет богатыря;
В темнице там царевна тужит,

Ruslan and Liudmila (The Prologue)

A green oak stands by the bay shore; a golden chain is on the oak: and day and night a learned cat keeps walking round on the chain; if he goes to the right he starts a song, if to the left he tells a fairy story.

Strange things go on there: the wood demon prowls there, a water nymph sits in the branches; on the unknown paths there are tracks of unseen wild animals; a cottage on hen's legs stands windowless, doorless; the forest and valley there are full of visions; there around dawn the waves break on a sandy empty shore, and thirty handsome knights emerge one by one from the clear waters and with them their sea-tutor; there a prince, while passing, captivates a dreaded Tsar; there in the clouds in front of everyone, over forests, over seas, a sorcerer bears off a knight; there in a dungeon a princess pines,

А бурый волк ей верно служит;
Там ступа с Бабою Ягой
Идет, бредет сама собой;
Там царь Кащей над златом чахнет;
Там русский дух... там Русью пахнет!
И там я был, и мед я пил;
У моря видел дуб зеленый;
Под ним сидел, и кот ученый
Свои мне сказки говорил.
Одну я помню: сказку эту
Поведаю теперь я свету...

1817–1820

К Чаадаеву

Любви, надежды, тихой славы
Недолго нежил нас обман,
Исчезли юные забавы,
Как сон, как утренний туман;
Но в нас горит еще желанье,
Под гнетом власти роковой
Нетерпеливою душой.
Отчизны внемлем призыванье.
Мы ждем с томленьем упованья
Минуты вольности святой,
Как ждет любовник молодой

and a brown wolf serves her faithfully; a mortar with the Wicked Witch moves, wandering by itself. King Kashchei withers over his gold; there is a Russian spirit... it smells of old Russia! And I was there and drank mead; I saw the green oak by the sea and sat under it, and the trained cat told me his fairy stories. I remember one: I now make this story known to the world...

To Chaadaev
The illusion of love, hope, quiet fame have not lulled us long, youthful amusements have vanished like a dream, like morning mist; but in us desire still burns, under the oppression of fateful power. With impatient souls we hark the call of the fatherland. We wait with aspiration's yearning for the minute of sacred freedom, as a young lover waits

Минуты верного свиданья.
Пока свободою горим,
Пока сердца для чести живы,
Мой друг, отчизне посвятим
Души прекрасные порывы!
Товарищ, верь: взойдет она,
Звезда пленительного счастья,
Россия вспрянет ото сна,
И на обломках самовластья
Напишут наши имена!

1819

Ночь

Мой голос для тебя и ласковый и томный
Тревожит позднее молчанье ночи темной.
Близ ложа моего печальная свеча
Горит; мои стихи, сливаясь и журча,
Текут, ручьи любви; текут полны тобою.
Во тьме твои глаза блистают предо мною,
Мне улыбаются — и звуки слышу я:
Мой друг, мой нежный друг... люблю... твоя... твоя!..

1823

for the minute of true reunion. While we burn with freedom, while hearts are alive for
honour, my friend, let us devote the fine impulses of the heart to the fatherland.
Comrade, believe: it, the start of enchanting happiness, will rise, Russia will arise from
slumber, and on the ruins of autocracy they will write our names!

Night
My voice, caressing and languid for you, disturbs dark night's late silence. Near my bed
a sad candle burns; my verses, flow, merging together and burbling, streams of love;
they flow full of you. In the darkness your eyes shine before me, smile at me — and I
hear sounds: 'My friend, my tender friend, I love, I'm yours, yours.'

Разговор книгопродавца с поэтом

Книгопродавец

Стишки для вас одна забава,
Немножко стоит вам присесть,
Уж разгласить успела слава
Везде приятнейшую весть:
Поэма, говорят, готова,
Плод новый умственных затей.
Итак, решите; жду я слова:
Назначьте сами цену ей.
Стишки любимца муз и граций
Мы вмиг рублями заменим
И в пук наличных ассигнаций
Листочки ваши обратим...
О чем вздохнули так глубоко?
Нельзя ль узнать?

Поэт

Я был далеко:
Я время то воспоминал,
Когда, надеждами богатый,
Поэт беспечный, я писал
Из вдохновенья, не из платы.
Я видел вновь приюты скал
И темный кров уединенья,
Где я на пир воображенья,
Бывало, музу призывал.
Там слаще голос мой звучал;

Conversation of Bookseller and Poet
Bookseller. Versifying's just fun for you. You just have to sit down for a bit, and fame will have proclaimed a very good piece of news everywhere: a story in verse is ready, they say, the fruit of new mental ingenuity. So make up your mind: I await your word; name your own price for it. We will instantly change into roubles the verses of the muses' and graces' darling, and will change your pages into a wad of bank notes. What were you sighing so deeply about? May we not know?
Poet. I was far away: I recalled the time when, rich in hopes, a carefree poet, I wrote from inspiration, not for payment. I saw again the rock shelters and solitude's dark cover where I invited the muse to my imagination's feast. There my voice sounded sweeter,

Там доле яркие виденья,
С неизъяснимою красой,
Вились, летали надо мной
В часы ночного вдохновенья!..
Всё волновало нежный ум:
Цветущий луг, луны блистанье,
В часовне ветхой бури шум,
Старушки чудное преданье.
Какой-то демон обладал
Моими играми, досугом;
За мной повсюду он летал,
Мне звуки дивные шептал,
И тяжким, пламенным недугом
Была полна моя глава;
В ней грезы чудные рождались;
В размеры стройные стекались
Мои послушные слова
И звонкой рифмой замыкались.
В гармонии соперник мой
Был шум лесов, иль вихорь буйный,
Иль иволги напев живой,
Иль ночью моря гул глухой,
Иль шопот речки тихоструйной.
Тогда, в безмолвии трудов,
Делиться не был я готов
С толпою пламенным восторгом,
И музы сладостных даров
Не унижал постыдным торгом;
Я был хранитель их скупой:

there bright visions, with inexplicable beauty, for longer circled, flew above me in the hours of nocturnal inspiration!.. Everything excited the tender mind: the flowering meadow, the moon's radiance, the storm's roar in the decrepit chapel, an old woman's wondrous tale. A demon possessed my play, my leisure, he flew everywhere after me, he whispered eery sounds to me, and my head was full of a heavy, fiery malaise. In it wondrous daydreams were born, my obedient words crystallised in harmonious measures and closed in resonant rhyme. My rival in harmony was the forests' rustle or the tempest's squall, or the oriole's lively song, or the quietly flowing stream's whisper. Then, in the silence of labour, I was not ready to share fiery delight with the mob, and did not degrade the muse's sweet gifts by shameful trading; I was their covetous keeper:

Так точно, в гордости немой,
От взоров черни лицемерной
Дары любовницы младой
Хранит любовник суеверный.

Книгопродавец

Но слава заменила вам
Мечтанья тайного отрады:
Вы разошлися по рукам,
Меж тем как пыльные громады
Лежалой прозы и стихов
Напрасно ждут себе чтецов
И ветреной ее награды

Поэт

Блажен, кто про себя таил
Души высокие созданья
И от людей, как от могил,
Не ждал за чувство воздаянья!
Блажен, кто молча был поэт
И, терном славы не увитый,
Презренной чернию забытый,
Без имени покинул свет!
Обманчивей и снов надежды,
Что слава? шепот ли чтеца?
Гоненье ль низкого невежды?
Иль восхищение глупца?

exactly as, in dumb pride, from the eyes of a hypocritical rabble a superstitious lover keeps his young mistress's gifts.

Bookseller. But fame has replaced for you the joys of secret dreams: you have sold out, while dusty heaps of stale prose and verse wait in vain for their readers, for fame's fickle reward.

Poet. Blessed is he who kept to himself his soul's lofty creations, who did not expect reward for feelings from people any more than from graves! Blessed is he who was a poet in silence and, not crowned by the thorns of fame, forgotten by the despicable rabble, left the world nameless. More deceptive even than dreams of hope, what is fame? A reader's whisper? The persecutions of a low ignoramus? or a fool's delight?

Книгопродавец

Лорд Байрон был того же мненья;
Жуковский то же говорил;
Но свет узнал и раскупил
Их сладкозвучные творенья.
И впрямь, завиден ваш удел:
Поэт казнит, поэт венчает;
Злодеев громом вечных стрел
В потомстве дальнем поражает;
Героев утешает он;
С Коринной на киферской трон
Свою любовницу возносит.
Хвала для вас докучный звон;
Но сердце женщин славы просит:
Для них пишите; их ушам
Приятна лесть Анакреона:
В младые лета розы нам
Дороже лавров Геликона.

Поэт

Самолюбивые мечты,
Утехи юности безумной!
И я, средь бури жизни шумной,
Искал вниманья красоты.
Глаза прелестные читали
Меня с улыбкою любви;
Уста волшебные шептали
Мне звуки сладкие мои…
Но полно! в жертву им свободы

Bookseller. Lord Byron was of the same opinion, Zhukovskii said the same thing, but the world found out and bought up their sweet-sounding works. But really your lot is enviable: the poet executes, the poet crowns; he strikes down villains in distant posterity with a thunder of eternal arrows, he consoles heroes; he raises up his beloved, with Corinna, to the Cytherean throne. Praise is a tedious noise to you, but women's hearts ask for fame. Write for them: Anakreontic flattery is pleasant to their ears. In youth roses are dearer to us than the laurels of Helikon.
Poet. Conceited dreams, the amusements of mindless youth! I too, mid life's noisy storm, sought the attention of beauty. Charming eyes read me with a smile of love; magic lips whispered my sweet sounds to me… But enough!, the dreamer will no longer

Мечтатель уж не принесет;
Пускай их юноша поет,
Любезный баловень природы.
Что мне до них? Теперь в глуши
Безмолвно жизнь моя несется;
Стон лиры верной не коснется
Их легкой, ветреной души;
Не чисто в них воображенье:
Не понимает нас оно,
И, признак Бога, вдохновенье
Для них и чуждо и смешно.
Когда на память мне невольно
Придет внушенный ими стих,
Я так и вспыхну, сердцу больно:
Мне стыдно идолов моих.
К чему, несчастный, я стремился?
Пред кем унизил гордый ум?
Кого восторгом чистых дум
Боготворить не устыдился?..

Книгопродавец

Люблю ваш гнев. Таков поэт!
Причины ваших огорчений
Мне знать нельзя; но исключений
Для милых дам ужели нет?
Ужели ни одна не стоит
Ни вдохновенья, ни страстей,
И ваших песен не присвоит
Всесильной красоте своей?
Молчите вы?

sacrifice freedom to them; let the young man, nature's egregious darling, sing of them. What do I care for them? Now my life passes silently in obscurity; the plaints of the faithful lyre do not touch their light, fickle soul; their imagination is impure: it does not understand us, and inspiration, a token of God, is to them both alien and ridiculous. When I involuntarily recall a verse inspired by them I flare up all over, my heart aches: I am ashamed of my idols. What was I, wretch, striving for? Before whom did I degrade my proud mind? Whom was I not ashamed to deify with the ecstasy of pure thoughts? *Bookseller*. I love your wrath. That's the poet! I can't know the reasons for your chagrin; but are there really no exceptions for lovely ladies? Can't a single one deserve inspiration or passions and attribute your songs to her almighty beauty? You are silent?

Поэт

Зачем поэту
Тревожить сердца тяжкий сон?
Бесплодно память мучит он.
И что ж? Какое дело свету?
Я всем чужой!...... душа моя
Хранит ли образ незабвенный?
Любви блаженство знал ли я?
Тоскою ль долгой изнуренный,
Таил я слезы в тишине?
Где та была, которой очи,
Как небо, улыбались мне?
Вся жизнь, одна ли, две ли ночи?..
....
И что ж? докучный стон любви,
Слова покажутся мои
Безумца диким лепетаньем.
Там сердце их поймет одно,
И то с печальным содроганьем:
Судьбою так уж решено.
Ах, мысль о той душе завялой
Могла бы юность оживить
И сны поэзии бывалой
Толпою снова возмутить!..
Она одна бы разумела
Стихи неясные мои;
Одна бы в сердце пламенела
Лампадой чистою любви!
Увы, напрасные желанья!
Она отвергла заклинанья,

Poet. Why disturb the heavy sleep of the poet's heart? He torments his memory fruitlessly. And so? What does it matter to the world? I am alien to all... Does my soul keep an unforgettable image, did I know the bliss of love? Did I, exhausted by long anguish, conceal tears in silence? Where was she, whose eyes smiled at me like heaven? All my life, one or two nights? ...... Well then? my words, love's tiresome plaint, will seem a madman's crazy mumbling. One heart there will understand them, and with a sad shudder: thus fate has decided. Ah the thought of that faded soul could have revived youth and have roused again dreams of poetry in its former profusion!.. Only she would have understood my obscure verses; only she would have burned in my heart as a pure icon-lamp of love. Alas, vain desires. She has rejected my soul's incantations,

Мольбы, тоску души моей:
Земных восторгов излиянья,
Как божеству, не нужно ей!..

Книгопродавец

Итак, любовью утомленный,
Наскуча лепетом молвы,
Заране отказались вы
От вашей лиры вдохновенной.
Теперь, оставя шумный свет,
И муз, и ветреную моду,
Что ж изберете вы?

Поэт

Свободу.

Книгопродавец

Прекрасно. Вот же вам совет;
Внемлите истине полезной:
Наш век — торгаш; в сей век железный
Без денег и свободы нет.
Что слава? — Яркая заплата
На ветхом рубище певца.
Нам нужно злата, злата, злата:
Копите злато до конца!
Предвижу ваше возраженье;
Но вас я знаю, господа:
Вам ваше дорого творенье,
Пока на пламени Труда

entreaties, yearning: like a divinity, she does not need earthly ecstasy's effusions!..
Bookseller. So, worn out by love, bored by the mumbling of fame, you have renounced your inspired lyre outright. Now, leaving the noisy world and the muses and fickle fashion, what then will you choose?
Poet. Freedom.
Bookseller. Fine. Here's advice for you; listen to a useful truth: our age is mercantile; in this iron age without money there's no freedom. What is fame? A bright patch on the singer's ragged shirt. We need gold, gold, gold, hoard gold to the end! I foresee your objection; but I know you, gentlemen: you value your creation while on Labour's flame

Кипит, бурлит воображенье;
Оно застынет, и тогда
Постыло вам и сочиненье.
Позвольте просто вам сказать:
Не продается вдохновенье,
Но можно рукопись продать.
Что ж медлить? уж ко мне заходят
Нетерпеливые чтецы;
Вкруг лавки журналисты бродят,
За ними тощие певцы:
Кто просит пищи для сатиры,
Кто для души, кто для пера;
И признаюсь — от вашей лиры
Предвижу много я добра.

Поэт

Вы совершенно правы. Вот вам моя рукопись. Условимся.

1824

your imagination seethes and boils: when it cools, then you cool towards your composition. Let me just tell you: inspiration is unsalable, but a manuscript can be sold. Why delay? Impatient readers are coming to see me now; journalists prowl round the shop, and emaciated singers follow them: some ask for food for satire, others for the soul, others for the pen, and I admit I can see a lot of profit from your lyre.
Poet. You are utterly right. Here is my manuscript. Let's agree a price.

Из главы первой романа «Евгений Онегин»

XXX

Увы, на разные забавы
Я много жизни погубил!
Но если б не страдали нравы,
Я балы б до сих пор любил.
Люблю я бешеную младость,
И тесноту, и блеск, и радость,
И дам обдуманный наряд;
Люблю их ножки; только вряд
Найдете вы в России целой
Три пары стройных женских ног.
Ах! долго я забыть не мог
Две ножки... Грустный, охладелый,
Я всё их помню, и во сне
Они тревожат сердце мне.

XXXI

Когда ж, и где, в какой пустыне,
Безумец, их забудешь ты!
Ах, ножки, ножки! где вы ныне?
Где мнете вешние цветы?
Взлелеяны в восточной неге,
На северном, печальном снеге
Вы не оставили следов:
Любили мягких вы ковров
Роскошное прикосновенье.

From *Chapter One of* Evgenii Onegin
XXX. Alas, I have wasted much of my life on various amusements! But if morals did not suffer, I would still love balls. I love the furious youth, the crowded hall, the brilliance, the joy, and the ladies' carefully planned dress; I love their feet; only you'd be hard put to find three pairs of beautiful women's feet in all Russia. Oh, for a long time I could not forget two feet... Sad, chilled, I still remember them, and in my dreams they disturb my heart.

XXXI. When and where, in what desert, madman, will you forget them? Oh, feet, feet! where are you now? Where are you crushing the spring flowers? Nurtured in oriental bliss, you left no traces on sad northern snow: you loved soft carpets' voluptuous touch.

Давно ль для вас я забывал
И жажду славы и похвал,
И край отцов, и заточенье?
Исчезло счастье юных лет
Как на лугах ваш легкий след.

XXXII

Дианы грудь, ланиты Флоры
Прелестны, милые друзья!
Однако ножка Терпсихоры
Прелестней чем-то для меня.
Она, пророчествуя взгляду
Неоцененную награду,
Влечет условною красой
Желаний своевольный рой.
Люблю ее, мой друг Эльвина,
Под длинной скатертью столов,
Весной на мураве лугов,
Зимой на чугуне камина,
На зеркальном паркете зал,
У моря на граните скал.

XXXIII

Я помню море пред грозою:
Как я завидовал волнам,
Бегущим бурной чередою
С любовью лечь к ее ногам!
Как я желал тогда с волнами

Was it so long ago that I forgot for you the thirst for fame and praises, and the land of my fathers, and incarceration? The happiness of youthful years has vanished like your light trace on the meadows.

XXXII. Diana's chest, Flora's cheeks are charming, dear friends! But Terpsichore's foot is somehow more charming to me. Prophesying for the eyes a priceless reward, it brings with it, in its peculiar beauty, an idiosyncratic swarm of desires. My friend Elvina, I love it under the long tablecloth, in spring on the fresh meadow grass, in winter on the fireplace's cast iron, on the ballroom's polished parquet, by the sea on the granite rock.

XXXIII. I remember the sea before a thunderstorm: how I envied the waves which ran in stormy succession to lie down lovingly at her feet! How I desired then with the waves to

Коснуться милых ног устами!
Нет, никогда средь пылких дней
Кипящей младости моей
Я не желал с таким мученьем
Лобзать уста младых Армид,
Иль розы пламенных ланит,
Иль перси, полные томленьем;
Нет, никогда порыв страстей
Так не терзал души моей!

1824

К * * *

Я помню чудное мгновенье:
Передо мной явилась ты,
Как мимолетное виденье,
Как гений чистой красоты.

В томленьях грусти безнадежной,
В тревогах шумной суеты,
Звучал мне долго голос нежный,
И снились милые черты.

Шли годы. Бурь порыв мятежный
Рассеял прежние мечты,
И я забыл твой голос нежный,
Твои небесные черты.

---

touch the dear feet with my lips! No, never in my seething youth's ardent days did I desire with such agony to kiss the lips of a young Armida or the roses of fiery cheeks, or breasts full of languor; no, never did the impulse of passions tear my soul apart like this!

*To * * **

I remember a wondrous moment: you appeared before me, like a transient vision, like the spirit of pure beauty.

In the languor of hopeless melancholy, in the alarms of noisy vanity, for a long time a tender voice sounded out to me and I dreamed of dear features.

Years passed. The turbulent force of storms scattered former dreams, and I forgot your tender voice, your heavenly features.

В глуши, во мраке заточенья
Тянулись тихо дни мои
Без божества, без вдохновенья,
Без слез, без жизни, без любви.

Душе настало пробужденье:
И вот опять явилась ты,
Как мимолетное виденье,
Как гений чистой красоты.

И сердце бьется в упоенье,
И для него воскресли вновь
И божество, и вдохновенье,
И жизнь и слезы, и любовь.

1825

Из «Сцены из Фауста»

М е ф и с т о ф е л ь

Творец небесный!
Ты бредишь, Фауст, на яву!
Услужливым воспоминаньем
Себя обманываешь ты.
Не я ль тебе своим стараньем
Доставил чудо красоты?
И в час полуночи глубокой
С тобою свел ее? Тогда

In obscurity, in the darkness of incarceration my days dragged out quietly without godhood, without inspiration, without tears, without life, without love.

Awakening came to the soul and now you appeared again, like a transient vision, like the spirit of pure beauty.

And the heart beats in ecstasy and for it godhood, inspiration, life, tears and love are resurrected again.

From 'A Scene from Faust'
Mephistopheles. Heavenly creator! Faust, you're delirious! You are deceiving yourself with your helpful remembrance. Was it not I by my efforts who delivered you a wonder of beauty? And in the depths of midnight brought you and her together? At that time

Плодами своего труда
Я забавлялся одинокой,
Как вы вдвоем — всё помню я.
Когда красавица твоя
Была в восторге, в упоенье,
Ты беспокойною душой
Уж погружался в размышленье
(А доказали мы с тобой,
Что размышленье — скуки семя).
И знаешь ли, философ мой,
Что́ думал ты в такое время,
Когда не думает никто?
Сказать ли?

Фауст

Говори. Ну, что?

Мефистофель

Ты думал: агнец мой послушный!
Как жадно я тебя желал!
Как хитро в деве простодушной
Я грезы се́рдца возмущал! —
Любви невольной, бескорыстной
Невинно предалась она...
Что ж грудь моя теперь полна
Тоской и скукой ненавистной?..
На жертву прихоти моей
Гляжу, упившись наслажденьем,

with the fruits of my labour I amused myself alone, as you two together — I remember everything. When your beautiful girl was in delight, in ecstasy, you with your restless soul were plunging into thought (and you and I have proved that thought is boredom's seed). Do you know, my philosopher, what you were thinking at a time when nobody thinks? Shall I say?

Faust. Speak. Well, what?

Mephistopheles. You thought: 'My obedient angel! How hungrily I desired you! How cunningly I aroused the heart's dreams in a simple maiden! — She innocently surrendered to involuntary, selfless love... Why then is my breast now full of yearning and hateful boredom?.. I am looking at the victim of my whim, sated by enjoyment,

С неодолимым отвращеньем: —
Так безрасчетный дуралей,
Вотще решась на злое дело,
Зарезав нищего в лесу,
Бранит ободранное тело; —
Так на продажную красу,
Насытясь ею торопливо,
Разврат косится боязливо...
Потом из этого всего
Одно ты вывел заключенье...

Фауст

Сокройся, адское творенье!
Беги от взора моего!

Мефистофель

Изволь. Задай лишь мне задачу:
Без дела, знаешь, от тебя
Не смею отлучаться я —
Я даром времени не трачу.

Фауст

Что там белеет? говори.

Мефистофель

Корабль испанский трехмачтовый,
Пристать в Голландию готовый:

---

with insurmountable revulsion. Thus a thoughtless idiot, vainly deciding to do an evil deed, murdering a pauper in the forest, curses the ragged body. Thus debauchery peeps fearfully at prostituted beauty, sating himself hurriedly on it...' Then from all that you drew one conclusion...

Faust. Vanish, creature of hell. Run from my gaze.

Mephistopheles. Certainly, with pleasure. Only set me a task. I may not, as you know, part from you except on business. I don't waste time.

Faust. What's that white thing there? Speak.

Mephistopheles. It is a three-masted Spanish ship, which is ready to dock in Holland. It

На нем мерзавцев сотни три,
Две обезьяны, бочки злата,
Да груз богатый шоколата,
Да модная болезнь: она
Недавно вам подарена.

Фауст

. Всё утопить.

Мефистофель

Сейчас.
(*Исчезает.*)

1825

Зимний вечер

Буря мглою небо кроет,
Вихри снежные крутя;
То, как зверь, она завоет,
То заплачет, как дитя,
То по кровле обветшалой
Вдруг соломой зашумит,
То, как путник запоздалый,
К нам в окошко застучит.

has on board three hundred rogues, two apes, barrels of gold, chocolate and a fashionable disease. You have only recently been given it.
Faust. Drown the lot.
Mephistopheles. Immediately. *Disappears.*

Winter Evening
The storm covers the heaven with darkness, twisting snowy squalls; now it howls like a beast, now it cries like a child, now over the crumbling roof it suddenly stirs the straw, now, like a late traveller, it knocks at our window.

Наша ветхая лачужка
И печальна, и темна.
Что же ты, моя старушка,
Приумолкла у окна?
Или бури завываньем
Ты, мой друг, утомлена,
Или дремлешь под жужжаньем
Своего веретена?

Выпьем, добрая подружка
Бедной юности моей,
Выпьем с горя; где же кружка?
Сердцу будет веселей.
Спой мне песню, как синица
Тихо за морем жила;
Спой мне песню, как девица
За водой поутру шла.

Буря мглою небо кроет,
Вихри снежные крутя;
То, как зверь, она завоет,
То заплачет, как дитя.
Выпьем, добрая подружка
Бедной юности моей,
Выпьем с горя; где же кружка?
Сердцу будет веселей.

1825

Our decrepit hovel is sad and dark. Why have you, my old woman, fallen silent by window? Or, my friend, are you tired by the storm's howling, or are you dozing to the buzz of your spinning-wheel?

Let us drink, good old friend of my poor youth, let us drink from grief; where's the jug? The heart will feel better. Sing me a song about the blue-tit living quietly overseas; sing me a song about the maiden fetching water in the morning.

The storm covers the heaven with darkness, twisting snowy squalls; now it howls like a beast, now it cries like a child. Let us drink, good old friend of my poor youth, let us drink from grief; where's the jug? The heart will feel better.

Пророк

Духовной жаждою томим,
В пустыне мрачной я влачился, —
И шестикрылый серафим
На перепутье мне явился.
Перстами легкими как сон
Моих зениц коснулся он.
Отверзлись вещие зеницы,
Как у испуганной орлицы.
Моих ушей коснулся он, —
И их наполнил шум и звон:
И внял я неба содроганье,
И гордый ангелов полет,
И гад морских подводный ход,
И дольней лозы прозябанье.
И он к устам моим приник,
И вырвал грешный мой язык,
И празднословный, и лукавый,
И жало мудрыя змеи
В уста замершие мои
Вложил десницею кровавой.
И он мне грудь рассек мечом,
И сердце трепетное вынул
И угль, пылающий огнем,
Во грудь отверстую водвинул.
Как труп в пустыне я лежал,

The Prophet
Worn by spiritual thirst, I dragged through a dark desert, and a six-winged seraph appeared to me at the cross-roads; with fingers as light as sleep he touched the pupils of my eyes: magic eyes opened, like a startled female eagle's. He touched my ears, and noise and ringing filled them: and I perceived the quivering of the sky and the celestial flight of angels and the submarine motion of the sea beasts, and the growing of the valley vine. And he bent down to my lips and tore out my sinful tongue, both idle and cunning, and inserted into my numbed mouth the sting of a wise snake with his bloody right hand. And he clove my breast with a sword and took out the quivering heart and placed in my open chest a coal burning with fire. Like a corpse I lay in the wilderness,

И Бога глас ко мне воззвал:
«Восстань, пророк, и виждь, и внемли,
Исполнись волею Моей,
И, обходя моря и земли,
Глаголом жги сердца людей».

1826

Арион

Нас было много на челне;
Иные парус напрягали,
Другие дружно упирали
В глубь мощны весла. В тишине
На руль склонясь, наш кормщик умный
В молчанье правил грузный челн;
А я — беспечной веры полн, —
Пловцам я пел... Вдруг лоно волн
Измял с налету вихорь шумный...
Погиб и кормщик и пловец! —
Лишь я, таинственный певец,
На берег выброшен грозою,
Я гимны прежние пою
И ризу влажную мою
Сушу на солнце под скалою.

1827

and God's voice called out to me: 'Arise, prophet, see and listen, be filled with My will, and, crossing seas and lands, burn people's hearts with the Word.'

Arion
There were many of us on the boat; some stretched the sail, others in unison pushed the oars into the mighty depths. Bent over the helm in the silence our wise helmsman without a word steered the heavy boat; and I — full of carefree trust — sang to the sailors... Suddenly without warning a noisy tempest stirred up the depths of the waves... Helmsman and sailor perished! — Only I, the mysterious singer, was thrown by the storm onto the shore, I sing my old hymns and dry my wet garment in the sun under the rock.

Поэт

Пока не требует поэта
К священной жертве Аполлон,
В заботах суетного света
Он малодушно погружен;
Молчит его святая лира;
Душа вкушает хладный сон,
И меж детей ничтожных мира,
Быть может, всех ничтожней он.

Но лишь божественный глагол
До слуха чуткого коснется,
Душа поэта встрепенется,
Как пробудившийся орел.
Тоскует он в забавах мира,
Людской чуждается молвы,
К ногам народного кумира
Не клонит гордой головы;
Бежит он, дикий и суровый,
И звуков, и смятенья полн,
На берега пустынных волн,
В широкошумные дубровы...

1827

The Poet

Until Apollo summons the poet to the sacred sacrifice he is meanly plunged in the vain world's cares; his holy lyre is silent; his soul tastes cold sleep, and among the unimportant children of the world he is perhaps the least important.

But once the divine word touches his sensitive ears, the poet's soul starts like an awakened eagle. He pines in the world's amusements, avoids the talk of people and does not bow his proud head to the national idol's feet; he runs, wild and harsh, full of sounds and confusion to the shores of deserted waves, to the broadly rustling oak groves...

Воспоминание

Когда для смертного умолкнет шумный день
   И на немые стогны града
Полупозрачная наляжет ночи тень
   И сон, дневных трудов награда,
В то время для меня влачатся в тишине
   Часы томительного бденья:
В бездействии ночном живей горят во мне
   Змеи́ сердечной угрызенья;
Мечты кипят; в уме, подавленном тоской,
   Теснится тяжких дум избыток;
Воспоминание безмолвно предо мной
   Свой длинный развивает свиток;
И с отвращением читая жизнь мою,
   Я трепещу и проклинаю,
И горько жалуюсь, и горько слёзы лью,
   Но строк печальных не смываю.

1828

26 мая 1828

Дар напрасный, дар случайный,
Жизнь, зачем ты мне дана?
Иль зачем судьбою тайной
Ты на казнь осуждена?

Remembrance
When the noisy day goes quiet for mortals and night's translucent shadow and sleep, diurnal labour's reward, descend on the city's mute avenues, then hours of wearing wakefulness drag out for me in the silence: in nocturnal inactivity remorse, the heart's snakebite, burns harder in me; dreams seethe; an overflow of heavy thoughts crowds my mind, which is crushed by anguish; silently remembrance unfolds before me its long scroll: and, reading my life with revulsion, I quiver and curse, and complain bitterly, and bitterly shed tears, but do not wash away the sad lines.

26 May 1828
Useless gift, casual gift, life, why were you given to me? Or why are you sentenced to execution by secret fate?

Кто меня враждебной властью
Из ничтожества воззвал,
Душу мне наполнил страстью,
Ум сомненьем взволновал?..

Цели нет передо мною:
Сердце пусто, празден ум,
И томит меня тоскою
Однозвучный жизни шум.

* * *

Не пой, красавица, при мне
Ты песен Грузии печальной:
Напоминают мне оне
Другую жизнь и берег дальный.

Увы! напоминают мне
Твои жестокие напевы
И степь, и ночь — и при луне
Черты далекой, бедной девы.

Я призрак милый, роковой,
Тебя увидев, забываю;
Но ты поешь — и предо мной
Его я вновь воображаю.

Who by hostile power summoned me from nothingness, filled my soul with passion, upset my mind with doubt?..

I have no aim before me: my heart is empty, my mind idle, and life's monotonous noise wears me down with anguish.

Beautiful girl, do not sing in my presence melancholy Georgia's songs: they remind me of another life and a distant shore.

Alas, your cruel tunes remind me of the steppe, the night and in the moonlight a poor distant maiden's features.

Seeing you, I forget a dear, fateful spectre; but when you sing I imagine it again before me.

Не пой, красавица, при мне
Ты песен Грузии печальной:
Напоминают мне оне
Другую жизнь и берег дальный.

1828

Анчар

В пустыне чахлой и скупой,
На почве, зноем раскаленной,
Анчар, как грозный часовой,
Стоит — один во всей вселенной.

Природа жаждущих степей
Его в день гнева породила,
И зелень мертвую ветвей
И корни ядом напоила.

Яд каплет сквозь его кору,
К полудню растопясь от зною,
И застывает ввечеру
Густой прозрачною смолою.

К нему и птица не летит,
И тигр нейдет: лишь вихорь черный
На древо смерти набежит —
И мчится прочь, уже тлетворный.

Beautiful girl, do not sing in my presence melancholy Georgia's songs: they remind me of another life and a distant shore.

The Upas Tree
In a withered bare desert, on soil red hot with the heat, the Upas tree, like a dreadful guard, stands alone in all the universe.

The thirsting steppes' nature gave birth to it on a day of anger, and filled the branches' dead greenery and the roots with poison.

Poison drips through its bark, melting by noon from the heat, and congeals in the evening into a thick transparent pitch.

No bird flies towards it, even the tiger does not come: only the black whirlwind rushes to the tree of death — and speeds away, now infected.

И если туча оросит,
Блуждая, лист его дремучий,
С его ветвей, уж ядовит,
Стекает дождь в песок горючий.

Но человека человек
Послал к анчару властным взглядом;
И тот послушно в путь потек
И к утру возвратился с ядом.

Принес он смертную смолу
Да ветвь с увядшими листами,
И пот по бледному челу
Струился хладными ручьями;

Принес — и ослабел и лег
Под сводом шалаша на лыки,
И умер бедный раб у ног
Непобедимого владыки.

А царь тем ядом напитал
Свои послушливые стрелы
И с ними гибель разослал
К соседям в чуждые пределы.

1828

And if a stray rain cloud waters its slumbering foliage, the rain flows poisonous from its branches into the burning sand.

But man sent man by a commanding look to the Upas tree: and he obediently set off and came back with the poison by morning.

He brought the deadly pitch and a branch with faded leaves, and sweat flowed in cold streams down his pale forehead;

He brought it — and weakened and lay down on the bast matting under the tent roof, and the poor slave died at the feet of the unconquerable ruler.

The king dipped his obedient arrows in this poison and sent death on them to his neighbours in alien territories.

* * *

Жил на свете рыцарь бедный,
Молчаливый и простой,
С виду сумрачный и бледный,
Духом смелый и прямой.

Он имел одно виденье,
Непостижное уму,
И глубоко впечатленье
В сердце врезалось ему.

Путешествуя в Женеву,
На дороге у креста
Видел он Марию Деву,
Матерь Господа Христа.

С той поры, сгорев душою,
Он на женщин не смотрел,
И до гроба ни с одною
Молвить слова не хотел.

С той поры стальной решетки
Он с лица не подымал
И себе на шею четки
Вместо шарфа привязал.

Несть мольбу Отцу, ни Сыну,
Ни Святому Духу ввек
Не случилось паладину,
Странный был он человек.

There once was a poor knight, taciturn and simple, gloomy and pale in appearance, bold and direct in spirit.

He had a vision unattainable to the mind, and the impression cut deep into his heart.

Travelling to Geneva, by a cross on the road he saw the Virgin Mary, Mother of Christ the Lord.

Since then, his soul on fire, he stopped looking at women and refused to say a word to any woman until the grave.

Since then he did not raise his steel grid from his face and tied a rosary instead of a scarf round his neck.

The paladin never found himself praying to the Father or the Son or the Holy Ghost, he was a strange person.

Проводил он целы ночи
Перед ликом пресвятой,
Устремив к ней скорбны очи,
Тихо слезы лья рекой.

Полон верой и любовью,
Верен набожной мечте,
Ave, Mater Dei кровью
Написал он на щите.

Между тем как паладины
В встречу трепетным врагам
По равнинам Палестины
Мчались, именуя дам, —

Lumen coelum, sancta Rosa!
Восклицал всех громче он,
И гнала его угроза
Мусульман со всех сторон.

Возвратясь в свой замок дальный,
Жил он строго заключен,
Всё влюбленный, всё печальный,
Без причастья умер он;

Между тем как он кончался,
Дух лукавый подоспел,
Душу рыцаря сбирался
Бес тащить уж в свой предел:

He spent whole nights before the image of the Virgin, fixing his grieving eyes on her, pouring a river of tears.

Full of faith and love, true to his pious dream, 'Ave Mater Dei [*Hail, Mother of God*], he wrote in blood on his shield.

While paladins rushed towards their trembling enemies over the plains of Palestine, naming their ladies,

'Lumen cœli, sancta rosa [*Light of heaven, holy rose*],' he cried louder than everyone, and his threat drove Moslems from every place.

Returning to his distant castle, he lived strictly secluded, still enamoured, still melancholy, he died without communion.

When he was dying a cunning spirit came up; the demon meant to drag the knight's soul to his region:

Он-де Богу не молился,
Он не ведал-де поста,
Не путем-де волочился
Он за матушкой Христа.

Но Пречистая сердечно
Заступилась за него
И впустила в царство вечно
Паладина своего.

1829

2 ноября

Зима. Что делать нам в деревне? Я встречаю
Слугу, несущего мне утром чашку чаю,
Вопросами: тепло ль? утихла ли метель?
Пороша есть иль нет? и можно ли постель
Покинуть для седла, иль лучше до обеда
Возиться с старыми журналами соседа?
Пороша. Мы встаем, и тотчас на коня,
И рысью по полю при первом свете дня;
Арапники в руках, собаки вслед за нами;
Глядим на бледный снег прилежными глазами;
Кружимся, рыскаем и поздней уж порой,
Двух зайцев протравив, являемся домой.
Куда как весело! Вот вечер: вьюга воет;

'He did not,' it claimed, 'pray to God, he knew no fast, he pestered Christ's mother.'
But the Holy Virgin ardently spoke up for him and let her paladin enter the eternal kingdom.

2 November
Winter. What are we to do in the country? I meet a servant bringing me a morning cup of tea with questions: 'Is it warm? Has the snowstorm died down? Is there fresh snow or not? and can one leave one's bed for the saddle, or is it better to occupy oneself with a neighbour's old magazines until dinner?' Fresh snow. We get up and straight on horseback, and trot over the fields at first light; whips in hand, dogs following us; we look with eager eyes at the pale snow; we circle, we search, and when it is late, after hunting two hares, we come back home. How very merry! Now it's evening: the blizzard howls;

Свеча темно горит; стесняясь, сердце ноет;
По капле, медленно глотаю скуки яд.
Читать хочу; глаза над буквами скользят,
А мысли далеко... Я книгу закрываю;
Беру перо, сижу; насильно вырываю
У музы дремлющей несвязные слова.
Ко звуку звук нейдет... Теряю все права
Над рифмой, над моей прислужницею странной:
Стих вяло тянется, холодный и туманный.
Усталый, с лирою я прекращаю спор,
Иду в гостиную; там слышу разговор
О близких выборах, о сахарном заводе;
Хозяйка хмурится в подобие погоде,
Стальными спицами проворно шевеля,
Иль про червонного гадает короля.
Тоска! Так день за днем идет в уединенье!
Но если под вечер в печальное селенье,
Когда за шашками сижу я в уголке,
Приедет издали в кибитке иль возке
Нежданная семья: старушка, две девицы
(Две белокурые, две стройные сестрицы), —
Как оживляется глухая сторона!
Как жизнь, о Боже мой, становится полна!
Сначала косвенно-внимательные взоры,
Потом слов несколько, потом и разговоры,
А там и дружный смех, и песни вечерком,
И вальсы резвые, и шепот за столом,

the candle burns dimly; anguished, the heart aches; drop by drop I slowly swallow boredom's poison. I try to read, my eyes slip over the letters, but thoughts are far away... I shut the book; I take up my pen, I sit, I forcibly extract disconnected words from the slumbering muse. Sound doesn't fit sound... I lose all my rights over rhyme, my strange servant: the verse drags wanly, cold and vague. Tired, I stop the dispute with the lyre, I go to the drawing room; there I hear talk about the imminent elections, the sugar factory; nimbly moving her knitting needles, our hostess frowns like the weather or tells the King of Hearts' fortunes. Anguish. Thus day after day passes in solitude. But if towards evening to the sad habitation where I sit in the corner at drafts there comes, by covered sledge or cart, an unexpected family, an old woman and two girls (two blond, slim sisters), how the remote district livens up. Oh my God, how full life becomes! First slanting-watchful gazes, then a few words, then conversations, and after communal laughter and songs in the evening and lively waltzes and whispers at table,

И взоры томные, и ветреные речи,
На узкой лестнице замедленные встречи;
И дева в сумерки выходит на крыльцо:
Открыты шея, грудь, и вьюга ей в лицо!
Но бури севера не вредны русской розе.
Как жарко поцелуй пылает на морозе!
Как дева русская свежа в пыли снегов!

1829

* * *

Я вас любил: любовь еще, быть может,
В душе моей угасла не совсем;
Но пусть она вас больше не тревожит;
Я не хочу печалить вас ничем.
Я вас любил безмолвно, безнадежно,
То робостью, то ревностью томим;
Я вас любил так искренно, так нежно,
Как дай вам Бог любимой быть другим.

1829

and languid gazes and frivolous words, prolonged encounters on a narrow staircase; and at dusk a maiden comes out onto the porch: her neck and breast are open, the blizzard in her face! But the north's storms are not harmful for a Russian rose. How hot a kiss burns in the freezing cold, how fresh is a Russian maiden in the powdery snow.

I loved you: love still, perhaps, has not quite died in my soul; but let it not bother you any more, I do not want to grieve you in any way. I loved you silently, hopelessly, worn now by shyness, now by jealousy; I loved you so sincerely, so tenderly, as God grant you to be loved by another.

* *

Брожу ли я вдоль улиц шумных,
Вхожу ль во многолюдный храм,
Сижу ль меж юношей безумных,
Я предаюсь моим мечтам.

Я говорю: промчатся годы,
И сколько здесь ни видно нас,
Мы все сойдем под вечны своды —
И чей-нибудь уж близок час.

Гляжу ль на дуб уединенный,
Я мыслю: патриарх лесов
Переживет мой век забвенный,
Как пережил он век отцов.

Младенца ль милого ласкаю,
Уже я думаю: прости!
Тебе я место уступаю:
Мне время тлеть, тебе цвести.

День каждый, каждую годину
Привык я думой провождать,
Грядущей смерти годовщину
Меж их стараясь угадать.

Whether I wander down noisy streets, or enter a crowded temple or sit among crazed youths, I surrender to my dreams.

I say: years will pass, and however many of us we can see, we will all descend beneath the eternal arches, and somebody's hour is near.

If I look at an isolated oak I think: the forest patriarch will outlive my ephemeral age as it outlived that of my fathers.

If I caress a dear infant I already think: 'Farewell! I cede my place to you, it's time for me to moulder, you to blossom.'

Each day, each year I have got used to accompanying with a thought, trying to guess among them the anniversary of my coming death.

И где мне смерть пошлет судьбина?
В бою ли, в странствии, в волнах?
Или соседняя долина
Мой примет охладелый прах?

И хоть бесчувственному телу
Равно повсюду истлевать,
Но ближе к милому пределу
Мне все б хотелось почивать.

И пусть у гробового входа
Младая будет жизнь играть,
И равнодушная природа
Красою вечною сиять.

1829

Элегия

Безумных лет угасшее веселье
Мне тяжело, как смутное похмелье.
Но, как вино — печаль минувших дней
В моей душе чем старе, тем сильней.
Мой путь уныл. Сулит мне труд и горе
Грядущего волнуемое море.

And where will fate send me death? In battle, in wanderings, on the waves? Or will the neighbouring valley receive my cooled ashes?

And though it is all the same to the senseless body to rot anywhere, I should still like to lie nearer to my beloved region.

And let young life play by the entrance to the tomb and indifferent nature radiate eternal beauty.

Elegy
The faded memory of crazed years saddens me, like a troubled hangover. But, like wine — the grief of past days is stronger the older it is in my soul. My path is sad. The turbulent sea of the future promises me labour and grief.

Но не хочу, о други, умирать;
Я жить хочу, чтоб мыслить и страдать;
И ведаю, мне будут наслажденья
Меж горестей, забот и треволненья:
Порой опять гармонией упьюсь,
Над вымыслом слезами оболью́сь,
И может быть — на мой закат печальный
Блеснет любовь улыбкою прощальной.

1830

Песня Председателя из маленькой трагедии
«Пир во время чумы»

Когда могучая зима,
Как бодрый вождь, ведет сама
На нас косматые дружины
Своих морозов и снегов, —
Навстречу ей трещат камины,
И весел зимний жар пиров.

Царица грозная, Чума
Теперь идет на нас сама
И льстится жатвою богатой;
И к нам в окошко день и ночь
Стучит могильною лопатой...
Что делать нам? и чем помочь?

But, o friends, I do not want to die; I want to live, in order to think and suffer; and I know I shall have enjoyments among sorrows, worries and alarms: at times I shall be carried away by harmony, I shall shed tears over invention, and perhaps — over my sad sunset love will shine out with a farewell smile.

The Chairman's Song, from 'A Feast in the Time of Plague'
When mighty winter, like a cheerful general, leads its shaggy warrior band of frosts and snow against us, fireplaces crackle against it and the winter heat of feasts is cheerful.
   The terrible Empress, the Plague, is now attacking us and flatters herself with a rich harvest and day and night bangs the gravedigger's spade at our window. What can we do, how can we help?

Как от проказницы зимы,
Запремся также от Чумы!
Зажжем огни, нальем бокалы;
Утопим весело умы
И, заварив пиры да балы,
Восславим царствие Чумы.

Есть упоение в бою,
И бездны мрачной на краю,
И в разъяренном океане,
Средь грозных волн и бурной тьмы,
И в аравийском урагане,
И в дуновении Чумы.

Всё, всё, что гибелью грозит,
Для сердца смертного таит
Неизъяснимы наслажденья —
Бессмертья, может быть, залог!
И счастлив тот, кто средь волненья
Их обретать и ведать мог.

Итак — хвала тебе, Чума!
Нам не страшна могилы тьма,
Нас не смутит твое призванье!
Бокалы пеним дружно мы,
И Девы-Розы пьем дыханье —
Быть может — полное Чумы!

1830

Just as from mischievous Winter, let us lock ourselves away from the Plague! Let's light fires, fill chalices, merrily drown our minds and, getting up feasts and balls, let us glorify the Plague's reign.

There is ecstasy in battle and on the edge of the dark abyss and in the raging ocean, amid dreadful waves and stormy darkness and in the Arabian hurricane and in the breath of the Plague.

Everything, everything that threatens perdition conceals inexplicable enjoyments for the mortal heart — perhaps a pledge of immortality! — and happy is he who amid the excitement has been able to find and know them.

So praise to you, Plague. The grave's darkness does not frighten us, your call does not disturb us! We foam the chalices together and drink the breath of the Rose-Maiden, perhaps full of Plague!

* * *

Для берегов отчизны дальной
Ты покидала край чужой;
В час незабвенный, в час печальный
Я долго плакал пред тобой.
Мои хладеющие руки
Тебя старались удержать;
Томленья страшного разлуки
Мой стон молил не прерывать.

Но ты от горького лобзанья
Свои уста оторвала;
Из края мрачного изгнанья
Ты в край иной меня звала.
Ты говорила: «В день свиданья
Под небом вечно голубым,
В тени олив, любви лобзанья
Мы вновь, мой друг, соединим».

Но там, увы, где неба своды
Сияют в блеске голубом,
Где тень олив легла на воды,
Заснула ты последним сном.
Твоя краса, твои страданья
Исчезли в урне гробовой —
А с ними поцелуй свиданья...
Но жду его; он за тобой...

1830

For the shores of a distant homeland you were leaving an alien country. At an unforgettable hour, a sad hour I wept for a long time before you. My hands, grown cold, tried to hold you back; my groans begged you not to break off parting's terrible pain.

But you tore your lips away from the bitter kisses; you summoned me from a region of dark exile to another region. You said: 'On the day we meet under an eternally blue sky, in the shade of the olives, we shall, my friend again unite the kisses of love.'

But there, alas, where the heavenly vault shines in blue radiance, where the shade of the olives has fallen on the waters, you fell asleep for the last time. Your beauty, your sufferings have vanished in the funeral urn — but as for the sweet kiss of reunion... I await it, you owe me it.

Из главы восьмой романа «Евгений Онегин»

X

Блажен, кто смолоду был молод,
Блажен, кто вовремя созрел,
Кто постепенно жизни холод
С летами вытерпеть умел;
Кто странным снам не предавался,
Кто черни светской не чуждался,
Кто в двадцать лет был франт иль хват,
А в тридцать выгодно женат;
Кто в пятьдесят освободился
От частных и других долгов,
Кто славы, денег и чинов
Спокойно в очередь добился,
О ком твердили целый век:
N. N. прекрасный человек.

XI

Но грустно думать, что напрасно
Была нам молодость дана,
Что изменяли ей всечасно,
Что обманула нас она;
Что наши лучшие желанья,
Что наши свежие мечтанья
Истлели быстрой чередой,
Как листья осенью гнилой.
Несносно видеть пред собою

From Chapter Eight of Evgenii Onegin
X. Blessed is he who was young from youth, blessed who matured in time, who gradually managed to endure life's cold with the years; who did not indulge in strange dreams, who did not shun society's rabble, who at twenty was a dandy or fop and at thirty profitably married; who at fifty was free of private and other debts, who calmly in due course won fame, money and rank, of whom all his life it was repeated: 'N. N. is a fine person.'

XI. But it is sad to think that youth was given to us in vain, that we have constantly betrayed it, that it has let us down; that our best desires, that our fresh dreams have burnt out in rapid succession, like leaves in a rotten autumn. It is unbearable to see facing us

Одних обедов длинный ряд,
Глядеть на жизнь, как на обряд,
И вслед за чинною толпою
Идти, не разделяя с ней
Ни общих мнений, ни страстей.

1831

* *
  *

Чем чаще празднует лицей
Свою святую годовщину,
Тем робче старый круг друзей
В семью стесняется едину,
Тем реже он; тем праздник наш
В своем веселии мрачнее;
Тем глуше звон заздравных чаш
И наши песни тем грустнее.

Так дуновенья бурь земных
И нас нечаянно касались,
И мы средь пиршеств молодых
Душою часто омрачались;
Мы возмужали; рок судил
И нам житейски испытанья,
И смерти дух средь нас ходил
И назначал свои закланья.

a long series of just dinners, to look at life as a ritual, and to follow the solemn mob without sharing common opinions or passions with it.

The more often the lyceum celebrates its sacred anniversary, the more shyly the old circle of friends fits into a single family, the thinner it is, the gloomier our festival is in its merriment, the dimmer the ringing of toasting chalices, and the sadder our songs.

   Thus the winds of earthly storms have unexpectedly touched us too, and we among youthful feasting have often become downcast in our souls; we have grown up; fate has allotted us too trials in life and the spirit of death has walked among us and marked out its victims for the slaughter.

Шесть мест упраздненных стоят,
Шести друзей не узрим боле,
Они разбросанные спят —
Кто здесь, кто там на ратном поле,
Кто дома, кто в земле чужой,
Кого недуг, кого печали
Свели во мрак земли сырой,
И надо всеми мы рыдали.

И мнится, очередь за мной,
Зовет меня мой Дельвиг милый,
Товарищ юности живой,
Товарищ юности унылой,
Товарищ песен молодых,
Пиров и чистых помышлений,
Туда, в толпу теней родных
Навек от нас утекший гений.

Тесней, о милые друзья,
Тесней наш верный круг составим,
Почившим песнь окончил я,
Живых надеждою поздравим,
Надеждой некогда опять
В пиру лицейском очутиться,
Всех остальных еще обнять
И новых жертв уж не страшиться.

1831

Six empty places stand, six friends we shall see no more, they sleep scattered apart, either here, or on the battle field or at home or in alien lands, or brought down by illness or by grief into the gloom of raw earth, and over all we have sobbed.

And I think that it is my turn, my dear Delvig calls me, comrade of my lively youth, comrade of my melancholy youth, comrade of young songs of feasts and pure intentions, thither, to the crowd of beloved shades, the genius who has fled from us for ever.

Closer, o dear friends, let us make our faithful circle closer, I have finished the song to the departed, let us toast the living with health, with the hope of once more appearing at the lyceum banquet, to embrace all the others and not to fear further losses.

Из поэмы «Медный всадник»

[...]

      Евгений вздрогнул. Прояснились
В нем страшно мысли. Он узнал
И место, где потоп играл,
Где волны хищные толпились,
Бунтуя злобно вкруг него,
И львов, и площадь, и того,
Кто неподвижно возвышался
Во мраке медною главой,
Того, чьей волей роковой
Под морем город основался...
Ужасен он в окрестной мгле!
Какая дума на челе!
Какая сила в нем сокрыта!
А в сем коне какой огонь!
Куда ты скачешь, гордый конь,
И где опустишь ты копыта?
О мощный властелин судьбы!
Не так ли ты над самой бездной,
На высоте, уздой железной
Россию поднял на дыбы?

      Кругом подножия кумира
Безумец бедный обошел
И взоры дикие навел
На лик державца полумира.
Стеснилась грудь его. Чело

From 'The Bronze Horseman'

Evgenii shuddered. In him thoughts clarified frighteningly. He had recognised the place where the flood had played, where predatory waves had crowded, rebelling viciously around him, and the lions and the square and him *[Peter the Great]* who motionless rose up with his bronze head in the gloom, him by whose fateful will the city had been founded below sea level... He is horrible in the surrounding gloom! What a thought in his brow! What strength concealed in him! And in this horse what fire! Where are you galloping, proud steed, and where will you drop your hooves? O powerful commander of destiny! Did you not thus over the abyss itself, on a height, with iron bridle, raise up Russia onto its hind legs?

    Around the pedestal of the idol the poor madman walked and he directed his wild gaze on the face of the sovereign of half the world. His chest felt cramped. His forehead was

К решетке хладной прилегло,
Глаза подернулись туманом,
По сердцу пламень пробежал,
Вскипела кровь. Он мрачен стал
Пред горделивым истуканом
И, зубы стиснув, пальцы сжав,
Как обуянный силой черной,
«Добро, строитель чудотворный! —
Шепнул он, злобно задрожав, —
Ужо тебе!..» И вдруг стремглав
Бежать пустился. Показалось
Ему, что грозного царя,
Мгновенно гневом возгоря,
Лицо тихонько обращалось...
И он по площади пустой
Бежит и слышит за собой —
Как будто грома грохотанье —
Тяжело-звонкое скаканье
По потрясенной мостовой.
И, озарен луною бледной,
Простерши руку в вышине,
За ним несется Всадник Медный
На звонко-скачущем коне;
И во всю ночь безумец бедный,
Куда стопы ни обращал,
За ним повсюду Всадник Медный
С тяжелым топотом скакал. [...]

1833

pressed down on the cold railings, his eyes were covered with mist, fire ran through his
heart, his blood boiled. He became gloomy before the proud monster and, gritting his
teeth, making a fist of his fingers, like someone possessed by black forces, whispered
with a vicious shudder: 'Fine, miraculous builder, I'll show you!..' And suddenly he
started running headlong. It seemed to him that the dreaded Tsar's face, immediately
burning with wrath, had quietly turned... And over the empty square he runs and hears
behind him — something like the rolling of thunder — a heavy-resonant gallop over the
shaken paving. And, lit up by the pale moon, stretching out his arm in the heights, the
Bronze Horseman moves after him on a resonantly galloping horse; and all night
wherever the poor madman turned his steps, everywhere the Bronze Horseman galloped
with heavy thundering after him.

Осень
(отрывок)

Чего в мой дремлющий тогда не входит ум?

Державин

I

Октябрь уж наступил — уж роща отряхает
Последние листы с нагих своих ветвей;
Дохнул осенний хлад — дорога промерзает.
Журча еще бежит за мельницу ручей,
Но пруд уже застыл; сосед мой поспешает
В отъезжие поля с охотою своей,
И страждут озими от бешеной забавы,
И будит лай собак уснувшие дубравы.

II

Теперь моя пора: я не люблю весны,
Скучна мне оттепель; вонь, грязь — весной я болен;
Кровь бродит; чувства, ум тоскою стеснены.
Суровою зимой я более доволен,
Люблю ее снега; в присутствии луны
Как легкий бег саней с подругой быстр и волен,
Когда под соболем, согрета и свежа,
Она вам руку жмет, пылая и дрожа!

Autumn (A Fragment)

What does not enter my slumbering mind then? *Derzhavin*

I. October has now come — the grove is shaking off the last leaves from its naked branches, an autumnal chill has breathed — the road freezes over. Still babbling, the stream runs through the mill, but the pond is frozen; my neighbour hurries to the outlying fields with his hunt, and the winter corn suffers from the furious sport and the dogs' barking awakens the sleeping oak groves.

II. Now is my time; I do not like spring; the thaw bores me; stench, filth — I'm sick in spring. My blood ferments; feelings, mind are oppressed by anguish. I am more pleased by harsh winter, I love its snows; how quick and free is the light running of a sledge in the moon's presence with a girl friend, when under the sable skin, warmed and fresh, she squeezes your hand, burning and shivering!

III

Как весело, обув железом острым ноги,
Скользить по зеркалу стоячих, ровных рек!
А зимних праздников блестящие тревоги?..
Но надо знать и честь; полгода снег да снег,
Ведь это наконец и жителю берлоги,
Медведю, надоест. Нельзя же целый век
Кататься нам в санях с Армидами младыми
Иль киснуть у печей за стеклами двойными.

IV

Ох, лето красное! любил бы я тебя,
Когда б не зной, да пыль, да комары, да муки.
Ты, все душевные способности губя,
Нас мучишь; как поля, мы страждем от засухи;
Лишь как бы напоить да освежить себя —
Иной в нас мысли нет, и жаль зимы старухи,
И, проводив ее блинами и вином,
Поминки ей творим мороженым и льдом.

V

Дни поздней осени бранят обыкновенно,
Но мне она мила, читатель дорогой,
Красою тихою, блистающей смиренно.
Так нелюбимое дитя в семье родной
К себе меня влечет. Сказать вам откровенно,

III. How merry, putting sharp irons on one's feet, to skate over the mirror of the standing even rivers! And the brilliant stir of winter festivals?.. But there has to be a stop; nothing but snow for six months, that would be too much even for a bear, the inhabitant of a den. We can't spend our entire life riding in sledges with young Armidas or sulking by the stove behind double glazing.

IV. O fair summer! I would like you, were it not for the heat, dust, mosquitoes and flies. Ruining all mental capacities, you torment us; like the fields, we suffer from drought; if we could only have enough to drink and freshen ourselves — we have no other thought, and we miss old woman winter and, seeing her off with pancakes and wine, we remember her with ice cream and ice.

V. Late autumn days are usually cursed, but I love autumn, dear reader, for its quiet, humbly shining beauty. So an unloved child in its family attracts me. I tell you frankly,

Из годовых времен я рад лишь ей одной,
В ней много доброго; любовник не тщеславный,
Я нечто в ней нашел мечтою своенравной.

VI

Как это объяснить? Мне нравится она,
Как, вероятно, вам чахоточная дева
Порою нравится. На смерть осуждена,
Бедняжка клонится без ропота, без гнева.
Улыбка на устах увянувших видна;
Могильной пропасти она не слышит зева;
Играет на лице еще багровый цвет.
Она жива еще сегодня, завтра нет.

VII

Унылая пора! очей очарованье!
Приятна мне твоя прощальная краса —
Люблю я пышное природы увяданье,
В багрец и в золото одетые леса,
В их сенях ветра шум и свежее дыханье,
И мглой волнистою покрыты небеса,
И редкий солнца луч, и первые морозы,
И отдаленные седой зимы угрозы.

of all the seasons I am glad only of autumn. It has a lot of good; not a vain lover, I have found something in it with my idiosyncratic dream.

VI. How do I explain this? I like autumn as, probably, you sometimes like a consumptive maiden. Doomed to die, the poor girl bends without a murmur, without wrath. You can see the smile on the faded lips; she does not sense the yawning of the grave's abyss, the crimson colour still plays on her face. Today she's alive, tomorrow not.

VII. Sad season! enchantment to the eyes, I find your valedictory beauty pleasant. I love the luxuriant fading of nature, the forests dressed in scarlet and gold, the wind's rustle and fresh breath in their shade, and the heavens covered with rolling mist, and the thin ray of sunlight and the first frosts and distant threats of grey-haired winter.

VIII

И с каждой осенью я расцветаю вновь;
Здоровью моему полезен русский холод;
К привычкам бытия вновь чувствую любовь;
Чредой слетает сон, чредой находит голод;
Легко и радостно играет в сердце кровь,
Желания кипят — я снова счастлив, молод,
Я снова жизни полн — таков мой организм
(Извольте мне простить ненужный прозаизм).

IX

Ведут ко мне коня; в раздолии открытом,
Махая гривою, он всадника несет,
И звонко под его блистающим копытом
Звенит промерзлый дол и трескается лед.
Но гаснет краткий день, и в камельке забытом
Огонь опять горит — то яркий свет лиет,
То тлеет медленно — а я пред ним читаю
Иль думы долгие в душе моей питаю.

X

И забываю мир — и в сладкой тишине
Я сладко усыплен моим воображеньем,
И пробуждается поэзия во мне:
Душа стесняется лирическим волненьем,
Трепещет и звучит, и ищет, как во сне,
Излиться наконец свободным проявленьем —

VIII. And every autumn I blossom anew; Russian cold is good for my health; I feel love again for the habits of life: sleep and hunger come in their proper turn; the blood plays easily and joyfully in my heart, desires seethe — again I am happy, young, I am full of life again — such is my organism (please forgive me the uncalled-for prosaicism).

IX. They bring me a horse; in the open plains, shaking its mane, it carries the rider, and under its shining hoof the frozen valley rings out loudly and the ice cracks. But the short day dies and in the forgotten fireplace fire burns again, now it pours out bright light, now it smoulders slowly — and I read in front of it or nurture long thoughts in my soul.

X. And I forget the world — and in sweet silence I am sweetly put to sleep by my imagination, and poetry awakens in me: the sole is gripped by lyrical excitement, it trembles and resounds and seeks, as if in sleep, to pour out finally in a free manifestation

И тут ко мне идет незримый рой гостей,
Знакомцы давние, плоды мечты моей.

XI

И мысли в голове волнуются в отваге,
И рифмы легкие навстречу им бегут,
И пальцы просятся к перу, перо к бумаге,
Минута — и стихи свободно потекут.
Так дремлет недвижим корабль в недвижной влаге,
Но чу! — матросы вдруг кидаются, ползут
Вверх, вниз — и паруса надулись, ветра полны;
Громада двинулась и рассекает волны.

XII

Плывет. Куда ж нам плыть? . . .

1833

* *
*

Не дай мне Бог сойти с ума.
Нет, легче посох и сума;
Нет, легче труд и глад.
Не то, чтоб разумом моим
Я дорожил; не то, чтоб с ним
Расстаться был не рад:

— and then an invisible swarm of guests, old familiars, fruits of my dream, come to me.

XI. And thoughts stir boldly in my head, and light rhymes run to meet them, and fingers beg for pen, pen for paper, a minute and the verses will flow freely. Thus a ship slumbers motionless in motionless water, but lo, the sailors suddenly rush, climb up, down — and the sails have swollen, filled with wind, the mass has moved and cleaves the waves.

XII. It sails. Where then shall we sail?..

God don't let me go mad, no, better the beggar's stick and bag, no, better labour and hunger, not that I have valued my reason, not that I would not be glad to part with it:

Когда б оставили меня
На воле, как бы резво я
    Пустился в темный лес!
Я пел бы в пламенном бреду,
Я забывался бы в чаду
    Нестройных, чудных грез.

И я б заслушивался волн,
И я глядел бы, счастья полн,
    В пустые небеса;
И силен, волен был бы я,
Как вихорь, роющий поля,
    Ломающий леса.

Да вот беда: сойди с ума,
И страшен будешь как чума,
    Как раз тебя запрут,
Посадят на цепь дурака
И сквозь решетку как зверька
    Дразнить тебя придут.

А ночью слышать буду я
Не голос яркий соловья,
    Не шум глухой дубров —
А крик товарищей моих
Да брань смотрителей ночных,
    Да визг, да звон оков.

1833

If they'd leave me in freedom, how merrily I would set off for the dark forest! I'd sing in fiery delirium, I'd forget myself in the fog of disordered wondrous dreams.

And I'd listen to the waves, and look, full of happiness at the empty skies, and I'd be strong, free as the whirlwind digging up the fields, breaking the forests.

But the trouble is: if you go mad you'll be as terrifying as the plague, they will just lock you up, put on an idiot's chain and will come to tease you, like a wild animal, through the grid.

At night I shall hear not the nightingale's bright voice, nor the oak grove's muffled rustle, but the shouts of my comrades, the curses of the night guards and the clanking and ringing of chains.

* *
*

Пора, мой друг, пора! покоя сердце просит —
Летят за днями дни, и каждый час уносит
Частичку бытия, а мы с тобой вдвоем
Предполагаем жить, и глядь — как раз умрем.
На свете счастья нет, но есть покой и воля.
Давно завидная мечтается мне доля —
Давно, усталый раб, замыслил я побег
В обитель дальную трудов и чистых нег.

1834

* *
*

Exegi monumentum

Я памятник себе воздвиг нерукотворный
К нему не зарастет народная тропа,
Вознесся выше он главою непокорной
　　Александрийского столпа.

Нет, весь я не умру — душа в заветной лире
Мой прах переживет и тленья убежит —
И славен буду я, доколь в подлунном мире
　　Жив будет хоть один пиит.

It's time, my friend, it's time! The heart asks for peace — days fly after days, and every hour takes away a particle of being, while you and I assume that we will live together… And look — suddenly — we die. There is no happiness in the world, but there is peace and freedom. I have long dreamed of an enviable lot — for long, a tired slave, I have thought of flight to a distant habitation of labours and pure joys.

I have erected a monument
I have erected a monument to myself not made by human hands, the people's path to it will not be overgrown, it has been erected, its unbowed head higher than the pillar of Alexandria.
　No, I shall not wholly die — the soul in its testamental lyre will outlive my ashes and escape decay — and I shall be famous in the sublunary world as long as just one poet remains alive.

Слух обо мне пройдет по всей Руси великой,
И назовет меня всяк сущий в ней язык,
И гордый внук славян, и финн, и ныне дикой
    Тунгус, и друг степей калмык.

И долго буду тем любезен я народу,
Что чувства добрые я лирой пробуждал,
Что в мой жестокий век восславил я Свободу
    И милость к падшим призывал.

Веленью божию, о муза, будь послушна,
Обиды не страшась, не требуя венца,
Хвалу и клевету приемли равнодушно
    И не оспаривай глупца.

1836

Talk of me will spread over all great Russia, and every tongue in the country will name me, the proud grandson of the Slavs, the Finn and the Tungus, who is savage today, and the Kalmyk, friend of the steppe.

And I shall be loved by the people for a long time because I have aroused good feelings with my lyre, because in my cruel age I glorified Freedom and called for mercy to the fallen.

O muse, obey God's command, without fearing hurt or demanding a crown, accept praise and slander with equanimity and do not argue with the fool.

ЕВГЕНИЙ АБРАМОВИЧ БАРАТЫНСКИЙ
EVGENII ABRAMOVICH BARATYNSKII

Разуверение

Не искушай меня без нужды
Возвратом нежности твоей:
Разочарованному чужды
Все обольщенья прежних дней!
Уж я не верю увереньям,
Уж я не верую в любовь
И не могу предаться вновь
Раз изменившим сновиденьям!
Слепой тоски моей не множь,
Не заводи о прежнем слова,
И, друг заботливый, больного
В его дремоте не тревожь!
Я сплю, мне сладко усыпленье;
Забудь бывалые мечты:
В душе моей одно волненье,
А не любовь пробудишь ты.

1821

Две доли

Дало две доли Провидение
   На выбор мудрости людской:
Или надежду и волнение,
   Иль безнадежность и покой.

Dissuasion
Do not tempt me unnecessarily with a return of your tenderness: for the disillusioned man all the seductions of former days are alien. I no longer trust assurances, I no longer believe in love and I cannot again surrender to dreams that have once betrayed me. Do not increase my blind anguish, do not talk about the past and, like a caring friend, do not disturb the sick man in his slumber. I sleep, going to sleep is sweet to me; forget former dreams: you will awaken only anxiety in my soul, not love.

Two Lots
Providence gave human wisdom two lots to choose from: either hope and worry, or despair and peace.

Верь тот надежде обольщающей,
   Кто бодр неопытным умом,
Лишь по молве разновещающей
   С судьбой насмешливой знаком.

Надейтесь, юноши кипящие!
   Летите, крылья вам даны;
Для вас и замыслы блестящие
   И сердца пламенные сны!

Но вы, судьбину испытавшие,
   Тщету утех, печали власть,
Вы, знанье бытия приявшие
   Себе на тягостную часть!

Гоните прочь их рой прельстительный;
   Так! доживайте жизнь в тиши
И берегите хлад спасительный
   Своей бездейственной души.

Своим бесчувствием блаженные,
   Как трупы мертвых из гробов,
Волхва словами пробужденные,
   Встают со скрежетом зубов, —

Так вы, согрев в душе желания,
   Безумно вдавшись в их обман,
Проснетесь только для страдания,
   Для боли новой прежних ран.

1823

Let him trust seductive hope whose inexperienced mind is cheerful and who knows sarcastic fate only by contradictory rumours.

Hot-blooded youths, have hope, fly, you've been given wings; both brilliant plans and the heart's fiery dreams are for you.

But you who have experienced fate, the vanity of amusements, the power of sorrow, you, who have taken on yourselves the knowledge of existence as your heavy lot,

Chase away their alluring swarm. Yes, live out life in quietness and preserve your inert soul's salutary coldness.

Blessed with your lack of feeling, just as corpses of the dead rise with gnashing of teeth from the coffins, awakened by the sorcerer's words,

So you, warming desires in the soul, madly surrendering to their deception, will awake only for suffering for new pain from old wounds.

Смерть

Смерть дщерью тьмы не назову я
И, раболепною мечтой
Гробовый остов ей даруя,
Не ополчу ее косой.

О дочь верховного эфира!
О светозарная краса!
В руке твоей олива мира,
А не губящая коса.

Когда возникнул мир цветущий
Из равновесья диких сил,
В твое храненье Всемогущий
Его устройство поручил.

И ты летаешь над твореньем,
Согласье прям его лия,
И в нем прохладным дуновеньем
Смиряя буйство бытия.

Ты укрощаешь восстающий
В безумной силе ураган,
Ты, на брега свои бегущий,
Вспять возвращаешь океан.

Death
I shall not call death the daughter of darkness and, my slavish dream granting her the coffin skeleton, I shall not arm her with a scythe.

O daughter of the ethereal heights, o radiant beauty, you hold in your hand an olive branch of peace, not a deadly scythe.

When the flowering world arose from the balance of wild forces, the Almighty handed its structure to your keeping.

And you fly over creation, pouring harmony along it, and pacifying being's turbulence in it with a cool breath.

You tame the hurricane, rebelling in its mad force, you turn back the ocean, rushing to its shores.

Даешь пределы ты растенью,
Чтоб не покрыл гигантский лес
Земли губительною тенью,
Злак не восстал бы до небес.

А человек! Святая дева!
Перед тобой с его ланит
Мгновенно сходят пятна гнева,
Жар любострастия бежит.

Дружится праведной тобою
Людей недружная судьба:
Ласкаешь тою же рукою
Ты властелина и раба.

Недоуменье, принужденье —
Условье смутных наших дней,
Ты всех загадок разрешенье,
Ты разрешенье всех цепей.

1828

You set limits to all growth, lest giant forests cover the earth with deadly shade, lest weeds grow up to the heavens.

And man! Holy Maiden! Before you, anger's stain vanishes instantly from his cheeks and sensuality's heat runs away.

Men's unfriendly fate is friends with you, the just: you caress with the same hand the ruler and the slave.

Doubt, compulsion are the conditions of our confused days, you are the solution of all mysteries, you are the dissolution of all chains.

* *
*

Мой дар убог, и голос мой не громок,
Но я живу, и на земле мое
Кому-нибудь любезно бытие:
Его найдет далекий мой потомок
В моих стихах; как знать? душа моя
Окажется с душой его в сношеньи,
И как нашел я друга в поколеньи,
Читателя найду в потомстве я.

1828

* *
*

Болящий дух врачует песнопенье.
Гармонии таинственная власть
Тяжелое искупит заблужденье
И укротит бунтующую страсть.
Душа певца, согласно излитая,
Разрешена от всех своих скорбей;
И чистоту поэзия святая
И мир отдаст причастнице своей.

1834

My gift is poor and my voice is quiet, but I live and someone likes my being on earth. My distant descendant will find it in my verse; how can I tell? my soul will be in contact with his and, as I found a friend in my generation, so I shall find a reader in posterity.

Incantations heal the aching spirit. Harmony's mysterious power will redeem grievous error and tame rebellious passion. The singer's soul, poured out harmoniously, is freed of all its griefs; and holy poetry will give back purity and peace to a soul that communes with it.

Последний поэт

Век шествует путем своим железным,
В сердцах корысть, и общая мечта
Час от часу насущным и полезным
Отчетливей, бесстыдней занята.
Исчезнули при свете просвещенья
Поэзии ребяческие сны,
И не о ней хлопочут поколенья,
Промышленным заботам преданы.

Для ликующей свободы
Вновь Эллада ожила,
Собрала свои народы
И столицы подняла;
В ней опять цветут науки,
Носит понт торговли груз,
Но не слышны лиры звуки
В первобытном рае муз!

Блестит зима дряхлеющего мира,
Блестит! Суров и бледен человек;
Но зелены в отечестве Омира
Холмы, леса, брега лазурных рек.
Цветет Парнас! пред ним, как в оны годы,
Кастальский ключ живой струею бьет;
Нежданный сын последних сил природы —
Возник Поэт, — идет он и поет.

The Last Poet

The age marches along its iron path, acquisitiveness is in hearts, and the common dream is every hour more obviously and shamelessly about the everyday and the useful. In the light of enlightenment poetry's infantile dreams have vanished, and generations, devoted to industry's cares, busy themselves with other things.

Hellas has come to life for rejoicing freedom, it has gathered its peoples and raises up the great cities; in Greece the sciences flourish again, the sea carries the loads of trade, but the lyre's sounds are not audible in the muse's original paradise.

The decrepit world's winter shines, it shines. Man is harsh and pale; but in Homer's homelands the hills, forests, blue rivers' shores are green. Parnassus blossoms, before it, as in distant years, the Castalian spring pulses with a living stream; an unexpected son of nature's last strength, a Poet has arisen — he walks and sings.

Воспевает, простодушный,
Он любовь и красоту,
И науки, им ослушной,
Пустоту и суету:
Мимолетные страданья
Легкомыслием целя,
Лучше, смертный, в дни незнанья
Радость чувствует земля.

Поклонникам Урании холодной
Поет, увы! он благодать страстей;
Как пажити Эол бурнопогодный,
Плодотворят они сердца людей;
Живительным дыханием развита,
Фантазия подъемлется от них,
Как некогда возникла Афродита
Из пенистой пучины вод морских.

И зачем не предадимся
Снам улыбчивым своим?
Жарким сердцем покоримся
Думам хладным, а не им!
Верьте сладким убежденьям
Вас ласкающих очес
И отрадным откровеньям
Сострадательных небес!

Суровый смех ему ответом; персты
Он на струнах своих остановил,

He praises, simpleton, love and beauty, and the emptiness and vanity of science that ignores them; healing temporary sufferings with frivolity, the earth, o mortal, feels joy better in days of ignorance.

To the worshippers of cold Urania, alas, he sings of passions' grace; he makes people's hearts fruitful, as stormy Aeolus does the fields. Released by life-giving breath, fantasy arises from them as once Aphrodite arose from the foaming depths of the sea waters.

And why should we not surrender to our smiling dreams? Shall we submit with hot heart to cold thoughts, instead of them! Trust the sweet urges of eyes that caress you and the joyful revelations of the compassionate heavens.

Harsh laughter is the reply he gets; he has stopped his fingers on the strings, he has

Сомкнул уста вещать полуотверсты,
Но гордыя главы не преклонил:
Стопы свои он в мыслях направляет
В немую глушь, в безлюдный край; но свет
Уж праздного вертепа не являет,
И на земле уединенья нет!

Человеку непокорно
Море синее одно,
И свободно и просторно
И приветливо оно;
И лица не изменило
С дня, в который Аполлон
Поднял вечное светило
В первый раз на небосклон.

Оно шумит перед скалой Левкада.
На ней певец, мятежной думы полн,
Стоит... в очах блеснула вдруг отрада:
Сия скала... тень Сафо!.. голос волн...
Где погребла любовница Фаона
Отверженной любви несчастный жар,
Там погребет питомец Аполлона
Свои мечты, свой бесполезный дар!

И по-прежнему блистает
Хладной роскошию свет,
Серебрит и позлащает
Свой безжизненный скелет;

closed the lips that were half open to proclaim, but he has not bowed his proud head: in his thoughts he turns his steps to a dumb remote, unpopulated regions; but the world no longer has any empty refuge and there is no solitude on earth.

Only the blue sea is untamed by man, and it is free and spacious and welcoming; and it has not changed its face since the day Apollo raised the eternal luminary to the horizon for the first time.

The sea roars by Leucas's rock, on it stands a singer full of rebellious thought, stands... in his eyes joy suddenly shone: this rock... Sappho's shade!.. the waves' voice... where Phaon's mistress buried the unhappy heat of rejected love, there Apollo's pupil will bury his dreams, his useless gift.

And as before the light shines cold luxuriance, silvers and gilds its lifeless skeleton;

Но в смущение приводит
Человека вал морской,
И от шумных вод отходит
Он с тоскующей душой!

1835

* * *

На что вы, дни! Юдольный мир явленья
    Свои не изменит!
Все ведомы, и только повторенья
    Грядущее сулит.

Недаром ты металась и кипела,
    Развитием спеша,
Свой подвиг ты свершила прежде тела,
    Безумная душа!

И, тесный круг подлунных впечатлений
    Сомкнувшая давно,
Под веяньем возвратных сновидений
    Ты дремлешь; а оно

Бессмысленно глядит, как утро встанет,
    Без нужды ночь сменя,
Как в мрак ночной бесплодный вечер канет,
    Венец пустого дня!

1840

but the billowing sea makes man uneasy, and he steps back with anguished soul from the roaring waters.

What use are you, days? This world will not alter its phenomena. All are known and the future augurs only repetition.

Not in vain have you tossed and boiled, hastening to grow, you achieved your purpose before the body, o crazed soul.

Completing long ago the tight circle of sublunary impressions, you slumber to the wafting of recurrent dreams, while the body

Looks senselessly at the morning rising, pointlessly taking night's place, at the barren evening dropping into night's darkness, the crown of an empty day.

* *
*

Всё мысль да мысль! Художник бедный слова!
О жрец ее! тебе забвенья нет;
Всё тут, да тут и человек, и свет,
И смерть, и жизнь, и правда без покрова.
Резец, орган, кисть! счастлив, кто влеком
К ним чувственным, за грань их не ступая!
Есть хмель ему на празднике мирском!
Но пред тобой, как пред нагим мечом,
Мысль, острый луч! бледнеет жизнь земная.

1840

Скульптор

Глубокий взор вперив на камень,
Художник нимфу в нем прозрел,
И пробежал по жилам пламень,
И к ней он сердцем полетел.

Но, бесконечно вожделенный,
Уже он властвует собой:
Неторопливый, постепенный
Резец с богини сокровенной
Кору снимает за корой.

Nothing but thought! Poor artist of the word! O, its priest, there is no oblivion for you; all is there, both man and the world and death and life and truth without any concealment. Chisel, organ, brush — happy is he who is drawn to them as to sensual things, not stepping across their boundary. He has intoxication at the world's feast-day. But before you, as before a naked sword, o word, bright ray, earth's life goes pale.

The Sculptor
Fixing his deep gaze on the stone, the artist saw the nymph in it and fire ran through his veins, and in his heart he flew towards her.

But, endlessly concupiscent, he now controls himself; the unhurried, gradual chisel removes layer after layer from the hidden goddess.

В заботе сладостно-туманной
Не час, не день, не год уйдет,
А с предугаданной, с желанной
Покров последний не падет,

Покуда, страсть уразумея
Под лаской вкрадчивой резца,
Ответным взором Галатея
Не увлечет, желаньем рдея,
К победе неги мудреца.

1841

Пироскаф

Дикою, грозною ласкою полны,
Бьют в наш корабль средиземные волны.
Вот над кромою стал капитан.
Визгнул свисток его. Братствуя с паром,
Ветру наш парус раздался недаром:
Пенясь, глубоко вздохнул океан!

Мчимся. Колеса могучей машины
Роют волнистое лоно пучины.
Парус надулся. Берег исчез.
Наедине мы с морскими волнами;
Только что чайка вьется за нами
Белая, рея меж вод и небес.

In sweetly-misty care, more than an hour, a day, a year will pass and the last cover will not fall from the pre-divined, desired nymph

Until, sensing the passion beneath the chisel's insinuating caress, Galatea, with responsive gaze, reddening with desire, carries off the wise man to a triumph of bliss.

The Steamboat

Full of wild, dreadful caresses, the Mediterranean waves strike our ship. Now the captain has taken the helm. His whistle has screeched. Twinned with the steam, our sail has good cause to give itself to the wind: foaming, the ocean sighed deeply.

We rush. The mighty machine's wheels dig into the ocean's rolling depths. The sail has swollen. The shore has vanished. We are alone with the sea's waves; only the seagull circles after us, white, hovering between waters and sky.

Только вдали, океана жилица,
Чайке подобна, вод его птица,
Парус развив, как большое крыло,
С бурной стихией в томительном споре,
Лодка рыбачья качается в море, —
С брегом набрежное скрылось, ушло!

Много земель я оставил за мною;
Вынес я много смятенной душою
Радостей ложных, истинных зол;
Много мятежных решил я вопросов,
Прежде чем руки марсельских матросов
Подняли якорь, надежды символ!

С детства влекла меня сердца тревога
В область свободную влажного бога;
Жадные длани я к ней простирал.
Темную страсть мою днесь награждая,
Кротко щадит меня немочь морская,
Пеною здравия брызжет мне вал!

Нужды нет, близко ль, далеко ль до брега!
В сердце к нему приготовлена нега.
Вижу Фетиду; мне жребий благой
Емлет она из лазоревой урны:
Завтра увижу я башни Ливурны,
Завтра увижу Элизий земной!

1844

Only afar, an ocean being, like the seagull, a bird of its waters, unfurling a sail, like a big wing, in wearying battle with the stormy element, a fisherman's boat rocks in the sea — with the shore all coastal things have vanished and gone.

I have left many lands behind me; I have endured with my confused soul many false joys and true evils; I have decided many turbulent questions before the Marseilles sailors' hands raised the anchor, symbol of hope.

Since childhood the heart's anxiety has led me to the free sphere of the water god; I would stretch out my eager palms to it, rewarding my dark passion today, seasickness meekly spares me, the breakers splash me with a foam of greeting.

It matters not, whether the shore is near or far. In my heart bliss is prepared for it. I can see Thetis; from an azure urn she picks me a blessed lot: tomorrow I shall see Livorno's towers, tomorrow I shall see the earthly Elysium.

НИКОЛАЙ МИХАЙЛОВИЧ ЯЗЫКОВ
NIKOLAI MIKHAILOVICH IAZYKOV

Молитва

Молю святое провиденье:
Оставь мне тягостные дни,
Но дай железное терпенье,
Но сердце мне окамени.
Пусть, неизменен, жизни новой
Приду к таинственным вратам,
Как Волги вал белоголовый
Доходит целый к берегам.

12 апреля 1825

Из стихотворения «Тригорское»

[...]
Уже безмолвие лесное
Налетом ветра смущено;
Уже не мирно и темно
Реки течение ночное;
Широко зыблются на нем
Теней раскидистые чащи,
Как парус, в воздухе дрожащий,
Почти упущенный пловцом,
Когда внезапно буря встанет,

A Prayer
I beseech sacred providence: leave me painful days, but give iron patience, but turn my heart to stone. Let me unchanged come to the mysterious gates of a new life as the white-capped wave of the Volga reaches its shores entire.

From 'Trigorskoe'
Now the forest's silence is disturbed by a gust of wind; the river's night current is no longer peaceful and dark; the wide-flung groves of shadows ripple over its breadth, like a sail shaking in the wind, almost let go by the sailor, when a storm suddenly arises, it

Покатит шумные струи,
Рванет крыло его ладьи
И над пучиною растянет.

Тьма потопила небеса;
Пустился дождь; гроза волнует,
Взрывает воды и леса,
Гремит, и блещет, и бушует.
Мгновенья дивные! Когда
С конца в конец по тучам бурным
Зубчатой молнии бразда
Огнем рассыплется пурпурным,
Всё видно: цепь далеких гор,
И разноцветные картины
Извивов Сороти, озер,
Села, и брега, и долины!
Вдруг тьма угрюмей и черней,
Удары громче громовые,
Шумнее, гуще и быстрей
Дождя потоки проливные.

Но завтра, в пышной тишине,
На небо ярко-голубое
Светило явится дневное
Восставить утро золотое
Грозой омытой стороне.

will roll out the noisy currents, will rip the wing of his vessel and stretch it over the ocean.

Dark has drowned the skies; rain has started; the storm disturbs, churns up waters and forests, thunders and flashes and rages. Wonderful moments! When from end to end over the stormy rain clouds lightning's toothed harrow scatters purple fire, everything is visible: the chain of distant hills, and the colourful pictures of the winding Sorot, of the lakes, the village, the shore and the valley. Suddenly the dark is more sullen and blacker, the thunderbolts louder, the floods of rain noisier, thicker and quicker.

But tomorrow, in the luxuriant quiet, the sun will appear in a bright blue sky to restore the golden morning to a countryside washed by the storm.

Придут ли дни? Увижу ль снова
Твои холмы, твои поля,
О православная земля
Священных памятников Пскова?
Твои родные красоты́
Во имя муз благословляю
И верным счастьем называю
Всё, чем меня ласкала ты.

Как сладко узнику младому,
Покинув тьму и груз цепей,
Взглянуть на день, на блеск зыбей,
Пройти по брегу луговому,
Упиться воздухом полей!
Как утешительно поэту
От мира хладной суеты,
Где многочисленные в Лету
Бегут надежды и мечты,
Где в сердце, музою любимом,
Порой, как пламени струя,
Густым задавленная дымом,
Страстей при шуме нестерпимом,
Слабеют силы бытия, —
В прекрасный мир, в сады природы
Себя, свободного, укрыть,
И вдруг и гордо позабыть
Свои потерянные годы!

1826

Will the days come? Will I see again your hills, your fields, o orthodox land of Pskov's sacred monuments? In the name of the muse I bless your familiar beauties and I name true happiness everything you caressed me with.

How sweet for the young prisoner, leaving the darkness and weight of chains, to look at daylight, at the shine of the rippling water, to walk along the meadow shore, to sate himself on the fields' air. How comforting for the poet to escape the world of cold vanity, where numerous hopes and dreams run to the Lethe, where in a heart beloved of the muse, sometimes, like a stream of flame extinguished by thick smoke, because of the unbearable roar of passions, the life forces weaken, — to take refuge, a free man, in the beautiful world, in nature's gardens and suddenly and proudly forget his lost years.

Элегия

Блажен, кто мог на ложе ночи
Тебя руками обогнуть;
Челом в чело, очами в очи,
Уста в уста и грудь на грудь!
Кто соблазнительный твой лепет
Лобзаньем пылким прерывал
И смуглых персей дикий трепет
То усыплял, то пробуждал!..
Но тот блаженней, дева ночи,
Кто в упоении любви
Глядит на огненные очи,
На брови дивные твои,
На свежесть уст твоих пурпурных,
На черноту младых кудрей,
Забыв и жар восторгов бурных,
И силы юности своей!

1831

Переезд через приморские Альпы

Я много претерпел и победил невзгод,
И страхов, и досад, когда от Комских вод
До Средиземных вод мы странствовали, строгой
Судьбой гонимые: окольною дорогой,
По горным высотам, в осенний хлад и мрак,

Elegy
Blessed is he who was able to put his arms round you on the bed of night, brow to brow, eyes to eyes, lips to lips and breast to breast, who interrupted your seductive murmur with ardent kissing and soothed or aroused the dark breasts' wild trembling… But he is more blessed, maiden of the night, who in love's ecstasy looks at the fiery eyes, at your wondrous eyebrows, at the freshness of your dark red lips, at the blackness of the young curls, forgetting the heat of stormy delights and the strength of his youth.

Crossing the Maritime Alps
I had endured and overcome many setbacks, fears and annoyances when we were wandering from the waters of Lake Como to the Mediterranean, pursued by harsh fate: on a roundabout route, over mountain heights, into the autumnal cold and darkness,

Местами как-нибудь, местами кое-как
Тащили мулы нас, и тощи и не рьяны;
То вредоносные миланские туманы
И долгие дожди, которыми Турин
Тогда печалился, и грязь его долин,
Недавно выплывших из бури наводненья;
То ветер с сыростью и скудость отопленья:
В гостиницах, где блеск, и пышность, и простор,
Хрусталь, и серебро, и мрамор, и фарфор,
И стены в зеркалах, глазам большая нега!
А нет лишь прелести осеннего ночлега:
Продрогшим странникам нет милого тепла;
То пиемонтская пронзительная мгла,
И вдруг, нежданная под небесами юга,
Лихая дочь зимы, знакомка наша, вьюга,
Которой пение и сладостно подчас
Нам, людям северным, баюкавшее нас,
Нас встретила в горах, летая, распевая,
И славно по горам гуляла удалая!
Всё угнетало нас. Но берег! День встает!
Италиянский день! Открытый неба свод
Лазурью, золотом и пурпурами блещет,
И море светлое колышется и плещет!

1839

mules, thin and sluggish, dragged us in places somehow, in others hardly at all; now the malignant Milan mists and the prolonged rains, which then oppressed Turin, and the mud of its valleys, which had just emerged from the storm's inundation; now the wind and damp and the mean heating: in hotels, where there is radiance, luxury and space, crystal and silver and marble and fine china, and walls of mirrors, great bliss for the eyes. Only the charm of autumn lodgings is missing: there is no gentle warmth for the chilled wanderers; now the Piedmont penetrating mist and suddenly, unexpected beneath southern skies, winter's vicious daughter, our familiar snowstorm, whose singing that lulls us is sometimes pleasant to us northerners, met us in the mountains, and flying, singing, boldly she strode gloriously through the mountains. Everything oppressed us. But here is the shore. The day is breaking. An Italian day! The open vaults of the sky shine with azure, gold and purple, and the bright sea swells and splashes.

ФЕДОР ИВАНОВИЧ ТЮТЧЕВ
FIODOR IVANOVICH TIUTCHEV

Весенняя гроза

Люблю грозу в начале мая,
Когда весенний, первый гром,
Как бы резвяся и играя,
Грохочет в небе голубом.

Гремят раскаты молодые,
Вот дождик брызнул, пыль летит,
Повисли перлы дождевые,
И солнце нити золотит.

С горы бежит поток проворный,
В лесу не молкнет птичий гам,
И гам лесной, и шум нагорный —
Всё вторит весело громам.

Ты скажешь: ветреная Геба,
Кормя Зевесова орла,
Громокипящий кубок с неба,
Смеясь, на землю пролила.

1828, 1854

A Spring Thunderstorm

I love a thunderstorm in early May, when the first spring thunder, as if frolicking and playing, rumbles in the blue sky.

The young thunder peals rattle, now rain spurts, dust flies, pearls of rain are suspended and the sun gilds the threads.

A swift flow runs off the hill, the bird song in the forest does not abate, and the clamour of the woods and the noise on the hillside all merrily imitate the thunder.

You'd say that flighty Hebe, feeding Zeus's eagle, had with laughter spilt on earth the thunder-brimming chalice from heaven.

Видение

Есть некий час, в ночи, всемирного молчанья,
    И в оный час явлений и чудес
Живая колесница мирозданья
Открыто катится в святилище небес.

Тогда густеет ночь, как хаос на водах,
    Беспамятство, как Атлас, давит сушу...
        Лишь Музы девственную душу
    В пророческих тревожат боги снах!

1829

Бессонница

Часов однообразный бой,
Томительная ночи повесть!
Язык для всех равно чужой
И внятный каждому, как совесть!

Кто без тоски внимал из нас,
Среди всемирного молчанья,
Глухие времени стенанья,
Пророчески-прощальный глас?

A Vision

There is an hour at night of universal silence, and at that hour of phenomena and wonders the cosmos's living chariot openly rides into the sanctuary of heaven.

Then night thickens like chaos on the waters; oblivion, like Atlas, crushes the dry land; only the muse's virgin soul is troubled by the gods in prophetic dreams.

Insomnia

The clock's monotonous striking, night's wearying tale. A language equally alien to all and as intelligible as conscience to everyone.

Who of us has listened without anguish to time's muffled moans, the prophetically-valedictory voice amidst universal silence?

Нам мнится: мир осиротелый
Неотразимый Рок настиг —
И мы, в борьбе, природой целой
Покинуты на нас самих.

И наша жизнь стоит пред нами,
Как призрак на краю земли,
И с нашим веком и друзьями
Бледнеет в сумрачной дали...

И новое, младое племя
Меж тем на солнце расцвело,
А нас, друзья, и наше время
Давно забвеньем занесло!

Лишь изредка, обряд печальный
Свершая в полуночный час,
Металла голос погребальный
Порой оплакивает нас!

1829

Последний катаклизм

Когда пробьет последний час природы,
Состав частей разрушится земных:
Всё зримое опять покроют воды,
И Божий лик изобразится в них!

1829

We fancy: ineluctable Fate has struck the orphaned world — and we, in our struggle, have been left by all nature to ourselves.

And our life stands before us like a spectre on the earth's edge and, together with our age and friends, fades in the murky distance...

And a new young tribe has meanwhile blossomed on earth, and we, friends, and our time have long been buried by oblivion.

Only rarely, carrying out a sad rite in the midnight hour, a funereal metallic voice at times laments us.

The Last Cataclysm
When nature's last hour strikes, the composition of earthly parts is destroyed, waters will cover all visible things and God's face will appear on them.

Безумие

Там, где с землею обгорелой
Слился, как дым, небесный свод, —
Там в беззаботности веселой
Безумье жалкое живет.

Под раскаленными лучами,
Зарывшись в пламенных песках,
Оно стеклянными очами
Чего-то ищет в облаках.

То вспрянет вдруг и, чутким ухом
Припав к растреснутой земле,
Чему-то внемлет жадным слухом
С довольством тайным на челе.

И мнит, что слышит струй кипенье,
Что слышит ток подземных вод,
И колыбельное их пенье,
И шумный из земли исход!

1829

Madness

Where the sky's vault has merged, like smoke, with the burnt earth, in cheerful unconcern lives wretched madness.

Under red-hot rays, buried in the fiery sands, it seeks with glassy eyes for something in the clouds.

Or it rises up suddenly and, placing its sharp ear to the cracked earth, listens to something with eager hearing and with secret satisfaction on its brow.

And it fancies it can hear the seething of springs, that it hears the flow of underground waters and their cradle song and their noisy emergence to the earth.

Цицерон

Оратор римский говорил
Средь бурь гражданских и тревоги:
«Я поздно встал — и на дороге
Застигнут ночью Рима был!»
Так!.. Но, прощаясь с римской славой,
С Капитолийской высоты
Во всем величье видел ты
Закат звезды ее кровавый!..

Счастлив, кто посетил сей мир
В его минуты роковые!
Его призвали всеблагие
Как собеседника на пир.
Он их высоких зрелищ зритель,
Он в их совет допущен был —
И заживо, как небожитель,
Из чаши их бессмертье пил!

1829

Silentium!

Молчи, скрывайся и таи
И чувства и мечты свои —
Пускай в душевной глубине
Встают и заходят оне
Безмолвно, как звезды в ночи, —
Любуйся ими — и молчи.

Cicero
The Roman orator said amid civic storms and alarm: 'I rose too late, and on my way was overtaken by Rome's night.' Yes, but, taking leave of Roman glory, from the Capitoline hill you saw in all its glory the setting of its bloody star!..

Happy he who has visited this world at its fateful moments. The all-blessed have summoned him to be a collocutor at their feast. He is a spectator of their lofty spectacles, he has been allowed to their council, and while still alive, like a heavenly dweller, has drunk immortality from their chalice.

Silentium!
Be silent, hide yourself and conceal your feelings and dreams — let them rise and set in the soul's depths silently, like stars at night, — admire them and be silent.

Как сердцу высказать себя?
Другому как понять тебя?
Поймет ли он, чем ты живешь?
Мысль изреченная есть ложь.
Взрывая, возмутишь ключи, —
Питайся ими — и молчи.

Лишь жить в себе самом умей —
Есть целый мир в душе твоей
Таинственно-волшебных дум;
Их оглушит наружный шум,
Дневные разгонят лучи, —
Внимай их пенью — и молчи!..

1829

Сон на море

И море, и буря качали наш челн;
Я, сонный, был предан всей прихоти волн.
Две беспредельности были во мне,
И мной своевольно играли оне.
Вкруг меня, как кимвалы, звучали скалы́,
Окликалися ветры и пели валы.
Я в хаосе звуков лежал оглушен,
Но над хаосом звуков носился мой сон.

How can the heart express itself? How can another understand you? Will he understand what makes you live? A thought enounced is a lie; by probing, you will muddy the springs: feed on them and be silent.

Know only how to live within yourself — there is a whole world of mysteriously magical thoughts in your soul; they will be drowned by outside noise, the daylight will scatter them: listen to their singing and be silent.

A Dream at Sea

The sea and the storm rocked our boat; I, asleep, was surrendered to all the whim of the waves. Two infinities were in me and played with me as they wished. Around me, like cymbals, the rocks rang, the winds called to each other and the billows sang. In the chaos of sounds I lay there deafened, but my dream moved over the chaos of sounds.

Болезненно-яркий, волшебно-немой,
Он веял легко над гремящею тьмой.
В лучах огневицы развил он свой мир —
Земля зеленела, светился эфир,
Сады-лавиринфы, чертоги, столпы,
И сонмы кипели безмолвной толпы.
Я много узнал мне неведомых лиц,
Зрел тварей волшебных, таинственных птиц,
По высям творенья, как Бог, я шагал,
И мир подо мною недвижный сиял.
Но все грёзы насквозь, как волшебника вой,
Мне слышался грохот пучины морской,
И в тихую область видений и снов
Врывалася пена ревущих валов.

1830

* * *

Через ливонские я проезжал поля,
Вокруг меня всё было так уныло…
Бесцветный грунт небес, песчаная земля —
Всё на́ душу раздумье наводило.

Я вспомнил о былом печальной сей земли —
Кровавую и мрачную ту пору,
Когда сыны ее, простертые в пыли,
    Лобзали рыцарскую шпору.

Morbidly bright, magically dumb, it hovered lightly over the thunderous darkness. In rays of fever it unfolded its world — the earth was green, the ether was translucent, labyrinthine gardens, palaces, pillars, and hosts of a silent crowd swarmed. I recognised faces unknown to me, saw magical creatures, mysterious birds, over the heights of creation, like God, I strode, and a motionless world shone beneath me. But through all dreams, like a sorcerer's howl, I could hear the thunder of the ocean depths, and into the quiet sphere of visions and dreams the roaring billows' foam was bursting.

I was driving across Livonian fields, around me everything was so melancholy… The skies' colourless background, the sandy earth — everything made the soul thoughtful.
    I recalled the past of this sad land — the bloody and gloomy time when its sons, sprawling in the dust, kissed the knight's spurs.

И глядя на тебя, пустынная река
И на тебя, прибрежная дуброва,
«Вы, — мыслил я, — пришли издалека,
    Вы, сверстники сего былого!»

Так! вам одним лишь удалось
Дойти до нас с брегов другого света.
О, если б про него хоть на один вопрос
    Мог допроситься я ответа!..

Но твой, природа, мир о днях былых молчит
С улыбкою двусмысленной и тайной, —
Так отрок, чар ночных свидетель быв случайный,
Про них и днем молчание хранит.

1830

* *
*

Душа моя, Элизиум теней,
Теней безмолвных, светлых и прекрасных,
Ни помыслам годины буйной сей,
Ни радостям, ни горю не причастных, —

Душа моя, Элизиум теней,
Что общего меж жизнью и тобою!
Меж вами, призраки минувших, лучших дней,
И сей бесчувственной толпою?..

1830-е годы

And, looking at you, deserted river, and at you, oak groves on the banks, 'You,' I said, 'have come from far off, you the contemporaries of this past.'

Yes, you alone have succeeded in reaching us from the shores of another world. O, if only I could get an answer to just one question about it.

But, nature, your world is silent about past days, with an ambiguous and secret smile, — thus a lad, after being by chance a witness of nocturnal enchantments, keeps silent about them even by day.

My soul, Elysium of shades, shades which are silent, bright and beautiful, not communing with the thoughts of this turbulent time nor with joys nor grief,

My soul, Elysium of shades, what is there in common between you and life, between you, spectres of past, better days, and this unfeeling mob?

Фонтан

Смотри, как облаком живым
Фонтан сияющий клубится;
Как пламенеет, как дробится
Его на солнце влажный дым.
Лучом поднявшись к небу, он
Коснулся высоты заветной —
И снова пылью огнецветной
Ниспасть на землю осужден.

О смертной мысли водомет,
О водомет неистощимый!
Какой закон непостижимый
Тебя стремит, тебя мятет?
Как жадно к небу рвешься ты!..
Но длань незримо-роковая
Твой луч упорный, преломляя,
Свергает в брызгах с высоты.

1836

*   *   *

Не то, что мните вы, природа:
Не слепок, не бездушный лик —
В ней есть душа, в ней есть свобода,
В ней есть любовь, в ней есть язык...

.   .   .   .
.   .   .   .
.   .   .   .

The Fountain
Look at the radiant fountain condensing as a living cloud, flaring, its moist vapour
fragmenting in the sun. Rising like a beam to heaven, it has touched its allotted height
— and again as fire-coloured dust is doomed to fall back to earth.
   O waterspout of mortal thought, o inexhaustible waterspout, what incomprehensible
law drives you, makes you rebel? How eagerly you rush to the sky. But an invisibly
fateful palm hurls down, in splashes from the heights, your thrusting beam, fracturing it.

Nature is not what you fancy: not a moulded copy, not a soulless face — it has a soul, it
has freedom, it has love, it has a language...
.   .   .   .

Вы зрите лист и цвет на древе:
Иль их садовник приклеи́л?
Иль зреет плод в родимом чреве
Игрою внешних, чуждых сил?..

. . . .
. . . .
. . . .
. . . .

Они не видят и не слышат,
Живут в сем мире, как впотьмах,
Для них и солнцы, знать, не дышат,
И жизни нет в морских волнах.

Лучи к ним в душу не сходили,
Весна в груди их не цвела,
При них леса не говорили,
И ночь в звезда́х нема была!

И языками неземными,
Волнуя реки и леса,
В ночи не совещалась с ними
В беседе дружеской гроза!

Не их вина: пойми, коль может,
Органа жизнь глухонемой!
Души его, ах, не встревожит
И голос матери самой!..

1836

You see a leaf and a flower on a tree: or did a gardener glue it on? Does the fruit ripen in the loins that bore it by the play of external, alien forces?

.   .   .   .

They do not see and do not hear, they live in this world as if in darkness, thus for them suns do not breathe and the sea waves have no life.

No rays have descended to their souls, spring has not blossomed in their breasts, no forests have spoken in their presence and the starry night was dumb.

Nor did the thunderstorm, upsetting the rivers and forests with unearthly tongues, consult them in friendly conversation.

It's not their fault: let the deaf-mute understand, if he can, the life of an organ. Alas, even the voice of his very mother will not arouse his soul!..

День и ночь

На мир таинственный духо́в,
Над этой бездной безымянной,
Покров наброшен златотканый
Высокой волею богов.
День — сей блистательный покров —
День, земнородных оживленье,
Души болящей исцеленье,
Друг человеков и богов!

Но меркнет день — настала ночь;
Пришла — и, с мира рокового
Ткань благодатную покрова
Сорвав, отбрасывает прочь...
И бездна нам обнажена
С своими страхами и мглами,
И нет преград меж ей и нами —
Вот отчего нам ночь страшна!

1839

Предопределение

Любовь, любовь — гласит преданье —
Союз души с душой родной —
Их съединенье, сочетанье,
И роковое их слиянье,
И... поединок роковой...

Day and Night
On the world of mysterious spirits, over this nameless abyss, a gold-woven covering has been flung by the lofty will of the gods. Day is this brilliant covering, day the life-giver of earthlings, healing of the ailing soul, friend of men and of gods.

But once day fades and night falls: it has come and, tearing the benign covering off the fateful world, it throws it back... and the abyss is revealed to us with its fears and mists and there are no barriers between it and us: that is why we are afraid of night.

Predestination
Love, love, the legend claims, is the soul's union with a kindred soul, their becoming one, a pair, and their fateful merging and... fateful duel...

И чем одно из них нежнее
В борьбе неравной двух сердец,
Тем неизбежней и вернее,
Любя, страдая, грустно млея,
Оно изноет наконец...

1850–1851

Последняя любовь

О, как на склоне наших лет
Нежней мы любим и суеверней...
Сияй, сияй, прощальный свет
Любви последней, зари вечерней!

Полнеба обхватила тень,
Лишь там, на западе, бродит сиянье, —
Помедли, помедли, вечерний день,
Продлись, продлись, очарованье.

Пускай скудеет в жилах кровь,
Но в сердце не скудеет нежность...
О ты, последняя любовь!
Ты и блаженство, и безнадежность.

1851–1854

And, in the unequal battle of two hearts, the softer one of them is, the more inevitably and surely, loving, suffering, sadly languishing, it will finally pine away.

Last Love
O, how much more tenderly and superstitiously we love in our declining years... Shine, shine, valedictory light of last, sunset love.
Shadow has seized half the sky, only yonder in the west a gleam of light wanders; hold back, hold back, evening light, hold on, hold on, enchantment.
Even if the blood thins in the veins, tenderness does not lessen in the heart... O last love, you are bliss and desperation.

* * *

Она сидела на полу
И груду писем разбирала —
И, как остывшую золу,
Брала их в руки и бросала —

Брала знакомые листы
И чудно так на них глядела —
Как души смотрят с высоты
На ими брошенное тело...

О, сколько жизни было тут,
Невозвратимо-пережитой!
О, сколько горестных минут,
Любви и радости убитой!..

Стоял я молча в стороне
И пасть готов был на колени, —
И страшно-грустно стало мне,
Как от присущей милой тени.

1858

She sat on the floor, sorting out a pile of letters, and picked them up and dropped them like cold ash,

She picked familiar pages and looked at them as wondrously as souls look from a height at bodies abandoned by them...

O, how much life was there, lived irrevocably. O how many bitter minutes of love and destroyed joy.

I stood silent and apart and was ready to get on my knees, and I felt afraid and sad, as if a beloved ghost were present.

* *
*

Весь день она лежала в забытьи,
И всю ее уж тени покрывали.
Лил теплый летний дождь — его струи
По листьям весело звучали.

И медленно опомнилась она,
И начала прислушиваться к шуму,
И долго слушала — увлечена,
Погружена в сознательную думу...

И вот, как бы беседуя с собой,
Сознательно она проговорила
(Я был при ней, убитый, но живой):
«О, как всё это я любила!»

Любила ты, и так, как ты любить —
Нет, никому еще не удавалось!
О Господи!.. и это *пережить*...
И сердце на клочки не разорвалось...

1864

All day she lay unconscious, and she was entirely covered with shadows. Warm summer rain was pouring down, its streams ran merrily over the leaves.

And slowly she came round and began to listen to the noise, and listened for a long time, absorbed by, plunged into a conscious thought.

And then, as if talking to herself, she consciously said (I was with her, mortified but alive): 'How I loved all that.'

You loved and, no, nobody ever managed to love as you did. O Lord, to *live through* that... and my heart did not tear to shreds...

* * *

Est in arundineis modulatio musica ripis.

Певучесть есть в морских волнах,
Гармония в стихийных спорах,
И стройный мусикийский шорох
Струится в зыбких камышах.

Невозмутимый строй во всем,
Созвучье полное в природе, —
Лишь в нашей призрачной свободе
Разлад мы с нею сознаем.

Откуда, как разлад возник?
И отчего же в общем хоре
Душа не то поет, что море,
И ропщет мыслящий тростник?

И от земли до крайних звезд
Всё безответен и поныне
Глас вопиющего в пустыне,
Души отчаянной протест?

1865

There is a musical modulation in the reeds by the shore.

There is melodiousness in the sea's waves, harmony in the clash of the elements, and a beautiful musical rustle streams in the swaying reeds.

There is imperturbable harmony in all, complete concord in nature — only in our spectral freedom are we aware of discord with it.

Whence, how did discord arise? And why then in the general chorus does the soul sing differently from the sea and the thinking reed grumbles?

And even now why is the voice of one crying in the wilderness, the soul's desperate protest, still unanswered from the earth to the furthest stars?

* *
*

Природа — сфинкс. И тем она верней
Своим искусом губит человека,
Что, может статься, никакой от века
Загадки нет и не было у ней.

1869

* *
*

От жизни той, что бушевала здесь,
От крови той, что здесь рекой лилась,
Что уцелело, что дошло до нас?
Два-три кургана, видимых поднесь...

Да два-три дуба выросли на них,
Раскинувшись и широко и смело.
Красуются, шумят, — и нет им дела,
Чей прах, чью память роют корни их.

Природа знать не знает о былом,
Ей чужды наши призрачные годы,
И перед ней мы смутно сознаем
Себя самих — лишь грезою природы.

Поочередно всех своих детей,
Свершающих свой подвиг бесполезный,
Она равно приветствует своей
Всепоглощающей и миротворной бездной.

1871

Nature is a sphinx. And it destroys man with its probing all the more surely because, very likely, it never ever has had, nor has, any enigma.

Of the life that raged here, of the blood that poured in rivers here, what has survived, what has reached us? Two or three burial mounds still visible today...
   And two or three oak trees grow on them, spreading broadly and boldly. They show off, they rustle, and they do not care whose ashes, whose memory their roots dig into.
   Nature does not want to know about the past, our spectral life spans are alien to it, and faced with it we vaguely realise that we are ourselves just nature's daydream.
   One by one nature welcomes equally all her children, who have completed their pointless mission, with her all-devouring and pacifying abyss.

* * *

[Э. Ф. Тютчевой]

Всё отнял у меня казнящий Бог:
Здоровье, силу воли, воздух, сон,
Одну тебя при мне оставил Он,
Чтоб я Ему еще молиться мог.

1873

For E. F. Tiutcheva (his wife)
A punitive God has taken everything from me — health, strength of will, air, sleep.
Only you has he left with me, so that I could still pray to him.

АЛЕКСАНДР ИВАНОВИЧ ПОЛЕЖАЕВ
ALEKSANDR IVANOVICH POLEZHAEV

Из поэмы «Сашка»

Глава первая

XXVIII

«Мне Танька, а тебе Анюта»,
Скосившись, Саша говорит.
Неоценимая минута,
Тебя никто не изъяснит!
Приап, Приап! Плещи мудами!
Тебе достойный фимиам
Твоими верными сынами
Теперь вскурится к облакам.
О, онанисты, мизогины!
Вам слова два теперь скажу,
Какой божественной картины
Вам легкий абрис покажу!

XXIX

Растянута, полувоздушна,
Калипсо юная лежит,
Ебаке грозному послушна,
Она и млеет и дрожит.
Одна нога коснулась полу,
Другая нежно на отлет.
Одна рука спустилась долу,
Другая к персям друга жмет.

From 'Sashka'
Chapter 1
XXVIII. 'Tania for me, Aniuta for you,' says Sasha, squinting. Priceless minute, nobody can explain you. Priapus, Priapus! Swing your balls! Incense worthy of you will now be sent to the skies by your faithful sons. O masturbators, misogynists, I'll tell you a couple of things, what a divine picture I'll show you a light sketch of!

XXIX. Stretched out, half-ethereal, young Calypso lies. Submissive to the dreaded fucker, she both swoons and quivers. One foot has touched the floor, the other is tenderly in the air. One arm hangs down, the other squeezes her friend to her breasts.

И вьется жопою атласной,
И изгибается кольцом,
И изнывает сладострастно
В томленьи пылком и живом.

Глава вторая

I

Чуть освещаемый луною,
Дремал в тумане Петербург,
Когда с уныньем и тоскою
Узрел верхи его мой друг.
На облучке, спустивши ноги,
В забытьи жалком он сидел
И об оконченной дороге
В сердечной думе сожалел.
Стакан последний сиволдая
Перед заставой осушил
И, из телеги вылезая,
Он молчалив и смутен был.

II

Нева широкая струилась
Близ постоялого двора,
И недалеко серебрилось
Изображение Петра.
Всё было тихо; не спокойно
В душе лишь Саши моего,
И не смыкалися невольно

and she wiggles her satin arse and twists in a coil and tires herself voluptuously in ardent and lively languor.

Chapter 2

I. Just lit up by the moon, Petersburg slumbered in the fog when with sadness and anguish my friend saw its rooftops. On the driver's seat, his legs hanging down, he sat in wretched oblivion and was in his heart's thought sorry about the journey's ending. He emptied a final glass of raw vodka at the city barrier and, getting out of the cart, he was silent and confused.

II. The wide Neva flowed near the coach inn, and nearby was the silvery sculpture of Peter. All was still; only in my Sasha's soul was there disquiet, and for all his efforts, he

Глаза потухшие его.
Недавно буйного студента
С дымящимся от трубки ртом,
Он, прислонясь у монумента,
Стоял с потупленным челом.

III

«Увы, увы!.. часы веселья,
Вы пролетели будто сон!»
Так в петербургском новоселье,
Вздохнувши тяжко, молвил он:
«Быть может, долго, молодые
Красотки, мне вас не видать!..
И долго, жопочки крутые,
На вас не стану замирать!
И нежить пламенной рукою
И прижимать к моим устам,
И припадать, резвясь порою,
К упругим полненьким грудям.

IV

Прощайте, звонкие стаканы,
И пунш, и мощный ерофей!
Быть может, други мои пьяны
Теперь пируют у блядей.
И сны приятные осенят
Глаза, сомкнутые вином,
И яркие лучи осветят
Их, упоенных крепким сном!
А я?.. Увы, увы, несчастный,

couldn't close his dimmed eyes. With a mouth issuing smoke from the once ungovernable student, leaning against a monument, he stood with his brow cast down.

III. 'Alas, alas... hours of merriment, you have flown like a dream!' Thus in his new Petersburg home, with a mournful sigh, he spoke: 'Perhaps, for a long time, young beauties, I shall not see you. And for a long time, tight little arses, I shan't be swooning on you or caressing you with an ardent hand or pressing to my lips, or falling, when being frisky at times, onto taut full breasts.

IV. Farewell, ringing glasses and punch and powerful herbal vodka! Maybe my drunken friends now feast with whores and pleasant dreams will cover eyes, closed by wine, and bright rays light them up when sated with deep sleep! But me?.. Alas, alas, poor wretch,

Я б проклял восходящий день!..»
Умолк… и луч денницы ясной
Рассеивал ночную тень.

V

Эх, Сашка! Как тебе не стыдно,
Сробел, лихая голова!
Ей-Богу, слышать нам обидно
Такие вздорные слова.
Когда ты был такою бабой?
Когда так трусил и тужил?
Как мальчик глупенький и слабый
При виде розог приуныл.
Что ты в Москве накуролесил
И гол остался как сокол —
И как сова ты нос повесил…
Пошел, брат, к дядюшке, пошел!..

VI

И что ж, друзья?.. Ведь справедливо
Он дядю чертом называл:
Ведь как же тот красноречиво
Его сначала отщелкал!
Такую задал передрягу,
Такую песенку отпел,
Так отприветствовал беднягу,
Что тот лишь слушал да потел;
Потом всё тише да смирнее,

I should have cursed the rising day…' He fell silent and a ray of bright daylight scattered the shadows of night.

V. Oh, Sasha. You ought to be ashamed, you've lost your spirit, troublemaker. Honest to God, it hurts us to hear such nonsensical words. When were you such an old woman? When did you cringe and moan? You've lost heart, like a stupid and weak boy at the sight of the cane. So you got up to all sorts of things in Moscow and ended up poor as a church mouse — like an owl, you sit downcast… Brother, go and see your uncle, go…

VI. And what then, friends? But he was right to call his uncle a devil. After all, how eloquently uncle swore at him. He gave him such a roasting, made such a fuss, hauled the poor boy over the coals, so that Sasha just listened and sweated; then he was quieter

Потом не стал уж и кричать,
Потом всё ласковей, добрее,
Потом и Сашей начал звать.

VII

А Сашка тут и распустился,
И чувствует, что виноват.
Раскаялся — и прослезился.
А дядя?.. Боже мой, как рад!
Повесу грязного обмыли,
Сейчас белья ему, сапог,
И с головы принарядили
Как лучше быть нельзя, до ног.
Повеселиться там нисколько,
Никак не думав, не гадав,
Пирует Сашка мой и только!
Опять в кругу своих забав.
[...]

1825

and calmer, then he even stopped shouting, then got gentler and kinder, then began calling him Sasha.

VII. Sashka now let himself go and feels that he is in the wrong. He repented and burst into tears. And uncle? My God, how glad he was. The dirty rake was washed, straight away linen for him, shoes, and he was dressed as finely as possible from head to foot. Not having thought or suspected he would have any fun there, my Sasha does nothing but feast, again in the circle of his amusements.

Из поэмы «Чир-Юрт»

Песня вторая

[...]
Всё истребляет, бьет и губит
Везде бегущего врага:
Его, беспамятного, рубит
Кинжал и шашка казака;
Жестокой местию пылая
В бою последнем, роковом,
Его пехота удалая
Сражает пулей и штыком.
Дитя безумного мечтанья,
Надежда храбрых умерла
И падшей гордости стенанья
С собой в могилу унесла.
Бежит черкес, несомый страхом,
За ним летучая гроза
И смерти лютая коса
С своим безжалостным размахом.
В домах, по стогнам площадей,
В изгибах улиц отдаленных
Следы печальные смертей
И груды тел окровавленных.
Неумолимая рука
Не знает строгого разбора:
Она разит без приговора
С невинной девой старика
И беззащитного младенца;

From 'Chir-Yurt'
Song 2. Everything exterminates, hits and destroys the enemy who is running everywhere. Poor demented man, he is hacked by the Cossack's dagger and sabre. Burning with cruel vengeance, in the last fatal battle, the bold infantry strikes him with bullet and bayonet. A child of crazed dreams, the hope of the brave has died and taken with it to the grave fallen pride's groans. The Circassian runs, borne by fear, and a flying storm and death's savage scythe with its pitiless swing follow him. In the houses, over the paving of the squares, in the twists of the remote alleys are sad traces of deaths and piles of blood-soaked bodies. An inexorable hand knows no proper discrimination: it strikes without sentence the old man and the innocent maiden and the helpless baby; it

Ей ненавистна кровь чеченца,
Христовой веры палача —
И блещет лезвие меча...
Как великан, объятый думой,
Окрест себя внимая гул,
Стоит громадою угрюмой
Обезоруженный аул.
Бойницы, камни и твердыни,
И длинных скал огромный ряд —
Надежный щит его гордыни —
Пред ним поверженны лежат.
[...]

1833

Чахотка

Вот тебе, Александр, живая картина моего настоящего положения:
Из письма к А. П. Лозовскому

. . . .
. . . .

Но горе мне с другой находкой:
Я ознакомился с чахоткой,
И в ней, как кажется, сгнию!
Тяжелой мраморною плитой,
Со всей анафемскою свитой —
Удушьем, кашлем — как змея,
Впилась, проклятая, в меня;
Лежит на сердце, мучит, гложет
Поэта в мрачной тишине

hates the blood of the Chechen, the Christian faith's killer — and the sword blade shines... Like a giant, plunged in thought, listening to the roar about him, the disarmed village stands, a sullen mass. Loop-holes, stones and fortresses, and an enormous row of long rocks — his pride's trusty shield — lie cast down before him.

Consumption

Here , Alexander, you have a vivid picture of my present situation.
From a letter to A. P. Lozovskii

But woe to me from my other discovery: I have become familiar with consumption and in it, so it seems, I shall rot away. Like a heavy marble tombstone, with its accursed suite — suffocation, coughing — like a snake, the damned disease has sunk its teeth into me; it is lying on the heart, it is tormenting and gnawing at the poet in the murky silence

И злым предчувствием тревожит
Его в бреду и в тяжком сне.
Ужель, ужель — он мыслит грустно —
Я подвиг жизни совершил
И юных дней фиал безвкусный,
Но долго памятный, разбил!
Давно ли я, в оргиях шумных,
Ничтожность мира забывал
И в кликах радости безумных
Безумство счастьем называл?
Тогда — вдали от глаз невежды
Или фанатика-глупца —
Я сердцу милые надежды
Питал с улыбкой мудреца,
И счастлив был! Самозабвенье
Плодило лестные мечты,
И светлых мыслей вдохновенье
Таилось в бездне пустоты.
.   .   .   .
.   .   .   .
С уничтожением рассудка,
В нелепом вихре бытия,
Законов мозга и желудка
Не различал во мраке я.
Я спал душой изнеможенной,
Никто мне бед не предрекал,
И сам, как раб, ума лишенный,
Точил на грудь свою кинжал;
Потом проснулся... но уж поздно...
Заря по тучам разлилась —

and worries him with evil premonitions in delirium and in heavy sleep. Really, really —
he thinks sadly — have I finished my life's career and smashed the chalice, tasteless but
long memorable, of young days? Was it long ago that I, in noisy orgies, forgot the
world's nothingness and called madness happiness in crazy shouts of joy? Then — far
from the ignoramus's or fanatical fool's eyes — I nurtured hopes dear to my heart with a
sage's smile, and was happy! Self-oblivion brought forth flattering dreams, and the
inspiration of bright thoughts was hidden in the abyss of emptiness. .   .   .   .   .   .
    With the destruction of reason in existence's absurd whirlwind, I could not distinguish
in the dark the laws of brain and stomach. I slept with an exhausted soul, nobody
foretold disasters to me, and I myself, like a demented slave, was sharpening a dagger
for my breast; then I awoke... but it was now too late. Sunset flooded the rain clouds —

Завеса будущности грозной
Передо мной разодралась...
И что ж? Чахотка роковая
В глаза мне пристально глядит,
И, бледный лик свой искажая,
Мне, слышу, хрипло говорит:
«Мой милый друг, бутыльным звоном
Ты звал давно меня к себе;
Итак, являюсь я с поклоном —
Дай уголок твоей рабе!
Мы заживем, поверь, не скучно:
Ты будешь кашлять и стонать,
А я всегда и безотлучно
Тебя готова утешать...»

1837

dreaded futurity's curtain was ripped open before me... And what? Fateful consumption stares me in the eyes and, distorting its pale face, I can hear, it hoarsely says: 'My dear friend, you have long invited me to come with the ringing of bottles. Thus I appear with a bow — give your slave a corner to live in. We shan't live a boring life, believe me: you will cough and groan, and I shall always, inseparably, be ready to console you.'

ДМИТРИЙ ВЛАДИМИРОВИЧ ВЕНЕВИТИНОВ
DMITRII VLADIMIROVICH VENEVITINOV

Три участи

Три участи в мире завидны, друзья!
Счастливец, кто века судьбой управляет,
В душе неразгаданной думы тая.
Он сеет для жатвы, но жатв не сбирает:
Народов признанья ему не хвала,
Народов проклятья ему не упреки.
Векам завещает он замысл глубокий:
По смерти бессмертного зреют дела.

Завидней поэта удел на земли.
С младенческих лет он сдружился с природой,
И сердце Камены от хлада спасли,
И ум непокорный воспитан свободой,
И луч вдохновенья зажегся в очах.
Весь мир облекает он в стройные звуки;
Стеснится ли сердце волнением муки —
Он выплачет горе в горючих стихах.

Но верьте, о други! счастливей сторкат
Беспечный питомец забавы и лени.
Глубокие думы души не мутят,
Не знает он слез и огня вдохновений,
И день для него, как другой, пролетел,
И будущий снова он встретит беспечно,

Three Fates
Three fates in the world are enviable, friends. The happy man who governs the century's
destiny, hiding thoughts in his impenetrable soul. He sows for reaping, but reaps no
harvest: nations' plaudits are no praise for him, nations' curses are no reproaches to him.
He bequeaths to the ages a deep purpose; after the immortal's death his deeds mature.
  More envious is the poet's lot on earth. From infant years he has befriended nature,
and the muses have saved him from coldness, and his restive mind has been reared by
freedom, and inspiration's ray has caught fire in his eyes. He clothes the whole world in
harmonious sounds; if his heart is gripped by agony's emotion, he can weep out his grief
in burning verses.
  But believe me, o friends, a hundred times happier is the carefree darling of leisure
and idleness. Deep thoughts do not perturb his soul, he knows no tears or inspiration's
fire: a day has flown like any other for him, and, carefree, he will meet the next anew,

И сердце увянет без муки сердечной —
О рок! что ты не дал мне этот удел?

1826/7

Завещание

Вот час последнего страданья!
Внимайте: воля мертвеца
Страшна, как голос прорицанья.
Внимайте: чтоб сего кольца
С руки холодной не снимали; —
Пусть с ним умрут мои печали
И будут с ним схоронены.
Друзьям — привет и утешенье:
Восторгов лучшие мгновенья
Мной были им посвящены.
Внимай и ты, моя богиня:
Теперь души твоей святыня
Мне и доступней, и ясней —
Во мне умолкнул глас страстей,
Любви волшебство позабыто,
Исчезла радужная мгла,
И то, что раем ты звала,
Передо мной теперь открыто.
Приближься! вот могилы дверь!
Мне всё позволено теперь:
Я не боюсь суждений света,
Теперь могу тебя обнять,

carefree and his heart will fade without deep-felt agony — o Fate, why did you not give me this lot?

A Testament
Now is the hour of final suffering. Listen: a dead man's will is as terrible as prophecy's voice. Listen: let this ring not be removed from the cold hand — let my woes die with it and be buried with it. Greetings and comfort to my friends: the best moments of ecstasy were dedicated by me to them. You too listen, my goddess: now your soul's sanctum is more accessible and clearer to me; the voice of passions has fallen silent in me, the magic of love has been forgotten, the rainbow-coloured mist has vanished and what you called paradise is now open before me. Approach! This is the door to the grave. Now I am permitted everything: I do not fear the opinions of society. Now I may embrace you,

Теперь могу тебя лобзать,
Как с первой радостью привета
В раю мы ангелов своих
Устами б чистыми лобзали,
Когда бы мы в восторге их
За гробом сумрачным встречали.
Но эту речь ты позабудь:
В ней тайный голос исступленья;
Зачем холодные сомненья
Я вылью в пламенную грудь?
К тебе одно, одно моленье!
Не забывай!.. прочь увepeнья —
Клянись!.. Ты веришь, милый друг,
Что за могильным сим пределом
Душа моя простится с телом
И будет жить, как вольный дух,
Без образа, без тьмы и света,
Одним нетлением одета.
Сей дух, как вечно бдящий взор,
Твой будет спутник неотступный,
И если памятью преступной
Ты изменишь, беда с тех пор!
Я тайно облекусь в укор;
К душе прилипну вероломной,
В ней пищу мщения найду,
И будет сердцу грустно, томно, —
А я, как червь, не отпаду.

1826/7

now I may kiss you as we would kiss our angels in paradise with pure lips in the first joy of greeting, if in delight we met them beyond the twilit grave. But forget these words: they contain a secret voice of ecstasy; why should I pour cold doubts into a burning chest? One, one plea to you! Do not forget!.. no more assurances — swear it! You believe, dear friend, that beyond this sepulchral boundary my soul will take leave of the body and will live as a free spirit, without image, without darkness and light, clothed solely in immortality. This spirit, like an eternally vigilant gaze, will be your inseparable fellow traveller, and if you betray it with a criminal memory, woe from then on. I shall secretly clothe myself in reproach; I shall cling to the treacherous soul and will find food for vengeance in it, and your heart will be sad, weary, while I, like a worm, will not fall off.

КАРОЛИНА КАРЛОВНА ПАВЛОВА
KAROLINA KARLOVNA PAVLOVA

Мотылек

Чего твоя хочет причуда?
Куда, мотылек молодой,
Природы блестящее чудо,
Взвился ты к лазури родной?
Не знал своего назначенья,
Был долго ты праха жилец;
Но время второго рожденья
Пришло для тебя наконец.
Упейся же чистым эфиром,
Гуляй же в небесной дали,
Порхай оживленным сапфиром,
Живи, не касаясь земли. —

Не то ли сбылось и с тобою?
Не так ли, художник, и ты
Был скован житейскою мглою,
Был червем земной тесноты?
Средь грустного так же бессилья
Настал час урочный чудес:
Внезапно расширил ты крылья,
Узнал себя сыном небес.
Покинь же земную обитель
И участь прими мотылька;
Свободный, как он, небожитель,
На землю гляди с высока!

1840

The Moth
What does your fancy want? Where, young moth, nature's brilliant miracle, did you soar
to in your native azure? You didn't know your purpose, you lived long in dust, but
finally the time came for your second birth. Enjoy then pure ether, roam in heavenly
distance, flutter like an animated sapphire, live, not touching the earth. —
  Hasn't the same happened to you? Artist, were not you too fettered by life's gloom,
weren't you a worm of earth's confinement? Likewise, amid sad weakness the fixed
hour of miracles has come: suddenly you have spread wings, recognised yourself as a
son of the skies. So leave the earth's habitations and accept the lot of the moth; like it, a
free dweller of heaven, look at earth from on high.

* *
*

К могиле той заветной
Не приходи уныло,
В которой смолкнет сила
Всей жизненной грозы.

Отвергну плач я тщетный,
Цветы твои и пени;
К чему бесплотной тени
Две розы, две слезы?..

1851

* *
*

Мы странно сошлись. Средь салонного круга,
    В пустом разговоре его,
Мы словно украдкой, не зная друг друга,
    Свое угадали родство.

И сходство души не по чувства порыву,
    Слетевшему с уст наобум,
Проведали мы, но по мысли отзыву
    И проблеску внутренних дум.

Занявшись усердно общественным вздором,
    Шутливое молвя словцо,
Мы вдруг любопытным, внимательным взором
    Взглянули друг другу в лицо.

Do not come sadly to that fateful grave in which the force of all life's thunderstorm is silenced.

I shall reject vain weeping, your flowers and complaints; what use are two roses, two tears to a fleshless shade?

Our meeting was strange. In the salon circle, in its empty conversation, as if by stealth, not knowing each other, we divined our affinity.

And we knew the similarity of soul not by feeling's impulse, falling at random from the lips, but by the mind's response and the insight of inner thoughts.

Eagerly busy with social trivia, uttering a joking phrase, we suddenly looked each other in the face with an inquisitive, careful gaze.

И каждый из нас, болтовнею и шуткой
      Удачно мороча их всех,
Подслушал в другом свой заносчивый, жуткой,
      Ребенка спартанского смех.

И, свидясь, в душе мы чужой отголоска
      Своей не старались найти,
Весь вечер вдвоем говорили мы жестко,
      Держа свою грусть взаперти.

Не зная, придется ль увидеться снова,
      Нечаянно встретясь вчера,
С правдивостью странной, жестоко, сурово
      Мы распрю вели до утра,

Привычные все оскорбляя понятья,
      Как враг беспощадный с врагом, —
И молча друг другу, и крепко, как братья,
      Пожали мы руку потом.

1854

And each of us, successfully fooling all of them by chatting and joking, overheard our own arrogant, appalling Spartan child's laughter in the other.

And on meeting we did not try to find our soul in an echo of another's, all evening we spoke harshly together, keeping our sadness locked up.

Not knowing, whether we would meet again, unexpectedly meeting the day before, with strange honesty we argued cruelly, severely, until morning.

Offending all customary concepts, like a merciless enemy with an enemy, and silently, firmly like brothers, we then shook each other's hand.

Две кометы

Текут в согласии и мире,
Сияя радостным лучом,
Семейства звездные в эфире
Своим указанным путем.

Но две проносятся кометы
Тем стройным хорам не в пример;
Они их солнцем не согреты,
Не сестры безмятежных сфер.

И в небе встретились уныло,
Среди скитанья своего,
Два безотрадные светила
И поняли свое родство.

И, может, с севера и с юга
Ведет их тайная любовь,
В пространстве вновь искать друг друга,
Приветствовать друг друга вновь.

И в розное они теченье
Опять влекомые судьбой,
Сойдутся ближе на мгновенье,
Чем все миры между собой.

1855

Two Comets

In harmony and peace, radiating joyful beams, the starry families follow in the ether their appointed path.

But two comets pass through, out of key with those harmonious choirs; they are not warmed by their sun, they are not sisters of the unperturbed spheres.

And two joyless heavenly bodies have met sadly in the heavens amid their roaming, and have understood their kinship.

And perhaps secret love leads them from the north and from the south, to seek each other again, to greet each other anew.

And again drawn by fate into separate courses, they will come together for a moment nearer than all the worlds among each other.

Рим

Мы едем поляною голой,
Не встретясь с живою душой;
Вдали, из-под тучи тяжелой,
Виднеется город большой.

И, будто б его называя,
Чрез мертвой пустыни предел
От неба стемневшего края
Отрывистый гром прогремел.

Кругом всё сурово и дико;
Один он в пространстве немом
Стоит, многогрешный владыка,
Развенчанный Божьим судом.

Стоит беззащитный, недужный,
И смотрит седой исполин
Угрюмо в угрюмый окружный
Простор молчаливых равнин:

Где вести, и казнь, и законы
Гонцы его миру несли,
Где тесные шли легионы,
Где били челом короли.

Он смотрит, как ветер поляны
Песок по пустыни метет,

Rome
We are crossing bare fields, not meeting a living soul; far off, beneath a heavy cloud, a big city is visible.

And as if naming it, broken thunder pealed from the sky's darkened edge across the dead wilderness's bounds.

All around is harsh and wild; it alone, the sinful lord, dethroned by God's judgement, stands in the mute space.

The grey giant stands defenceless and sickly, and looks sullenly at the sullen surrounding space of the silent plains:

Where messages, and death sentences and laws were brought by its messengers to the world, where tight-packed legions marched, where kings paid homage.

It is looking down onto the wind of the fields sweeping the sand across the wilderness,

И серые всходят туманы
Из топи тлетворных болот.

1857

Порт Марсельский

Море!.. — вот море! Я с верфи впервые
Взором встречаю разливы морские;
Волны воюют, встают на дыбы;
Тьмущею тьмою бегут их громады,
С гулом невнятной какой-то журьбы,
      С роптаньем досады.

Вам я вверяюсь, валы океана!
Вам, своенравным, бунтующим рьяно,
На берег хлещущим шумной дугой!
Мчите же, дикие силы пучины,
Мчите меня вы к чужбине другой
      От этой чужбины.

Темное море! Ты будешь мне другом!
Верх ты возьмешь над душевным недугом,
Хлынешь в корабль и пугнешь экипаж,
В сердце уймешь ты старинное горе,
Дум усмиришь ты упорную блажь,
      Грозящее море!

1861

and on the grey mists rising from the bog of the pestilent marshes.

Marseilles Port

The sea! There's the sea. From the quay for the first time I meet the sea's tides; the waves wage war, rise up vertically; in uncountable thousands their masses run, with a roar of incomprehensible reproof, with grumbling of vexation.

I trust myself to you, ocean waves, to you, wilful, eagerly rebelling, lashing the shore in a roaring arc! So rush, ocean's wild forces, rush me to another alien land from this one.

Dark sea, you will be a friend to me. You will take control over my soul's sickness, you will pour into the ship and frighten the crew, you will calm the ancient grief in the heart, you will pacify the stubborn foolishness of thoughts, menacing sea!

АЛЕКСЕЙ ВАСИЛЬЕВИЧ КОЛЬЦОВ
ALEKSEI VASILIEVICH KOLTSOV

Лес

(Посвящено памяти А. С. Пушкина)

Что, дремучий лес,
Призадумался, —
Грустью темною
Затуманился?

Что, Бова-силач
Заколдованный,
С непокрытою
Головой в бою, —

Ты стоишь — поник,
И не ратуешь
С мимолетною
Тучей-бурею?

Густолиственный
Твой зеленый шлем
Буйный вихрь сорвал —
И развеял в прах.

Плащ упал к ногам
И рассыпался...
Ты стоишь — поник,
И не ратуешь.

The Forest   *In memory of Pushkin*
Why, slumbering forest, have you fallen pensive, clouded over with dark sadness?
  Like Bova the Strong, under a spell, with uncovered head in battle,
  You stand with head bowed and do not fight with the passing storm cloud.
  The wild squall has torn off your dense-leaved green helmet and scattered it to dust.
  Your cloak has fallen to your feet and is in pieces... You stand, head bowed and do
not fight.

Где ж девалася
Речь высокая,
Сила гордая,
Доблесть царская?

У тебя ль, было́,
В ночь безмолвную
Заливная песнь
Соловьиная...

У тебя ль, было́,
Дни — роскошество, —
Друг и недруг твой
Прохлаждаются...

У тебя ль, было́,
Поздно вечером
Грозно с бурею
Разговор пойдет:

Распахнет она
Тучу черную,
Обоймет тебя
Ветром-холодом.

И ты молвишь ей
Шумным голосом:
«Вороти назад!
Держи около!»

Where has the lofty speech gone, the proud strength, the regal valour?

You used to have on a silent night the nightingale's trilling song.

You used to have days of delight,— your friend and enemy would enjoy the coolness...

You used to have, late at night, a conversation starting awesomely with the storm:

It would fling open the black storm cloud and embrace you with wind and cold.

And you would tell it in a roaring voice: 'Turn back, keep away!'

Закружит она,
Разыграется...
Дрогнет грудь твоя,
Зашатаешься;

Встрепенувшися,
Разбушуешься:
Только свист кругом,
Голоса и гул...

Буря всплачется
Лешим, ведьмою, —
И несет свои
Тучи за море.

Где ж теперь твоя
Мочь зеленая?
Почернел ты весь,
Затуманился...

Одичал, замолк...
Только в непогодь
Воешь жалобу
На безвременье.

Так-то, темный лес,
Богатырь-Бова!
Ты всю жизнь свою
Маял битвами.

It would swirl, let itself loose... Your chest would quiver, you would stagger;
With a quiver, you would begin to rage; just whistling around, voices and roaring...
The storm would burst into weeping like a wood demon, a witch, — and carry its clouds over the sea.
Where now is your green force? You have gone all black, clouded over...
You've gone wild, fallen silent... Only in bad weather you howl a complaint against the bad times.
So, dark forest, Bova the Hero, you spent your whole life in battles.

Не осилили
Тебя сильные,
Так дорезала
Осень черная.

Знать, во время сна
К безоружному
Силы вражие
Понахлынули.

С богатырских плеч
Сняли голову —
Не большой горой,
А соломинкой...

1837

Расчет с жизнью

Посвящено В. Г. Белинскому

Жизнь! зачем ты собой
Обольщаешь меня?
Почти век я прожил,
Никого не любя.

В душе страсти огонь
Разгорался не раз,
Но в бесплодной тоске
Он сгорел и погас.

The strong did not overcome you, but black autumn has finished you off.

Thus, while you slept, enemy forces rushed on an unarmed man.

They cut off the head from the heroic shoulders — not with a big mountain, but with a straw.

Reckoning with Life   *Dedicated to Belinskii*

Life, why do you try to seduce me? I have lived almost a whole life span, loving nobody.

Passion's fire has flared several times in my soul, but it burnt out and extinguished in fruitless anguish.

Моя юность цвела
Под туманом густым, —
И что ждало меня,
Я не видел за ним.

Только тешилась мной
Злая ведьма-судьба;
Только силу мою
Сокрушила борьба;

Только зимней порой
Меня холод знобил;
Только волос седой
Мои кудри развил;

Да румянец лица
Печаль рано сожгла,
Да морщины на нем
Ядом слез провела.

Жизнь! зачем же собой
Обольщаешь меня?
Если б силу Бог дал —
Я разбил бы тебя!..

1840

My youth flourished in thick mist, and because of it I couldn't see what awaited me.
Fate the evil witch was just playing with me; the struggle only wrecked my strength;
Only cold made me shiver in winter time; only grey hairs unfurled my curls;
And grief burnt early the redness in my face, and traced wrinkles on it with tears' poison.
Life, why do you try to seduce me? If God gave me strength I would smash you!..

МИХАИЛ ЮРЬЕВИЧ ЛЕРМОНТОВ
MIKHAIL IURIEVICH LERMONTOV

Ангел

По небу полуночи ангел летел,
   И тихую песню он пел;
И месяц, и звезды, и тучи толпой
   Внимали той песне святой.

Он пел о блаженстве безгрешных духов
   Под кущами райских садов;
О Боге великом он пел, и хвала
   Его непритворна была.

Он душу младую в объятиях нес
   Для мира печали и слез;
И звук его песни в душе молодой
   Остался — без слов, но живой.

И долго на свете томилась она,
   Желанием чудным полна;
И звуков небес заменить не могли
   Ей скучные песни земли.

1831

The Angel

An angel was flying over the midnight sky and singing a quiet song; the moon, the stars and the clouds in a throng listened to this holy song.

He sang of the bliss of spirits without sin under the shades of the heavenly gardens; he sang of great God and his praise was genuine.

He was carrying a young soul in his arms for the world of sadness and tears; and the sound of his song remained in the young soul — without words, but alive.

And for a long time it pined in the world, full of a wondrous desire; and earth's dreary songs could not for this soul replace heaven's sounds.

* *
*

Ужасная судьба отца и сына
Жить розно и в разлуке умереть,
И жребий чуждого изгнанника иметь
На родине с названьем гражданина!
Но ты свершил свой подвиг, мой отец,
Постигнут ты желанною кончиной;
Дай Бог, чтобы, как твой, спокоен был конец
Того, кто был всех мук твоих причиной!
Но ты простишь мне! Я ль виновен в том,
Что люди угасить в душе моей хотели
Огонь божественный, от самой колыбели
Горевший в ней, оправданный творцом?
Однако ж тщетны были их желанья:
Мы не нашли вражды один в другом,
Хоть оба стали жертвою страданья!
Не мне судить, виновен ты иль нет.
Ты светом осужден? Но что такое свет?
Толпа людей, то злых, то благосклонных,
Собрание похвал незаслуженных
И стольких же насмешливых клевет.
Далеко от него, дух ада или рая,
Ты о земле забыл, как был забыт землей;
Ты счастливей меня, перед тобой
Как море жизни — вечность роковая
Неизмеримою открылась глубиной.
Ужели вовсе ты не сожалеешь ныне

A horrid fate for father and son to live apart and die parted, and to have in their motherland the lot of an alien exile with a citizen's title! But, my father, you have finished your task, you have been struck by the end that you desired: God grant that the end of him who was the cause of all your agony should be as peaceful! But you will forgive me. Is it my fault that people have tried to extinguish in my soul the divine fire which had burnt in it since the cradle and which was sanctified by the Creator? However, their desires were in vain: we found no hostility for each other, though both of us were victims of suffering. It's not for me to judge whether you are at fault or not. Have you been condemned by the world? But what is the world? A mob of people, vicious or benign, a collection of undeserved praises and of as many sarcastic slanders. Far from the world, a spirit of hell or paradise, you have forgotten about the earth as you have been forgotten by it; you are luckier than me: before you, like the sea of life, fateful eternity has opened up its measureless depth. Will you really now not regret at all

О днях, потерянных в тревоге и слезах?
О сумрачных, но вместе милых днях,
Когда в душе искал ты, как в пустыне,
Остатки прежних чувств и прежние мечты?
Ужель теперь совсем меня не любишь ты?
О, если так, то небо не сравняю
Я с этою землей, где жизнь влачу мою;
Пускай на ней блаженства я не знаю,
По крайней мере я люблю!

1831

* * *

Нет, я не Байрон, я другой,
Еще неведомый избранник,
Как он, гонимый миром странник,
Но только с русскою душой.
Я раньше начал, кончу ране,
Мой ум не много совершит;
В душе моей, как в океане,
Надежд разбитых груз лежит.
Кто может, океан угрюмый,
Твои изведать тайны? Кто
Толпе мои расскажет думы?
Я — или Бог — или никто!

1832

the days lost in worry and tears, the gloomy but still dear days when you sought in your soul, as in a desert, for the remains of former feelings and former dreams? Do you really now not love me at all? O, if that is so, then I do not equate heaven with this earth where I drag out my life: though I know no bliss on earth, at least I love.

No, I am not Byron, I am another still unknown chosen one, a wanderer, like him, persecuted by the world, but only with a Russian soul. I began earlier, I shall end earlier, my mind will not achieve a lot; in my soul, as in an ocean, a load of wrecked hopes lies. Who can, o sullen ocean, find out your secrets? Who will tell the mob my thoughts? I, or God, or nobody.

Парус

Белеет парус одинокой
В тумане моря голубом!..
Что ищет он в стране далекой?
Что кинул он в краю родном?..

Играют волны — ветер свищет,
И мачта гнется и скрыпит...
Увы! — он счастия не ищет
И не от счастия бежит!

Под ним струя светлей лазури,
Над ним луч солнца золотой...
А он, мятежный, просит бури,
Как будто в бурях есть покой!

1832

* **

Когда волнуется желтеющая нива,
И свежий лес шумит при звуке ветерка,
И прячется в саду малиновая слива
Под тенью сладостной зеленого листка;

The Sail
A lonely sail shows white against the sea's blue mist. What does it seek in a distant region? What has it abandoned in its own land?..

The waves play, the wind whistles, and the mast bends and screeches... Alas, it does not seek happiness and is not running away from happiness.

Beneath it the current is brighter than the azure, above it is the sun's golden ray... But it, rebellious, asks for a storm, as if there were peace in storms!

When the yellowing cornfield waves and the fresh forest rustles to the breeze's sound and the crimson plum in the orchard hides under the green leaf's sweet shade;

Когда росой обрызганный душистой,
Румяным вечером иль утра в час златой,
Из-под куста мне ландыш серебристый
Приветливо кивает головой;

Когда студеный ключ играет по оврагу
И, погружая мысль в какой-то смутный сон,
Лепечет мне таинственную сагу
Про мирный край, откуда мчится он, —

Тогда смиряется души моей тревога,
Тогда расходятся морщины на челе, —
И счастье я могу постигнуть на земле,
И в небесах я вижу Бога...

1837

Дума

Печально я гляжу на наше поколенье!
Его грядущее — иль пусто, иль темно,
Меж тем, под бременем познанья и сомненья,
    В бездействии состарится оно.
    Богаты мы, едва из колыбели,
Ошибками отцов и поздним их умом,
И жизнь уж нас томит, как ровный путь без цели,
    Как пир на празднике чужом.

When, on a scarlet evening or at the golden hour of morning a silvery lily of the valley, spattered with fragrant dew, shakes its head at me in greeting from under a bush;

When the chilled spring plays down the gully and, letting its thought fall into a confused sleep, burbles to me a mysterious saga about a peaceful land, whence it rushes:

Then the alarm in my soul is calmed, then the wrinkles on my brow disappear, and I can grasp happiness on earth and see God in the heavens.

A Thought

I look at our generation with sadness. Its future is either empty or dark, while under the burden of knowledge and doubt it ages in inertia. Barely out of the cradle, we are rich in our fathers' mistakes and their belated wisdom, and life already wearies us like an even path with no goal, like a banquet on someone else's feast-day.

К добру и злу постыдно равнодушны,
В начале поприща мы вянем без борьбы;
Перед опасностью позорно малодушны
И перед властию — презренные рабы.

Так тощий плод, до времени созрелый,
Ни вкуса нашего не радуя, ни глаз,
Висит между цветов, пришлец осиротелый,
И час их красоты — его паденья час!

Мы иссушили ум наукою бесплодной,
Тая завистливо от ближних и друзей
Надежды лучшие и голос благородный
       Неверием осмеянных страстей.
Едва касались мы до чаши наслажденья,
       Но юных сил мы тем не сберегли;
Из каждой радости, бояся пресыщенья,
       Мы лучший сок навеки извлекли.

Мечты поэзии, создания искусства
Восторгом сладостным наш ум не шевелят;
Мы жадно бережем в груди остаток чувства —
Зарытый скупостью и бесполезный клад.
И ненавидим мы, и любим мы случайно,
Ничем не жертвуя ни злобе, ни любви,
И царствует в душе какой-то холод тайный,
       Когда огонь кипит в крови.
И предков скучны нам роскошные забавы,

Shamefully indifferent to good and evil, we fade without a fight at the start of our career, disgracefully cowardly when faced with danger, despicable slaves when faced with power. Thus a shrunken fruit, ripe before its time, giving neither our taste nor eyes any joy, hangs among flowers, an orphaned newcomer, and the hour of their beauty is the hour of its fall.

We have desiccated our mind with sterile science, hiding our best hopes and noble voice enviously from intimates and friends with the disbelief of mocked passions. We barely touched the cup of enjoyment, but this did not preserve our youthful strength; from every joy, fearing satiety, we removed the best juice forever.

Dreams of poetry, works of art do not move our minds with sweet delight; greedily we guard a remnant of feeling in our breast — a useless treasure buried by avarice. And we hate and love at random, sacrificing nothing to spite or love, and in the soul a secret chill reigns, when fire boils in the blood. And our ancestors' sumptuous gaieties bore us,

Их добросовестный, ребяческий разврат;
И к гробу мы спешим без счастья и без славы,
   Глядя насмешливо назад.

Толпой угрюмою и скоро позабытой
Над миром мы пройдем без шума и следа,
Не бросивши векам ни мысли плодовитой,
   Ни гением начатого труда.
И прах наш, с строгостью судьи и гражданина,
Потомок оскорбит презрительным стихом,
Насмешкой горькою обманутого сына
   Над промотавшимся отцом.

1838

Молитва

В минуту жизни трудную
Теснится ль в сердце грусть,
Одну молитву чудную
Твержу я наизусть.

Есть сила благодатная
В созвучье слов живых,
И дышит непонятная,
Святая прелесть в них.

as does their conscientious, infantile debauchery; and we rush to the grave without happiness, without glory, looking sarcastically backwards.

    A sullen and soon to be forgotten mob, we shall pass without noise or trace over the world, without leaving for the centuries a fruitful thought or a work begun with genius. And, with the severity of a judge and a citizen, posterity will insult our dust with a contemptuous verse, the bitter mockery by a disillusioned son of a spendthrift father.

A Prayer
At a difficult moment in life, when sadness grips the heart, I repeat by heart a wonderful prayer.
    There is a force full of grace in the harmony of living words, and an incomprehensible sacred charm breathes in them.

С души как бремя скатится,
Сомненье далеко —
И верится, и плачется,
И так легко, легко...

1839

Из поэмы «Мцыри»

16

Ты помнишь детские года:
Слезы не знал я никогда;
Но тут я плакал без стыда.
Кто видеть мог? Лишь темный лес
Да месяц, плывший средь небес!
Озарена его лучом,
Покрыта мохом и песком,
Непроницаемой стеной
Окружена, передо мной
Была поляна. Вдруг по ней
Мелькнула тень, и двух огней
Промчались искры... и потом
Какой-то зверь одним прыжком
Из чащи выскочил и лег,
Играя, навзничь на песок.
То был пустыни вечный гость —
Могучий барс. Сырую кость
Он грыз и весело визжал;
То взор кровавый устремлял,

A burden seems to roll off the soul, doubt is far — and one believes and weeps and feels so at ease, at ease.

From 'The Novice Monk'
16. You remember my childhood years: I never knew tears; but now I wept without shame. Who could see? Only the dark forest and the moon sailing through the heavens. Lit up by its light, covered with moss and sand, surrounded by an impenetrable wall, was a clearing. Suddenly a shadow flashed across it, and the sparks of two fires rushed by... and then a wild animal with one leap jumped out of the thicket and lay down, playing, supine on the sand. This was the eternal guest of the wilderness, the mighty panther. It was gnawing a raw bone and merrily shrieking; now it fixed its bloody gaze,

Мотая ласково хвостом,
На полный месяц, — и на нем
Шерсть отливалась серебром.
Я ждал, схватив рогатый сук,
Минуту битвы; сердце вдруг
Зажглося жаждою борьбы
И крови... да, рука судьбы
Меня вела иным путем...
Но нынче я уверен в том,
Что быть бы мог в краю отцов
Не из последних удальцов.

17

Я ждал. И вот в тени ночной
Врага почуял он, и вой
Протяжный, жалобный как стон,
Раздался вдруг... и начал он
Сердито лапой рыть песок,
Встал на дыбы, потом прилег,
И первый бешеный скачок
Мне страшной смертию грозил...
Но я его предупредил.
Удар мой верен был и скор.
Надежный сук мой, как топор,
Широкий лоб его рассек...
Он застонал, как человек,
И опрокинулся. Но вновь,
Хотя лила из раны кровь
Густой, широкою волной,
Бой закипел, смертельный бой!

gently wagging its tail, at the full moon, and its fur was shot with silver. I waited, grabbing a forked branch, for the moment of battle; my heart suddenly was fired with an eagerness for fighting and blood... yes fate's hand had led me by another path... But now I am sure that I could have been in my father's land not the least of brave warriors.

17. I waited. And now in the shade of night it sensed a foe, and a drawn-out howl, plaintive as a groan, suddenly rang out... and it began to dig at the sand angrily with its paw, rose on its hind legs, then crouched, and the first furious leap threatened me with a terrible death... But I got in before him, my blow was true and fast. My trusty branch, like an axe, clove his broad forehead. He groaned like a man, and toppled over. But, although blood ran in a thick wide wave from the wound, battle, mortal battle, flared up!

18

Ко мне он кинулся на грудь;
Но в горло я успел воткнуть
И там два раза повернуть
Мое оружье... Он завыл,
Рванулся из последних сил,
И мы, сплетясь как пара змей,
Обнявшись крепче двух друзей,
Упали разом, и во мгле
Бой продолжался на земле.
И я был страшен в этот миг;
Как барс пустынный, зол и дик,
Я пламенел, визжал, как он;
Как будто сам я был рожден
В семействе барсов и волков
Под свежим пологом лесов.
Казалось, что слова людей
Забыл я — и в груди моей
Родился тот ужасный крик,
Как будто с детства мой язык
К иному звуку не привык...
Но враг мой стал изнемогать,
Метаться, медленней дышать,
Сдавил меня в последний раз...
Зрачки его недвижных глаз
Блеснули грозно — и потом
Закрылись тихо вечным сном;

18. He rushed at my chest; but I managed to thrust my weapon in his throat and turn it twice... He howled, struggled with his last strength, and we, entwining like a pair of snakes, embracing tighter than two friends, fell together, and in the gloom the battle continued on the ground. And I was terrible at that moment; like the desert panther, vicious and wild, I was on fire, I shrieked like him; as if I myself was born in the family of panthers and wolves under the fresh roof of the forests. It seemed that I had forgotten human words, and in my chest a horrid shout was born, as if since childhood my tongue were not used to any other sound... But my enemy began to weaken, to throw himself about, to breathe more slowly, he crushed me for the last time... The pupils of his motionless eyes flashed threateningly, and then were covered quietly by eternal sleep;

Но с торжествующим врагом
Он встретил смерть лицом к лицу,
Как в битве следует бойцу!..

1839

И скучно и грустно

И скучно и грустно, и некому руку подать
    В минуту душевной невзгоды...
Желанья!.. что пользы напрасно и вечно желать?..
    А годы проходят — все лучшие годы!

Любить... но кого же... на время — не стоит труда,
    А вечно любить невозможно.
В себя ли заглянешь? — там прошлого нет и следа:
    И радость, и муки, и всё там ничтожно...

Что страсти? — ведь рано иль поздно их сладкий недуг
    Исчезнет при слове рассудка;
И жизнь, как посмотришь с холодным вниманьем вокруг, —
    Такая пустая и глупая шутка...

1840

but with a triumphant enemy he had met death face to face as befits a warrior in battle.

I am bored and sad
I am bored and sad and have nobody to offer my hand at a time of inner troubles... Desires! What use is it to desire in vain and forever? And the years pass, all the best years.
    To love... but whom? Temporarily is not worth the trouble, and to love forever is impossible. If you look in your heart there is no trace of the past there; joy and agonies and everything there are meaningless...
    What are passions? sooner or later, after all, their   et malaise will vanish at the word of reason. And life, if you look around with cold attention, is such a pointless and stupid joke.

Казачья колыбельная песня

Спи, младенец мой прекрасный,
    Баюшки-баю.
Тихо смотрит месяц ясный
    В колыбель твою.
Стану сказывать я сказки,
    Песенку спою;
Ты ж дремли, закрывши глазки,
    Баюшки-баю.

По камням струится Терек,
    Плещет мутный вал;
Злой чечен ползет на берег,
    Точит свой кинжал;
Но отец твой старый воин,
    Закален в бою;
Спи, малютка, будь спокоен,
    Баюшки-баю.

Сам узнаешь, будет время,
    Бранное житье;
Смело вденешь ногу в стремя
    И возьмешь ружье.
Я седельце боевое
    Шелком разошью...
Спи, дитя мое родное,
    Баюшки-баю.

Cossack Lullaby

Sleep, my lovely baby, lullaby. Quietly the bright moon looks into your cradle. I shall be telling you fairy tales, I shall sing a song; so you slumber, with your eyes shut, lullaby.

The Terek flows over the stones, the muddy wave splashes; a wicked Chechen clambers onto the bank, sharpens his dagger; but your father is an old fighter, steeled in battle; sleep, baby, be calm, lullaby.

You will know, when the time comes, the fighting life; you'll boldly put your foot in the stirrup and take up a rifle. I'll embroider your fighting saddle with silk... Sleep, my darling child, lullaby.

Богатырь ты будешь с виду
    И казак душой.
Провожать тебя я выйду —
    Ты махнешь рукой...
Сколько горьких слез украдкой
    Я в ту ночь пролью!..
Спи, мой ангел, тихо, сладко,
    Баюшки-баю.

Стану я тоской томиться,
    Безутешно ждать;
Стану целый день молиться,
    По ночам гадать;
Стану думать, что скучаешь
    Ты в чужом краю...
Спи ж, пока забот не знаешь,
    Баюшки-баю.

Дам тебе я на дорогу
    Образок святой:
Ты его, моляся Богу,
    Ставь перед собой;
Да готовясь в бой опасный,
    Помни мать свою...
Спи, младенец мой прекрасный,
    Баюшки-баю.

1840

You will be a mighty hero to look at and a Cossack in your soul. I shall come out to see you off — you will wave good-bye... How many bitter tears I will secretly shed that night... Sleep, my angel, quietly, sweetly, lullaby.

I shall suffer from yearning, wait inconsolably; I shall be praying all day, telling your fortune at night; I shall think that you are unhappy in alien lands... Sleep then, while you know no cares, lullaby.

I shall give you a holy icon for the journey. When you pray to God put it in front of you; and when you get ready for dangerous battle, remember your mother... Sleep, baby, my beauty, lullaby.

Завещание

Наедине с тобою, брат,
Хотел бы я побыть:
На свете мало, говорят,
Мне остается жить!
Поедешь скоро ты домой:
Смотри ж... Да что? моей судьбой,
Сказать по правде, очень
Никто не озабочен.

А если спросит кто-нибудь...
Ну, кто бы ни спросил,
Скажи им, что навылет в грудь
Я пулей ранен был;
Что умер честно за царя,
Что плохи наши лекаря
И что родному краю
Поклон я посылаю.

Отца и мать мою едва ль
Застанешь ты в живых...
Признаться, право, было б жаль
Мне опечалить их;
Но если кто из них и жив,
Скажи, что я писать ленив,
Что полк в поход послали
И чтоб меня не ждали.

Last Testament
I'd like to be alone with you for a while, brother; they say I don't have much time left to live in this world. You'll go home soon: so look... So what, if I'm frank, nobody will be very bothered by my fate.

But if anyone asks, well, no matter who asks, tell them that I was wounded by a bullet that went through my chest, that I died honourably for the Tsar, that our doctors are no good, and that I send my regards to my homeland.

You probably won't find my mother and father alive... To be honest, really, I wouldn't want to grieve them; but if one or the other is alive, say that I am too lazy to write, that the regiment has been sent on a campaign and they are not to wait for me.

Соседка есть у них одна...
Как вспомнишь, как давно
Расстались!.. Обо мне она
Не спросит... всё равно,
Ты расскажи всю правду ей,
Пустого сердца не жалей;
Пускай она поплачет...
Ей ничего не значит!

1840

* * *

Прощай, немытая Россия,
Страна рабов, страна господ,
И вы, мундиры голубые,
И ты, им преданный народ.

Быть может, за стеной Кавказа
Укроюсь от твоих пашей,
От их всевидящего глаза,
От их всеслышащих ушей.

1841

There is a woman who lives next door. When you think, what a long time since we parted. She won't ask about me... all the same, tell her the whole truth, don't spare any empty heart; let her cry a bit, it means nothing to her.

Farewell, unwashed Russia, country of slaves, country of masters, and you, sky-blue uniforms, and you, nation devoted to them.
Perhaps, behind the Caucasus's wall I shall hide from your pashas, from their all-seeing eye, from their all-hearing ears.

Утес

Ночевала тучка золотая
На груди утеса-великана,
Утром в путь она умчалась рано,
По лазури весело играя;

Но остался влажный след в морщине
Старого утеса. Одиноко
Он стоит, задумался глубоко
И тихонько плачет он в пустыне.

1841

Сон

В полдневный жар в долине Дагестана
С свинцом в груди лежал недвижим я;
Глубокая еще дымилась рана,
По капле кровь точилася моя.

Лежал один я на песке долины;
Уступы скал теснилися кругом,
И солнце жгло их желтые вершины
И жгло меня — но спал я мертвым сном.

The Rock
A golden rain cloud spent the night on the breast of a giant rock, early next morning it rushed off, playing merrily in the azure.

But a moist trace remained in the old rock's furrowed brow. He stands alone, he has fallen into deep thought and quietly weeps in the wilderness.

A Dream
In the midday heat in a Dagestan valley I lay still with lead in my chest; the deep wound still steamed and my blood oozed out drop by drop.

I lay alone on the valley sand; the cliff ledges enclosed me around, and the sun burned their yellow heights, and burned me, but I slept the sleep of the dead.

И снился мне сияющий огнями
Вечерний пир в родимой стороне.
Меж юных жен, увенчанных цветами,
Шел разговор веселый обо мне.

Но в разговор веселый не вступая,
Сидела там задумчиво одна,
И в грустный сон душа ее младая
Бог знает чем была погружена;

И снилась ей долина Дагестана;
Знакомый труп лежал в долине той;
В его груди, дымясь, чернела рана,
И кровь лилась хладеющей струей.

1841

* * *

Выхожу один я на дорогу;
Сквозь туман кремнистый путь блестит;
Ночь тиха. Пустыня внемлет Богу,
И звезда с звездою говорит.

В небесах торжественно и чудно!
Спит земля в сияньи голубом...
Что же мне так больно и так трудно?
Жду ль чего? жалею ли о чем?

And I dreamt of an evening banquet, radiant with lights, in my own country; among young women, garlanded with flowers, there was a cheerful conversation about me.

But, not joining the cheerful conversation, one woman sat there pensively, and her young soul was plunged, God knows by what, into a sad dream.

And she dreamt of a valley in Dagestan... A familiar corpse lay in that valley, in his breast, growing black, a wound steamed, and blood flowed in a stream grown cold.

Alone I come out onto the road. Through the mist the flinty road shines; the night is quiet, the wilderness listens to God, and star talks to star.

In the heavens all is solemn and wondrous. The earth sleeps in blue radiance... Why then do I find it so painful and hard? Am I expecting anything? Do I regret anything?

Уж не жду от жизни ничего я,
И не жаль мне прошлого ничуть;
Я ищу свободы и покоя!
Я б хотел забыться и заснуть!

Но не тем холодным сном могилы...
Я б желал навеки так заснуть,
Чтоб в груди дремали жизни силы,
Чтоб, дыша, вздымалась тихо грудь;

Чтоб всю ночь, весь день мой слух лелея,
Про любовь мне сладкий голос пел,
Надо мной чтоб, вечно зеленея,
Темный дуб склонялся и шумел.

1841

Пророк

С тех пор как вечный судия
Мне дал всеведенье пророка,
В очах людей читаю я
Страницы злобы и порока.

Провозглашать я стал любви
И правды чистые ученья, —
В меня все ближние мои
Бросали бешено каменья.

I expect nothing more from life and don't regret the past at all. I seek freedom and peace; I'd like to find oblivion and fall asleep.

But not the grave's cold sleep: I'd like to fall asleep for ever so that life's forces slumbered in my breast, that as I breathed my breast would rise gently,

So that lulling my ears all night and all day, a sweet voice would sing to me of love, so that the dark oak, ever green, should lean over and rustle over me.

The Prophet
Ever since the eternal judge gave me a prophet's omniscience, I have read in people's eyes pages of spite and vice.

I started proclaiming pure doctrines of love and truth: all my kin furiously threw stones at me.

Посыпал пеплом я главу,
Из городов бежал я нищий,
И вот в пустыне я живу,
Как птицы, даром Божьей пищи;

Завет предвечного храня,
Мне тварь покорна там земная;
И звезды слушают меня,
Лучами радостно играя.

Когда же через шумный град
Я пробираюсь торопливо,
То старцы детям говорят
С улыбкою самолюбивой:

«Смотрите: вот пример для вас!
Он горд был, не ужился с нами:
Глупец, хотел уверить нас,
Что Бог гласит его устами!

Смотрите ж, дети, на него:
Как он угрюм, и худ, и бледен!
Смотрите, как он наг и беден,
Как презирают все его!»

1841

I covered my head with ash, I ran, a pauper, from the towns, and now I live in the wilderness like the birds, on the gift of God's food;

Keeping the præternal law, earthly creatures are submissive to me there; and stars listen to me, their beams of light playing joyfully.

But when I cross hurriedly the noisy city, old men tell their children with a self-satisfied smile:

'Look, there is an example to you. He was proud, would not get on with us. The fool, he tried to convince us that God spoke through his lips.

So look at him, children: how sullen, thin and pale he is. Look how naked and poor he is, how everyone despises him.'

* *

Нет, не тебя так пылко я люблю,
Не для меня красы твоей блистанье:
Люблю в тебе я прошлое страданье
И молодость погибшую мою.

Когда порой я на тебя смотрю,
В твои глаза вникая долгим взором,
Таинственным я занят разговором,
Но не с тобой я сердцем говорю.

Я говорю с подругой юных дней,
В твоих чертах ищу черты другие,
В устах живых уста давно немые,
В глазах огонь угаснувших очей.

1841

Из первой части поэмы «Демон»

15

На беззаботную семью
Как гром слетела Божья кара!
Упала на постель свою,
Рыдает бедная Тамара;
Слеза катится за слезой,
Грудь высоко и трудно дышит;

No, it's not you I love so ardently, the radiance of your beauty is not for me: I love in you past suffering and my ruined youth.

When at times I look at you, penetrating your eyes with a long gaze, I am busy with a mysterious conversation, but my heart is talking with someone other than you.

I am talking to the girl I loved in my young days, I seek in your features other features, lips long dumb in living lips, in eyes the fire of eyes that are extinguished.

From Part I of 'The Demon'
15. God's punishment was hurled like a thunderbolt on a carefree family. Poor Tamara fell onto her bed, sobbing. Tear after tear falls, her heaving breast has trouble breathing;

И вот она как будто слышит
Волшебный голос над собой:
«Не плачь, дитя! не плачь напрасно!
Твоя слеза на труп безгласный
Живой росой не упадет:
Она лишь взор туманит ясный,
Ланиты девственные жжет!
Он далеко, он не узнает,
Не оценит тоски твоей;
Небесный свет теперь ласкает
Бесплотный взор его очей;
Он слышит райские напевы...
Что жизни мелочные сны,
И стон и слезы бедной девы
Для гостя райской стороны?
Нет, жребий смертного творенья,
Поверь мне, ангел мой земной,
Не стоит одного мгновенья
Твоей печали дорогой!

На воздушном океане,
Без руля и без ветрил,
Тихо плавают в тумане
Хоры стройные светил;
Средь полей необозримых
В небе ходят без следа
Облаков неуловимых
Волокнистые стада.
Час разлуки, час свиданья —
Им ни радость, ни печаль;

now she seems to hear a magic voice overhead: 'Don't cry, child, don't cry for nothing. Your tear will not fall as living dew on the dumb corpse: it only clouds your clear gaze, burns your maiden cheeks. He is far away, he will not know or value your anguish; heavenly light now caresses his eyes' fleshless gaze. He hears the tunes of paradise... What are life's trivial dreams and a poor maiden's moans and tears to a guest in paradise? No, a mortal creature's lot, believe me, my terrestrial angel, is not worth one moment of your precious grief.

On the aerial ocean, without helm or sails, beautiful choirs of planets and stars quietly drift in the mist. Amid infinite fields fibrous flocks of elusive clouds pass without trace in the sky. The hour of separation, the hour of reunion is neither joy nor grief for them;

Им в грядущем нет желанья
И прошедшего не жаль.
В день томительный несчастья
Ты об них лишь вспомяни;
Будь к земному без участья
И беспечна, как они!

Лишь только ночь своим покровом
Верхи Кавказа осенит,
Лишь только мир, волшебным словом
Завороженный, замолчит;
Лишь только ветер над скалою
Увядшей шевельнет травою,
И птичка, спрятанная в ней,
Порхнет во мраке веселей;
И под лозою виноградной,
Росу небес глотая жадно,
Цветок распустится ночной;
Лишь только месяц золотой
Из-за горы тихонько встанет
И на тебя украдкой взглянет, —
К тебе я стану прилетать;
Гостить я буду до денницы
И на шелковые ресницы
Сны золотые навевать...»

1841

they have no desire in the future and no regrets in the past. On a weary day of misfortune, just remember about them: be as indifferent to earthly things and as carefree as they are.

As soon as night shelters the summits of the Caucasus with its cover, when the world, enchanted by a magic word, falls silent, when the wind over the rock moves the faded grass and the bird hidden in it flutters more cheerful in the dark, and the nocturnal flower under the grape vine, greedily swallowing the heavens' dew, opens up, when the golden moon quietly rises from behind the mountain, then I shall fly in to see you, I shall stay until first light of day and will waft golden dreams onto your silky eyelashes.'

АЛЕКСЕЙ КОНСТАНТИНОВИЧ ТОЛСТОЙ
ALEKSEI KONSTANTINOVICH TOLSTOI

* * *

По гребле неровной и тряской,
Вдоль мокрых рыбачьих сетей,
Дорожная едет коляска,
Сижу я задумчиво в ней;

Сижу и смотрю я дорогой
На серый и пасмурный день,
На озера берег отлогий,
На дальний дымок деревень.

По гребле, со взглядом угрюмым,
Проходит оборванный жид;
Из озера с пеной и шумом
Вода через греблю бежит;

Там мальчик играет на дудке,
Забравшись в зеленый тростник;
В испуге взлетевшие утки
Над озером подняли крик.

Близ мельницы, старой и шаткой,
Сидят на траве мужики;
Телега с разбитой лошадкой
Лениво подвозит мешки...

Along the uneven, rutted causeway, past wet fishermen's nets, a carriage goes, I am sitting pensively in it.

I sit and look on the way at the grey and overcast day, at the lake's sloping shore, at the villages' distant smoke.

Along the causeway, with sullen expression, a ragged Jew passes; from the lake with foam and a roar the water runs over the causeway;

Hidden in the green reeds there, a boy plays on a pipe. The ducks, soaring up in fright, have raised a shout over the lake;

Near the old tumbled-down mill peasants sit on the grass; a cart with a decrepit nag lazily brings the sacks up...

Мне кажется всё так знакомо,
Хоть не был я здесь никогда,
И крыша далекого дома,
И мальчик, и лес, и вода,

И мельницы говор унылый,
И ветхое в поле гумно...
Всё это когда-то уж было,
Но мною забыто давно.

Так точно ступала лошадка,
Такие ж тащила мешки;
Такие ж у мельницы шаткой
Сидели в траве мужики;

И так же шел жид бородатый,
И так же шумела вода —
Всё это уж было когда-то,
Но только не помню когда...

1840-е годы

I feel this is so familiar, though I have never been here — the distant house roof, the boy, the forest, the water,

And the mill's mournful sound and the ramshackle barn in the field: all that has been before, but is long forgotten by me.

The horse trod in the same way, pulling the same load of sacks; the same peasants sat on the grass by the tumble-down mill;

And the same bearded Jew walked by and the same water roared — all that once was, only I don't remember when...

Из поэмы «Грешница»

3

Так гости, вместе рассуждая,
За длинной трапезой сидят,
Меж ними, чашу осушая,
Сидит блудница молодая.
Ее причудливый наряд
Невольно привлекает взоры,
Ее нескромные уборы
О грешной жизни говорят.
Но дева падшая прекрасна,
Взирая на нее, навряд
Пред силой прелести опасной
Мужи и старцы устоят:
Глаза насмешливы и смелы,
Как снег Ливана, зубы белы,
Как зной, улыбка горяча;
Вкруг стана падая широко,
Сквозные ткани дразнят око,
С нагого спущены плеча.
Ее и серьги и запястья,
Звеня, к восторгам сладострастья,
К утехам пламенным зовут,
Алмазы блещут там и тут,
И, тень бросая на ланиты,
Во всем обилии красы,
Жемчужной нитью перевиты,
Падут роскошные власы.
В ней совесть сердца не тревожит,

From 'The Scarlet Woman'

3. So the guests sit at a long table, discussing things together; with them, draining her cup, sits a young fornicatrix. Her inventive costume forcibly attracts the gaze, her immodest attire speaks of a sinful life. But the fallen maid is beautiful, looking at her it is hard for men and elders to resist the force of dangerous charm: her eyes are mocking and bold, her teeth as white as Lebanon's snows, her smile is like sultry heat; falling loosely round her figure, transparent fabrics hang from her bare shoulder and tease the eye. Her earrings and bangles jingle and invite to sensual delights and fiery pleasures, diamonds flash all over and, casting a shadow on her cheeks, in all beauty's fullness, laced with a pearl thread, falls luxuriant hair. Her conscience does not bother her heart,

Стыдливо не вспыхает кровь,
Купить за злато всякий может
Ее продажную любовь.

И внемлет дева разговорам,
И ей они звучат укором;
Гордыня пробудилась в ней,
И говорит с хвастливым взором:
«Я власти не страшусь ничьей!
Заклад со мной держать хотите ль?
Пускай предстанет ваш Учитель,
Он не смутит моих очей!»
[...]

6

И был тот взор как луч денницы,
И всё открылося Ему,
И в сердце сумрачном блудницы
Он разогнал ночную тьму.
И всё, что было там таимо,
В грехе что было свершено,
В ее глазах неумолимо
До глубины озарено.
Внезапно стала ей понятна
Неправда жизни святотатной,
Вся ложь ее порочных дел —
И ужас ею овладел.
Уже на грани сокрушенья
Она постигла в изумленье,
Как много благ, как много сил
Господь ей щедро подарил

her blood does not flare up in shame, anyone may buy for gold her mercenary love.

And the maid listens to the talk and it sounds like a reproach to her; pride awakens in her and she says with a boastful gaze: 'I'm not afraid of anyone's power! do you want to make a bet with me? Let your Teacher appear, he will not embarrass my eyes!'

6. And that gaze was like dawn's rays, and all was revealed to Him, and in the fornicatrix's murky heart he scattered the nocturnal darkness. And all that was hidden there, all that had been done in sin, was inexorably lit up to its depths in her eyes. Suddenly she could grasp the lies of a blasphemous life, all the falsehood of her vicious acts — and horror overcame her. Now on the verge of collapse she realised in amazement how many blessings, how much strength the Lord had generously given her

И как она восход свой ясный
Грехом мрачила ежечасно.
И, в первый раз гнушаясь зла,
Она в том взоре благодатном
И кару дням своим развратным,
И милосердие прочла;
И, чуя новое начало,
Еще страшась земных препон,
Она, колебляся, стояла...
И вдруг в тиши раздался звон
Из рук упавшего фиала...
Стесненной груди слышен стон,
Бледнеет грешница младая,
Дрожат открытые уста —
И пала ниц она, рыдая,
Перед святынею Христа.

1857

Старицкий воевода

Когда был обвинен стари́цкий воевода,
Что, гордый знатностью и древностию рода,
Присвоить он себе мечтает царский сан,
Предстать ему велел пред очи Иоанн.
И осужденному поднес венец богатый,
И ризою облек из жемчуга и злата,
И бармы возложил, и сам на свой престол

and how every hour she had besmirched her bright ascent with sin. And, for the first time loathing evil, she read in that gracious gaze both punishment for her debauched days and mercy; and, sensing a new beginning, still fearing earthly obstacles, wavering, she stood... And suddenly in the silence could be heard the ring of a goblet falling from her hands... you could hear the groan of a pained chest, the young sinner goes pale, open lips tremble — and she fell down, sobbing, before the holiness of Christ.

The Old General
When the old general was accused of pride in his family's nobility and ancient lineage and of dreaming of a tsar's rank for himself, Ivan [*the Terrible*] ordered him to appear in person. And Ivan offered a rich crown to the condemned man, and dressed him in garments of pearls and gold, and laid on the regal stole and to his own throne personally

По шелковым коврам виновного возвел.
И, взор пред ним склонив, он пал среди палаты
И, в землю кланяясь с покорностью трикраты,
Сказал: «Доволен будь в величии своем,
Се аз, твой раб, тебе на царстве бью челом!»
И, вспрянув тот же час со злобой беспощадной,
Он в сердце нож ему вонзил рукою жадной.
И, лик свой наклоня над сверженным врагом,
Он наступил на труп узорным сапогом
И в очи мертвые глядел, и в дрожи зыбкой
Державные уста змеилися улыбкой.

1858

Из поэмы «Иоанн Дамаскин»

7

Тщетно он просит и ждет от безмолвной юдоли покоя,
Ветер пустынный не может недремлющей думы развеять.
Годы проходят один за другим, всё бесплодные годы!
Всё тяжелее над ним тяготит роковое молчанье.
Так он однажды сидел у входа пещеры, рукою
Грустные очи закрыв и внутренним звукам внимая.
К скорбному тут к нему подошел один черноризец,
Пал на колени пред ним и сказал: «Помоги, Иоанне!

he led the guilty man over silk carpets. And, lowering his gaze before him, he fell in the middle of the chamber and, thrice bowing to the ground in submission, he said: 'Be pleased in your majesty, behold, I, your slave, bow down to you in regal state!' And leaping up straight away with merciless spite, Ivan with jealous hand stuck a knife in the general's heart. And bending his face over the toppled enemy, he put his embroidered boot on the corpse and looked into the dead eyes and with rippling shudders the regal lips twisted in a snake-like smile.

From 'St John of Damascus'
7. Vainly he begs and awaits peace from the silent retreat, the desert wind cannot scatter his sleepless thought. Years pass one by one, nothing but barren years. Heavier and heavier he finds the weight of fateful silence. So, once he sat by the cave entrance, covering his sad eyes with his hand and listening to inner sounds. A monk in black then came up to him while he grieved, fell on his knees before him and said: 'Help me, John!

Брат мой по плоти преставился; братом он был по душе мне.
Тяжкая горесть снедает меня; я плакать хотел бы —
Слезы не льются из глаз, но скипаются в горестном сердце.
Ты же мне можешь помочь: напиши лишь умильную песню,
Песнь погребальную милому брату, ее чтобы слыша,
Мог я рыдать, и тоска бы моя получила ослабу!»
Кротко взглянул Иоанн и печально в ответ ему молвил:
«Или не ведаешь ты, каким я связан уставом?
Строгое старец на песни мои наложил запрещенье».
Тот же стал паки его умолять, говоря: «Не узнает
Старец о том никогда; он отсель отлучился на три дня,
Брата ж мы завтра хороним; молю тебя всею душою,
Дай утешение мне в беспредельно горькой печали!»
Паки ж отказ получив: «Иоанне! — сказал черноризец, —
Если бы был ты телесным врачом, а я б от недуга
Так умирал, как теперь умираю от горя и скорби,
Ты ли бы в помощи мне отказал? И не дашь ли ответа
Господу Богу о мне, если ныне умру, безутешен?»
Так говоря, колебал в Дамаскине он мягкое сердце.
Собственной полон печали, певец дал жалости место;
Черною тучей тогда на него низошло вдохновенье,
Образы мрачной явились толпой, и в воздухе звуки
Стали надгробное мерно гласить над усопшим рыданье.
Слушал певец, наклонивши главу, то незримое пенье,
Долго слушал, и встал, и, с молитвой вошедши в пещеру,

My brother in the flesh has died; he was a brother in soul to me. Heavy sorrow devours me; I should like to weep — tears won't come from my eyes but seethe in my woe-begone heart. But you can help me: just write a moving song, a burial song for my dear brother, so that, hearing it, I can sob and my anguish receive relief.' John gave him a meek look and replied sadly: 'Do you not know what rules I am bound by? The elder has placed a strict prohibition on my songs.' The monk began beseeching him more, saying: 'The elder will never know about it; he has gone from here for three days, while we are burying my brother tomorrow; I implore you with all my soul, give me comfort in grief that is infinitely bitter!' Receiving another refusal, the monk in black said, 'John, if you were a doctor of the body and I were dying of illness as I now die of woe and grief, would you refuse me help? And won't you answer to the Lord God for me, if I die now inconsolable?' Saying this, he made the Damascene's soft heart waver. Full of his own grief, the singer yielded to pity; inspiration then came over him like a black cloud, images came in a gloomy crowd, and sounds in the air began to utter in measures a funeral lament for the deceased. The singer listened, his head bowed, to the invisible singing, he listened for a long time and arose and, having entered the cave with a prayer,

Там послушной рукой начертал, что ему прозвучало, —
Так был нарушен устав, так прервано было молчанье.

Над вольной мыслью Богу неугодны
        Насилие и гнет:
Она, в душе рожденная свободно,
        В оковах не умрет!

Ужели вправду мнил ты, близорукий,
        Сковать свои мечты?
Ужель попрать в себе живые звуки
        Насильно думал ты?

С Ливанских гор, где в высоте лазурной
        Белеет дальний снег,
В простор степей стремяся, ветер бурный
        Удержит ли свой бег?

И потекут ли вспять струи потока,
        Что между скал гремят?
И солнце там, поднявшись от востока,
        Вернется ли назад?

there he wrote down with obedient hand what had rung out to him, — thus his rules were broken and his silence was interrupted.

'God is not pleased by violence and oppression over free thought; thought, born free in the soul, will not die in chains!

Did you really, short-sighted, fancy you could chain your dreams up? Did you really think you could by force repress the living sounds in yourself?

From the mountains of Lebanon, where the distant snow shows white in the azure heights, will the stormy wind, rushing for the space of the plains, hold back its course?

And will the current's streams, which thunder between the rocks, flow backwards, and the sun, rising in the east, turn back?'

8

Колоколов унылый звон
С утра долину оглашает;
Покойник в церковь принесен;
Обряд печальный похорон
Собор отшельников свершает.
Свечами светится алтарь,
Стоит певец с поникшим взором,
Поет напутственный тропарь,
Ему монахи вторят хором.

Тропарь

Какая сладость в жизни сей
Земной печали непричастна?
Чье ожиданье не напрасно,
И где счастливый меж людей?
Всё то превратно, всё ничтожно,
Что мы с трудом приобрели, —
Какая слава на земли
Стоит, тверда и непреложна?
Всё пепел, призрак, тень и дым,
Исчезнет всё, как вихорь пыльный,
И перед смертью мы стоим
И безоружны и бессильны.
Рука могучего слаба,
Ничтожны царские веленья, —
Прими усопшего раба,
Господь, в блаженные селенья!

8. The melancholy sound of the bells fills the valley in the morning. The dead man is brought into the church; the congregation of hermits performs the sad funeral ceremony. The altar is lit by candles, the singer stands with eyes cast down; he sings the farewell troparion, the choir of monks repeat his words.

Troparion. What sweetness in life is unlinked to earthly sorrow? Whose expectation is not in vain, and where among men is a happy one? All is fickle, all is worthless that we have won with labour — what glory on earth stands firm and unchanged? All is ash, phantom, shadow and smoke, all will vanish like a dusty squall and before death we stand defenceless and helpless. A mighty man's hand is weak, a king's commands are naught. Receive, o Lord, Thy departed servant into Thy blessed habitations.

Как ярый витязь смерть нашла,
Меня, как хищник, низложила,
Свой зев разинула могила
И всё житейское взяла.
Спасайтесь, сродники и чада,
Из гроба к вам взываю я,
Спасайтесь, братья и друзья,
Да не узрите пламень ада!
Вся жизнь есть царство суеты,
И, дуновенье смерти чуя,
Мы увядаем, как цветы, —
Почто же мы мятемся всуе?
Престолы наши суть гроба,
Чертоги наши — разрушенье, —
Прими усопшего раба,
Господь, в блаженные селенья!

Средь груды тлеющих костей
Кто царь, кто раб, судья иль воин?
Кто царства Божия достоин
И кто отверженный злодей?
О братья, где сребро и злато,
Где сонмы многие рабов?
Среди неведомых гробов
Кто есть убогий, кто богатый?
Всё пепел, дым, и пыль, и прах,
Всё призрак, тень и привиденье —
Лишь у Тебя, на небесах,
Господь, и пристань и спасенье!
Исчезнет всё, что было плоть,

Like a furious warrior death has attacked, it has like a predator flung me down, the grave has opened wide its maw and taken all of life's things. Flee, kinfolk and offspring, I call to you from the coffin, flee, brothers and sisters, less you see hell's fire. All life is a kingdom of vanity and, sensing death's breath, we fade like flowers — why do we rush about in vain? Our thrones are coffins, our palaces are destruction. Receive o Lord Thy departed servant into Thy blessed habitations.

Amid a pile of rotting bones, who is the king, who the slave, judge or warrior? Who is worthy of God's kingdom and who is the evil-doer cast out? O brothers, where is silver and gold, where the many hosts of slaves? Among unknown coffins who is poor, who rich? All is cinders, smoke, dust and ashes, all is phantom, shade and spectre. Only with You in heaven, o Lord, lie a refuge and salvation. All that has been flesh will disappear,

Величье наше будет тленье, —
Прими усопшего, Господь,
В Твои блаженные селенья!

И Ты, предстательница всем,
И Ты, заступница скорбящим,
К тебе о брате, здесь лежащем,
К тебе святая, вопием!
Моли Божественного Сына,
Его, Пречистая, моли,
Дабы отживший на земли
Оставил здесь свои кручины!
Всё пепел, прах, и дым, и тень,
О други, призраку не верьте!
Когда дохнет в нежданный день
Дыханье тлительное смерти,
Мы все поляжем, как хлеба,
Серпом подрезанные в нивах, —
Прими усопшего раба,
Господь, в селениях счастливых!

Иду в незнаемый я путь,
Иду меж страха и надежды;
Мой взор угас, остыла грудь,
Не внемлет слух, сомкнуты вежды;
Лежу безгласен, недвижим,
Не слышу братского рыданья,
И от кадила синий дым
Не мне струит благоуханье;

grandeur will be decay. Receive, o Lord, Thy departed servant into Thy blessed habitations.

And You, representative for all, You who intercede for the mourners, to You for the brother lying here, to you, Holy Virgin, we appeal. Pray to Your divine Son, beseech Him, Most Pure, that he who finished life on earth should leave his sorrows here. All is cinders, ash, smoke and shadow, o friends, do not trust a phantom. When death's decaying breath hits us on an unexpected day, we shall all lie down like corn cut in the fields by the sickle. Receive, o Lord, Thy departed servant into Thy happy habitations.

I go on an unknown path, I go between fear and hope; my eyes have dimmed, my breast grown cold, my ears do not hear, my eyelids are closed, I lie voiceless, immobile, I hear no brotherly sobs and the blue smoke from the incense-bearer sends me no scent;

Но вечным сном пока я сплю,
Моя любовь не умирает,
И ею, братья, вас молю,
Да каждый к Господу взывает:
Господь! В тот день, когда труба
Вострубит мира преставленье, —
Прими усопшего раба
В твои блаженные селенья!

1858

Великодушие смягчает сердца

Вонзил кинжал убийца нечестивый
        В грудь Деларю.
Тот, шляпу сняв, сказал ему учтиво:
        «Благодарю».
Тут в левый бок ему кинжал ужасный
        Злодей вогнал,
А Деларю сказал: «Какой прекрасный
        У вас кинжал!»
Тогда злодей, к нему зашедши справа,
        Его пронзил,
А Деларю с улыбкою лукавой
        Лишь погрозил.
Истыкал тут злодей ему, пронзая,
        Все телеса,
А Деларю: «Прошу на чашку чая
        К нам в три часа».

but while I sleep eternal sleep, my love does not die and by it, brothers, I beseech you, let every one call to the Lord: 'Lord, on the day when the trump proclaims the end of the world, receive, o Lord, Thy departed servant into Thy blessed habitations.'

Magnanimity Softens Hearts
A vile murderer stuck a dagger into Delarue's chest. He, doffing his hat, politely said 'Thank you.' Then the horrible evil-doer put the dagger into his left side, and Delarue said, 'What a fine dagger you have.' Then the evil-doer, coming up to him on the right, stabbed him, and Delarue with a sly smile just wagged a finger. Then the evil-doer riddled all his body with wounds, and Delarue said. 'I invite you to a cup of tea at three.'

Злодей пал ниц и, слез проливши много,
    Дрожал как лист,
А Деларю: «Ах, встаньте, ради Бога!
    Здесь пол нечист».
Но всё у ног его в сердечной муке
    Злодей рыдал,
А Деларю сказал, расставя руки:
    «Не ожидал!
Возможно ль? Как?! Рыдать с такою силой? —
    По пустякам?!
Я вам аренду выхлопочу, милый, —
    Аренду вам!
Через плечо дадут вам Станислава
    Другим в пример.
Я дать совет Царю имею право:
    Я камергер!
Хотите дочь мою просватать, Дуню?
    А я за то
Кредитными билетами отслюню
    Вам тысяч сто.
А вот пока вам мой портрет на память —
    Приязни в знак!»
Я не успел его еще обрамить —
    Примите так!»
Тут éдок стал и даже горче перца
    Злодея вид.
Добра за зло испорченное сердце
    Ах! не простит.
Высокий дух посредственность тревожит,

The evil-doer fell prostrate and, shedding many tears, shook like a leaf, and Delarue said, 'Oh, get up for God's sake, the floor is dirty here.' But still the evil-doer sobbed at his feet in deeply-felt agony, and Delarue said, his arms wide apart: 'I didn't expect this. Is it possible? What?! To weep so hard? Over nothing? I'll see that you get a government concession, dear man, a concession for you. They'll give you the order of St Stanislav on a sash, as an example to others. I have the right to give counsel to the Tsar: I am a chamberlain. Do you want to marry my daughter, Dunia? For that I'll dish you out, say, a hundred thousand in bank notes. And for now here's my portrait for you as a keepsake, as a sign of friendship. I haven't had time to frame it yet, accept it as it is.' Here the villain's expression turned acid and even bitterer than pepper. Alas, a depraved heart will not forgive goodness in return for evil. Mediocrity is alarmed by a lofty spirit,

Тьме страшен свет.
Портрет еще простить убийца может,
      Аренду ж — нет.
Зажглась в злодее зависти отрава
      Так горячо,
Что, лишь надел мерзавец Станислава
      Через плечо, —
Он окунул со злобою безбожной
      Кинжал свой в яд
И, к Деларю подкравшись осторожно, —
      Хвать друга в зад!
Тот на пол лег, не в силах в страшных болях
      На кресло сесть.
Меж тем злодей, отняв на антресолях
      У Дуни честь,
Бежал в Тамбов, где был, как губернатор,
      Весьма любим.
Потом в Москве, как ревностный сенатор,
      Был всеми чтим.
Потом он членом сделался совета
      В короткий срок...
Какой пример для нас являет это,
      Какой урок!

1860

darkness fears light. The murderer might still forgive a portrait, but not the concession. Envy's poison flared up so hot in the evil-doer that, no sooner had the scoundrel put the order of Stanislav over his shoulder, than, with godless spite, he dipped his dagger in poison and, creeping up stealthily on Delarue, struck his friend in the behind. The latter lay down on the floor, in terrible pain too weak to sit in an armchair. Meanwhile the evil-doer, after taking Dunia's honour on the entresol, fled to Tambov where, as governor, he was much loved. Later in Moscow, as a zealous senator, he was respected by all. Then he became a member of the state council in a short time... What an example this provides for us, what a lesson!

На тяге

Сквозит на зареве темнеющих небес
И мелким предо мной рисуется узором
В весенние листвы едва одетый лес,
На луг болотистый спускаясь косогором.
И глушь и тишина. Лишь сонные дрозды
Как нехотя свое доканчивают пенье;
От луга всходит пар... Мерцающей звезды
У ног моих в воде явилось отраженье;
Прохладой дунуло, и прошлогодний лист
Зашелестел в дубах. Внезапно легкий свист
Послышался; за ним, отчетисто и внятно,
Стрелку знакомый хрип раздалася троекратно,
И вальдшнеп протянул — вне выстрела. Другой
Летит из-за́ лесу, но длинною дугой
Опушку обогнул и скрылся. Слух и зренье
Мои напряжены, и вот через мгновенье,
Свистя, еще один, в последнем свете дня,
Чертой трепещущей несется на меня.
Дыханье притаив, нагнувшись под осиной,
Я выждал верный миг — вперед на пол-аршина
Я вскинул — огнь блеснул, по лесу грянул гром —
И вальдшнеп падает на землю колесом.
Удара тяжкого далекие раскаты,
Слабея, замерли. Спокойствием объятый,

At the Woodcock Shoot
At the dusk of the darkening skies the light comes through the forest, which is barely
dressed in vernal foliage, and which runs down the slope to the boggy meadow. Not a
sound is heard or uttered. Only the sleepy thrushes seem to be reluctant to round off
their song; vapour rises from the meadow... The reflection of a flickering star has
appeared in the water at my feet; a chill has blown in and last year's leaves have rustled
in the oaks. Suddenly a faint whistle is heard; next, sharply and audibly, the croak that
the marksman knows has sounded out three times, and a woodcock has flown past —
out of range. Another flies from behind the forest, but circles the edge in a long arc and
vanishes. My hearing and sight are strained, and in a moment, whistling, another one, in
the last daylight, heads for me in a shaky line. Holding my breath, bending beneath an
aspen tree, I have waited for the right instant — I have cocked my gun a foot or so up.
Fire flashes, a bang thunders through the forest — and a woodcock falls wheeling to the
earth. The distant echoes of the heavy blow weaken and die away. Embraced by peace,

Вновь дремлет юный лес, и облаком седым
В недвижном воздухе висит ружейный дым.
Вот донеслась еще из дальнего болота
Весенних журавлей ликующая нота —
И стихло всё опять, и в глубине ветвей
Жемчужной дробию защелкал соловей.
Но отчего же вдруг, мучительно и странно,
Минувшим на меня повеяло нежданно
И в этих сумерках, и в этой тишине
Упреком горестным оно предстало мне?
Былые радости! Забытые печали!
Зачем в моей душе вы снова прозвучали
И снова предо мной, средь явственного сна,
Мелькнула дней моих погибшая весна?

1871

the young forest slumbers again, and in a white cloud the gun smoke hangs in the still air. Now the triumphant note of the cranes in spring is borne from the distant marsh — and all falls quiet again, and in the depth of the branches the nightingale has started crackling its pearly tapping notes. But why suddenly, agonisingly and strangely, has the past wafted on to me unexpectedly in this twilight, why has it come before me in this silence as a grievous reproach? Past joys! Forgotten griefs! Why have you sounded again in my soul and, amid waking sleep, the vanished spring of days has flashed again before me?

ИВАН СЕРГЕЕВИЧ ТУРГЕНЕВ
IVAN SERGEEVICH TURGENEV

В дороге

Утро туманное, утро седое,
Нивы печальные, снегом покрытые,
Нехотя вспомнишь и время былое,
Вспомнишь и лица, давно позабытые.

Вспомнишь обильные страстные речи.
Взгляды, так жадно, так робко ловимые,
Первые встречи, последние встречи,
Тихого голоса звуки любимые.

Вспомнишь разлуку с улыбкою странной,
Многое вспомнишь родное, далекое,
Слушая ропот колес непрестанный,
Глядя задумчиво в небо широкое.

1843

On the Road

Misty morning, white morning, sad cornfields, covered in snow, one cannot help remembering past time too, and remembering long forgotten faces.

You will remember an outpouring of passionate words, looks that were caught so eagerly, so timidly, first meetings, last meetings, the beloved sounds of a quiet voice.

You will remember parting with a strange smile, you will remember a lot of familiar distant things, as you listen to the unceasing rumbling of wheels, looking pensively at the wide sky.

Я шел среди высоких гор...

Я шел среди высоких гор,
Вдоль светлых рек и по долинам...
И всё, что ни встречал мой взор,
Мне говорило об едином:
Я был любим! любим я был!
Я всё другое позабыл!

Сияло небо надо мной,
Шумели листья, птицы пели...
И тучки резвой чередой
Куда-то весело летели...
Дышало счастьем всё кругом,
Но сердце не нуждалось в нем.

Меня несла, несла волна,
Широкая, как волны моря!
В душе стояла тишина
Превыше радости и горя...
Едва себя я сознавал:
Мне целый мир принадлежал!

Зачем не умер я тогда?
Зачем потом мы оба жили?
Пришли года... прошли года —
И ничего не подарили,
Что б было слаще и ясней
Тех глупых и блаженных дней.

1878

I walked over high mountains...
I was walking over high mountains, along bright rivers and through valleys... And everything my gaze met told me of one thing: I was loved, I was loved! I forgot all else.

The sky shone over me, leaves rustled, birds sang... And rain clouds in a lively row flew somewhere merrily... All around breathed happiness, but my heart did not need it.

I was borne along, a wave as broad as the sea's waves bore me. Tranquillity stood above joy and grief in my soul... I was barely aware of myself: the whole world belonged to me.

Why did I not die then? Why did we both live afterwards? Years came... years went — and gave nothing that would be sweeter and clearer than those silly and blessed days.

*_**

Отсутствующими очами
Увижу я незримый свет.
Отсутствующими ушами
Услышу хор немых планет.
Отсутствующими руками
Без красок напишу портрет.
Отсутствующими зубами
Съем невещественный паштет
И буду рассуждать о том
Несуществующим умом.

1881

With absent eyes I shall see invisible light, with absent ears I shall hear the chorus of mute planets. With absent hands I shall paint a portrait without colours. With absent teeth I shall eat an immaterial pâté and I shall think about it with a non-existent mind.

ЯКОВ ПЕТРОВИЧ ПОЛОНСКИЙ
IAKOV PETROVICH POLONSKII

Затворница

В одной знакомой улице —
    Я помню старый дом,
С высокой, темной лестницей,
    С завешенным окном.
Там огонек, как звездочка,
    До полночи светил,
И ветер занавескою
    Тихонько шевелил.
Никто не знал, какая там
    Затворница жила,
Какая сила тайная
    Меня туда влекла.
И что за чудо-девушка
    В заветный час ночной
Меня встречала, бледная,
    С распущенной косой.
Какие речи детские
    Она твердила мне:
О жизни неизведанной,
    О дальней стороне.
Как не по-детски пламенно,
    Прильнув к устам моим,
Она, дрожа, шептала мне:
    «Послушай, убежим!
Мы будем птицы вольные —
    Забудем гордый свет...

The Reclusive Girl

In a familiar street I recall an old house with high dark stairs, with a curtained window. There a light, like a little star, shone until midnight, and the wind quietly moved the curtain. Nobody knew what recluse lived there, what secret force drew me there. And what a wondrous girl, at the solemn night hour, met me, pale, with hair unplaited. What childlike words she repeated to me: about untried life, about distant parts. How unchildlike was the ardour when she clung to my lips, and quivering she whispered to me: 'Listen, let us run away. We shall be free birds, we shall forget the proud world...

Где нет людей прощающих,
Туда возврата нет...»
И тихо слезы капали —
И поцелуй звучал —
И ветер занавескою
Тревожно колыхал.

1846 *Тифлис*

Колокольчик

Улеглася метелица... путь озарен...
Ночь глядит миллионами тусклых очей...
Погружай меня в сон, колокольчика звон!
Выноси меня, тройка усталых коней!

Мутный дым облаков и холодная даль
Начинают яснеть; белый призрак луны
Смотрит в душу мою — и былую печаль
Наряжает в забытые сны.

То вдруг слышится мне — страстный голос поет,
С колокольчиком дружно звеня:
«Ах, когда-то, когда-то мой милый придет —
Отдохнуть на груди у меня!

Where there are no forgiving people, there is no going back...' And the tears fell quietly, and a kiss rang out, and the wind made the curtain sway uneasily.

The Carriage Bell
The snowstorm has died down... the road is lit up... Night looks with a million dim eyes... Plunge me into sleep, sound of the bell. Take me through, troika of tired horses.

The clouds' turbid smoke and the cold distance begin to clear up; the moon's white spectre looks into my soul, and dresses up past grief into forgotten dreams.

Then I suddenly hear a passionate voice singing, ringing out in tune with the bell: 'O, one day, one day, my darling will come, to rest on my breast.

У меня ли не жизнь!.. Чуть заря на стекле
Начинает лучами с морозом играть,
Самовар мой кипит на дубовом столе,
И трещит моя печь, озаряя в угле
    За цветной занавеской кровать!..

У меня ли не жизнь!.. Ночью ль ставень открыт,
По стене бродит месяца луч золотой,
Забушует ли вьюга — лампада горит,
И, когда я дремлю, мое сердце не спит
    Всё по нем изнывая тоской».

То вдруг слышится мне — тот же голос поет,
    С колокольчиком грустно звеня:
«Где-то старый мой друг?.. Я боюсь, он войдет
    И, ласкаясь, обнимет меня!

Что за жизнь у меня! И тесна, и темна,
И скучна моя горница; дует в окно.
За окошком растет только вишня одна,
Да и та за промерзлым стеклом не видна
    И, быть может, погибла давно!..

Что за жизнь!.. Полинял пестрый полога цвет,
Я больная брожу и не еду к родным,
Побранить меня некому — милого нет,
Лишь старуха ворчит, как приходит сосед,
    Оттого, что мне весело с ним!..»

1854

Don't I have a life? As soon as dawn's beams begin to toy with the frost on the window-pane, my samovar is boiling on the oak table, and my stove crackles, lighting up the bed in the corner behind the coloured curtain.

Don't I have a life? If the shutter is open at night, the moon's golden beam wanders over the wall; if the blizzard begins to rage, the icon lamp burns and, when I doze, my heart does not sleep, constantly suffering with yearning for him.'

And then I hear the same voice singing, ringing sadly in tune with the bell: 'Where then is my old friend? I'm afraid he will come in and embrace me with caresses.

What a life I have! My chamber is small and dark and dreary; there's a draught from the window. Outside the window only a single cherry tree grows, and you can't see it for the frozen-over glass and perhaps it died long ago.

What a life! The bed-curtain's bright colour has faded, I wander about, a sick woman, and don't visit my relatives, there is nobody to scold me, I have no darling, only the old woman grumbles when the neighbour comes, because I enjoy being with him…'

Чайка

Поднял корабль паруса;
В море спешит он, родной покидая залив,
Буря его догнала и швырнула на каменный риф.

Бьется он грудью об грудь
Скал, опрокинутых вечным прибоем морским,
И белогрудая чайка летает и стонет над ним.

С бурей обломки его
Вдаль унеслись; чайка села на волны — и вот,
Тихо волна, покачав ее, новой волне отдает.

Вон — отделились опять
Крылья от скачущей пены — и ветра быстрей
Мчится она, упадая в объятья вечерних теней.

Счастье мое, ты — корабль:
Море житейское бьет в тебя бурной волной;
Если погибнешь ты, буду как чайка стонать над тобой.

Буря обломки твои
Пусть унесет! но — пока будет пена блестеть,
Дам я волнам покачать себя, прежде чем в ночь улететь.

1860

The Seagull

The ship raised sail; it hastens to the sea, leaving its native bay, the storm caught up with it and flung it on a stone reef.

It struggles chest to the chest of rocks turned over by the sea's tide, and a white-chested seagull flies and groans over it.

With the storms its fragments have been carried far off; the seagull has sat on the waves, and now, quietly, the wave, rocking it, gives way to a new wave.

Yonder, the wings have separated again from the leaping foam, and it rushes faster than the wind into the embraces of the evening shadows.

My happiness, you are my ship: the stormy wave of the sea of life hits at you; if you perish I shall like the seagull be groaning over you.

Let the storm carry away your fragments, but while the foam still shines, I shall let the waves rock me before flying off into the night.

Ночная дума

> Я червь — я Бог
> *Державин*

Ты не спишь, блестящая столица.
Как сквозь сон, я слышу за стеной
Звяканье подков и экипажей,
Грохот по неровной мостовой...

Как больной, я раскрываю очи.
Ночь, как море темное, кругом.
И один, на дне осенней ночи
Я лежу, как червь на дне морском.

Где-нибудь, быть может, в эту полночь
Праздничные звуки льются с хор.
Слезы льются — сладострастье стонет —
Крадется с ножом голодный вор...

Но для тех, кто пляшет или плачет,
И для тех, кто крадется с ножом,
В эту ночь неслышный и незримый
Разве я не червь на дне морском?!

Если нет хоть злых духов у ночи,
Кто свидетель тайных дум моих?
Эта ночь не прячет ли их раньше,
Чем моя могила спрячет их!

Night Thought

> I'm a worm — I'm God! *Derzhavin*

You do not sleep, brilliant capital city. As through a dream I can hear the clanging of horseshoes and of carriages outside, the rumbling over the uneven road surface...

Like a sick man, I open my eyes. Night, like a dark sea, is around. And alone, at the bottom of the autumn night, I lie like a worm at the bottom of the sea.

Somewhere, perhaps, at midnight tonight festive sounds pour from the choirs. Tears pour — voluptuousness groans — the hungry thief creeps with a knife...

But for those who dance or weep, and for those who creep with a knife, on this night, inaudible and invisible, am I not a worm at the bottom of the sea?!

If night does not even have evil spirits, who is a witness to my secret thoughts? Won't this night hide them before my grave can hide them?

С этой жаждой, что воды не просит
И которой не залить вином,
Для себя — я дух, стремлений полный,
Для других — я червь на дне морском.

Духа титанические стоны
Слышит ли во мраке кто-нибудь?
Знает ли хоть кто-нибудь на свете,
Отчего так трудно дышит грудь!

Между мной и целою вселенной
Ночь, как море темное, кругом.
И уж если Бог меня не слышит —
В эту ночь я — червь на дне морском.

1874

Лебедь

Пел смычок — в садах горели
    Огоньки — сновал народ —
Только ветер спал, да темен
    Был ночной небесный свод.

Темен был и пруд зеленый,
    И густые камыши,
Где томился бедный лебедь
    Притаясь в ночной тиши.

With this thirst that asks for no water and which can't be flooded with wine, for myself I am a spirit full of striving, for others, I am a worm at the bottom of the sea.

Does anyone hear the spirit's titanic groans in the dark? Does anyone in the world know why my chest breathes with such difficulty?

Between me and the whole universe night, like a dark sea, is around. And if God does not hear me, this night I am a worm at the bottom of the sea.

The Swan

The violin bow sang, in the gardens lights burnt, people were scurrying about. Only the wind slept, and dark was the night vault of the sky.

Dark were also the green pond and the thick reeds where a poor swan languished, hiding up in the silence of the night.

Умирая, не видал он —
    Прирученный нелюдим, —
Как над ним взвилась ракета
    И рассыпалась над ним;

Не слыхал, как струйка билась,
    Как журчал прибрежный ключ, —
Он глаза смыкал и грезил
    О полете выше туч.

Как в простор небес высоко
    Унесет его полет,
И какую там он песню
    Вдохновенную споет!

Как на всё, на всё святое,
    Что таил он от людей,
Там откликнутся родные
    Стаи белых лебедей.

И уж грезит он: минута, —
    Вздох — и крылья зашумят,
И его свободной песни
    Звуки утро возвестят. —

Но крыло не шевелилось,
    Песня путалась в уме:
Без полета и без пенья
    Умирал он в полутьме.

Dying, he couldn't see — tame, he was solitary — a rocket soar up over him and scatter over him;

He did not hear the jet of water pulsing, the spring by the shore burbling. He was shutting his eyes and dreaming of flying above the clouds:

Of his flight taking him high into the heavens' space and what an inspired song he would sing there.

Of how to everything, everything sacred which he had hidden from people, flocks of white swans would respond there.

And now he dreams: a minute, a sigh, and his wings would rustle and sounds of his free song would proclaim the morning.

But the wing did not move, the song was confused in his mind: without flight or singing he was dying in the twilight.

Сквозь камыш, шурша по листьям,
    Пробирался ветерок...
А кругом в садах горели
    Огоньки и пел смычок.

1888

* *
*

Если б смерть была мне мать родная,
Как больное, жалкое дитя,
На ее груди заснул бы я
И, о злобах дня позабывая,
О самом себе забыл бы я.

Но она — не мать, она — чужая,
Грубо мстит тому, кто смеет жить,
Мыслить и мучительно любить,
И, покровы с вечности срывая,
Не дает нам прошлое забыть.

1897

Through the reeds, rustling over the leaves, a breeze passed... And around in the gardens lights burned and the violin bow sang.

If death were my own mother, like a sick, pathetic child I should fall asleep on her breast and, forgetting for a while the evil of the day, I should forget about myself.

But she is not a mother, she is an alien, she takes coarse vengeance on those who dare to live, to think and love agonisingly and, tearing the veil from eternity, she does not let us forget the past.

АФАНАСИЙ АФАНАСЬЕВИЧ ФЕТ
AFANASII AFANASIEVICH FET

_{*}

Я долго стоял неподвижно,
В далекие звезды вглядясь, —
Меж теми звездами и мною
Какая-то связь родилась.

Я думал... не помню, что думал;
Я слушал таинственный хор,
И звезды тихонько дрожали,
И звезды люблю я с тех пор...

1843

_{*}

Я пришел к тебе с приветом,
Рассказать, что солнце встало,
Что оно горячим светом
По листам затрепетало;

Рассказать, что лес проснулся,
Весь проснулся, веткой каждой,
Каждой птицей встрепенулся
И весенней полон жаждой;

For a long time I stood motionless, staring at the distant stars, — between those stars and me a link was born.
   I thought... I don't remember what I thought; I listened to a mysterious chorus, and the stars quivered quietly, and I have loved stars since then...

I've come to you with a greeting, to say that the sun has risen, that its hot light has quivered through the leaves;
   To say that the forest has awoken, all of it awoken, every branch, has stirred with each bird and is full of spring thirst;

Рассказать, что с той же страстью,
Как вчера, пришел я снова,
Что душа всё так же счастью
И тебе служить готова;

Рассказать, что отовсюду
На меня весельем веет,
Что не знаю сам, чтó буду
Петь, — но только песня зреет.

1843

К Офелии

I

Не здесь ли ты легкою тенью,
Мой гений, мой ангел, мой друг,
Беседуешь тихо со мною
И тихо летаешь вокруг?

И робким даришь вдохновеньем,
И сладкий врачуешь недуг,
И тихим даришь сновиденьем,
Мой гений, мой ангел, мой друг...

1842

To say that with the same passion as yesterday I have come again, that my soul is as ever ready to serve happiness and you.

To say that cheerfulness wafts to me from everywhere, that I do not know myself what I shall be singing, only the song is taking shape.

To Ophelia
I. Are you not here, as a light ghost, my spirit, my angel, my friend, conversing quietly with me and flying quietly around?

And you give me shy inspiration, and you heal a sweet malaise, and you give me a quiet dream, my spirit, my angel, my friend...

II

Я болен, Офелия, милый мой друг!
    Ни в сердце, ни в мысли нет силы.
О, спой мне, как носится ветер вокруг
    Его одинокой могилы.
Душе раздраженной и груди больной
    Понятны и слезы, и стоны.
Про иву, про иву зеленую спой,
    Про иву сестры Дездемоны.

1847

III

Офелия гибла и пела,
И пела, сплетая венки;
С цветами, венками и песнью
На дно опустилась реки.

И многое с песнями канет
Мне в душу на темное дно,
И много мне чувства, и песен,
И слез, и мечтаний дано.

1846

II. I am sick, Ophelia, my beloved friend. There is no strength in my heart or my thought. O sing to me about the wind swirling around his solitary grave. An irritated soul and sick soul can understand tears and groans. Sing of the willow, the green willow, of your sister Desdemona's willow.

III. Ophelia was dying and singing, and singing as she plaited wreaths; with flowers, wreaths and song she dropped to the river bottom.
    And much drops with the songs to the dark bottom of my soul and I have been given many feelings and songs and tears and daydreams.

IV

Как ангел неба безмятежный,
В сияньи тихого огня
Ты помолись душою нежной
И за себя и за меня.

Ты от меня любви словами
Сомненья духа отжени
И сердце тихими крылами
Твоей молитвы осени.

1843

* * *

Шепот, робкое дыханье,
   Трели соловья,
Серебро и колыханье
   Сонного ручья,

Свет ночной, ночные тени,
   Тени без конца,
Ряд волшебных изменений
   Милого лица,

В дымных тучках пурпур розы,
   Отблеск янтаря,
И лобзания, и слезы,
   И заря, заря!..

1850

IV. Like a serene angel from heaven in the radiance of quiet fire, pray with your tender soul for yourself and for me.

Chase away from me with words of love the spirit's doubts and shelter my heart with your prayer's quiet wings.

Whispering, shy breathing, a nightingale's trills, the sleepy stream's silver and rippling,

Night light, night shadows, endless shadows, a dear face's series of magical changes,

A rose's purple in smoky clouds, reflected amber, and kisses and tears and dawn, dawn!

* * *

Еще весны душистой нега
К нам не успела низойти,
Еще овраги полны снега,
Еще зарей гремит телега
На замороженном пути.

Едва лишь в полдень солнце греет,
Краснеет липа в высоте,
Сквозя, березник чуть желтеет,
И соловей еще не смеет
Запеть в смородинном кусте.
Но возрожденья весть живая
Уж есть в пролетных журавлях,
И, их глазами провожая,
Стоит красавица степная
С румянцем сизым на щеках.

1854

* * *

Люди нисколько ни в чем предо мной не виновны, я знаю,
Только я тут для себя утешенья большого не вижу.
День их торопит всечасно своею тяжелой заботой,
Ночь, как добрая мать, принимает в объятья на отдых.

Scented spring's bliss has not yet managed to come down to us, the ravines are still full of snow, the cart still jangles on the frozen path at dawn.

The sun barely warms you at noon, high up the lime tree turns red, letting the light through, the birch grove turns slightly yellow, and the nightingale in the blackcurrant bush still does not dare to start singing.

But a living message of regeneration is now there in the migrating cranes and, following them with her eyes, a beautiful girl of the steppes stands with bluish redness on her cheeks.

People haven't wronged me at all, I know, but I see little solace for me here. At all hours day's grave cares hurry them; night, as a kind mother, takes them to rest in her arms.

Что им за дело, что кто-то, весь день протомившись бездельем,
Ночью с нелепым раздумьем пробьется на ложе бессонном?
Пламя дрожит на светильне — и около мысли любимой
Зыблются робкие думы, и все переходят оттенки
Радужных красок. Трепещет душа, и трепещет рассудок.
Сердце — Икар неразумный — из мрака, как бабочка к свету,
К мысли заветной стремится. Вот, вот опаленные крылья,
Круг описавши во мраке, несутся в неверном полете
Пытку свою обновлять добровольную. Я же не знаю,
Что́ добровольным зовется и что́ неизбежным на свете...

1854

* * *

На стоге сена ночью южной
Лицом ко тверди я лежал,
И хор светил, живой и дружный,
Кругом раскинувшись, дрожал.

Земля, как смутный сон немая,
Безвестно уносилась прочь,
И я, как первый житель рая,
Один в лицо увидел ночь.

What do they care if someone, wearied all day by inertia, struggles in his sleepless bed with absurd meditation? A flame quivers in the night light — and around a cherished idea shy thoughts ripple, and pass through all the shades of the rainbow's colours. The soul quivers, and reason quivers. The heart, an unreasonable Icarus, like a moth from darkness to light, makes for a fateful idea. Now the singed wings, describing a circle in the dark, go off in shaky flight to renew their voluntary torture. But I do not know what is called in the world voluntary and what is inevitable.

On a southern night I lay on a hay stack facing the firmament, and a chorus of stars, alive and in concert, flung widely around, quivered.
    The earth, dumb as a vague dream, was borne away without trace, and I, like paradise's first inhabitant, alone saw night face to face.

Я ль несся к бездне полуночной,
Иль сонмы звезд ко мне неслись?
Казалось, будто в длани мощной
Над этой бездной я повис.

И с замираньем и смятеньем
Я взором мерил глубину,
В которой с каждым я мгновеньем
Всё невозвратнее тону.

1857

***

Сны и тени,
Сновиденья,
В сумрак трепетно манящие,
Все ступени
Усыпленья
Легким роем преходящие,

Не мешайте
Мне спускаться
К переходу сокровенному,
Дайте, дайте
Мне умчаться
С вами к свету отдаленному.

Was I borne towards the midnight abyss, or hosts of stars to me? It seemed a mighty palm held me hanging over this abyss.

And with fainting and confusion my eyes measured the depth in which I was sinking more irrevocably with each moment.

Dreams and shadows, dream visions, flickering, luring into the twilight, passing in a light swarm through all the stages of going to sleep,

Don't stop me descending to the secret passage, let me, let me rush with you to remote light.

Только минем
Сумрак свода, —
Тени станем мы прозрачные
И покинем
Там у входа
Покрывала наши мрачные.

1859

Ничтожество

Тебя не знаю я. Болезненные крики
На рубеже твоем рождала грудь моя,
И были для меня мучительны и дики
Условья первые земного бытия.

Сквозь слез младенческих обманчивой улыбкой
Надежда озарить сумела мне чело,
И вот всю жизнь с тех пор ошибка за ошибкой,
Я всё ищу добра — и нахожу лишь зло.

И дни сменяются утратой и заботой
(Не всё ль равно: один иль много этих дней!),
Хочу тебя забыть над тяжкою работой,
Но миг — и ты в глазах с бездонностью своей.

As soon as we pass the vault's twilight, we shall become transparent shades and will abandon there at the entrance our gloomy coverings.

Nothingness
I don't know you. My chest gave birth to sickly cries at your boundary, and the first conditions of earthly existence were agonising and alien to me.

Through infant tears, with a deceitful smile, hope was able to light up my brow, and so, since then, all my life, error after error, I always sought good and found only evil.

And days alternate with loss and concern. (Does it matter whether these days are one or many?) I try to forget you at my difficult work, but any moment you are in my eyes with your endless depths.

Что ж ты? Зачем? — Молчат и чувства и познанье.
Чей глаз хоть заглянул на роковое дно?
Ты — это ведь я сам. Ты только отрицанье
Всего, что чувствовать, что мне узнать дано.

Что ж я узнал? Пора узнать, что в мирозданьи,
Куда ни обратись, — вопрос, а не ответ;
А я дышу, живу и понял, что в незнаньи
Одно прискорбное, но страшного в нем нет.

А между тем, когда б в смятении великом
Срываясь, силой я хоть детской обладал,
Я встретил бы твой край тем самым резким криком,
С каким я некогда твой берег покидал.

1880

* * *

Это утро, радость эта,
Эта мощь и дня и света,
    Этот синий свод,
Этот крик и вереницы,
Эти стаи, эти птицы,
    Этот говор вод,

What are you? Why? Feelings and knowledge are silent. Whose eye has even glimpsed the fateful bottom? You is me, after all. You are only the negation of all that I have been allowed to feel, to learn.

What have I learnt? It's time to learn that in the cosmos, wherever you turn there is a question, not an answer; but I breathe, I live and have understood that not knowing has just something grievous, but nothing terrible in it.

And yet, if when tearing myself away in great dismay I had just a child's strength, I'd greet your country with the same sharp cry as that with which I once left your shore.

This morning, this joy, this might of day and light, this blue vault, this shout and the long flights, these flocks, these birds, this speech of the waters,

Эти ивы и березы,
Эти капли — эти слезы,
   Этот пух — не лист,
Эти горы, эти долы,
Эти мошки, эти пчелы,
   Этот зык и свист,

Эти зори без затменья,
Этот вздох ночной селенья,
   Эта ночь без сна,
Эта мгла и жар постели,
Эта дробь и эти трели,
   Это всё — весна.

1881

* * *

Как беден наш язык! — Хочу и не могу. —
Не передать того ни другу, ни врагу,
Что буйствует в груди прозрачною волною.
Напрасно вечное томление сердец,
И клонит голову маститую мудрец
Пред этой ложью роковою.

Лишь у тебя, поэт, крылатый слова звук
Хватает на лету и закрепляет вдруг

These willows and birches, these drops, these tears, this down, not yet leaves, these hills, these vales, these midges, these bees, these loud shouts and whistles,

These dusks without darkening, this night sigh of the village, this sleepless night, this haze and the bed's heat, this drumming and these trills, all this is spring.

How poor our language is. I want to and I can't — express to friend or enemy what rages in a transparent wave in my chest. The eternal languor of hearts is pointless, and the sage bows his venerable head before this fateful lie.

Only you, poet have word's winged sound which seizes in flight and suddenly fixes

И темный бред души и трав неясный запах;
Так, для безбрежного покинув скудный дол,
Летит за облака Юпитера орел,
Сноп молнии неся мгновенный в верных лапах.

1887

Quasi una fantasia

Сновиденье,
Пробужденье,
Тает мгла,
Как весною,
Надо мною
Высь светла.

Неизбежно,
Страстно, нежно
Уповать,
Без усилий
С плеском крылий
Залетать

В мир стремлений,
Преклонений
И молитв;
Радость чуя,
Не хочу я
Ваших битв.

1889

the soul's dark delirium and the grasses' vague scent; thus, leaving the bleak vale for the boundless world, Jupiter's eagle flies past the clouds, carrying a sheaf of lightning in his steady claws.

Quasi una fantasia
Dream, awakening, haze disperses. As in spring over me the heights are bright.
    To aspire inevitably, passionately, tenderly, to fly without effort, with a flap of wings
    Into a world of striving, worship and prayers; sensing joy, I do not want your battles.

На качелях

И опять в полусвете ночном
Средь веревок, натянутых туго,
На доске этой шаткой вдвоем
Мы стоим и бросаем друг друга.

И чем ближе к вершине лесной,
Чем страшнее стоять и держаться,
Тем отрадней взлетать над землей
И одним к небесам приближаться.

Правда, это игра, и притом
Может выйти игра роковая,
Но и жизнью играть нам вдвоем —
Это счастье, моя дорогая!

1890

On a Swing

And again, in the night's half-light, amid tautly stretched ropes, together on this shaky board we stand and throw each other.

And the nearer to the forest tops, the more frightening it is to stand and hang on, the more joyful it is to fly over the earth and approach the skies alone.

True, this is a game and, what's more, it could turn into a fatal game, but even playing with life together is happiness, my darling!

* * *

Тяжело в ночной тиши
Выносить тоску души
Пред безглазым домовым,
Темным призраком немым,
Как стихийная волна
Над душой одна вольна.

Но зато люблю я днем,
Как замолкнет всё кругом,
Различать, раздумья полн,
Тихий плеск житейских волн.
Не меня гнетет волна,
Мысль свежа, душа вольна;
Каждый миг сказать хочу:
«Это я!» Но я молчу.

1892

It's hard in the nocturnal silence to endure the soul's anguish before the eyeless house spirit, the mute dark spectre, when an element wave alone has power over the soul.

But yet by day when all falls silent around I love, full of thought, to discern the quiet splash of life's waves. The wave is oppressing others, not me, my thought is fresh, my soul is free; every moment I want to say, 'This is me.' But I am silent.

НИКОЛАЙ АЛЕКСЕЕВИЧ НЕКРАСОВ
NIKOLAI ALEKSEEVICH NEKRASOV

* * *

Я за то глубоко презираю себя,
Что живу — день за днем бесполезно губя;

Что я, силы своей не пытав ни на чем,
Осудил сам себя беспощадным судом,

И, лениво твердя: я ничтожен, я слаб!
Добровольно всю жизнь пресмыкался как раб;

Что, доживши кой-как до тридцатой весны,
Не скопил я себе хоть богатой казны,

Чтоб глупцы у моих пресмыкалися ног,
Да и умник подчас позавидовать мог!

Я за то глубоко презираю себя,
Что потратил свой век, никого не любя,

Что любить я хочу... что люблю я весь мир,
А брожу дикарем — бесприютен и сир,

И что злоба во мне и сильна, и дика,
А хватаюсь за нож — замирает рука!

1845

The reason I deeply despise myself is that I live pointlessly wasting day after day;
   That, not testing my strength at anything, I have convicted myself by a merciless verdict,
   And, idly repeating 'I'm nobody, I'm weak!' I have voluntarily led a slave's life;
   That, somehow living to my thirtieth spring I haven't even amassed a big fortune,
   To make fools grovel at my feet and sometimes even a clever man envy me!
   The reason I deeply despise myself is that I have spent my life loving nobody,
   That I want to love, that I love the whole world, but wander as homeless and desolate as a savage,
   And that spite is strong and wild in me, but if I grab a knife, my hand falls lifeless.

* * *

Еду ли ночью по улице темной,
Бури заслушаюсь в пасмурный день —
Друг беззащитный, больной и бездомный,
Вдруг предо мной промелькнет твоя тень!
Сердце сожмется мучительной думой.
С детства судьба невзлюбила тебя:
Беден и зол был отец твой угрюмый,
Замуж пошла ты — другого любя.
Муж тебе выпал недобрый на долю:
С бешеным нравом, с тяжелой рукой;
Не покорилась — ушла ты на волю,
Да не на радость сошлась и со мной...

Помнишь ли день, как больной и голодный
Я унывал, выбивался из сил?
В комнате нашей, пустой и холодной,
Пар от дыханья волнами ходил.
Помнишь ли труб заунывные звуки,
Брызги дождя, полусвет, полутьму?
Плакал твой сын, и холодные руки
Ты согревала дыханьем ему.
Он не смолкал — и пронзительно звонок
Был его крик... Становилось темней;
Вдоволь поплакал и умер ребенок...
Бедная! слез безрассудных не лей!
С горя да с голоду завтра мы оба
Также глубоко и сладко заснем;

If I drive down a dark street or listen to the storm on a murky day, defenceless, sick, homeless friend, your shade suddenly flashes before me. My heart is gripped by an agonising thought. Fate harried you from childhood: your sullen father was poor and vindictive, you married, in love with another. An unkind husband was your lot: with a furious temper and a heavy hand; you would not give in, you left for freedom and, unluckily, took up with me.

Do you recall the day when, ill and hungry, I was dejected, at my wits' end? In our cold empty room the steam from our breath came in waves. Do you recall the chimney's woeful sounds, the spattering rain, the half-light, half-dark? Your son wept and you breathed on his cold hands to warm them. He did not stop, and his piercing yells rang out... It was getting darker; the child cried his fill and died. Poor thing, shed no foolish tears. Tomorrow from grief and hunger we shall both go to sleep as deeply and sweetly;

Купит хозяин, с проклятьем, три гроба —
Вместе свезут и положат рядком...

В разных углах мы сидели угрюмо.
Помню, была ты бледна и слаба,
Зрела в тебе сокровенная дума,
В сердце твоем совершалась борьба.
Я задремал. Ты ушла молчаливо,
Принарядившись, как будто к венцу,
И через час принесла торопливо
Гробик ребенку и ужин отцу.
Голод мучительный мы утолили,
В комнате темной зажгли огонек,
Сына одели и в гроб положили...
Случай нас выручил? Бог ли помог?
Ты не спешила печальным признаньем,
    Я ничего не спросил,
Только мы оба глядели с рыданьем,
Только угрюм и озлоблен я был...

Где ты теперь? С нищетой горемычной
Злая тебя сокрушила борьба?
Или пошла ты дорогой обычной,
И роковая свершится судьба?
Кто ж защитит тебя? Все без изъятья
Именем страшным тебя назовут,
Только во мне шевельнутся проклятья —
    И бесполезно замрут!

1847

cursing, the landlord will buy three coffins, and we'll be taken off and laid in a row...

We sat gloomily in different corners. I remember, you were pale and weak, a secret thought was taking shape in you, in your heart a battle was being decided. I dozed off. You silently left, dressing up as if for a wedding, and an hour later hurriedly brought a coffin for the child and supper for the father. We sated our agonising hunger, we lit a light in the dark room, dressed our son and put him in the coffin... Were we saved by chance? Had God helped? You did not hurry to make your sad confession, I asked no questions, only we both looked and sobbed and I was sullen and embittered...

Where are you now? Has the evil struggle with wretched poverty broken you? Or have you gone the usual path, and the fatal destiny will come true? Who can defend you? All without exception will call you a terrible name, only in me will curses stir and die away uselessly!..

* * *

Вчерашний день, часу в шестом,
Зашел я на Сенную;
Там били женщину кнутом,
Крестьянку молодую.

Ни звука из ее груди,
Лишь бич свистал, играя...
И Музе я сказал: «Гляди!
Сестра твоя родная!»

1848

Влас

В армяке с открытым воротом,
С обнаженной головой,
Медленно проходит городом
Дядя Влас — старик седой.

На груди икона медная;
Просит он на Божий храм,
Весь в веригах, обувь бедная,
На щеке глубокий шрам;

Да с железным наконешником
Палка длинная в руке...
Говорят, великим грешником
Был он прежде. В мужике

Yesterday, between five and six, I went onto the Haymarket; a woman, a young peasant girl, was being flogged with a knout there.

Not a sound came from her breast; only the knout whistled as it played... And I said to the Muse: 'Look, your sister!'

Vlas

In an open-collared coat, with bare head, Uncle Vlas, a grey-haired old man, walks through the town.

He wears a brass icon on his chest, he asks for money towards a church, he is covered with chains, his shoes are poor, he has a deep scar on his cheek,

And in his hand a long stick with an iron spike. They say he was once a great sinner. The man

Бога не было; побоями
В гроб жену свою вогнал;
Промышляющих разбоями
Конокрадов укрывал;

У всего соседства бедного
Скупит хлеб, а в черный год
Не поверит гроша медного,
Втрое с нищего сдерет!

Брал с родного, брал с убогого,
Слыл кащеем-мужиком;
Нрава был крутого, строгого...
Наконец и грянул гром!

Власу худо, кличет знахаря, —
Да поможешь ли тому,
Кто снимал рубашку с пахаря,
Крал у нищего суму?

Только пуще все неможется.
Год прошел — а Влас лежит
И построить церковь божится,
Если смерти избежит.

Говорят, ему видение
Все мерещилось в бреду:
Видел света преставление,
Видел грешников в аду:

Had no God; he drove his wife to her grave with his beatings; he covered up for violent robbers and horse-thieves;

He bought up grain from the whole poor neighbourhood, and wouldn't give a penny's credit in a bad year but fleece a pauper for three times more.

He took from his kin, he took from the poor, he was famous as a Scrooge. He had a tight-fisted, harsh temper. Finally, a thunderbolt came!

Vlas fell ill; he calls for a healer — but would you help a man who took the shirt of a ploughman and stole a beggar's bundle?

He feels only iller, a year passes, Vlas is still bedridden and vows to build a church if he escapes death.

It is said he kept imagining a vision in his delirium; he saw the end of the world, he saw sinners in hell.

Мучат бесы их проворные,
Жалит ведьма-егоза.
Ефиопы — видом черные
И как углие глаза,

Крокодилы, змии, скорпии
Припекают, режут, жгут...
Воют грешники в прискорбии,
Цепи ржавые грызут.

Гром глушит их вечным грохотом,
Удушает лютый смрад,
И кружит над ними с хохотом
Черный тигр-шестокрылат.

Те на длинный шест нанизаны,
Те горячий лижут пол...
Там, на хартиях написаны,
Влас грехи свои прочел.

Влас увидел тьму кромешную
И последний дал обет...
Внял Господь — и душу грешную
Воротил на вольный свет.

Роздал Влас свое имение,
Сам остался бос и гол
И сбирать на построение
Храма Божьего пошел.

Nimble devils tormented them, the lively witch stung them. Ethiopians, black to look at, with eyes like burning coals,

Crocodiles, snakes, scorpions roasted, slashed and burnt them... Sinners howled in grief, gnawing their rusty chains.

Thunder deafened them with endless peals, a terrible stench choked them and a black six-winged tiger circled over them, laughing loudly.

Some were threaded on a long pole, others licked a burning floor... There Vlas read his sins, written on parchments.

Vlas saw uttermost darkness and made his final vow... The Lord heard, and brought the sinful soul back to the world.

Vlas gave away his estate, remaining barefooted and destitute, and went gathering alms for a church.

С той поры мужик скитается
Вот уж скоро тридцать лет,
Подаянием питается —
Строго держит свой обет.

Сила вся души великая
В дело Божие ушла;
Словно сроду жадность дикая
Непричастна ей была...

Полон скорбью неутешною,
Смуглолиц, высок и прям,
Ходит он стопой неспешною
По селеньям, городам.

Нет ему пути далекого:
Был у матушки Москвы,
И у Каспия широкого,
И у царственной Невы.

Ходит с образом и с книгою,
Сам с собой все говорит
И железною веригою
Тихо на ходу звенит.

Ходит в зимушку студеную,
Ходит в летние жары,
Вызывая Русь крещеную
На посильные дары, —

Since then the man has been roaming for nearly thirty years now, living on offerings, strictly keeping to his vow.

All his soul's great strength has gone into God's cause: as though wild greed had never ever been part of his soul...

Full of inconsolable grief, swarthy-faced, tall, erect, he walks with unhurried gait through villages and towns.

There is no path too distant for him: he has been to Mother Moscow and by the wide Caspian and by the imperial Neva.

He walks with icon and book, keeps talking to himself and his iron chains quietly jingle as he walks.

He walks in chilly winter, he walks in summer heat, calling on Christian Russia to give what it can, —

И дают, дают прохожие...
Так из лепты трудовой
Вырастают храмы Божии
По лицу земли родной...

1854

Забытая деревня

1

У бурмистра Власа бабушка Ненила
Починить избенку лесу попросила.
Отвечал: — Нет лесу, и не жди — не будет! —
«Вот приедет барин — барин нас рассудит.
Барин сам увидит, что плоха избушка,
И велит дать лесу», — думает старушка.

2

Кто-то по соседству, лихоимец жадный,
У крестьян землицы косячок изрядный
Оттягал, отрезал плутовским манером —
«Вот приедет барин: будет землемерам! —
Думают крестьяне: — Скажет барин слово —
И землицу нашу отдадут нам снова».

And passers-by do give... Thus from a hard-earned penny churches rise up over the face of our country...

The Forgotten Village
1. Granny Nenila asked the village elder Vlas for timber to repair her cottage. He replied: 'There's no timber, don't expect any, there won't be any!' 'When the master comes, he will decide between us, the master will see that the cottage is in a bad way and will order timber to be given,' thinks the old woman.

2. Someone nearby, a greedy usurer, used the law to cut off by roguish tricks a big piece of land from the peasants. 'When the master comes, that will sort out the surveyors,' think the peasants. 'The master will say a word and our land will be given back again.'

3

Полюбил Наташу хлебопашец вольный,
Да перечит девке немец сердобольный,
Главный управитель. «Погодим, Игнаша,
Вот приедет барин!» — говорит Наташа.
Малые, большие — дело чуть за спором —
«Вот приедет барин!» — повторяют хором...

4

Умерла Ненила; на чужой землице
У соседа-плута — урожай сторицей;
Прежние парнишки ходят бородаты,
Хлебопашец вольный угодил в солдаты,
И сама Наташа свадьбой уж не бредит...
Барина все нету... барин все не едет!

5

Наконец однажды середи дороги
Шестернею цугом показались дроги:
На дрогах высоких гроб стоит дубовый,
А в гробу-то барин; а за гробом — новый.
Старого отпели, новый слезы вытер,
Сел в свою карету — и уехал в Питер.

1855

3. A free farm labourer fell in love with Natasha, but a sentimental German, the main steward, rules against the girl. 'Let's wait, Ignatii, till the master comes,' says Natasha. Young or old, as soon as there's a dispute, repeat in chorus 'When the master comes.'

4. Nenila died; the villainous neighbour has a hundred-fold harvest on land that is not his; the former lads are now bearded men, the labourer ended up a soldier, and Natasha no longer raves about marriage... There still is no master, the master still does not come.

5. Finally, a hearse appeared on the road, drawn by six horses in file; an oak coffin was on the tall hearse, and the master in the coffin; the new master followed the coffin. They held the old master's funeral, the new one wiped his tears, got in his carriage and left for Petersburg.

Из стихотворения «Коробейники»

I

«Ой, полна, полна коробушка,
Есть и ситцы и парча.
Пожалей, моя зазнобушка,
Молодецкого плеча!
Выди, выди в рожь высокую!
Там до ночки погожу,
А завижу черноокую —
Все товары разложу.
Цены сам платил немалые,
Не торгуйся, не скупись:
Подставляй-ка губы алые,
Ближе к милому садись!»

Вот и пала ночь туманная,
Ждет удалый молодец.
Чу, идет! — пришла желанная,
Продает товар купец.
Катя бережно торгуется,
Всё боится передать.
Парень с девицей целуется,
Просит цену набавлять.
Знает только ночь глубокая
Как поладили они.
Распрямись ты, рожь высокая,
Тайну свято сохрани!

«Ой! легка, легка коробушка,
Плеч не режет ремешок!
А всего взяла зазнобушка

Бирюзовый перстенек.
Дал ей ситцу штуку целую,
Ленту алую для кос,
Поясок — рубаху белую
Подпоясать в сенокос. —
Все поклала ненаглядная
В короб, кроме перстенька:
— Не хочу ходить нарядная
Без сердечного дружка! —
То-то дуры вы, молодочки!
Не сама ли принесла
Полуштофик сладкой водочки?
А подарков не взяла!
Так постой же! Нерушимое
Обещаньице даю:
У отца дитя любимое!
Ты попомни речь мою:
Опорожнится коробушка,
На Покров домой приду
И тебя, душа-зазнобушка,
В Божью церковь поведу!»

Вплоть до вечера дождливого
Молодец бежит бегом
И товарища ворчливого
Нагоняет под селом.
Старый Тихоныч ругается:
«Я уж думал, ты пропал!»
Ванька только ухмыляется —
Я-де ситцы продавал!

1861

turquoise ring. I offered her a whole piece of cotton, a scarlet ribbon for her plaits, a belt to tie up her white shift at hay making — my beauty put them all back, except the ring, in the box: 'I don't want to walk about dressed up without my sweetheart,' she said. You really are silly, young girls, wasn't it you who brought half a bottle of sweet vodka? And you wouldn't take the presents. So wait. I give an unbreakable promise: a father's favourite child, you remember my words: when the box is empty, I'll be home for the Feast of Our Lady's Veil and lead you, my beloved darling, to the church.'

The young man runs around right until the rainy evening and catches up with his grumbling partner outside the village. Old Tikhonych is cursing, 'I was thinking you were lost.' Vanka just sniggers: 'I've been selling cotton.'

Зеленый шум

Идет-гудет Зеленый Шум,
Зеленый Шум, весенний шум!

Играючи, расходится
Вдруг ветер верховой:
Качнет кусты ольховые,
Подымет пыль цветочную,
Как облако: всё зелено,
И воздух и вода!

Идет-гудет Зеленый Шум,
Зеленый Шум, весенний шум!

Скромна моя хозяюшка
Наталья Патрикеевна,
Водой не замутит!
Да с ней беда случилася,
Как лето жил я в Питере...
Сама сказала, глупая,
Типун ей на язык!

В избе сам-друг с обманщицей
Зима нас заперла,
В мои глаза суровые
Глядит — молчит жена.
Молчу... а дума лютая
Покоя не дает:
Убить... так жаль сердечную!
Стерпеть — так силы нет!

The Green Rustle

The Green Rustle comes humming, the Green Rustle, the rustle of spring.

Playfully, the up-river wind spreads: it rocks the alder bushes, raises the flower pollen like a cloud: everything is green, air and water.

The Green Rustle comes humming, the Green Rustle, the rustle of spring.

Natalia Patrikeevna, my wife, is modest, butter wouldn't melt in her mouth. But trouble happened to her when I lived for a summer in Petersburg... The silly woman told me herself, she should keep her trap shut.

Winter has locked me and the faithless woman up together, my wife looks at my harsh eyes and says nothing. I am silent, but a violent thought gives me no peace: kill her — but I'm so sorry for my darling. Put up with it? — I haven't got the strength!

А тут зима косматая
Ревет и день и ночь:
«Убей, убей изменницу!
Злодея изведи!
Не то весь век промаешься,
Ни днем, ни долгой ноченькой
Покоя не найдешь.
В глаза твои бесстыжие
Соседи наплюют!..»
Под песню-вьюгу зимнюю
Окрепла дума лютая —
Припас я вострый нож...
Да вдруг весна подкралася...

Идет-гудет Зеленый Шум,
Зеленый Шум, весенний шум!

Как молоком облитые,
Стоят сады вишневые,
Тихохонько шумят;
Пригреты теплым солнышком,
Шумят повеселелые
Сосновые леса;
А рядом новой зеленью
Лепечут песню новую
И липа бледнолистая,
И белая березонька
С зеленою косой!
Шумит тростинка малая,
Шумит высокий клен...
Шумят они по-новому,
По-новому, весеннему...

And now shaggy winter roars day and night: 'Kill, kill the traitress! Destroy the villain. Or else you'll mope all your life and find no peace by day or in the long nights. The neighbours will spit in your brazen eyes.' The savage thought strengthened to the winter blizzard's song — I got a sharp knife ready... Then suddenly spring crept up.

The Green Rustle comes humming, the Green Rustle, the rustle of spring.

As if covered with milk, the cherry orchards stand, very quietly rustling; the pine forests, cheerful again, are heated by the warm sun; in concert the pale-leafed lime, the white birch with its green plait, burble a new song with the new greenery. The little reed rustles, the tall maple rustles, they rustle in a new way, a new, spring way...

Идет-гудет Зеленый Шум,
Зеленый Шум, весенний шум!

Слабеет дума лютая,
Нож валится из рук,
И все мне песня слышится
Одна — в лесу, в лугу:
«Люби, покуда любится,
Терпи, покуда терпится,
Прощай, пока прощается,
И — Бог тебе судья!»

1862

Из поэмы «Мороз, Красный нос»

Часть первая

IV

[...]
Есть женщины в русских селеньях
С спокойною важностью лиц,
С красивою силой в движеньях,
С походкой, со взглядом цариц, —

Их разве слепой не заметит,
А зрячий о них говорит:
«Пройдет — словно солнце осветит!
Посмотрит — рублем подарит!»
[...]

The Green Rustle comes humming, the Green Rustle, the rustle of spring.

The savage thought weakens, the knife falls out of my hands, and I can still hear the same song in the forest, the meadow: 'Love while you can love, endure while you can endure, forgive, while you can forgive, and God be your judge.'

From 'Frost, the Red-Nosed'

Part 1, IV. There are women in Russian villages with calm grave faces, with beautiful strength in their movements, with an empress's gait and gaze,

Only a blind man would fail to notice them, and a sighted man says of them: 'If she passes by, it's the sun lighting up. If she looks at you, it's as if she gave you a rouble.'

И голод и холод выносит,
Всегда терпелива, ровна,
Я видывал, как она косит:
Что взмах — то готова копна!
[...]

В игре ее конный не словит,
В беде — не сробеет, — спасет:
Коня на скаку остановит,
В горящую избу войдет!
[...]

Часть вторая

XXX

Не ветер бушует над бором,
Не с гор побежали ручьи,
Мороз-воевода дозором
Обходит владенья свои.

Глядит — хорошо ли метели
Лесные тропы занесли,
И нет ли где трещины, щели,
И нет ли где голой земли?

Пушисты ли сосен вершины,
Красив ли узор на дубах?
И крепко ли скованы льдины
В великих и малых водах?

She endures both hunger and cold, she's always patient, even-tempered... I have seen her mowing — one swing and a sheaf is ready.

And in games no horseman can catch her, in trouble she won't hang back, she'll save you: she will stop a horse in full gallop and enter a burning cottage!

Part 2, XXX. It's not the wind raging above the pine forest, not the streams rushing down the hills, Frost the Chieftain is patrolling his possessions.

He looks to see if the blizzards have covered up the forest paths well, if there are any cracks, gaps or any bare earth about;

Whether the tops of the pines are furry, the patterns on the oaks beautiful, whether the ice-floes are fixed firmly on waters great and small.

Идет — по деревьям шагает,
Трещит по замерзлой воде,
И яркое солнце играет
В косматой его бороде.

Дорога везде чародею,
Чу! ближе подходит, седой.
И вдруг очутился над нею,
Над самой ее головой!

Забравшись на сосну большую,
По веточкам палицей бьет
И сам про себя удалую,
Хвастливую песню поет:

XXXI

«Вглядись, молодица, смелее,
Каков воевода Мороз!
Навряд тебе парня сильнее
И краше видать привелось?

Метели, снега и туманы
Покорны морозу всегда,
Пойду на моря-окияны —
Построю дворцы изо льда.

Задумаю — реки большие
Надолго упрячу под гнет,
Построю мосты ледяные,
Каких не построит народ.

As he goes he strides over the trees, crackles over the frozen waters, and the bright sun plays in his shaggy beard.

The magician can go anywhere, hark, the grey-haired man is coming nearer. And suddenly he's there above her, right above her head.

Climbing up a tall pine tree, he strikes at the branches with his wand, and sings a bold boastful song to himself:

XXXI. 'Young peasant woman, look more boldly at what Chieftain Frost is like. I doubt you've happened to see a lad stronger or more handsome.

Blizzards, snows and fogs always submit to frost, if I go to the oceans I will make palaces of ice.

If I decide, I can hide great rivers for a long time under a load, I will build ice bridges which people cannot build.

Где быстрые, шумные воды
Недавно свободно текли —
Сегодня прошли пешеходы,
Обозы с товаром прошли.

Люблю я в глубоких могилах
Покойников в иней рядить,
И кровь вымораживать в жилах,
И мозг в голове леденить,

На горе недоброму вору,
На страх седоку и коню,
Люблю я в вечернюю пору
Затеять в лесу трескотню.

Бабенки, пеняя на леших,
Домой удирают скорей.
А пьяных, и конных, и пеших
Дурачить еще веселей.

Без мелу всю выбелю рожу,
А нос запылает огнем,
И бороду так приморожу
К вожжам — хоть руби топором!

Богат я, казны не считаю,
А всё не скудеет добро;
Я царство мое убираю
В алмазы, жемчуг, серебро.

Where quick noisy waters not long ago ran freely, today people on foot and convoys of goods carts have passed.

I love to dress up the dead in deep graves with hoar-frost and to freeze blood in their veins and ice the brain in their heads.

To distress the unkind thief, to frighten rider and horse, I love in the evening to start up a crackling in the forests.

Women, blaming the wood demons, rush home as fast as they can. But fooling drunks, on horse or on foot, is even more fun.

I'll whiten their faces without chalk, while their noses will burn with fire, and I will freeze their beards to the reins, so they'd need an axe to cut them free,

I'm rich, I don't count my treasure, but my goods never run out; I decorate my kingdom with diamonds, pearls, silver.

Войди в мое царство со мною
И будь ты царицею в нем!
Поцарствуем славно зимою,
А летом глубоко уснем.

Войди! приголублю, согрею,
Дворец отведу голубой...»
И стал воевода над нею
Махать ледяной булавой.

XXXII

«Тепло ли тебе, молодица?» —
С высокой сосны ей кричит.
— Тепло! — отвечает вдовица,
Сама холодеет, дрожит.

Морозко спустился пониже,
Опять помахал булавой
И шепчет ей ласковей, тише:
«Тепло ли?..» — Тепло, золотой!

Тепло — а сама коченеет.
Морозко коснулся ее:
В лицо ей дыханием веет
И иглы колючие сеет
С седой бороды на нее.
[...]

1863

Come into my kingdom with me and you will be queen there. We'll reign gloriously for winter and go into deep sleep for summer.

Come in, I'll cuddle and warm you, I'll give you a bright blue palace...' And the Chieftain began waving his icy cudgel over her.

XXXII. 'Are you warm, my young woman?' He shouts to her from a tall pine. 'I'm warm,' the widow answers, herself chilled, shivering.

Frost came down a bit lower, waved his cudgel again and whispers to her more caressingly, softly: 'Are you warm?..' — 'I'm warm, my golden darling.'

'Warm,' she says, but she is growing numb. Frost has touched her: his breath wafts into her face and scatters prickly needles onto her from his grey beard.

Из стихотворения «Железная дорога»

В а н я (*в кучерском армячке*). Папаша! кто строил эту дорогу?
П а п а ш а (*в пальто на красной подкладке*). Граф Петр
Андреевич Клейнмихель, душенька!

Разговор в вагоне

I

Славная осень! Здоровый, ядреный
Воздух усталые силы бодрит;
Лед неокрепший на речке студеной
Словно как тающий сахар лежит;

Около леса, как в мягкой постели,
Выспаться можно — покой и простор! —
Листья поблекнуть еще не успели,
Желты и свежи лежат, как ковер.

Славная осень! Морозные ночи,
Ясные, тихие дни...
Нет безобразья в природе! И кочи,
И моховые болота, и пни —

Всё хорошо под сиянием лунным,
Всюду родимую Русь узнаю...
Быстро лечу я по рельсам чугунным,
Думаю думу свою...

From 'The Railway'

Vania (in a coachman's coat) Daddy, who built this railway?
Daddy (in a coat with a red lining) Count Piotr Andreevich Kleinmichel, my dear boy.

(A conversation in a railway carriage)

I. A glorious autumn. The healthy, bracing air cheers tired strength; the fragile ice lies on the chilled river like thawing sugar;

Around the forest, as in a soft bed, you can sleep your fill — peace and space! — the leaves have not yet had time to fade, and lie yellow and fresh, like a carpet.

A glorious autumn. Frosty nights, clear, quiet days... Nature has no ugliness! The tussocks, the mossy marshes, and stumps —

Everything is fine in the moon light, everywhere I recognise my beloved Russia... Quickly I fly over the iron rails, I think my thought...

II

Добрый папаша! К чему в обаянии
Умного Ваню держать?
Вы мне позвольте при лунном сиянии
Правду ему показать.

Труд этот, Ваня, был страшно громаден —
Не по плечу одному!
В мире есть царь: этот царь беспощаден,
Голод названье ему.

Водит он армии; в море судами
Правит; в артели сгоняет людей,
Ходит за плугом, стоит за плечами
Каменотесцев, ткачей.

Он-то согнал сюда массы народные.
Многие — в страшной борьбе,
К жизни воззвав эти дебри бесплодные,
Гроб обрели здесь себе.

Прямо дороженька: насыпи узкие,
Столбики, рельсы, мосты.
А по бокам-то всё косточки русские...
Сколько их! Ванечка, знаешь ли ты?

Чу! восклицанья послышались грозные!
Топот и скрежет зубов;
Тень набежала на стекла морозные...
Что там? Толпа мертвецов!

II. Kind daddy! Why keep clever Vania in blissful deceit? Allow me in the moon light to show him the truth.

This labour, Vania, was terribly enormous, more than one man could do. This world has a king: this king is merciless, his name is hunger.

He leads armies; he controls ships at sea; he drives people into workshops, he follows the plough, stands behind the shoulders of stone-cutters, weavers.

It is he who drove the people in masses here. Many were in terrible turmoil, calling these barren virgin forests to life, they found a coffin for themselves here.

The track is straight: the embankments are narrow, pillars, rails, bridges. And on either side just Russian bones... How many there are! Vania, do you know?

Hark, dreadful expletives resounded! Trampling and gnashing of teeth; a shadow ran over the frosted panes... What is there? A crowd of dead men.

То обгоняют дорогу чугунную,
То сторонами бегут.
Слышишь ты пение?.. «В ночь эту лунную
Любо нам видеть свой труд!

Мы надрывались под зноем, под холодом,
С вечно согнутой спиной,
Жили в землянках, боролися с голодом,
Мерзли и мокли, болели цингой.

Грабили нас грамотеи-десятники,
Секло начальство, давила нужда...
Всё претерпели мы, Божии ратники,
Мирные дети труда!

Братья! Вы наши плоды пожинаете!
Нам же в земле истлевать суждено...
Всё ли нас, бедных, добром поминаете,
Или забыли давно?..»

Не ужасайся их пения дикого!
С Волхова, с матушки Волги, с Оки,
С разных концов государства великого —
Это всё братья твои — мужики!

Стыдно робеть, закрываться перчаткою,
Ты уж не маленький!.. Волосом рус.
Видишь, стоит, измождён лихорадкою,
Высокорослый больной белорус:

Now they chase along the iron road, now they run alongside. Can you hear the singing?.. 'On this moonlit night we like to see our labour.

We broke ourselves in extreme heat, in cold, with backs always bent, we lived in dugouts, fought with hunger, froze and were soaked, fell ill with scurvy.

Clerks and foremen robbed us, the bosses flogged us, misery oppressed us... We, God's soldiers, peaceful children of labour, endured everything.

Brothers! You are reaping our fruit. While we are doomed to rot in the earth... Do you still have a good word to say about us poor people, or have you long forgotten us?'

Don't be aghast at their wild singing. From the Volkhov, from mother Volga, from the Oka, from opposite ends of a great state they are still your brothers, the peasants.

It's shameful to shy away, to cover your eyes with your glove, you're no child. With flaxen hair, you see, emaciated by fever a lanky, sick Belorussian stands:

Губы бескровные, веки упавшие,
Язвы на тощих руках;
Вечно в воде по колено стоявшие
Ноги опухли; колтун в волосах;

Ямою грудь, что на заступ старательно
Изо дня в день налегала весь век...
Ты приглядись к нему, Ваня, внимательно:
Трудно свой хлеб добывал человек!

Не разогнул свою спину горбатую
Он и теперь еще: тупо молчит
И механически ржавой лопатою
Мерзлую землю долбит!

Эту привычку к труду благородную
Нам бы не худо с тобой перенять...
Благослови же работу народную
И научись мужика уважать.

Да не робей за отчизну любезную...
Вынес достаточно русский народ,
Вынес и эту дорогу железную —
Вынесет всё, что Господь ни пошлет!

Вынесет всё — и широкую, ясную
Грудью дорогу проложит себе.
Жаль только — жить в эту пору прекрасную
Уж не придется — ни мне, ни тебе.

1864

Bloodless lips, sunken eyelids, ulcers on his skinny arms; legs swollen from constantly standing up to his knees in water; hair in diseased tufts;

His chest hollow from pressing hard on the pickaxe every day all his life... Look hard and carefully at him, Vania: the man had trouble earning his bread.

He still hasn't unbent his back now: his is dull and silent and hammers at the frozen earth mechanically with a rusty spade.

It wouldn't be a bad idea if you and I acquired this habit of noble labour... So bless the people's work and learn to respect the peasant.

And don't be timid about our beloved fatherland... the Russian people have endured enough, they have endured this railway, they will endure anything the Lord may send.

They will endure everything — and will make themselves a broad, clear road with their chests. A pity only that neither you nor I are going to live in those beautiful times.

Из поэмы «Кому на Руси жить хорошо»

Часть первая

I

[...]
Уж день клонился к вечеру,
Идут путем-дорогою,
Навстречу едет поп.
Крестьяне сняли шапочки,
Низенько поклонилися,
Повыстроились в ряд
И мерину саврасому
Загородили путь.
Священник поднял голову,
Глядел, глазами спрашивал:
Чего они хотят?

— Небось! мы не грабители! —
Сказал попу Лука.
(Лука — мужик присадистый
С широкой бородищею,
Упрям, речист и глуп.
Лука похож на мельницу:
Одним не птица мельница,
Что, как ни машет крыльями,
Небось не полетит.)

— Мы мужики степенные,
Из временно-обязанных,
Уезда Терпигорева,
Пустопорожней волости,

From 'Who Lives Well in Russia?'
Part 1, 1. Day was giving way to evening, they go their route, a priest rides towards them. The peasants took off their hats, bowed low, lined themselves up and blocked the black-maned gelding's path. The priest raised his head, looked, asked with his eyes what they wanted.

'Don't be afraid, we're not robbers,' Luka told the priest. (Luka is a squat peasant with a great wide beard, obstinate, longwinded and stupid. Luka is like a windmill: what makes a windmill not a bird is that however much it flaps it is certain not to fly.)

'We are decent peasants, temporarily bonded, from Woebegone district, Empty parish,

Окольных деревень —
Заплатова, Дырявина,
Разутова, Знобишина,
Горелова, Неелова,
Неурожайка тож.
Идем по делу важному:
У нас забота есть,
Такая ли заботушка,
Что из домов повыжила,
С работой раздружила нас,
Отбила от еды.
Ты дай нам слово верное
На нашу речь мужицкую
Без смеху и без хитрости,
По совести, по разуму,
По правде отвечать,
Не то с своей заботушкой
К другому мы пойдем...

Часть вторая

IV

[...]

Русь

Ты и убогая,
Ты и обильная,
Ты и могучая,
Ты и бессильная,
Матушка-Русь!

and the outlying villages — Patch, Hole, Unshod, Fevers, Burnt-out, Famine and also Failed Harvest. We are off on important business: we have a worry, a worry big enough to drive us out of our homes, to take us away from work, to put us off food. You give us your word of honour to answer our peasant speech without laughter or slyness, in conscience and in reason and in truth, or else we will take our worry to someone else...

Part 2, IV. [...] *Russia*. You are poor, you are plentiful, too; you are powerful, you are weak, too, Mother Russia!

В рабстве спасенное
Сердце свободное —
Золото, золото
Сердце народное!

Сила народная,
Сила могучая —
Совесть спокойная,
Правда живучая!

Сила с неправдою
Не уживается,
Жертва неправдою
Не вызывается —

Русь не шелохнется,
Русь — как убитая!
А загорелась в ней
Искра сокрытая —

Встали — небужены,
Вышли — непрошены,
Жита по зернышку
Горы наношены!

Рать подымается —
Неисчислимая,
Сила в ней скажется
Несокрушимая!

A free heart, saved in slavery — gold, gold is the people's heart.
The people's strength, a mighty strength — a clear conscience, vital truth.
Strength and untruth cannot get on. A sacrifice is not called for by untruth —
Russia will not stir, Russia is as though killed. But a concealed spark has lit in her —
They've risen, unwoken; they've come unasked, mountains of corn pile up grain by grain.
An army is rising, an indestructible strength will be expressed in it!

Ты и убогая,
Ты и обильная,
Ты и забитая,
Ты и всесильная,
Матушка-Русь!..

1863–1877

*
* *

Черный день! как нищий просит хлеба,
Смерти, смерти я прошу у неба,
Я прошу ее у докторов,
У друзей, врагов и цензоров,
Я взываю к русскому народу:
Коли можешь, выручай!
Окуни меня в живую воду
Или мертвой в меру дай.

1877

You are poor, you are plentiful, too; you are downtrodden, you are all-powerful, too, Mother Russia.

A black day. As a beggar asks for bread, I ask heaven for death, death; I ask the doctors for it, friends, enemies, censors, I call to the Russian people: if you can, save me. Dip me in life-giving water or give me the right measure of deadly water.

ЛЕВ АЛЕКСАНДРОВИЧ МЕЙ
LEV ALEKSANDROVICH MEI

Галатея

1

Белою глыбою мрамора, высей прибрежных отброском,
Страстно пленился ваятель на рынке паросском;
Стал перед ней — вдохновенный, дрожа и горя...
Феб утомленный закинул свой щит златокованный за море,
И разливалась на мраморе
Вешним румянцем заря...

Видел ваятель, как чистые крупинки камня смягчались,
В нежное тело и в алую кровь превращались,
Как округлялися формы — волна за волной,
Как, словно воск, растопилася мрамора масса послушная
И облеклася, бездушная,
В образ жены молодой.

«Душу ей, душу живую!— воскликнул ваятель в восторге —
Душу вложи ей, Зевес!» Изумились на торге
Граждане — старцы, и мужи, и жены, и все,
Кто только был на агоре... Но, полон святым вдохновением,
Он обращался с молением
К чудной, незримой Красе:

Galatea
1. The sculptor was passionately enchanted by a white block of marble, a fragment from the sea-shore cliffs, at the Paros market; he stood before it inspired, quivering and burning... Tired Phoebus flung his gold-woven shield beyond the sea, and the evening light poured over the marble like a blush of spring.

The sculptor saw the pure grains of stone soften, turning into soft body and red blood, the forms rounding, wave after wave, and, like wax, the compliant mass of marble melt and clothe itself, inanimate, in the image of a young woman.

'A soul, a living soul for her!' exclaimed the sculptor in delight. 'Zeus, put a soul into her!' At the market the citizens — elders, men, women, everybody who was at the square — were amazed... But, full of sacred inspiration, he turned with entreaty to the wondrous, invisible Beauty:

«Вижу тебя, богоданная, вижу и чую душою;
Жизнь и природа красны мне одною тобою...
Облик бессмертья провижу я в смертных чертах...»
И перед нею, своей вдохновенною свыше идеею,
        Перед своей Галатеею,
        Пигмалион пал во прах...

2

Двести дней славили в храмах Кивеллу, небесную жницу,
Двести дней Гéлиос с неба спускал колесницу;
Много свершилось в Элладе событий и дел;
Много красавиц в Афинах мелькало и гасло — зарницею,
        Но перед ней, чаровницею,
        Даже луч солнца бледнел...

Белая, яркая, свет и сиянье кругом разливая,
Стала в ваяльне художника дева нагая,
Мраморный, девственный образ чистейшей красы...
Пенились юные перси волною упругой и зыбкою;
        Губы смыкались улыбкою;
        Кудрились пряди косы.

'I see you, God-given one, I see and my soul senses you; life and nature are beautiful to me only because of you... I divine an image of immortality in mortal features...' And before her, before his idea inspired from above, before his Galatea, Pygmalion fell to the dust...

2. For two hundred days they glorified Cybele, the heaven-dweller, in the temples, for two hundred days Helios lowered his chariot from heaven; many events and deeds occurred in Hellas; many beauties in Athens blazed forth and faded out like summer lightning, but before her, the enchantress, even the sun's ray paled...
    White, bright, spreading light and radiance around, a naked maiden arose in the artist's workshop, a marble virginal image of purest beauty... The young breasts foamed in a taut rippling wave; the lips joined in a smile; the locks of hair curled.

«Боги! — молил в исступлении страстном ваятель. — Ужели
Жизнь не проснется в таком обаятельном теле?
Боги! Пошлите неслыханной страсти конец...
Нет! Ты падешь, Галатея, с подножия в эти объятия,
  Или творенью проклятия
  Грянет безумный творец!»

Взял ее за руку он... И чудесное что-то свершилось...
Сердце под мраморной грудью тревожно забилось;
Хлынула кровь по очерченным жилам ключом;
Дрогнули гибкие члены, недавно еще каменелые;
  Очи, безжизненно белые,
  Вспыхнули синим огнем.

Вся обливаяся розовым блеском весенней денницы,
Долу стыдливо склоняя густые ресницы,
Дева с подножия легкою грёзой сошла;
Алые губы раскрылися, грудь всколыхнулась волнистая,
  И, что струя серебристая,
  Тихая речь потекла:

«Вестницей воли богов предстою я теперь пред тобою.
Жизнь на земле — сотворенному смертной рукою;
Творческой силе — бессмертье у нас в небесах!»
...И перед нею, своей воплощенною свыше идеею,
  Перед своей Галатеею,
  Пигмалион пал во прах.

1858

‘Gods,’ the sculptor prayed in passionate ecstasy. ‘Will life not awake in such a magical body? Gods, send an end to unheard-of passion... No... You shall fall, Galatea, from the pedestal into these embraces, or a mad creator will pile curses on his creation.’

He took her by the hand... And a miracle happened... Nervously a heart began to beat under the marble breast; blood gushed like a spring through the outlined veins; supple limbs, lately still stone, quivered; eyes, lifelessly white, flared with blue fire.

Flooded all over with the rosy shine of spring daylight, dropping down modestly her thick eyelashes, the maiden in a light daydream stepped off the pedestal; red lips opened, the curving breast quivered and, like a silver stream, quiet words flowed:

‘As a messenger of the gods’ will I stand now before you. *Life on earth is for beings created by a mortal hand; for creative force there is immortality with us in heaven.’*
...And before her, his idea incarnated from above, before his Galatea, Pygmalion fell into the dust.

АПОЛЛОН АЛЕКСАНДРОВИЧ ГРИГОРЬЕВ
APOLLLON ALEKSANDROVICH GRIGORIEV

Из цикла «Борьба»

13

О, говори хоть ты со мной,
    Подруга семиструнная!
Душа полна такой тоской,
    А ночь такая лунная!

Вон там звезда одна горит
    Так ярко и мучительно,
Лучами сердце шевелит,
    Дразня его явительно.

Чего от сердца нужно ей?
    Ведь знает без того она,
Что к ней тоскою долгих дней
    Вся жизнь моя прикована...

И сердце ведает мое,
    Отравою облитое,
Что я впивал в себя ее
    Дыханье ядовитое...

Я от зари и до зари
    Тоскую, мучусь, сетую...
Допой же мне — договори
    Ты песню недопетую.

From 'The Struggle'
13. O, you at least talk to me, seven-stringed girl-friend! My soul is full of such anguish and the night is so moonlit!

Yonder burns a star so brightly and agonisingly, its rays move the heart, teasing it woundingly.

What does it want of my heart? It knows anyway that all my life is fixed to it by the anguish of long days...

And my heart, flooded with poison, knows that I have imbibed its venomous breath...

From sunset till dawn I yearn, agonise, rage: so sing to me, say the unfinished song.

Договори сестры твоей
Все недомолвки странные...
Смотри: звезда горит ярчей...
О, пой, моя желанная!

И до зари готов с тобой
Вести беседу эту я...
Договори лишь мне, допой
Ты песню недопетую!

14

Цыганская венгерка

Две гитары, зазвенев,
Жалобно заныли...
С детства памятный напев,
Старый друг мой — ты ли?

Как тебя мне не узнать?
На тебе лежит печать
Буйного похмелья,
Горького веселья!

Это ты, загул лихой,
Ты — слиянье грусти злой
С сладострастьем баядерки —
Ты, мотив венгерки!

Say all the strange things left unsaid by your sister... Look: the star burns brighter...
O sing, my beloved!

And until dawn I am ready to have this conversation with you... Just tell me, sing the unfinished song.

14. Hungarian Gypsy Dance

Two guitars, ringing out, throbbed plaintively... A tune remembered since childhood, my old friend, is it you?

How could I fail to recognise you? You bear the seal of wild drunkenness, of bitter merriment.

It's you, an evil spree, you — the fusion of malicious melancholy with the dancing-girl's sensuality, you the Hungarian gypsy tune.

Квинты резко дребезжат,
   Сыплют дробью звуки...
Звуки ноют и визжат,
   Словно стоны муки.

Что за горе? Плюнь, да пей!
Ты завей его, завей
   Веревочкой горе!
   Топи тоску в море!

Вот проходка по баскам
   С удалью небрежной,
А за нею — звон и гам
   Буйный и мятежный.

Перебор... и квинта вновь
   Ноет-завывает;
Приливает к сердцу кровь,
   Голова пылает.

Чибиряк, чибиряк, чибиряшечка,
С голубыми ты глазами, моя душечка!

Замолчи, не занывай,
   Лопни, квинта злая!
Ты про них не поминай...
   Без тебя их знаю!

The fifths jingle sharply, the sounds scatter in fragments... the sounds throb and screech like groans of agony.

What's the woe? Spit on it and drink! Take grief and braid it, braid it, like a piece of string. Drown anguish in the sea.

Now there's a plunge over the bas strings with carefree panache, and afterwards ringing and a turbulent and rebellious uproar.

A change of key... and the fifth again throbs and howls; the blood clings to the heart, the head burns.

Chibiriak, chibiriak, chibiriashechka, You with the blue eyes, my darling!

Shut up, don't sulk, break, evil fifth! Don't remind me of them... I know them anyway!

В них хоть раз бы поглядеть
    Прямо, ясно, смело...
А потом и умереть —
    Плевое уж дело.
Как и вправду не любить?
    Это не годится!
Но, что сил хватает жить,
    Надо подивиться!
Соберись и умирать,
    Не придет проститься!
Станут люди толковать:
    Это не годится!
Отчего б не годилóсь,
    Говоря примерно?
Значит, просто всё хоть брось...
    Оченно уж скверно!
Доля ж, доля ты моя,
    Ты лихая доля!
Уж тебя сломил бы я,
    Кабы только воля!
Уж была б она моя,
    Крепко бы любила...
Да лютая та змея,
    Доля, — жизнь сгубила.
По рукам и по ногам
    Спутала-связала,
По бессонныим ночам
    Сердце иссосала!
Как болит, то ли болит,

If only I could take just one straight, clear, bold look at them... and then just die — nothing to it. Really, how can you not love? That's not right! But, you have to wonder that you have the strength to live. Even if you are set to die, she won't come to say good-bye. People will say: that's not right. Why wouldn't it be, speaking roughly? So, you may as well drop it all... A very nasty business. Fate, my fate, you are an evil fate. I would break you now if only I were free to. If she were mine, she would love me a lot... But that vicious serpent, fate, has wrecked my life. She has bound and tied me hand and foot, has sucked my heart dry in sleepless nights. How it hurts, whenever it hurts,

Болит сердце — ноет...
Вот что квинта говорит,
   Что басок так воет.
[...]

В безобразнейший хаос
   Вопля и стенанья
Всё мучительно слилось.
   Это — миг прощанья.
Уходи же, уходи,
   Светлое виденье!..
У меня огонь в груди
   И в крови волненье.
Милый друг, прости-прощай,
   Прощай — будь здорова!
Занывай же, занывай,
   Злая квинта, снова!
Как от муки завизжи,
   Как дитя от боли,
Всею скорбью дребезжи
   Распроклятой доли!
Пусть больнее и больней
   Занывают звуки,
Чтобы сердце поскорей
   Лопнуло от муки!

1857

my heart hurts, it aches... that's what the fifth says, what the bass string howls about so.
   Into the most hideous chaos of yelling and groaning everything has agonisingly fused. This is the instant of farewell. Go away then, go away, bright vision!.. I have fire in my breast and disturbance in my blood. Dear beloved, forgive and farewell, farewell, good health to you! Throb then, throb, evil fifth, again! Screech as if in agony, like a child from pain, jingle with all the grief of a much cursed lot. Let the sounds throb more and more painfully, so my heart may burst faster from agony.

Из поэмы «Вверх по Волге»

8

Дождь ливмя льет… Так холодна
Ночь на реке и так темна,
Дрожь до костей меня пробрала.
Но я… я рад… Как Лир, готов
Звать на себя я и ветров,
И бури злобу — лишь бы спала
Змея-тоска и не сосала.

Меня знобит, а пароход
Всё словно медленней идет,
И в плащ я кутаюсь напрасно.
Но пусть я дрогну, пусть промок
Насквозь я — позабыть я мог
О ней, о ней, моей несчастной.

Надолго ль? Ветер позатих…
Опять я жертва дум своих.
О, неотвязное мученье!
Коробит горе душу вновь,
И горе это — не любовь,
А хуже, хуже: сожаленье!

И снова памяти моей
Из многих горестных ночей
Одна, ужасная, предстала…
Одна некрасовская ночь,

From 'Up the Volga'
The rain falls in a downpour… So cold is the night on the river and so dark, shivers have got to my bones. But I, I am glad… Like Lear, I am ready to call down even the winds and the storm's spite on myself, if anguish the snake sleeps and does not suck me.

I am feverish, but the steamboat seems to be going slower and slower. I wrap myself in my cloak, to no avail. But let me shiver, let me be soaked through — I was able to forget about her for a while, her, my unfortunate wretch.

For long? The wind has dropped… Again I am victim to my thoughts. O, constant pain! Grief wracks my soul again, and this grief is not love, but worse, worse: it's pity.

And again, of many bitter nights, a horrible one came to mind… A Nekrasov night,

Без дров, без хлеба... Ну, точь-в-точь,
Как та, какую создавала

Поэта скорбная душа,
Тоской и злобою дыша...
Ребенка в бедной колыбели
Больные стоны моего
И бедной матери его
Глухие вопли на постели.

Всю ночь, убитый и немой,
Я просидел... Когда ж с зарей
Ушел я... Что-то забелело,
Как нитки, в бороде моей:
Два волоса внезапно в ней
В ту ночь клятую поседело.

Дня за два, за три заезжал
Друг старый... Словом донимал
Меня он спьяну очень строгим;
О долге жизни говорил,
Да связь беспутную бранил,
Коря меня житьем убогим,
Позором общим — словом, многим...

Он помощи не предлагал...
А я — ни слова не сказал.
Меня те речи уязвили.
Через неделю до чертей

without firewood or bread... Well, exactly like the night which was evoked by
The poet's grieving soul, breathing anguish and resentment... My child's sick moans
in the poor cradle and its poor mother's muffled yells on the bed.
All night, desperate and mute, I sat... When at dawn I left... something turned white,
like threads, in my beard: two hairs in it that accursed night suddenly went grey.
Two or three days later an old friend dropped in. Drunk, he got at me with very harsh
words; he talked of life's duty, and railed at the immoral liaison, reproaching me for my
impoverished life, the general disgrace — a lot, in a word...
He offered no help. And I said not a word. His talk hurt me. A week later, blind drunk,

С ним, с старым другом лучших дней,
Мы на Крестовском два дня пили —
Нас в часть за буйство посадили.

Помочь — дешевле, может быть,
Ему бы стало... Но спросить
Он позабыл или, имея
В виду высокую мораль,
И не хотел... «Хоть, мол, и жаль,
А уж дойму его, злодея!»

Ну вот, премудрые друзья,
Что ж? вы довольны? счастлив я?
Не дай вам Бог таких терзаний!
Вот я благоразумен стал,
Союз несчастный разорвал
И ваших жду рукоплесканий.

Эх! мне не жаль моей семьи...
Меня все ближние мои
Так равнодушно продавали...
Но вас, мне вас глубоко жаль!
В душе безвыходна печаль
По нашей дружбе... Крепче стали
Она казалась — вы сломали.

А всё б хотелось, чтоб из вас
Хоть кто-нибудь в предсмертный час
Мою хладеющую руку

he, an old friend from better days, and I drank for two days on Krestovskii island — we were put in the cells for disorderly conduct.

Help would have, perhaps, been cheaper for him... But he forgot to ask or, with higher morality in mind, decided not to... 'Even though,' he thought, 'I'm sorry for him, I'll get at him, the villain.'

Now, wise friends, what? Are you pleased? Am I happy? God spare you such torments. Now I've become sensible, have broken off the unhappy union and await your applause.

Oh, I'm not sorry for my family. All my intimates have sold me so callously... But as for you, I am deeply sorry for you. The mourning in my soul for our friendship is irreparable... That friendship seemed stronger than steel; you have broken it.

But I'd still like just one of you as I lie dying to come and take my chilled hand and

Пришел по-старому пожать
И слово мира мне сказать
На эту долгую разлуку,
Чтоб тихо старый друг угас...
Придет ли кто-нибудь из вас?
Но нет! вы лучше остудите
Порывы сердца; помяните
Меня одним... Коль вам ее
Придется встретить падшей, бедной,
Худой, больной, разбитой, бледной,
Во имя грешное мое
Подайте ей хоть грош вы медный.
Монета мелкая, но всё ж
Ведь это ценность, это — грош.

Однако знобко... Сердца боли
Как будто стихли... Водки, что ли?
. . . .
. . . .

1862

shake it as of old, and say a word of peace to me for this long separation, so that an old friend can fade out quietly... Will any of you come? But no, better that you should cool your heart's impulses; remember me just by one thing... If you happen to see her as a fallen woman, poor, thin, sick, broken, pale, in my sinful name give her at least a brass farthing. It's a small coin, but still it is something of worth, it is a farthing.
Still, I am feverish... My heart's pains seem to have died down... Some vodka, perhaps?. . . . . . .

ИВАН САВВИЧ НИКИТИН
IVAN SAVVICH NIKITIN

Пахарь

Солнце за день нагулялося,
За кудрявый лес спускается;
Лес стоит под шапкой темною,
В золотом огне купается.

На бугре трава зеленая
Спит, вся искрами обрызгана,
Пылью розовой осыпана
Да каменьями унизана.

Не слыхать-то в поле голоса,
Молча ворон на меже сидит,
Только слышен голос пахаря, —
За сохой он на коня кричит.

С ранней зорьки пашня черная
Бороздами подымается,
Конь идет — понурил голову,
Мужичок идет — шатается...

Уж когда же ты, кормилец наш,
Возьмешь верх над долей горькою?
Из земли ты роешь золото,
Сам-то сыт сухою коркою!

The Ploughman
The sun has finished his day's run, is setting behind the leafy forest; the forest stands under a dark hat, bathing in golden fire.

The green grass on the hillock sleeps, spattered all over with sparks, sprinkled with pink dust, and threaded with jewels...

Not a voice to be heard in the field, the raven sits silent on the boundary stone, you can hear only the ploughman's voice, — holding the ploughshare, he shouts at the horse.

From first light the black plough land rises up in furrows, the horse walks hanging its head, the peasant walks, stumbling...

When then will you, our bread-winner, take control of your bitter lot? You dig gold from the earth, and you yourself have to make do with a dry crust!

Зреет рожь — тебе заботушка:
Как бы градом не побилася,
Без дождей в жары не высохла,
От дождей не положилася.

Хлеб поспел — тебе кручинушка:
Убирать ты не управишься,
На корню-то он осыплется,
Без куска-то ты останешься.

Урожай — купцы спесивятся;
Год плохой — в семье все мучатся,
Всё твой двор не поправляется,
Детки грамоте не учатся.

Где же клад твой заколдованный,
Где талан твой, пахарь, спрятался?
На труды твои да на́ горе
Вдоволь вчуже я наплакался!

1856

When the rye ripens, you have worries: lest it be smashed down by hail, lest it wither in the heat when there is no rain, lest it fall down when there is rain.

When the grain is ripe, you have woe: if you don't manage to take it all in, it drops its grain on the stalk and you will be left with nothing to eat.

If the harvest is good, the merchants become haughty; if the year is bad, everyone in the family is in agony, your household still does not get on its feet, the children don't learn to read and write.

Where is your pot of gold under the rainbow, where, ploughman, is your talent buried? Over your labour and grief I have wept my fill away from home!

АЛЕКСЕЙ НИКОЛАЕВИЧ ПЛЕЩЕЕВ
ALEKSEI NIKOLAEVICH PLESHCHEEV

* * *

Вперед! без страха и сомненья
На подвиг доблестный, друзья!
Зарю святого искупленья
Уж в небесах завидел я!

Смелей! Дадим друг другу руки
И вместе двинемся вперед.
И пусть под знаменем науки
Союз наш крепнет и растет.

Жрецов греха и лжи мы будем
Глаголом истины карать,
И спящих мы от сна разбудим,
И поведем на битву рать!

Не сотворим себе кумира
Ни на земле, ни в небесах;
За все дары и блага мира
Мы не падем пред ним во прах!..

Провозглашать любви ученье
Мы будем нищим, богачам,
И за него снесем гоненье,
Простив безумным палачам!

Onwards, without fear or doubt, to a glorious mission, friends. I have caught sight of the dawn of sacred redemption in the heavens.

Bolder! Let us give each other our hands and move ahead together. And let our union under the banner of science become stronger and grow.

We shall punish the priests of sin and lies with the word of truth, and we shall awaken the sleeping from their sleep and lead a host into battle.

We shall not make an idol for ourselves on earth or in heaven; for all the gifts and good things of the world we shall not fall before it into the dust...

We shall proclaim the doctrine of love to the paupers and the rich, and for this we shall endure persecution, forgiving the crazed executioners.

Блажен, кто жизнь в борьбе кровавой,
В заботах тяжких истощил;
Как раб ленивый и лукавый,
Талант свой в землю не зарыл!

Пусть нам звездою путеводной
Святая истина горит;
И верьте, голос благородный
Не даром в мире прозвучит!

Внемлите ж, братья, слову брата,
Пока мы полны юных сил:
Вперед, вперед, и без возврата,
Что б рок вдали нам ни сулил!

1846

* * *

Как испанская мушка, тоска
Легла мне на сердце, и в споре
С сердитой судьбой, как треска
Шотландская, высох я вскоре...
С тех пор я таскаюсь едва.
Увы! говорить ли и петь ли
Начну я — страдальца слова
Скрипят, будто ржавые петли...
А по небу ходит луна;

Blessed is he who has exhausted his life in bloody battle, in difficult concerns, who has not buried, like a lazy sly slave, his talent in the earth.

Let sacred truth burn for us as a lode star; and believe, a noble voice will not sound in vain in the world.

Hark then, brothers, to a brother's word, while we are full of youthful strength: onwards, onwards, and with no going back, whatever fate may augur for us in the distance.

Like a Spanish fly, anguish has settled on my heart, and in dispute with angry fate, I have quickly dried up like Scottish cod... Since then I barely drag myself along. Alas, whether I begin to speak or to sing, the words of the sufferer squeak like a rusty hinge...

В толкучий несут груду хлама,
Испанка сидит у окна,
И грудь моя взрыта, как яма...

1847

And the moon crosses the heaven; a pile of junk is being carried to the flea market; the Spanish anguish sits by the window, and my chest is dug up like a ditch...

КОНСТАНТИН КОНСТАНТИНОВИЧ СЛУЧЕВСКИЙ
KONSTANTIN KONSTANTINOVICH SLUCHEVSKII

* * *

Ходит ветер избочась
Вдоль Невы широкой,
Снегом стелет калачи
Бабы кривобокой.

Бьется весело в гранит,
Вихри завивает,
И, метелицей гудя,
Плачет да рыдает.

Под мостами свищет он
И несет с разбега
Белогрудые холмы
Молодого снега.

Под дровнишки мужика
Всё ухабы сует,
Кляче в старые бока
Безотвязно дует.

Он за валом крепостным
Воет жалким воем
На соборные часы
С их печальным боем:

The wind goes, hand on hips, down the broad Neva, it spreads the crooked peasant woman's cakes with snow.

It merrily strikes the granite, raises whirlwinds and, roaring with the blizzard, weeps and sobs.

Under the bridges it whistles and bears away at a run white-breasted hills of new snow.

It keeps shoving gullies under the peasant's dilapidated sledge. It blows persistently into the nag's ancient flanks.

Behind the fortress wall it makes a pathetic howl at the cathedral clock with its melancholy peal:

Много близких голосов
Слышно в песнях ваших,
Сказок муромских лесов,
Песен дедов наших!

Ходит ветер избочась
Вдоль Невы широкой,
Снегом стелет калачи
Бабы кривобокой.

1860

После казни в Женеве

Тяжелый день... Ты уходил так вяло...
Я видел казнь: багровый эшафот
Давил своею тяжестью народ,
И солнце на топор сияло.

Казнили. Голова отпрянула как мяч!
Стёр полотенцем кровь с руки палач,
И эшафот поспешно разобрали;
Пришли пожарные и площадь поливали.

Тяжёлый день... ты уходил так вяло...
Мне снилось: я лежал на страшном колесе,
Меня коробило, меня на части рвало,
И мышцы лопались, ломались кости все...

Many intimate voices can be heard in your songs, many tales from the Murom woods, songs of our grandfathers.

The wind goes, hand on hips, down the broad Neva, it spreads the crooked peasant woman's cakes with snow.

After an Execution in Geneva

A heavy day... you went so jadedly... I saw an execution: the crimson scaffold oppressed the people with its weight, and the sun shone on the axe.

They executed him. The head bounced off like a ball. The executioner wiped the blood off his hand with a towel, and the scaffold was hurriedly taken down; firemen came and hosed down the square.

A heavy day... you went so jadedly... I dreamt I lay on the terrible wheel, I was twisted, I was torn to bits, and my muscles were snapping, all my bones breaking...

Я всё вытягивался в пытке небывалой
И став звенящею, чувствительной струной,
К монахине какой-то исхудалой
На балалайку вдруг попал живой!

Старуха чёрная гнусила и хрипела,
Костлявым пальцем дёргала меня,
«В крови горит огонь желанья» — пела,
И я вторил ей, жалобно звеня!..

1880

* * *

Я видел Рим, Париж и Лондон,
Везувий мне в глаза дымил,
Я вдоль по тундре Безземельной,
Везом оленями, скользил.

Я слышал много водопадов
Различных сил и вышины,
Рев медных труб в калмыцкой степи,
В Байдарах — тихий звук зурны.

Я посетил в лесах Урала
Потемки страшных рудников,
Бродил вдоль щелей и провалов
По льдам швейцарских ледников.

I kept stretching in unprecedented torment and, becoming a resonant, sensitive string, I ended up alive on an emaciated nun's balalaika.

The black old woman made hoarse nasal noises, she plucked me with a bony finger, 'In the blood burns the fire of desire,' she sang, and I accompanied her, ringing out plaintively.

I have seen Rome, Paris and London, Vesuvius smoked in my eyes, I have slid over the Bezzemelnaia tundra, carried by reindeer.

I have heard many waterfalls of various force and height, the roar of brass pipes in the Kalmyk steppe, the quiet sound of the chalumeau in Baidary.

I have visited in the Ural forests the murk of terrifying mines, wandered down cracks and crevasses over the ice of Swiss glaciers.

Я резал трупы с анато́мом,
В науках много знал светил,
Я испытал в морях крушенье,
Я дни в вертепах проводил…

Я говорил порой с царями,
Глубоко падал и вставал,
Я Богу пламенно молился,
Я Бога страстно отрицал;

Я знал нужду, я знал довольство, —
Любил, страдал, взрастил семью
И — не скажу, чтобы без страха, —
Порой встречал и смерть свою.

Я видел варварские казни,
Я видел ужасы труда;
Я никого не ненавидел,
Но презирал — почти всегда.

И вот теперь, на склоне жизни,
Могу порой совет подать:
Как меньше пользоваться счастьем,
Чтоб легче и быстрей страдать.

Здесь из бревенчатого сруба,
В песках и соснах «Уголка»,
Где мирно так шумит Нарова,
Задача честным быть легка.

I have cut up corpses with an anatomist, I have known many luminaries of science, I have experienced shipwreck at sea, I have spent days in thieves' dens…

I have occasionally spoken to tsars, I have fallen deep and risen, I have prayed ardently to God, I have passionately denied God.

I have known poverty, I have known plenty, — loved, suffered, raised a family and, I won't say without fear, I have sometimes been face to face with my death.

I have seen barbarous executions, I have seen horrors of labour; I have never hated anyone, but I have almost always despised people.

And now in my declining years I can sometimes give advice: how to enjoy happiness less so as to suffer more easily and quickly.

Here, from a house of hewn logs, in the sands and pines of 'Ugolok', where the Narva flows with such a peaceful noise, the problem of being honest was easy.

Ничто, ничто мне не указка, —
Я не ношу вериг земли...
С моих высоких кругозоров
Всё принижается вдали...

1897

* * *

Наш ум порой, что поле после боя,
Когда раздастся ясный звук отбоя:
Уходят сомкнутые убылью ряды,
Повсюду видятся кровавые следы,
В траве помятой лезвия мелькают,
Здесь груды мертвых, эти умирают,
Идет, прислушиваясь к звукам, санитар,
Дает священник людям отпущенья —
Слоится дым последнего кажденья...
А птичка Божья, являя ценный дар,
Чудесный дар живого песнопенья,
Присев на острый штык, омоченный в крови,
Поет, счастливая, о мире и любви...

1898

Nothing, nothing gives me orders. I don't wear earth's chains... From my lofty prospects everything seems lower in the distance.

Our mind is sometimes like a field after a battle, after the clear sound of retreat is heard: ranks serried by losses depart, everywhere bloody traces are visible, blades flash in the trampled grass, here are piles of dead bodies, there people are dying, the stretcher-bearer walks listening to sounds, a priest gives people absolution — the smoke of the last rites separates out... And God's free bird, showing its precious gift, the wonderful gift of live singing, perching on a sharp bayonet which is soaked in blood, sings, happy, of peace and love...

* *
*

Ты не гонись за рифмой своенравной
И за поэзией — нелепости оне:
Я их сравню с княгиней Ярославной,
С зарею плачущей на каменной стене.

Ведь умер князь, и стен не существует,
Да и княгини нет уже давным-давно;
А всё как будто, бедная, тоскует,
И от нее не всё, не всё схоронено.

Но это вздор, обманное созданье!
Слова — не плоть... Из рифм одежд не ткать!
Слова бессильны дать существованье,
Как нет в них также сил на то, чтоб убивать...

Нельзя, нельзя... Однако преисправно
Заря затеплилась; смотрю, стоит стена;
На ней, я вижу, ходит Ярославна,
И плачет, бедная, без устали она.

Сгони ее! Довольно ей пророчить!
Уйми все песни, все! Вели им замолчать!
К чему они? Чтобы людей морочить
И нас, то здесь — то там, тревожить и смущать!

Don't pursue whimsical rhyme or poetry — they are absurdities: I would compare them to Princess Iaroslavna weeping with the dawn on the stone wall.

For the prince has died and there are no walls, and the princess died a very long time ago, but still the poor woman seems to pine and not all of her, not all is buried.

But this is rubbish, a deluded creation! Words are not flesh; You can't weave clothes from rhymes. Words have no power to give existence, just as they lack the force to kill.

It's not possible, not possible... Yet right on time the dawn has warmed up; look, the wall stands; on it, I see, Iaroslavna is walking and, poor woman, weeping ceaselessly.

Chase her off! That's enough of her prophesying. Silence all songs, all. Tell them to be quiet. What use are they? To fool people and to alarm and upset us here or there.

Смерть песне, смерть! Пускай не существует!..
Вздор рифмы, вздор стихи! Нелепости оне!..
А Ярославна всё-таки тоскует
В урочный час на каменной стене...

1898

*　*　*

Как эти сосны древни, величавы,
И не одну им сотню лет прожить;
Ударит молния! У неба злые нравы,
Судьба решит: им именно — не быть!

Весна в цветах; и яблони, и сливы
Все разодеты в белых лепестках.
Мороз ударит ночью! И не живы
Те силы их, что зреть могли в плодах.

И Гретхен шла, полна святого счастья,
Полна невинности, без мысли о тюрьме, —
Но глянул блеск проклятого запястья,
И смерть легла и в сердце, и в уме...

1902

Death to song, death! Let it not exist... Rhymes are nonsense, verses are nonsense. They are absurdities... But Iaroslavna nevertheless pines at the allotted hour on the stone wall.

How ancient, majestic are these pines, and they could live several hundred years. Lightning will strike. Heaven has nasty customs, fate will decide: they are not to be.
Spring is full of flowers; apple trees and plums are dressed up in white petals. Frost will strike at night. And the forces that could ripen in the fruits are no longer alive.
And Gretchen walked full of sacred happiness, full of innocence, without a thought about prison — but the shine of an accursed bracelet flashed, and death entered her heart and her mind...

Рецепт Мефистофеля

Я яд дурмана напущу
В сердца людей, пускай их точит!
В пеньку веревки мысль вмещу
Для тех, кто вешаться захочет!

Под шум веселья и пиров,
Под звон бокалов, треск литавров
Я в сфере чувства и умов
Вновь воскрешу ихтиозавров!

У передо́хнувших химер
Займу образчики творенья,
Каких-то новых, диких вер
Непочатого откровенья!

Смешаю я по бытию
Смрад тленья с жаждой идеала;
В умы безумья рассую,
Дав заключенье до начала!

Сведу, помолвлю, породню
Окаменелость и идею,
И праздник смерти учиню,
Включив его в Четьи-Минею.

1903

Mephistopheles' Recipe

I shall release the thorn apple's poison into people's hearts, let it gnaw at them. I shall place the thought of the rope into the hemp for those who might try to hang themselves.

To the noise of merriment and feasts, to the ringing of glasses, the banging of drums, in the sphere of feeling and minds I shall bring back ichthyosauruses to life.

From the extinct chimæras I shall take samples of creation, of new, wild faiths of untapped revelation.

Over living things I shall mix the stench of decay with the thirst for an ideal; I shall insert mad thoughts into minds, giving the conclusion before the beginning.

I shall bring together, betroth, make kin of fossilisation and idea, I shall institute a festival of death by including it in the [*Liturgy's*] Lives of the Saints.

АЛЕКСЕЙ НИКОЛАЕВИЧ АПУХТИН
ALEKSEI NIKOLAEVICH APUKHTIN

Мухи

Мухи, как черные мысли, весь день не дают мне покою:
Жалят, жужжат и кружатся над бедной моей головою!
Сгонишь одну со щеки, а на глаз уж уселась другая,
Некуда спрятаться, всюду царит ненавистная стая,
Валится книга из рук, разговор упадает, бледнея...
Эх, кабы вечер придвинулся! Эх, кабы ночь поскорее!

Черные мысли, как мухи, всю ночь не дают мне покою:
Жалят, язвят и кружатся над бедной моей головою!
Только прогонишь одну, а уж в сердце впилася другая, —
Вся вспоминается жизнь, так бесплодно в мечтах прожитая!
Хочешь забыть, разлюбить, а всё любишь сильней и больнее...
Эх! кабы ночь настоящая, вечная ночь поскорее!

1878

* * *

Ночи безумные, ночи бессонные,
Речи несвязные, взоры усталые...
Ночи, последним огнем озаренные,
Осени мертвой цветы запоздалые!

Flies

Flies, like black thoughts, give me no peace all day: they sting, buzz and circle over my poor head. If you chase off one from your cheek, another will have sat on your eye, there is nowhere to hide, everywhere a hateful swarm rules, your book falls out of your hands, talk falters, paling... O, if only evening would approach! Oh for night as quickly as possible.

Black thoughts like flies give me no peace all night: they sting, wound and circle over my poor head. As soon as you chase one away, another is sucking at your heart, — you remember your whole life, spent so barrenly in dreams. You try to forget, to stop loving, but you love all the more strongly and painfully... Oh, if only real night, eternal night would come as quickly as possible.

Crazy nights, sleepless nights, confused words, tired gazes... Nights lit up by the last fire, belated flowers of a dead autumn.

Пусть даже время рукой беспощадною
Мне указало, что было в вас ложного,
Всё же лечу я к вам памятью жадною,
В прошлом ответа ищу невозможного...

Вкрадчивым шепотом вы заглушаете
Звуки дневные, несносные, шумные...
В тихую ночь вы мой сон отгоняете,
Ночи бессонные, ночи безумные!

1876

П. Чайковскому

Ты помнишь, как забившись в «музыкальной»,
    Забыв училище и мир,
    Мечтали мы о славе идеальной...
    Искусство было наш кумир,
И жизнь для нас была обвеяна мечтами.
Увы, прошли года, и с ужасом в груди
    Мы сознаем, что всё уже за нами,
    Что холод смерти впереди.
Мечты твои сбылись. Презрев тропой избитой,
Ты новый путь себе настойчиво пробил,
    Ты с бою славу взял и жадно пил
    Из этой чаши ядовитой.
О, знаю, знаю я, как жестко и давно

Even though time's merciless hand may have shown me what was false in you, I still fly towards you with greedy memory, I seek an impossible answer in the past...

You drown out with an insinuating whisper the daytime, unbearable, noisy sounds... In a quiet night you chase away my sleep, sleepless nights, crazy nights.

To Tchaikovsky

You remember us taking refuge in the 'music room', forgetting the college and the world, dreaming of ideal fame... Art was our idol, and life for us was imbued with dreams. Alas, years passed and, with horror in the breast, we realise that everything is now behind us, that ahead is death's chill. Your dreams came true. Despising the beaten path, you insistently cleared a new path for yourself, you took fame in battle and eagerly drunk it from this poisonous chalice. O, I know, I know how harshly and how long ago a

Тебе за это мстил какой-то рок суровый
И сколько в твой венец лавровый
Колючих терний вплетено.
Но туча разошлась. Душе твоей послушны,
Воскресли звуки дней былых,
И злобы лепет малодушный
Пред ними замер и затих.
А я, кончая путь «непризнанным» поэтом,
Горжусь, что угадал я искру божества
В тебе, тогда мерцавшую едва,
Горящую теперь таким могучим светом.

1877

* * *

Когда любовь охватит нас
Своими крепкими когтями,
Когда за взглядом гордых глаз
Следим мы робкими глазами,
Когда не в силах превозмочь
Мы сердца мук и, как на страже,
Повсюду нас и день и ночь
Гнетет всё мысль одна и та же;
Когда в безмолвии, как тать,
К душе подкрадется измена, —
Мы рвемся, ропщем и бежать

severe fate took vengeance on you for this and how many prickly thorns were woven into your laurel wreath. But the storm cloud cleared. Obedient to your soul, the sounds of former days revived and spite's cowardly murmurs died away and fell silent before them. But I, ending my path as an 'unrecognised' poet, am proud that I divined the spark of godhood in you, a spark that then barely glimmered and now burns with such a mighty light.

When love seizes us in its strong claws, when we watch the look of proud eyes with our shy eyes, when we are too weak to overcome the heart's agonies and, as if on guard, one and the same thought keeps oppressing us day and night everywhere; when in silence, like a thief, betrayal creeps up to the soul, we tear away, we protest and we try to run

Хотим из тягостного плена.
Мы просим воли у судьбы,
Клянем любовь — приют обмана,
И, как восставшие рабы,
Кричим: «Долой, долой тирана!»

Но если боги, вняв мольбам,
Освободят нас от неволи,
Как пуст покажется он нам,
Спокойный мир без мук и боли.
О, как захочется нам вновь
Цепей, давно проклятых нами,
Ночей с безумными слезами
И слов, сжигающих нам кровь...
Промчатся дни без наслажденья,
Минуют годы без следа,
Пустыней скучной, без волненья
Нам жизнь покажется...
. . . . Тогда,
Как предки наши, мы с гонцами
Пошлем врагам такой привет:
«Обильно сердце в нас мечтами,
Но в нем теперь порядка нет,
Придите княжити над нами...»

1870-е годы

from distressing captivity. We ask fate for release, we curse love, the refuge of deceit, and, like rebelling slaves, we shout: 'Down, down with the tyrant.'

But if the gods, harking our entreaties, free us from captivity, how empty it seems to us, the peaceful world without agonies or pain. O, how we shall again want the chains, which we had cursed for so long, the nights with crazy tears and words that burn our blood... The days will rush past without enjoyment, the years will pass without a trace, life will seem like a dreary desert without emotion... . . . Then, like our ancestors, we will send messengers with this greeting to our enemies: 'Our heart is abundant in dreams, but there is no order in it, come and rule over us...'

ВЕРА НИКОЛАЕВНА ФИГНЕР
VERA NIKOLAEVNA FIGNER

* *
*

День-деньской за работой сидишь
Одиноко, в тоске безысходной,
За иглою тревожно следишь
Взором, полным досады бесплодной.
Здесь работа — пустая игра,
Развлеченье от давящей скуки;
Равнодушно берется игла,
Бесполезно работают руки.
И найдет же порой день такой,
Засосет тебя словно трясина,
Потеряешь всю власть над собой,
Опротивеет жизни рутина.
И досада в душе закипит...
Всё наскучило, всё надоело!
Глаз недоброю искрой горит,
Ни на что бы кругом не глядела.
И хотелось бы всё разнести,
Все уставы сломать, все преграды,
И в безумном порыве найти
Хоть минуточку жгучей отрады!

1888

Day after day you sit at work, alone, in hopeless anguish, you follow the needle anxiously with a gaze full of fruitless resentment. Here work is an idle pastime, a distraction from suffocating boredom; the needle is picked up with indifference, the hands work pointlessly. And sometimes a day comes, as if a quagmire has sucked you in, you lose all control over yourself, life's routine becomes repulsive and resentment seethes in the soul... You are bored with everything, fed up with everything! The eye burns with a vicious spark, you don't want to look at anything around. And you'd like to smash everything up, break all conventions, all barriers, and in a mad outburst find just a minute of burning joy.

**
*
* *

Склонясь задумчиво, рукой
Песок я здесь перебираю...
И вижу берег пред собой
И в мир иной перелетаю!

Вдали от стен тюрьмы глухой
Песочек этот расстилался,
На берегу реки большой
Он на просторе красовался.

Кругом стоял сосновый лес,
Ветвями темными качая,
А необъятный свод небес
Сиял, весь берег озаряя.

И день и ночь с речной волной
Там золотой песок шептался...
В полдневный зной и в час ночной
С ней поцелуями менялся...

Теперь же с грустью о волне
И о просторе он вздыхает,
И берег свой рисует мне
И в мир свободы увлекает...

Leaning pensively, I run sand through my hand here... And I see a shore before me and I fly into another world.

Far from the soundless prison's walls this sand was spread out, it showed its beauty in freedom on the bank of a big river.

Around stood a pine forest, its dark branches waving, and the sky's infinite vault shone, lighting up the whole shore.

And day and night the golden sand there whispered with the river waves... In the midday heat and in the night it exchanged kisses with them...

Now it sighs with sadness for the waves and the open spaces, and it sketches its shore for me and carries me off into the world of freedom...

И мнится мне: то берег Цны,
Зеленый свод сосны душистой,
То синий вал морской волны
И берег Крыма золотистый.

1890

And I fancy I now see the banks of the Tsna, the green arch of a fragrant pine, now the blue roller of the sea wave and the golden shore of the Crimea.

ВЛАДИМИР СЕРГЕЕВИЧ СОЛОВЬЕВ
VLADIMIR SERGEEVICH SOLOVIOV

Сон наяву

Лазурное око
Сквозь мрачно нависшие тучи...
Ступая глубоко
По снежной пустыне сыпучей,
К загадочной цели
Иду одиноко.
За мной только ели,
Кругом лишь далеко
Раскинулась озера ширь в своем белом уборе,
И вслух тишина говорит мне: нежданное сбудется вскоре.

Лазурное око
Опять потонуло в тумане,
В тоске одинокой
Бледнеет надежда свиданий.
Печальные ели
Темнеют вдали без движенья,
Пустыня без цели,
И путь без стремленья,
И голос всё тот же звучит в тишине без укора:
Конец уже близок, нежданное сбудется скоро.

1895

A Waking Dream

An azure eye through the grimly lowering clouds... Stepping deep through the snowy shifting wilderness towards a mysterious goal, I walk alone. Behind me are only fir trees, around only the breadth of the lake has flung itself far in its white raiment, and the silence says aloud to me: the unexpected will soon come true.

The azure eye has again drowned in mist, in lonely anguish the hope of meetings pales. The sad firs are motionless, the wilderness aimless, and the path with no direction, and the same voice still sounds in the silence without reproach: the end is now near, the unawaited will soon happen.

Три свидания

(Москва — Лондон — Египет. 1862—1875—1876)

Поэма

Заранее над смертью торжествуя
И цепь времен любовью одолев,
Подруга вечная, тебя не назову я,
Но ты почуешь трепетный напев…

Не веруя обманчивому миру,
Под грубою корою вещества,
Я осязал нетленную порфиру
И узнавал сиянье Божества…

Не трижды ль ты далась живому взгляду —
Не мысленным движением, о нет! —
В предвестие, иль в помощь, иль в награду
На зов души твой образ был ответ.

I

И в первый раз, — о, как давно то было! —
Тому минуло тридцать шесть годов,
Как детская душа нежданно ощутила
Тоску любви с тревогой смутных снов.

Мне девять лет, *она*… ей — девять тоже.
«Был майский день в Москве», как молвил Фет.
Признался я. Молчание. О Боже!
Соперник есть. А! он мне даст ответ.

Three Meetings (Moscow—London—Egypt. 1862—1875—1876) A Narrative Poem
Triumphing beforehand over death and conquering the chain of times by love, eternal
woman friend, I shall not name you, but you will sense my timorous song…

Not believing in the deceptive world, under matter's coarse crust I felt the
imperishable purple raiment and recognised the Godhead's radiance.

Did you not appear to a living gaze thrice — not by movement of thought, o no! — as
a foretelling or as help or as reward your image was a reply to my soul's call.

I. And the first time — o how long ago it was! — thirty six years have passed since my
infant soul unexpectedly felt love's anguish with the anxiety of confused dreams.

I was nine, *she*… was nine too. 'It was a May day in Moscow,' as Fet said. I confessed
my feelings. Silence. O God! There is a rival. Ah, he will answer me.

Дуэль, дуэль! Обедня в Вознесенье.
Душа кипит в потоке страстных мук.
Житейское... отложим... попеченье —
Тянулся, замирал и замер звук.

Алтарь открыт... Но где ж священник, дьякон?
И где толпа молящихся людей?
Страстей поток, — бесследно вдруг иссяк он.
Лазурь кругом, лазурь в душе моей.

Пронизана лазурью золотистой,
В руке держа цветок нездешних стран,
Стояла ты с улыбкою лучистой,
Кивнула мне и скрылася в туман.

И детская любовь чужой мне стала,
Душа моя — к житейскому слепа...
А немка-бонна грустно повторяла:
«Володинька — ах! слишком он глупа!»

II

Прошли года. Доцентом и магистром
Я мчуся за границу в первый раз.
Берлин, Ганновер, Кельн — в движеньи быстром
Мелькнули вдруг и скрылися из глаз.

A duel, a duel! Ascension day Mass. The soul seethes in a current of passionate agony. *The everyday... let us set aside... concern* — the sound stretched out, began to fade and died.

The altar gates are open... But where are the priest, the deacon? And where is the crowd of people praying? The current of passions has suddenly dried up without trace. There is azure all around, azure in my soul.

Imbued with golden azure, holding in your hand a flower from otherworldly parts, you stood with radiant smile, you nodded to me and vanished into the mist.

And infant love became alien to me, my soul was blind to everyday life... But the German children's maid sadly repeated: 'Volodinka, ach, he is too shtoopid!'

II. Years passed. A lecturer and master of arts, I rush abroad for the first time. Berlin, Hanover, Cologne in fast movement flashed suddenly and vanished from sight.

Не света центр, Париж, не край испанский,
Не яркий блеск восточной пестроты, —
Моей мечтою был Музей Британский,
И он не обманул моей мечты.

Забуду ль вас, блаженные полгода?
Не призраки минутной красоты,
Не быт людей, не страсти, не природа —
Всей, всей душой одна владела ты.

Пусть там снуют людские мириады
Под грохот огнедышащих машин,
Пусть зиждутся бездушные громады, —
Святая тишина, я здесь один.

Ну, разумеется, cum grano salis:
Я одинок был, но не мизантроп;
В уединении и люди попадались,
Из коих мне теперь назвать кого б?

Жаль, в свой размер вложить я не сумею
Их имена, не чуждые молвы...
Скажу: два-три британских чудодея
Да два иль три доцента из Москвы.

Всё ж больше я один в читальном зале;
И верьте иль не верьте, — видит Бог,
Что тайные мне силы выбирали
Всё, что о ней читать я только мог.

Not Paris, the world's centre, nor the Spanish regions, nor the bright splendour of the colourful orient: the British Museum was my dream and it did not disappoint my dream.

Shall I forget you, blessed six months? Not spectres of short-lasting beauty, not people's way of life, not passions, not nature: only you owned my soul, my whole soul.

Let human myriads rush about there to the thundering of fire-breathing machines, let soulless piles be built, sacred stillness, I am here alone.

Well, naturally, *cum grano salis* [with a pinch of salt]: I was alone, but not a misanthropist; people did appear in my solitude — of them whom should I name?

Unfortunately I won't be able to fit their names, not unknown to fame, into my metre... I'll say: two or three British wizards and two or three lecturers from Moscow.

Still I am mostly alone in the reading room and, believe me or not, God sees that secret forces were choosing for me everything I could possibly read about her.

Когда же прихоти греховные внушали
Мне книгу взять «из оперы другой», —
Такие тут истории бывали,
Что я в смущеньи уходил домой.

И вот однажды — к осени то было —
Я ей сказал: «О Божества расцвет!
Ты здесь, я чую, — что же не явила
Себя глазам моим ты с детских лет?»

И только я помыслил это слово —
Вдруг золотой лазурью всё полно,
И предо мной она сияет снова, —
Одно ее лицо, — оно одно.

И то мгновенье долгим счастьем стало,
К земным делам опять душа слепа,
И если речь «серьезный» слух встречала,
Она была невнятна и *глупа*.

III

Я ей сказал: «Твое лицо явилось,
Но всю тебя хочу я увидать.
Чем для ребенка ты не поскупилась,
В том юноше нельзя же отказать!»

When sinful whims suggested taking a book 'on quite a different matter', such complications would happen that I would go home in confusion.

And then once — it was nearly autumn — I said to her: 'O dawn of Godhood, you are here, I sense it — why have you not shown yourself to my eyes since my childhood years?'

And hardly had I thought these words than suddenly everything was full of golden azure, and she radiates again before me, just her face, just that.

And that moment became long-lived happiness, my soul was again blind to earthly matters, and if words met a 'serious' hearing, they were inaudible and *stupid*.

III. I told her: 'Your face has appeared, but I want to see all of you, what you did not grudge for a child, you cannot refuse to a young man!'

«В Египте будь!» — внутри раздался голос.
В Париж! — и к югу пар меня несет.
С рассудком чувство даже не боролось:
Рассудок промолчал, как идиот.

На Льон, Турин, Пьяченцу и Анкону,
На Фермо, Бари, Бриндизи — и вот
По синему трепещущему лону
Уж мчит меня британский пароход.

Кредит и кров мне предложил в Каире
Отель «Аббат», — его уж нет, увы! —
Уютный, скромный, лучший в целом мире...
Там были русские, и даже из Москвы.

Всех тешил генерал — десятый номер, —
Кавказскую он помнил старину...
Его назвать не грех — давно он помер,
И лихом я его не помяну.

То Ростислав Фаддеев был известный,
В отставке воин и владел пером.
Назвать кокотку иль собор поместный —
Ресурсов тьма была сокрыта в нем.

Мы дважды в день сходились за табльдотом;
Он весело и много говорил,
Не лез в карман за скользким анекдотом
И философствовал по мере сил.

'Visit Egypt,' a voice resounded within. To Paris — and steam carries me south. Feeling did not even struggle with reason: reason was silent, like an idiot.

To Lyons, Turin, Piacenza and Ancona, to Fermo, Bari, Brindisi, and now over the blue quivering ocean I was being rushed by a British steamboat.

In Cairo the Abbat hotel — gone, alas — comfortable, modest, the best in the whole world offered me credit and refuge... Russians were there, even from Moscow.

The general in Room Ten entertained everyone, he recalled old-time Caucasus... it's no sin to name him — he died long ago, and I will say nothing bad about him.

He was the well-known Rostislav Faddeev, a retired military man, with a command of the pen. He could name a courtesan or an ecclesiastic council — a mass of resources were hidden in him.

Twice a day we met at table d'hôte; he talked a lot and merrily, he was not short of a dubious story and philosophised to the best of his ability.

Я ждал меж тем заветного свиданья,
И вот однажды, в тихий час ночной,
Как ветерка прохладное дыханье:
«В пустыне я — иди туда за мной».

Идти пешком (из Лондона в Сахару
Не возят даром молодых людей, —
В моем кармане — хоть кататься шару,
И я живу в кредит уж много дней).

Бог весть куда, без денег, без припасов,
И я в один прекрасный день пошел —
Как дядя Влас, что написал Некрасов.
(Ну, как-никак, а рифму я нашел.)

Смеялась, верно, ты, как средь пустыни,
В цилиндре высочайшем и в пальто,
За черта принятый, в здоровом бедуине
Я дрожь испуга вызвал и за то

Чуть не убит. — Как шумно, по-арабски
Совет держали шейхи двух родов,
Что делать им со мной, как после рабски
Скрутили руки и без лишних слов

Подальше отвели, преблагородно
Мне руки развязали — и ушли.
Смеюсь с тобой: богам и людям сродно
Смеяться бедам, раз они прошли.

Meanwhile I was waiting for the allotted meeting, and once, in the quiet night time, like the breeze's cool breath I hear: 'I am in the desert, follow me there.'

To go on foot (young people are not taken free from London to the Sahara, — I hadn't two pennies to rub together in my pocket, and I had lived on credit for many days now)

God knows where, with no money, no supplies, yet I went one fine day — like Uncle Vlas, which Nekrasov wrote. (Well somehow I found a rhyme.)

Probably you laughed at me in the middle of the desert, in a very tall top hat and overcoat, taken for a devil, arousing a shudder of fear in a hefty Bedouin, and for that

Nearly killed, at sheikhs of two clans noisily, in Arabic, debating what to do with me, at them tying my hands like a slave's behind my back and with no superfluous words

Leading me further off, very nobly untying my hands, and departing. I laugh with you: it is natural for Gods and humans to laugh at disasters once they have passed.

Тем временем немая ночь на землю
Спустилась прямо, без обиняков,
Кругом лишь тишину одну я внемлю
Да вижу мрак средь звездных огоньков.

Прилегши наземь, я глядел и слушал...
Довольно гнусно вдруг завыл шакал;
В своих мечтах меня он, верно, кушал,
А на него и палки я не взял.

Шакал-то что! Вот холодно ужасно...
Должно быть, нуль, — а жарко было днем...
Сверкают звезды беспощадно ясно;
И блеск, и холод — во вражде со сном.

И долго я лежал в дремоте жуткой,
И вот повеяло: «Усни, мой бедный друг!» —
И я уснул; когда ж проснулся чутко,
Дышали розами земля и неба круг.

И в пурпуре небесного блистанья
Очами полными лазурного огня
Глядела ты, как первое сиянье
Всемирного и творческого дня.

Что́ есть, что́ было, что́ грядет вовеки —
Всё обнял тут один недвижный взор...
Синеют подо мной моря и реки,
И дальний лес, и выси снежных гор.

Meanwhile mute night had fallen straight onto the earth, without ado. All around I perceive only silence and see the darkness amidst the starry lights.

I lay on the ground and looked and listened... A jackal began to howl quite vilely; in his dreams he was probably eating me, but I hadn't even taken a stick to deal with him.

What was a jackal? It was horribly cold... Zero, I'm sure, but it was hot by day... The starts glitter mercilessly clear; and the radiance and the cold conflict with sleep.

And I lay a long time in awful slumber, then words wafted: 'Go to sleep, my poor friend.' And I fell asleep; when I awoke, alert, earth and the sky's circle breathed roses.

And in the purple of heavenly radiance, with eyes full of azure fire, you looked like the first shining of the universal and creative day.

What is, what was and what will come for ever — one motionless gaze took it all in... Seas and rivers are blue below me, and the far forest and snowy mountain heights.

Всё видел я, и всё одно лишь было, —
Один лишь образ женской красоты...
Безмерное в его размер входило, —
Передо мной, во мне — одна лишь ты.

О лучезарная! тобой я не обманут;
Я всю тебя в пустыне увидал...
В моей душе те розы не завянут,
Куда бы ни умчал житейский вал.

Один лишь миг! Видение сокрылось —
И солнца шар всходил на небосклон.
В пустыне тишина. Душа молилась,
И не смолкал в ней благовестный звон.

Дух бодр! Но всё ж не ел я двое суток,
И начинал тускнеть мой высший взгляд.
Увы! как ты ни будь душою чуток,
А голод ведь не тетка, говорят.

На запад солнца путь держал я к Нилу
И вечером пришел домой в Каир.
Улыбки розовой душа следы хранила,
На сапогах — виднелось много дыр.

Со стороны всё было очень глупо
(Я факты рассказал, виденье скрыв).
В молчаньи генерал, поевши супа,
Так начал важно, взор в меня вперив:

I saw everything and it was all just one, — one sole image of female beauty... The immeasurable entered its measure, — before me, in me there was only you.

O radiant woman, you have not let me down: I saw all of you in the desert... Those roses will not fade in my soul, wherever life's wave may sweep me to.

Only an instant! The vision vanished — and the sun's globe rose into the horizon. It was quiet in the desert. The soul prayed and the eucharistic ringing in it never fell silent.

The spirit is strong! But I still hadn't eaten for two days and nights, and my lofty sight began to dim. Alas, however sensitive your soul, hunger is no aunt, as they say.

I made way towards the Nile following the sun's set and by evening came home to Cairo. The soul kept traces of the pink smile, my shoes showed many holes.

To an outsider it was all very stupid (I told the facts, concealing the vision). In silence, the general, after eating his soup, began solemnly, fixing his gaze on me:

«Конечно, ум дает права на *глупость*,
Но лучше сим не злоупотреблять:
Не мастерица ведь людская тупость
Виды безумья точно различать.

А потому, коль вам прослыть обидно
Помешанным иль просто дураком, —
Об этом происшествии постыдном
Не говорите больше ни при ком».

И много он острил, а предо мною
Уже лучился голубой туман,
И, побежден таинственной красою,
В даль уходил житейский океан.

———

Еще невольник суетному миру,
Под грубою корою вещества
Так я прозрел нетленную порфиру
И ощутил сиянье Божества.

Предчувствием над смертью торжествуя
И цепь времен мечтою одолев,
Подруга вечная, тебя не назову я,
А ты прости нетвердый мой напев!

1898

'Of course brains entitle you to *stupidity*, but it's best not to abuse this right: obtuse human minds are not good at distinguishing exactly the categories of madness.

And therefore, if you don't want to be thought insane or simply a fool, do not speak any more about this shameful incident in anyone's presence.'

And he joked a lot, but before me the blue mist was now radiating, and, overcome by mysterious beauty, the ocean of everyday life was receding into the distance.

———

Still a slave to the vain world, under matter's coarse crust, I had thus glimpsed imperishable purple raiment and felt the Godhead's radiance.

My premonition triumphing over death, and overcoming the chain of times with dream, eternal woman friend, I shall not name you, but you forgive my unsure tune!

МИРРА АЛЕКСАНДРОВНА ЛОХВИЦКАЯ
MIRRA ALEKSANDROVNA LOKHVITSKAIA

Метель

Расстилает метель
Снеговую постель,
Серебристая кружится мгла.
Я стою у окна,
Я больна, я одна,
И на сердце тоска налегла.

Сколько звуков родных,
Голосов неземных
Зимний ветер клубит в вышине.
Я внимаю — и вот,
Колокольчик поет.
То не милый ли мчится ко мне?

Я бегу на крыльцо.
Ветер бьет мне в лицо,
Ветер вздох мой поймал и унес:
«Милый друг мой, скорей
Сердцем сердце согрей,
Дай отраду утраченных слез!

Не смотри, что измят
Мой венчальный наряд,
Что от мук побледнели уста,
Милый друг мой, скорей
Сердцем сердце согрей, —
И воскреснет моя красота».

The Blizzard

The blizzard makes a bed of snow, a silvery mist swirls. I stand by the window, I am ill, I am alone, and anguish has fallen on my heart.

How many familiar sounds, unearthly voices are raised into the heights by the winter wind. I listen and now a bell tolls. Would that be my darling rushing to see me?

I run to the porch, the wind strikes my face, the wind has caught and borne away my sigh: 'My darling friend, quickly warm heart with heart, give the joy of lost tears.'

Don't look at my wedding dress being crumpled, at my lips pallid with agony, my darling friend, quickly warm heart with heart, and my beauty will resurrect.'

Жду я. Тихо вдали.
Смолкли звуки земли.
Друг далёко, — забыл обо мне,
Только ветер не спит,
И гудит, и твердит
О свиданьи в иной стороне.

1898

Саламандры

Тишина. Безмолвен вечер длинный,
Но живит камин своим теплом.
За стеною вальс поет старинный,
Тихий вальс, грустящий о былом.

Предо мной на камнях раскаленных
Саламандр кружится легкий рой.
Дышит жизнь в движеньях исступленных,
Скрыта смерть их бешеной игрой.

Все они в одеждах ярко-красных
И копьем качают золотым.
Слышен хор их шепотов неясных,
Внятна песнь, беззвучная, как дым:

I am waiting. It is quiet in the distance. The sounds of the earth have died down. My friend is far, he has forgotten about me, only the wind is still awake and roars and insists on a meeting in another region.

Salamanders
Stillness. The long evening is silent, but the fireplace animates one with its warmth. In the next room an ancient waltz sings, a quiet waltz nostalgic for the past.
Before me on the red-hot stones a light swarm of salamanders circles. Life breathes in ecstatic movements, death is hidden in their manic play.
They all wear bright red clothes and sway golden lances. You can hear a chorus of their vague whispers, you can catch their song, as soundless as smoke:

«Мы — саламандры, блеск огня,
Мы — дети призрачного дня.
Огонь — бессмертный наш родник,
Мы светим век, живем лишь миг.

Во тьме горит наш блеск живой,
Мы вьемся в пляске круговой,
Мы греем ночь, мы сеем свет,
Мы сеем свет, где солнца нет.

Красив и страшен наш приют,
Где травы алые цветут,
Где вихрь горячий тонко свит,
Где пламя синее висит.

Где вдруг нежданный метеор
Взметнет сверкающий узор
И желтых искр пурпурный ход
Завьет в бесшумный хоровод.

Мы — саламандры, блеск огня,
Мы — дети призрачного дня.
Смеясь, кружась, наш легкий хор
Ведет неслышный разговор.

Мы в черных угольях дрожим,
Тепло и жизнь оставим им.
Мы — отблеск реющих комет,
Где мы — там свет, там ночи нет.

'We are salamanders, the radiance of fire, we are the children of spectral day. Fire is our immortal source, we shed light up for a century, but live just a moment.

Our living radiance burns in the darkness, we weave in a round dance, we warm the night, we sow light, we sow light where there is no sun.

Beautiful and terrifying is our refuge, where scarlet grasses flower, where the burning whirlwind is furled up finely, where blue flame hangs,

Where an unexpected meteor will suddenly throw up a flashing pattern and the purple movement of yellow sparks will spiral into a noiseless chorus.

We are salamanders, radiance of fire, we are the children of spectral day. Laughing, whirling, our light choir carries on an inaudible conversation.

We quiver in black coals, we shall leave them the warmth and life. We are a reflection of soaring comets, wherever we are there is light and no night.

Мы на мгновенье созданы,
Чтоб вызвать гаснущие сны,
Чтоб камни мертвые согреть,
Плясать, сверкать — и умереть».

1900

We are created for a moment to call up dying dreams, to warm dead stones, to dance, to flash and to die.'

ИННОКЕНТИЙ ФЕДОРОВИЧ АННЕНСКИЙ
INNOKENTII FIODOROVICH ANNENSKII

Сентябрь

Раззолочённые, но чахлые сады
С соблазном пурпура на медленных недугах,
И солнца поздний пыл в его коротких дугах,
Невластный вылиться в душистые плоды.

И желтый шелк ковров, и грубые следы,
И понятая ложь последнего свиданья,
И парков черные, бездонные пруды,
Давно готовые для спелого страданья...

Но сердцу чудится лишь красота утрат,
Лишь упоение в завороженной силе;
И тех, которые уж лотоса вкусили,
Волнует вкрадчивый осенний аромат.

Смычок и струны

Какой тяжелый, темный бред!
Как эти выси мутно-лунны!
Касаться скрипки столько лет
И не узнать при свете струны!

September
Gilded but wilted gardens with the seduction of purple on slow ailments, and the sun's late heat in its short arcs, unable to pour out into fragrant fruit.
And the carpets' yellow silk, and the rough footprints, and the understood lies of a last meeting, and the parks' black bottomless ponds, long ready for ripe suffering...
But the heart intuits only the beauty of losses, only ecstasy in an enchanted force; and those who have tasted the lotus are disturbed by the insinuating autumn aroma.

The Bow and the Strings
What a heavy, dark delirium! How turbidly lunar are these heights. To touch the violin for so many years and not have recognised the strings in the light!

Кому ж нас надо? Кто зажег
Два желтых лика, два унылых...
И вдруг почувствовал смычок,
Что кто-то взял и кто-то слил их.

«О, как давно! Сквозь эту тьму
Скажи одно: ты та ли, та ли?»
И струны ластились к нему,
Звеня, но, ластясь, трепетали.

«Не правда ль, больше никогда
Мы не расстанемся? довольно?..»
И скрипка отвечала *да*,
Но сердцу скрипки было больно.

Смычок всё понял, он затих,
А в скрипке эхо всё держалось...
И было мукою для них,
Что людям музыкой казалось.

Но человек не погасил
До утра свеч... И струны пели...
Лишь солнце их нашло без сил
На черном бархате постели.

Who needs us? Who has lit up two yellow, two sad faces... and suddenly the bow felt someone pick them up and fuse them.

'O how long it's been! Through this darkness, tell me one thing: are you the same, the same?' And the strings clung lovingly to him, ringing, but as they clung they quivered.

'It's true, isn't it, we'll never part again? enough?..' And the violin answered *Yes*, but the violin's heart ached.

The bow understood everything, and fell silent, but the echo kept on resounding in the violin and what seemed music to people was agony for them.

But the man did not extinguish the candles until morning... And the strings sang... Only the sun found them exhausted on the black velvet of the bed.

Старая шарманка

Небо нас совсем свело с ума:
То огнем, то снегом нас слепило,
И, ощерясь, зверем отступила
За апрель упрямая зима.

Чуть на миг сомлеет в забытьи —
Уж опять на брови шлем надвинут,
И под наст ушедшие ручьи,
Не допев, умолкнут и застынут.

Но забыто прошлое давно,
Шумен сад, а камень бел и гулок,
И глядит раскрытое окно,
Как трава одела закоулок.

Лишь шарманку старую знобит,
И она в закатном мленьи мая
Всё никак не смелет злых обид,
Цепкий вал кружа и нажимая.

И никак, цепляясь, не поймет
Этот вал, что ни к чему работа,
Что обида старости растет
На шипах от муки поворота.

Но когда б и понял старый вал,
Что такая им с шарманкой участь,
Разве б петь, кружась, он перестал
Оттого, что петь нельзя, не мучась?..

The Old Barrel Organ
The sky has driven us quite mad: it blinded us now with fire, now with snow, and baring
its teeth, obstinate winter has retreated like a beast behind April.
   Hardly has it swooned for a drowsy instant, again a helmet comes over its eyebrows,
and streams, going under the frozen crust before their song ends, turn silent and frozen.
   But the past is long forgotten, the garden is noisy and the stone is white and resonant,
and the opened window watches the grass cover the alley.
   Only the old barrel organ is shivering and in a May sunset's languor it still finds no
way to grind the evil grievances away, turning and pressing the pin-covered barrel.
   And this barrel has no way of understanding, as it engages the pins, that its work is
pointless, that the agony of turning makes old age's grievances grow on the pins.
   But even if the old barrel understood what its and the organ's fate was, would it really
stop singing and turning just because singing without agony is impossible?

Стальная цикада

Я знал, что она вернется
И будет со мной — Тоска.
Звякнет и запахнется
С дверью часовщика...

Сердца стального трепет
Со стрекотаньем крыл
Сцепит и вновь расцепит
Тот, кто ей дверь открыл...

Жадным крылом цикады
Нетерпеливо бьют:
Счастью ль, что близко, рады,
Муки ль конец зовут?..

Столько сказать им надо,
Так далеко уйти...
Розно, увы! цикада,
Наши лежат пути.

Здесь мы с тобой лишь чудо,
Жить нам с тобою теперь
Только минуту — покуда
Не распахнулась дверь...

Звякнет и запахнется,
И будешь ты так далека...
Молча сейчас вернется
И будет со мной — Тоска.

The Steel Cicada
I knew Anguish would return to be with me: tinkle and slam with the watchmaker's lid.

He who opened the door for her will fasten and again unfasten the heart's steel quivering to the wings' chirruping...

Cicadas beat their avid wings impatiently: are they glad at happiness that is close, are they calling for an end to agony?..

They have so much to say, so far to go... Alas, cicada, our paths are different.

Here you and I are just a miracle, you and I now have only a minute to live, before the lid flies open.

It will tinkle and slam and you'll be so far... Anguish will any moment silently return to be with me.

То и это

Ночь не тает. Ночь как камень.
Плача тает только лед,
И струит по телу пламень
Свой причудливый полет.

Но лопочут даром, тая,
Ледышки́ на голове:
Не запомнить им, считая,
Что подушек только две.

И что надо лечь в угарный,
В голубой туман костра,
Если тошен луч фонарный
На скользоте топора.

Но отрадной до рассвета
Сердце дремой залито,
Всё простит им... если это
Только *Это*, а не *То*.

Мучительный сонет

Едва пчелиное гуденье замолчало,
Уж ноющий комар приблизился, звеня...
Каких обманов ты, о сердце, не прощало
Тревожной пустоте оконченного дня?

That and This

Night does not melt. Night is like a stone. Only ice melts with weeping, and a flame lets its whimsical flight stream over the body.

But lumps of the ice on the head mumble in vain as they melt: they won't remember, if they count, that there are only two pillows.

That you have to lie down in the fumes of the camp-fire's blue mist if a street lamp's rays are nauseating on the slippery surface of an axe.

But the heart is flooded until dawn with joyful slumber, it will forgive them everything... if it is only *This* and not *That*.

An Agonising Sonnet

The bees' hum had barely stopped when a mosquito's high-pitched whine came... What deceits, o heart, have you not forgiven the ended day's unsettling vacuum?

Мне нужен талый снег под желтизной огня,
Сквозь потное стекло светящего устало,
И чтобы прядь волос так близко от меня,
Так близко от меня, развившись, трепетала.

Мне надо дымных туч с померкшей высоты,
Круженья дымных туч, в которых нет былого,
Полузакрытых глаз и музыки мечты,
И музыки мечты, еще не знавшей слова...

О, дай мне только миг, но в жизни, не во сне,
Чтоб мог я стать огнем или сгореть в огне!

Зимний поезд

Снегов немую черноту
Прожгло два глаза из тумана,
И дым остался на лету
Горящим золотом фонтана.

Я знаю — пышущий дракон,
Весь занесен пушистым снегом,
Сейчас порвет мятежным бегом
Завороженной дали сон.

I need thawed snow under the yellow of the fire, which shines through steamed-up glass wearily, for a lock of hair so close to me, so close to me, to quiver as it uncurls.

I must have smoky clouds from darkened heights, the swirl of smoky clouds which have no past, half-closed eyes and the music of dream, and the music of dream that as yet knows no word...

O give me just a moment, but in life, not in a dream, so that I may become fire or burn in fire.

A Train in Winter
Two eyes from the mist have burned through the snows' dumb blackness, and the smoke has remained in flight like a fountain's burning gold.

I know, the fire-breathing dragon is completely buried in fine snow. Any moment it will tear with its rebellious course the enchanted distance's sleep.

А с ним, усталые рабы,
Обречены холодной яме,
Влачатся тяжкие гробы,
Скрипя и лязгая цепями,

Пока с разбитым фонарем,
Наполовину притушенным,
Среди кошмара дум и дрем
Проходит Полночь по вагонам.

Она — как призрачный монах,
И чем ее дозоры глуше,
Тем больше чада в черных снах,
И затеканий, и удуший;

Тем больше слов, как бы не слов,
Тем отвратительней дыханье,
И запрокинутых голов
В подушках красных колыханье.

Как вор, наметивший карман,
Она тиха, пока мы живы,
Лишь молча точит свой дурман
Да тушит черные наплывы.

А снизу стук, а сбоку гул,
Да всё бесцельней, безымянней...
И мерзок тем, кто не заснул,
Хаос полусуществований!

And with this dragon, tired slaves doomed to a cold pit, heavy coffins are pulled, their chains screeching and clanking,

While with a smashed lantern, half extinguished, amidst the nightmare's thoughts and slumbers, Midnight walks the carriages.

Midnight is like a spectral monk, and the more muffled its patrols, the more fumes in the black dreams, the more numbness and suffocation;

The more words that seem not to be words, the more repulsive breathing becomes and the swaying of heads lolling back on red cushions.

Like a thief marking out a pocket, Midnight is quiet while we are alive, only it silently hones its narcotic and stifles the influx of blackness.

And the banging below and the roar from the side, more and more aimless and nameless... and the chaos of half-existences is foul to anyone who has not fallen asleep.

Но тает ночь... И дряхл и сед,
Еще вчера Закат осенний,
Приподнимается Рассвет
С одра его томившей Тени.

Забывшим за ночь свой недуг
В глаза опять глядит терзанье,
И дребезжит сильнее стук,
Дробя налеты обмерзанья.

Пары желтеющей стеной
Загородили красный пламень,
И стойко должен зуб больной
Перегрызать холодный камень.

После концерта

В аллею черные спустились небеса,
Но сердцу в эту ночь не превозмочь усталость...
Погасшие огни, немые голоса, —
Неужто это всё, что от мечты осталось?

О, как печален был одежд ее атлас,
И вырез жутко бел среди наплечий черных!
Как жалко было мне ее недвижных глаз
И снежной лайки рук, молитвенно-покорных!

But night melts... And decrepit and grey-haired, still yesterday's autumn Sunset, Dawn lifts itself up from the sickbed of the Shadow that was wearying it.

Torment again stares at those who have forgotten their ailment for the night, and the banging jingles louder, as it shatters the crusts of freezing that coat it.

Like a yellowing wall puffs of steam have blocked out the red flame, and an aching tooth must bravely try to gnaw through a cold stone.

After The Concert

Onto the avenue black skies have come down, but the heart tonight cannot overcome tiredness... extinguished lights, muted voices, — can this be all that is left of the dream?

O how sad was her clothing's satin, and how awesomely white the plunging neckline between black shoulder straps. How I pitied her motionless eyes and her hands, beseeching and submissive in white kid.

А сколько было там развеяно души
Среди рассеянных, мятежных и бесслезных!
Что звуков пролито, взлелеянных в тиши,
Сиреневых, и ласковых, и звездных!

Так с нити порванной в волненьи иногда,
Средь месячных лучей, и нежны и огнисты,
В росистую траву катятся аметисты
И гибнут без следа.

Человек

Я завожусь на тридцать лет,
Чтоб жить, мучительно дробя
Лучи от призрачных планет
На «да» и «нет», на «ах!» и «бя»,

Чтоб жить, волнуясь и скорбя
Над тем, чего, гляди, и нет...
И был бы, верно, я поэт,
Когда бы выдумал себя.

В работе ль там не без прорух,
Иль в механизме есть подвох,
Но был бы мой свободный дух —

But how much soul was scattered there among the inattentive, rebellious and dry-eyed! How many sounds were spilled, nurtured in silence, lilac, affectionate and starry!

Thus sometimes, from a thread torn in excitement, amid the moonbeams, tender and fiery, amethysts roll onto the grass and perish without trace.

Man
I am wound up for thirty years, to live, painfully refracting beams from spectral planets into 'Yes' and 'No' and 'Ach' and 'Bah'.

To live, worried and grieving over what any moment could vanish... And I would have probably been a poet if I had invented myself.

Whether there is the odd blunder at work or there is something nasty in the mechanism, but my free spirit would be

Теперь не дух, я был бы Бог...
Когда б не *пиль* да не *тубо*
Да не *тю-тю* после *бо-бо!*..

Я люблю

Я люблю замирание эхо
После бешеной тройки в лесу,
За сверканьем задорного смеха
Я истомы люблю полосу.

Зимним утром люблю надо мною
Я лиловый разлив полутьмы
И, где солнце горело весною,
Только розовый отблеск зимы.

Я люблю на бледнеющей шири
В переливах растаявший цвет...
Я люблю всё, чему в этом мире
Ни созвучья, ни отзвука нет.

Not a spirit, I would be a God... were it not for *'File* [Fetch]' and *'Tout beau* [Sit]' or the *'All gone'* after the *Ow! Ow!*..

I Love

I love the dying of an echo after a furious troika in the forest, I love the interval of languor after a flash of provocative laughter.

On a winter morning I love above me the violet mottling of half-darkness and, where the sun has burnt in spring, just winter's pink reflected light.

I love the thawed colour in the play of hues on the pallid expanse... I love everything which has no consonance or resonance in this world.

Моя тоска

М. А. *Кузмину*

Пусть травы сменятся над капищем волненья,
И восковой в гробу забудется рука,
Мне кажется, меж вас одно недоуменье
Всё будет жить мое, одна моя Тоска...

Нет, не о тех, увы! кому столь недостойно,
Ревниво, бережно и страстно был я мил...
О, сила любящих и в муке так спокойна,
У женской нежности завидно много сил.

Да и при чем бы здесь недоуменья были —
Любовь ведь светлая, она кристалл, эфир...
Моя ж безлюбая — дрожит, как лошадь в мыле!
Ей — пир отравленный, мошеннический пир!

В венке из тронутых, из вянущих азалий
Собралась петь она... Не смолк и первый стих,
Как маленьких детей у ней перевязали,
Сломали руки им и ослепили их.

Она бесполая, у ней для всех улыбки,
Она притворщица, у ней порочный вкус —

My Anguish   For *M. A. Kuzmin*
Generations of grasses will grow over worry's temple and the hand, like wax, be forgotten in the coffin, but I think that only my bewilderment will still live among you, only my Anguish...

Not for those, alas, to whom I was so unworthily, jealously, carefully and passionately beloved... O the strength of those who love is so calm even in agony, a woman's affection has an enviable amount of strength.

And what point would bewilderment be here — love is bright, it is crystal, ethereal... But my loveless [*Anguish*] quivers like a horse in a lather! Hers is a poisoned feast, a rogue's feast!

In a wreath of azaleas which have been touched, which are fading, she prepared to sing... The first line had not fallen silent before its little children were bound, their arms were broken and they were blinded.

She is sexless, she has smiles for everyone, she is a sham, she has a depraved taste —

Качает целый день она пустые зыбки,
И образок в углу — сладчайший Иисус...

Я выдумал ее — и всё ж она виденье,
Я не люблю ее — и мне она близка,
Недоумелая, мое недоуменье,
Всегда веселая, она моя тоска.

12 ноября 1909   *Царское Село*

Петербург

Желтый пар петербургской зимы,
Желтый снег, облипающий плиты...
Я не знаю, где *вы* и где *мы*,
Только знаю, что крепко мы слиты.

Сочинил ли нас царский указ?
Потопить ли нас шведы забыли?
Вместо сказки в прошедшем у нас
Только камни да страшные были.

Только камни нам дал чародей,
Да Неву буро-желтого цвета,
Да пустыни немых площадей,
Где казнили людей до рассвета.

all day long she rocks an empty cradle and the icon in the corner is Sweet Jesus...
  I have invented her — and yet she is a vision, I do not love her — and we are intimate,
Bewildered, she is my bewilderment, always cheerful, she is my anguish.

Petersburg
A Petersburg winter's yellow fumes, yellow snow sticking to the gravestones... I do not
know where *you* are and where *we* are, I only know that we are firmly fused.
  Did a decree of the Tsar create us? Did the Swedes forget to drown us? Instead of a
fairy story we have only stones and terrible facts in the past.
  The magician gave us only stones, and the Neva with its brown-yellow colour, and the
deserts of mute squares where people were executed before dawn.

А что было у нас на земле,
Чем вознесся орел наш двуглавый,
В темных лаврах гигант на скале, —
Завтра станет ребячьей забавой.

Уж на что был он грозен и смел,
Да скакун его бешеный выдал,
Царь змеи раздавить не сумел,
И прижатая стала наш идол.

Ни кремлей, ни чудес, ни святынь,
Ни миражей, ни слез, ни улыбки...
Только камни из мерзлых пустынь
Да сознанье проклятой ошибки.

Даже в мае, когда разлиты
Белой ночи над волнами тени,
Там не чары весенней мечты,
Там отрава бесплодных хотений.

Decrescendo

Из тучи с тучей в безумном споре
Родится шквал, —
Под ним зыбучий в пустынном море
Вскипает вал.

And what we had on earth, what made our double-headed eagle arise, the giant on a rock wearing dark laurels will tomorrow become a child's amusement.

However awesome and bold he was, his furious charger still let him down, the Tsar was unable to crush the snake to death and the pinned-down snake has become our idol.

Neither citadels nor miracles nor holy objects nor mirages nor tears nor a smile... Only stones from frozen deserts and the awareness of the accursed mistake.

Even in May when the shadows of a white night are spread over the waves, these are not spells of a spring dream, this is the poison of futile desires.

Decrescendo
From a mad dispute between two clouds a squall is born, — below it a billow seethes up, surging on the empty sea.

Он полон страсти, он мчится гневный,
    Грозя брегам.
А вслед из пастей за ним стозевный
    И рев и гам...

То, как железный, он канет в бездны
    И роет муть,
То, бык могучий, нацелит тучи
    Хвостом хлестнуть...

Но ближе... ближе, и вал уж ниже,
    Не стало сил,
К ладье воздушной хребет послушный
    Он наклонил...

И вот чуть плещет, кружа осадок,
    А гнев иссяк...
Песок так мягок, припек так гладок:
    Плесни — и ляг!

Тоска миража

Погасла последняя краска,
Как шепот в полночной мольбе...
Что надо, безумная сказка,
От этого сердца тебе?

Мои ли без счета и меры
По снегу не тяжки концы?

It is full of passion, wrathful it rushes on threatening the shores. And then from the troughs in its wake come a hundred-jawed roar and din...

Now, as if iron, it drops into the abyss and makes mud swirl, now, a mighty bull, it aims and lashes clouds with its tail...

But closer, closer and the billow is lower, the strength has gone, it has lowered its obedient spine to the boat of the air...

And now it barely splashes, swirling the silt, and the wrath has dried up... The sand is so soft, the sunbaked strand so smooth: one splash and down it goes!

A Mirage's Anguish
The last colour has faded like a whisper in invocation at midnight... Mad fairy tale, what do you want from this heart?

Is it that my countless and immense travels over the snow aren't burdensome enough?

Мне ль дали пустые не серы?
Не тускло звенят бубенцы?

Но ты-то зачем так глубоко
Двоишься, о сердце мое?
Я знаю — она далеко,
И чувствую близость ее.

Уж вот они, снежные дымы,
С них глаз я свести не могу:
Сейчас разминуться должны мы
На белом, но мертвом снегу.

Сейчас кто-то сани нам сцепит
И снова расцепит без слов.
На миг, но томительный лепет
Сольется для нас бубенцов...

. . . .

Он слился... Но больше друг друга
Мы в тусклую ночь не найдем...
В тоске безысходного круга
Влачусь я постылым путем...

. . . .

Погасла последняя краска,
Как шепот в полночной мольбе...
Что надо, безумная сказка,
От этого сердца тебе?

Are the empty vistas not grey enough for me? Don't the carriage bells ring dimly?

But, my heart, why do you then divide so deeply? I know that she is far off and I can feel her closeness.

Here they are, the snowy mists, I cannot take my eyes off them: any moment we have to pass each other on the white, but dead snow.

Any moment someone will couple, and then silently uncouple our sledges. Just for a moment the carriage bells wearying murmur will fuse for us. . . . . .

It has fused... But we shall not find each other in the dim night again... In the anguish of a closed circle I drag along a tedious path... . . . . .

The last colour has faded like a whisper in invocation at midnight... Mad fairy tale, what do you want from this heart?

Поэту

В раздельной четкости лучей
И в чадной слитности видений
Всегда над нами — власть вещей
С ее триадой измерений.

И грани ль ширишь бытия
Иль формы вымыслом ты множишь,
Но в само *Я* от глаз *Не Я*
Ты никуда уйти не можешь.

Та власть маяк, зовет она,
В ней сочетались Бог и тленность,
И перед нею так бледна
Вещей в искусстве прикровенность.

Нет, не уйти от власти их
За волшебством воздушных пятен,
Не глубиною манит стих,
Он лишь как ребус непонятен.

Красой открытого лица
Влекла Орфея пиерида.
Ужель достойны вы певца,
Покровы кукольной Изиды?

Люби раздельность и лучи
В рожденном ими аромате.
Ты чаши яркие точи
Для целокупных восприятий.

To the Poet

In the beams' separate precision and in visions' drugged fusion, the power of things with its triad of dimensions is always over us.

And whether you widen the edges of being or multiply forms by invention you cannot get anywhere away from the eyes of *Not I* in your very *I*.

This power is a beacon, it calls, God and mortality are combined in it, and the mystery of things in art is so pale before it.

No, there is no getting away from their power beyond the magic of aerial spots, verse does not allure by its depth, it is incomprehensible as only a puzzle is.

The Muses attracted Orpheus by the beauty of their open faces. Are you really worthy of the singer, the doll-like covers of Isis?

Love separateness and rays of light in the aroma they give birth to, work on your bright chalices for wholeness of perceptions.

ФЕДОР КУЗЬМИЧ СОЛОГУБ
FIODOR KUZMICH SOLOGUB

* * *

Забыты вино и веселье,
Оставлены латы и меч, —
Один он идет в подземелье,
Лампады не хочет зажечь.

И дверь заскрипела протяжно, —
В нее не входили давно.
За дверью и тёмно, и влажно,
Высоко и узко окно.

Глаза привыкают во мраке, —
И вот выступают сквозь мглу
Какие-то странные знаки
На сводах, стенах и полу.

Он долго глядит на сплетенье
Непонятых знаков и ждет,
Что взорам его просветленье
Всезрящая смерть принесет.

8 сентября 1897

Wine and merriment are forgotten, armour and sword abandoned; alone he goes into the
dungeon, he refuses to light a lamp.

And the door creaked slowly: it had not been entered for a long time. Inside is dark
and damp, the window is high and narrow.

His eyes adjust in the dark; and now through the mist emerge strange signs on the
arches, walls and floor.

For a long time he looks at the plethora of incomprehensible signs and waits for all-
seeing death to bring his eyes transfiguration.

Из цикла «Звезда Маир»

1

Звезда Маир сияет надо мною,
　　Звезда Маир,
И озарен прекрасною звездою
　　Далекий мир.

Земля Ойле плывет в волнах эфира,
　　Земля Ойле,
И ясен свет блистающий Маира
　　На той земле.

Река Лигой в стране любви и мира,
　　Река Лигой
Колеблет тихо ясный лик Маира
　　Своей волной.

Бряцанье лир, цветов благоуханье,
　　Бряцанье лир
И песни жен слились в одно дыханье,
　　Хваля Маир.

2

На Ойле далекой и прекрасной
Вся любовь и вся душа моя.
На Ойле далекой и прекрасной
Песней сладкогласной и согласной
Славит всё блаженство бытия.

From 'The Star Mair'

1. The star Mair shines over me, the star Mair, and a far world is lit up by the beautiful star.

The planet Oile sails in the ether's waves, the planet Oile, and the radiant light of Mair is visible on that earth.

The river Ligoi in a country of love and peace, the river Ligoi gently rocks the clear face of Mair in its wave.

The jangling of lyres, the fragrance of flowers, the jangling of lyres and the songs of women have fused into one breath, praising Mair.

2. In distant beautiful Oile is all my love and all my soul. In distant beautiful Oile with sweet harmonious song everything glorifies the bliss of being.

Там, в сияньи ясного Маира,
Всё цветет, всё радостно поет.
Там, в сияньи ясного Маира,
В колыханьи светлого эфира,
Мир иной таинственно живет.

Тихий берег синего Лигоя
Весь в цветах нездешней красоты.
Тихий берег синего Лигоя —
Вечный мир блаженства и покоя,
Вечный мир свершившейся мечты.

3

Всё, чего нам здесь недоставало,
Всё, о чем тужила грешная земля,
Расцвело на вас и засияло,
О Лигойские блаженные поля!

Мир земной вражда заполонила,
Бедный мир земной в унынье погружен,
Нам отрадна тихая могила
И подобный смерти, долгий, темный сон.

Но Лигой струится и трепещет,
И благоухают чудные цветы,
И Маир безгрешный тихо блещет
Над блаженным краем вечной красоты.

15–23 сентября 1898

There, in clear Mair's radiance, everything blossoms, everything sings joyfully. There, in clear Mair's radiance, in the bright ether's swaying another world mysteriously lives.

The blue Ligoi's quiet bank is covered in flowers of otherworldly beauty. The blue Ligoi's quiet bank is an eternal world of bliss and peace, an eternal world of dream come true.

3. Everything we lacked here, everything the sinful earth yearned for, has blossomed on you and shone, o blessed fields of the Ligoi!

Enmity has enslaved the earthly world, the poor earthly world is plunged into sadness, we find joy in a quiet grave and long, dark sleep like death.

But the Ligoi flows and trembles, and wondrous flowers emit their scent, and Mair, free of sin, shines peacefully over a blessed region of eternal beauty.

* * *

Недотыкомка серая
Всё вокруг меня вьется да вертится, —
То не Лихо ль со мною очертится
Во единый погибельный круг?

Недотыкомка серая
Истомила коварной улыбкою,
Истомила присядкою зыбкою, —
Помоги мне, таинственный друг!

Недотыкомку серую
Отгони ты волшебными чарами,
Или наотмашь, что ли, ударами,
Или словом заветным каким.

Недотыкомку серую
Хоть со мной умертви ты, ехидную,
Чтоб она хоть в тоску панихидную
Не ругалась над прахом моим.

1 октября 1899

* * *

Мы — плененные звери,
Голосим, как умеем.
Глухо заперты двери,
Мы открыть их не смеем.

The grey harpy keeps winding and spinning around me: isn't this Evil about to rush with me into a single deadly circle?

The grey harpy has worn me out with her devious smile, she has worn me out with her rippling squatting dance, — help me, mysterious friend!

Chase away the grey harpy with magical charms, or even with striking blows, or some magic word.

Or at least kill off the spiteful grey harpy at the same time as me so that she won't blaspheme over my ashes in the requiem's anguish.

We are captive beasts, we howl as best we can; the doors are locked tight, we dare not open them.

Если сердце преданиям верно,
Утешаясь лаем, мы лаем.
Что в зверинце зловонно и скверно,
Мы забыли давно, мы не знаем.

К повторениям сердце привычно, —
Однозвучно и скучно кукуем.
Всё в зверинце безлично, обычно,
Мы о воле давно не тоскуем.

Мы — плененные звери,
Голосим, как умеем.
Глухо заперты двери,
Мы открыть их не смеем.

24 февраля 1905

* * *

Высока луна господня.
    Тяжко мне.
Истомилась я сегодня
    В тишине.

Ни одна вокруг не лает
    Из подруг.
Скучно, страшно, замирает
    Всё вокруг.

If the heart is true to traditions, comforting ourselves with barking, we bark. That the menagerie stinks and is nasty we have long forgotten, we do not know.

The heart is used to recurrences, we call cuckoo monotonously and drearily. In the menagerie everything is faceless, ordinary, we have long stopped yearning for freedom.

We are captive beasts, we howl as best we can; the doors are locked tight, we dare not open them.

The Lord's moon is high. I feel bad. I am exhausted today in the silence.

Not one of my friends is barking around me: I'm bored, afraid; everything around is in a deadly hush.

В ясных улицах так пусто,
   Так мертво.
Не слыхать шагов, ни хруста,
   Ничего.

Землю нюхая в тревоге,
   Жду я бед.
Слабо пахнет по дороге
   Чей-то след.

Никого нигде не будит
   Быстрый шаг.
Жданный путник, кто ж он будет —
   Друг иль враг?

Под холодною луною
   Я одна.
Нет, невмочь мне, — я завою
   У окна.

Высока луна господня,
   Высока.
Грусть томит меня сегодня
   И тоска.

Просыпайтесь, нарушайте
   Тишину.
Сестры, сестры! войте, лайте
   На луну!

Февраль 1905

The clear streets are so empty, so dead. No steps, no crunching, nothing is to be heard.

Sniffing the earth in anxiety I expect disasters. There is a weak scent on the road of someone's tracks.

Nobody anywhere is awoken by quick footsteps. Who will he be, the expected traveller, friend or enemy?

Under the cold moon I am alone. No, I can't stand it, I shall howl by the window.

The Lord's moon is high, high. Sadness and anguish are wearying me today.

Wake up, break the silence. Sisters, sisters, howl, bark at the moon!

Чертовы качели

В тени косматой ели
Над шумною рекой
Качает черт качели
Мохнатою рукой.

Качает и смеется,
 Вперед, назад,
 Вперед, назад.
Доска скрипит и гнется,
О сук тяжелый трется
Натянутый канат.

Снует с протяжным скрипом
Шатучая доска,
И черт хохочет с хрипом,
Хватаясь за бока.

Держусь, томлюсь, качаюсь,
 Вперед, назад,
 Вперед, назад,
Хватаюсь и мотаюсь,
И отвести стараюсь
От черта томный взгляд.

Над верхом темной ели
Хохочет голубой:
«Попался на качели,
Качайся, черт с тобой».

The Devil's Swing
In the tangled fir-tree's shade above the noisy river the devil pushes the swing with a shaggy arm.

He pushes and laughs, to and fro, to and fro. The board creaks and bends, the taut rope rubs against the heavy branch.

With a drawn-out screech the wobbly board goes to and fro and the devil laughs loud and hoarsely, holding his sides.

I hold on, I become weary, I swing, to and fro, to and fro, I try to grab hold and dangle, and try to take my languid gaze off the devil.

Over the crown of the dark fir-tree a blue spirit laughs: 'You've got on the swing, swing away, the devil take you.'

В тени косматой ели
Визжат, кружась гурьбой:
«Попался на качели,
Качайся, черт с тобой».

Я знаю, черт не бросит
Стремительной доски,
Пока меня не скосит
Грозящий взмах руки,

Пока не перетрется,
Крутяся, конопля,
Пока не подвернется
Ко мне моя земля.

Взлечу я выше ели,
И лбом о землю трах.
Качай же, черт, качели,
Всё выше, выше... ах!

14 июня 1907

Из цикла «Триолеты»

29

Каждый год я болен в декабре,
Не умею я без солнца жить.
Я устал бессонно ворожить
И склоняюсь к смерти в декабре, —

In the tangled fir-tree's shade there is a mob screeching, swirling: 'You've got on the swing, swing away, the devil take you.'
I know the devil will not abandon the fast-moving board until a menacing blow of the hand scythes me down,
Until the hemp rope wears through from twisting, until my earth rushes up to meet me.
I shall fly up higher than the fir-tree, and bang my forehead against the earth. Push the swing then, devil, higher and higher... oh!

From the 'Triolets'
29. Every year I am ill in December, I do not know how to live without sunlight, I am tired of telling fortunes in sleeplessness and I am inclined to death in December, —

Зрелый колос, в демонской игре
Дерзко брошенный среди межи.
Тьма меня погубит в декабре.
В декабре я перестану жить.

33

Пройдут все эти дни, вся жизнь совьется наша,
Как мимолетный сон, как цепь мгновенных снов.
Останется едва немного вещих слов,
И только ими жизнь оправдана вся наша,
Отравами земли наполненная чаша,
Кой-как слеплённая из радужных кусков.
Истлеют наши дни, вся жизнь совьется наша,
Как ладан из кадил, как дым недолгих снов.

4 ноября — 7 декабря 1913

Дон-Кихот

Бессмертною любовью любит
И не разлюбит только тот,
Кто страстью радости не губит,
Кто к звездам сердце вознесет,
Кто до могилы пламенеет, —
Здесь на земле любить умеет
Один безумец Дон-Кихот.

like a ripe ear of corn, in demonic fun brazenly thrown amid the boundary strip. Darkness will destroy me in December. In December I shall cease to live.

33. All these days will pass, all our life will be wound up like an ephemeral dream, like a chain of momentary dreams. At most a few prophetic words will remain, and only by them is all our life justified, our life, a chalice full of the earth's poisons, somehow moulded together from brightly-coloured pieces. Our days will burn out, all our life will be wound up, like incense from the censer, like smoke from short-lived dreams.

Don Quixote
Only he loves with immortal love and will not cease, who does not destroy joy with passion, who raises up his heart to the stars, who is ardent to the grave: here on earth only the madman Don Quixote knows how to love.

Он видит грубую Альдонсу,
Но что ему звериный пот,
Который к благостному солнцу
Труды земные вознесет!
Пылая пламенем безмерным,
Один он любит сердцем верным,
Безумец бедный, Дон-Кихот.

Преображает в Дульцинею
Он деву будничных работ
И, преклоняясь перед нею,
Ей гимны сладкие поет.
Что юный жар любви мгновенной
Перед твоею неизменной
Любовью, старый Дон-Кихот!

26 октября 1920

* *
*

Кругом насмешливые лица, —
Сражен безумный Дон-Кихот.
Но знайте все, что есть светлица,
Где Дон-Кихота дама ждет.

Рассечен шлем, копье сломалось,
И отнят щит, и порван бант,
Забыв про голод и усталость,
Лежит убитый Росинант.

He sees coarse Aldonsa, but what does he care for animal sweat which raises up earthly labours to the benevolent sun! Ardent with measureless flame, he alone loves with a true heart, the poor madman Don Quixote.

He transforms the maid of everyday work into Dulcinea and, bowing down before her, sings sweet hymns to her. What is momentary love's youthful heat compared with your constant love, old Don Quixote!

Around are mocking faces: mad Don Quixote has been defeated. But you should all know that there is a chamber where a lady awaits Don Quixote.

The helmet is cloven in two, the lance is broken, the shield removed and the sash is torn; oblivious of hunger and tiredness, Rosinante lies killed.

В изнеможении, в истоме
Пешком плетется Дон-Кихот.
Он знает, что в хрустальном доме
Царица Дон-Кихота ждет.

2 мая 1921

* * *

Любви неодолима сила.
Она не ведает преград,
И даже то, что смерть скосила,
Любовный воскрешает взгляд.

Светло ликует Евридика,
И ад ее не полонит,
Когда багряная гвоздика
Ей близость друга возвестит,

И не замедлит на дороге,
И не оглянется Орфей,
Когда в стремительной тревоге
С земли нисходит он за ней.

Не верь тому, что возвестили
Преданья темной старины,
Что есть предел любовной силе,
Что ей ущербы суждены.

In exhaustion and weariness Don Quixote makes his way on foot. He knows that in a crystal house the empress awaits Don Quixote.

The power of love is unconquerable, it knows no barriers, and even what death has scythed down is resurrected by love's glance.

Eurydice rejoices brightly and hell does not hold her captive when the scarlet carnation announces to her the nearness of her beloved,

And Orpheus will not delay on the journey nor look back when in urgent anxiety he descends from earth to fetch her.

Don't believe what remote antiquity's legends have proclaimed, that there is a limit to love's strength, that it is doomed to wane.

Хотя лукавая Психея
Запрету бога не вняла
И жаркой струйкою елея
Плечо Амуру обожгла,

Не улетает от Психеи
Крылатый бог во тьме ночей.
С невинной белизной лилеи
Навеки сочетался змей.

Любви неодолима сила.
Она не ведает преград.
Ее и смерть не победила,
Земной не устрашает ад.

Альдонса грубая сгорает,
Преображенная в любви,
И снова Дон-Кихот вещает:
«Живи, прекрасная, живи!»

И возникает Дульцинея,
Горя, как юная заря,
Невинной страстью пламенея,
Святой завет любви творя.

Не верь тому, что возвестили
Преданья, чуждые любви.
Слагай хвалы державной силе
И мощь любви благослови.

3 мая 1921

Although cunning Psyche disobeyed the god's prohibition and burned Cupid's shoulder with a hot stream of oil,

The winged god will not fly from Psyche in the darkness of the night. The snake is wedded for ever to the lily's innocent whiteness.

Love's power is unconquerable, it knows no barriers. Even death has not defeated it, earth's hell does not frighten it.

Coarse Aldonsa is burned away, transformed in love, and again Don Quixote proclaims: 'Live, my beauty, live!'

And Dulcinea arises, burning like a fresh dawn, ardent with innocent passion, creating love's holy testament.

Do not believe what traditions alien to love have proclaimed. Compose pæans to the majestic force and bless love's might.

* * *

Дон-Кихот путей не выбирает,
Росинант дорогу сам найдет.
Доблестного враг везде встречает,
С ним везде сразится Дон-Кихот.

Славный круг насмешек, заблуждений,
Злых обманов, скорбных неудач,
Превращений, битв и поражений
Пробежит славнейшая из кляч.

Сквозь скрежещущий и ржавый грохот
Колесницы пламенного дня,
Сквозь проклятья, свист, глумленья, хохот,
Меч утратив, щит, копье, коня,

Добредет к ограде Дульцинеи
Дон-Кихот. Открыты ворота,
Розами усеяны аллеи,
Срезанными с каждого куста.

Подавив непрошеные слезы,
Спросит Дон-Кихот пажа: «Скажи,
Для чего загублены все розы?»
— «Весть пришла в чертоги госпожи,

Что стрелой отравленной злодея
Насмерть ранен верный Дон-Кихот.

Don Quixote does not choose paths, Rosinante will find the way herself. The enemy encounters the valiant anywhere, Don Quixote will fight him anywhere.
   A glorious circle of mockery, errors, vicious deceit, grievous failures, transformations, battles and defeats will be run by the most glorious of nags.
   Through the grinding and rusty clatter of the fiery daylight's chariot, through curses, whistling, jeers, laughter, having lost sword, shield, lance, horse,
   Don Quixote will meander to Dulcinea's walls. The gates are open. The avenues strewn with roses cut from every bush.
   Repressing unbidden tears, Don Quixote will ask a page: 'Tell me, why are all the roses destroyed?' — 'News came to the mistress's chambers,
   That faithful Don Quixote had been mortally wounded by a villain's poisoned arrow.

Госпожа сказала: «Дульцинея
Дон-Кихота не переживет»,

И, оплаканная горько нами,
Госпожа вкусила вечный сон,
И сейчас над этими цветами
Будет гроб ее перенесен».

И пойдет за гробом бывший рыцарь.
Что ему глумленья и хула!
Дульцинея, светлая царица
Радостного рая, умерла!

11 июля 1922

* * *

Пой по-своему, пичужка,
И не бойся никого.
Жизнь — веселая игрушка
И не стоит ничего.

Что бояться? Зачарует
Змей, таящийся в лесу, —
Или запах твой взволнует
Кровожадную лису, —

С высоты ли ястреб комом
На тебя вдруг упадет, —

My mistress said: 'Dulcinea will not outlive Don Quixote.'
 And, bitterly lamented by us, our mistress partook of eternal sleep, and presently her coffin will be carried over these flowers.'
 And the poor knight will follow the coffin. What does he care about jeers and abuse? Dulcinea, the radiant empress of joyful paradise, has died!

Sing your song, little bird, and fear no-one. Life is a merry toy and is worth nothing.
 Why fear? A snake, concealed in the forest, will hypnotise you, or your smell will excite a bloodthirsty vixen.
 Whether a sparrow hawk, wings folded, falls on you suddenly from a height, whether

Из ружьишка ль с дряблым громом
Человечишка убьет, —

Что ж такое! Миг мученья
Тонет в бездне роковой,
Но не гаснет вдохновенье.
Пой же, маленькая, пой!

28 августа 1925

* * *

Эллиптической орбитой
Мчится вёрткая земля
Всё дорогой неизбитой
Вечно в новые поля.

Солнце в фокусе сияет,
Но другой же фокус есть.
Чем он землю соблазняет?
Что он здесь заставил цвесть?

Сокровенное светило,
Ты незримо для очей,
И в просторах ты укрыло
Блеск неведомых лучей.

some puny little man kills you with sluggish thunder from a decrepit gun,
What does it matter! A moment of agony will drown in a fatal abyss, but inspiration will not fade. So sing, my little one, sing.

The nimble earth races round its elliptical orbit, always on an unbeaten track, eternally into new fields.
The sun shines in its focus, but there is another focus. How does it lure the earth, what has it brought into bloom here?
Secret luminary, you are invisible to the eyes, and in space you have concealed the radiance of unknown rays.

К солнцу голову подъемлет
От земли гелиотроп
И тревожным слухом внемлет
Ко́ней Феба тяжкий топ.

Но мечты к Иному правит
Вестник тайны, асфодель.
Сердцу верному он ставит
Средь миров иную цель.

28 августа 1926

*   *   *

Вот подумай и пойми:
В мире ты живешь с людьми, —
Словно в лесе, в темном лесе,
Где написан бес на бесе, —
Зверь с такими же зверьми.

Вот и дом тебе построен,
Он уютен и спокоен,
И живешь ты в нем с людьми,
Но таятся за дверьми
Хари, годные для боен.

The heliotrope raises its head from the earth towards the sun, and with anxious hearing heeds the heavy tread of Phoebus's steeds.

But the herald of a secret, the asphodel, directs its dreams to the Other. It sets another aim among other worlds for its faithful heart.

Now think and understand: you live in the world with people, as in a forest, in a dark forest, where demon is written upon demon, a wild animal with similar wild animals.

Now a house has been built for you, it is comfortable and peaceful, and you live in it with people, but concealed behind the doors are horrible faces fit for slaughterhouses.

Человек иль злобный бес
В душу, как в карман, залез,
Наплевал там и нагадил,
Все испортил, все разладил
И, хихикая, исчез.

Эти чище, чем с небес,
И даются всем по вере.
Смрадно скучившись у двери,
Над тобой смеются звери:
— Дождался, дурак, чудес?

Дурачок, ты всем не верь, —
Шепчет самый гнусный зверь, —
Хоть блевотину на блюде
Поднесут с поклоном люди,
Ешь и зубы им не щерь.

13 сентября 1926

* *
*

Подыши еще немного
Тяжким воздухом земным,
Бедный, слабый воин Бога,
Странно зыблемый, как дым.

A human being or a nasty demon has slipped into your soul as into a pocket, it has spat there and befouled it, ruined and messed everything up and vanished, giggling.

These beings are worse than those from heaven and are given to everyone according to their faith. In a stinking pile by the door, wild beasts are laughing at you: 'Did you get the miracles you expected, fool?'

'Little fool, don't believe any of them,' whispers the most loathsome beast. 'Even if people bow and offer you vomit on a plate, eat it and do not bare your teeth.'

Breathe the earth's heavy air a little more, God's poor weak warrior, strangely blown to and fro like smoke.

Что Творцу твои страданья?
Кратче мига — сотни лет.
Вот — одно воспоминанье,
Вот — и памяти уж нет.

Страсти те же, что и ныне...
Кто-то любит пламя зорь...
Приближаяся к кончине,
Ты с Творцом твоим не спорь.

Бедный, слабый воин Бога,
Весь истаявший, как дым,
Подыши еще немного
Тяжким воздухом земным.

30 июля 1927

What are your sufferings to the Creator? Hundreds of years are shorter than a moment. Now it's just a remembrance, now there isn't even memory.

Passions are the same as now... Someone loves the flames of dawn and dusk... Approaching the end, do not argue with your Creator.

God's poor weak warrior, entirely wasted like smoke, breathe the earth's heavy air a little longer.

ВЯЧЕСЛАВ ИВАНОВИЧ ИВАНОВ
VIACHESLAV IVANOVICH IVANOV

Русский ум

Своеначальный, жадный ум, —
Как пламень, русский ум опасен:
Так он неудержим, так ясен,
Так весел он — и так угрюм.

Подобный стрелке неуклонной,
Он видит полюс в зыбь и муть;
Он в жизнь от грезы отвлеченной
Пугливой воле кажет путь.

Как чрез туманы взор орлиный
Обслеживает прах долины,
Он здраво мыслит о земле,
В мистической купаясь мгле.

1890

Вечная память

Над смертью вечно торжествует,
В ком память вечная живет.
Любовь зовет, любовь предчует;
Кто не забыл — не отдает.

The Russian Mind

An idiosyncratic, greedy mind, the Russian mind is as dangerous as a flame: just as unbridled, as bright, as merry — and as sullen.

Like a relentless compass needle, it sees a pole through rippling waves and cloudy water; it indicates a path from abstract dreaming to life for the timid will.

As the eagle's gaze examines the valley's dust through the mists, so it thinks sensibly about the earth while bathing in a mystical haze.

Eternal Memory

They in whom eternal memory lives eternally triumph over death. Love calls, love senses in advance; those who have not forgotten surrender nothing.

Скиталец, вдаль — над зримой далью —
Взор ясновидящий вперя,
Идет, утешенный печалью...
За ним — заря, пред ним — заря...

Кольцо и посох — две святыни —
Несет он верною рукой.
Лелеет пальма средь пустыни
Ночлега легкого покой.

1900

Цусима

> «Крейсер "Алмаз" прорвался чрез цепь не-
> приятельских судов и прибыл во Владивосток».
> *Из военных реляций*

В моря заклятые родимая армада
Далече выплыла... — последний наш оплот!
И в хлябях водного и пламенного ада —
    Ко дну идет...

И мы придвинулись на край конечных срывов...
Над бездной мрачною пылает лютый бор...
    Прими нас, жертвенный костер,
Мзда и чистилище заблудших порывов. —
О Силоам слепот, отмстительный костер!..

The homeless wanderer, fixing his clairvoyant gaze into the distance — beyond the visible distance — passes, comforted by sadness... Behind him the light of dusk, before him the light of dawn...

He carries in his steady hand two sacred objects — the ring and the staff. Amid the desert a palm tree watches over the peace where he will spend an easy night.

Tsushima   'The cruiser "Diamond" has broken through the chain of
enemy ships and arrived in Vladivostok.' *From military reports*

Our country's armada — our last bulwark! — sailed out further into the bewitched seas... And in the abysses of a hell of water and fire is going down to the bottom...

And we have moved closer to the edge of final collapses... Furious battle burns over the murky abyss... Receive us, bonfire of sacrifices, reward and purgatory for errant impulses. — O Siloam of blindnesses, bonfire of retribution!..

И некий дух-палач толкает нас вперед —
Иль в ночь могильную, иль в купину живую...
Кто Феникс — возлетит! Кто Феникс — изберет
Огня святыню роковую!

Огнем крестися, Русь! В огне перегори
И свой Алмаз спаси из черного горнила!
В руке твоих вождей сокрушены кормила:
Се, в небе кормчие ведут тебя цари.

18 мая 1905

Пригвожденные

Людских судеб коловорот
В мой берег бьет неутомимо:
Тоскует каждый, и зовет,
И — алчущий — проходит мимо.

И снова к отмели родной,
О старой.памятуя встрече,
Спешит — увы, уже иной!
А тот, кто был, пропал далече...

And some hangman spirit pushes us onwards — either into the night of the grave or into the living burning bush... Whoever is a Phoenix will soar upwards! Whoever is a Phoenix will elect the fatal sacred place of fire!

Baptise yourself in fire, Russia. Burn out in fire and save your Diamond from the black furnace! The helms are wrecked in the hands of your leaders: behold, in heaven helmsmen kings are leading you.

Those who have been Nailed [to the Cross]
The circling currents of human fate tirelessly strike at my shore: every man yearns and calls and, thirsting, passes on.

And again towards his native sand-bar, remembering the old meeting, he hastens, alas now a different man! While the man he was has vanished far off...

Возврат — утрата!.. Но грустней
Недвижность доли роковая,
Как накипь пены снеговая,
Всё та ж — у черных тех камней.

В круговращеньях обыдённых,
Ты скажешь, что прошла насквозь
Чрез участь этих пригвожденных
Страданья мировая ось.

1906

* * *

Мы — два грозой зажженные ствола,
Два пламени полуночного бора;
Мы — два в ночи летящих метеора,
Одной судьбы двужалая стрела.

Мы — два коня, чьи держит удила
Одна рука, — одна язвит их шпора;
Два ока мы единственного взора,
Мечты одной два трепетных крыла.

Мы — двух теней скорбящая чета
Над мрамором божественного гроба,
Где древняя почиет Красота.

Returning is loss!.. But sadder is the fatal immobility of one's lot, like a snowy layer of foam, still the same by those black stones.

In the everyday circular events you would say that right through the fate of these people who have been nailed runs the universal axis of suffering.

We are two tree-trunks set alight by a thunderstorm, two flames of the pine forest at midnight; we are two meteors flying in the night, a two-pronged arrow of one fate.

We are two horses whose bridle is held by one hand — they are wounded by one set of spurs; we are two eyes of a single gaze, two quivering wings of one dream.

We are two shades, a couple grieving over the marble of the divine coffin, where ancient Beauty rests.

Единых тайн двугласные уста,
Себе самим мы Сфинкс единый оба.
Мы — две руки единого креста.

1909

Из цикла «Розы»

1

Пора сказать: я выпил жизнь до дна,
Что пенилась улыбками в кристалле;
И ты стоишь в пустом и гулком зале,
Где сто зеркал, и в темных ста — одна.

Иным вином душа моя хмельна.
Дворец в огнях, и пир еще в начале;
Моих гостей — в вуали и в забрале —
Невидим лик и поступь не слышна.

Я буду пить, и томное похмелье
Не на земле заутра ждет меня,
А в храмовом прохладном подземелье.

Я буду петь, из тонкого огня
И звездных слез свивая ожерелье —
Мой дар тебе для свадебного дня.

1910

We are two-voiced lips of single secrets, we are both a single Sphinx to ourselves. We are two arms of a single cross.

From 'Roses'
It's time to say: I have drunk life to the bottom, life that foamed like smiles in the crystal; and you stand in an empty echoing hall, where there are a hundred mirrors and in the dark hundred you are alone.

My soul is drunk with other wine. The palace is brightly lit and the feast is just beginning; my guests, wearing veil or visor, have invisible faces and inaudible footsteps.

I shall drink and a languid hangover awaits me tomorrow not on earth but in the temple's cool dungeon.

I shall sing, making a necklace of subtle fire and astral tears — my gift for your wedding day.

Время

*Маленькому Диме, подошедшему ко мне
со словами: «Всё прошло далеким сном».*

Всё прошло далеким сном;
В беспредельном и ночном
Утонул, измлел, как снег,
　　Прежний брег...

Или наши корабли
Тихомолком вдаль ушли,
Вверя ветру вольный бег?
　　Пóплыл брег,

Где — в тумане, за кормой, —
Ариадниной дремой
Усыпленная, жива
　　Жизнь-вдова,

Где — за мглистою каймой, —
Обуянная дремой,
Жизнь былая ждет, тиха,
　　Жениха...

Не из наших ли измен
Мы себе сковали плен,
Тот, что Временем зовет
　　Смертный род?

Time　　　　To little Dima, who came up to me with the
words: 'Everything has passed like a distant dream.'

Everything has passed like a distant dream; the former shore has sunk, has melted like snow in the limitless and nocturnal...

Or have our ships gone quietly off afar, entrusting their free course to the wind? The shore has drifted off

To where, in the mist beyond the helm, like Ariadna's slumber, life the widow, sent to sleep, is alive.

To where, beyond the hazy edging, in thrall to slumber, former life waits, quiet, for the groom...

Is it not from our betrayals that we have forged a captivity for ourselves that Mortals call Time?

Время нас, как ветер, мчит,
Разлучая, разлучит, —
Хвост змеиный в пасть вберет
И умрет.

16 ноября 1917

* * *

Зачем, о Просперо волшебный,
    Тебе престол,
Коль Ариель, твой дух служебный,
    Прочь отошел?

Спешит к закату день Шекспира
    С тех пор, как хмель
Его мечты не строит лира, —
    Смолк Ариель.

Ужели гений — волхв могучий,
    Ты ж, Ариель,
Лишь посланец его певучий, —
    Лишь эльф ужель?

Иль, в гордую вошед обитель
    Из шалаша,
Ты сам владыки повелитель,
    Его душа?

30 марта 1944

Time bears us onwards like the wind, as it separates us it will part us — it will take the snake's tail into its maw and will die.

Why, o magical Prospero, do you need a throne when Ariel, your spirit-servant, has gone away?

Shakespeare's day has been hurrying to its end ever since the lyre stopped tuning the intoxication of his dream — Ariel has fallen silent.

Is genius, a mighty sorcerer — that is, you, Ariel — really just his singing emissary, — just an elf really?

Or, leaving your rough shelter for proud celestial habitations, you are yourself the lord's commander, his soul?

* *
*

Зверь щетинится с испугу;
В холе, неге шерсть гладка.
Входит злобы ветр в лачугу,
И постель забот жестка.

Страх и скорбь, нужда, разруха,
Опыт бегства и конца
Всё ж участливей сердца
Делают и чутким — ухо.

Темен дух. Быть может, в нас
Только трубы роковые
Родники любви, впервые,
Разомкнут — в последний час.

22 апреля 1944

A wild animal bristles with fright; fur is smooth in fat times and in bliss. The wind of spite enters the hovel, and the bed of cares is hard.

Fear and woe, poverty, destruction, experience of flight and the end nevertheless make hearts more sympathetic and the ear more sensitive.

The spirit is dark. Perhaps only the fateful trumpets will unlock in us, for the first time, the sources of love — at the last hour.

КОНСТАНТИН ДМИТРИЕВИЧ БАЛЬМОНТ
KONSTANTIN DMITRIEVICH BALMONT

Sin Miedo

Если ты поэт и хочешь быть могучим,
Хочешь быть бессмертным в памяти людей,
Порази их в сердце вымыслом певучим,
Думу закали на пламени страстей.

Ты видал кинжалы древнего Толедо?
Лучших не увидишь, где бы ни искал.
На клинке узорном надпись: «Sin miedo», —
Будь всегда бесстрашным, — властен их закал.

Раскаленной стали форму придавая,
В сталь кладут по черни золотой узор,
И века сверкает красота живая
Двух металлов слитых, разных с давних пор.

Чтоб твои мечты вовек не отблистали,
Чтоб твоя душа всегда была жива,
Разбросай в напевах золото по стали,
Влей огонь застывший в звонкие слова.

Весна 1900   *Севилья*

Sin Miedo [Without Fear]

If you are a poet and want to be mighty, want to be immortal in people's memory, strike their hearts with singing invention, temper your thought in the flame of passions.

Have you seen ancient Toledo's daggers? You won't see better wherever you seek. On the patterned blade is an inscription : 'Sin miedo' — Be always fearless, their tempering is powerful.

Giving form to the white-hot steel, a gold-on-black pattern is put into the steel, and for centuries the living beauty flashes of two metals, which have long been different, fused together.

So that your dreams never lose their shine, so that your soul is alive forever, scatter gold over the steel in your songs, pour cooled fire into resonant words.

*
* *

Я — изысканность русской медлительной речи,
Предо мною другие поэты — предтечи,
Я впервые открыл в этой речи уклоны,
Перепевные, гневные, нежные звоны.

Я — внезапный излом,
Я — играющий гром,
Я — прозрачный ручей,
Я — для всех и ничей.

Переплеск многопенный, разорванно-слитный,
Самоцветные камни земли самобытной,
Переклички лесные зеленого мая —
Всё пойму, всё возьму, у других отнимая.

Вечно юный, как сон,
Сильный тем, что влюблен
И в себя и в других,
Я — изысканный стих.

1901

I am the refinement of leisurely Russian speech, other poets before me are precursors, I am the first to discover in this speech tendencies — echoing, wrathful, tender laws.

I am the sudden unbalance, I am the playing thunder, I am the transparent stream, I am for everyone and nobody's.

A much-foaming, fractured and fused lapping of waters, precious stones of an undiscovered land, forest echoes of green May — I shall perceive everything, take everything, removing it from others.

Eternally young as a dream, strong because I am in love with myself and with others, I am a refined line of verse.

* * *

Будем как солнце! Забудем о том,
Кто нас ведет по пути золотому,
Будем лишь помнить, что вечно к иному —
К новому, к сильному, к доброму, к злому —
Ярко стремимся мы в сне золотом.
Будем молиться всегда неземному
В нашем хотеньи земном!

Будем, как солнце всегда молодое,
Нежно ласкать огневые цветы,
Воздух прозрачный и всё золотое.
Счастлив ты? Будь же счастливее вдвое,
Будь воплощеньем внезапной мечты!
Только не медлить в недвижном покое,
Дальше, еще, до заветной черты,
Дальше, нас манит число роковое
В вечность, где новые вспыхнут цветы.
Будем как солнце, оно — молодое.
В этом завет красоты!

1902

Let us be like the sun! Let us forget about whoever leads us along a golden path, we shall only remember that eternally towards something else — to the new, the strong, the good, the evil — we strive brightly in a golden dream. Let us always pray to the unearthly in our earthly desiring!

Let us, like the sun which is always young, gently caress fiery flowers, transparent air and everything gold. Are you happy? Then be twice as happy, be the incarnation of sudden dream! Only do not linger in motionless calm, go further, further, to the secret boundary, further, a fatal number lures us into eternity where new flowers will flare up. Let us be like the sun, it is young. In this is the testament of beauty!

Погоня

Чей это топот? — Чей это шепот? — Чей это светится глаз?
Кто это в круге — в бешеной вьюге — пляшет и путает нас?

Чьи это крылья — в дрожи бессилья — бьются и снова летят?
Чьи это хоры? — Чьи это взоры? — Чей это блещущий взгляд?

Чье это слово — вечно и ново — в сердце поет, как гроза?
Чьи неотступно — может, преступно — смотрят и смотрят глаза?

Кто изменился — кто это свился — в полный змеиности жгут?
Чьи это кони — белые кони — в дикой погоне — бегут?

1907

The Pursuit
Whose trampling is it? Whose whispering is it? Whose eye is gleaming? Who is this in the circle, in the furious blizzard, dancing and confusing us?
  Whose wings are these, in the quiver of weakness, beating and flying again? Whose choruses are these? Whose eyes are these? Whose radiant gaze is this?
  Whose word is this, eternal and new, singing in the heart like a thunderstorm? Whose eyes keep looking and looking fixedly, perhaps criminally?
  Who has changed, who is this who has rolled up into a wisp full of snakiness? Whose horses are these, white horses, running in wild pursuit?

ЗИНАИДА НИКОЛАЕВНА ГИППИУС
ZINAIDA NIKOLAEVNA GIPPIUS

13

Тринадцать, темное число!
Предвестье зол, насмешка, мщенье,
Измена, хитрость и паденье, —
Ты в мир со Змеем приползло.

И, чтоб везде разрушить чет, —
Из всех союзов и слияний,
Сплетений, смесей, сочетаний —
Тринадцать Дьявол создает.

Он любит числами играть.
От века ненавидя вечность, —
Позорит 8 — бесконечность, —
Сливая с ним пустое 5.

Иль, чтоб тринадцать сотворить, —
Подвижен, радостен и зорок, —
Покорной парою пятерок
Он 3 дерзает осквернить.

Порой, не брезгуя ничем,
Число звериное хватает
И с ним, с шестью, соединяет
Он легкомысленное 7.

13
Thirteen, dark number! Harbinger of evils, mockery, revenge, betrayal, cunning and the fall, — you came crawling into the world with the Serpent.

And, in order to destroy even numbers everywhere, out of all unions and fusions, intertwinings, mixes, combinations, the Devil creates thirteen.

He loves playing with numbers, hating eternity since he began, he disgraces 8, infinity, by fusing trivial 5 with it.

Or, to create thirteen — he is nimble, joyful, sharpsighted — he dares to besmirch 3 with a compliant pair of fives.

Sometimes, stopping at nothing, he grabs the number of the beast and combines frivolous 7 with it, the six.

И, добиваясь своего,
К двум с десятью он не случайно
В святую ночь беседы тайной
Еще прибавил — одного.

Твое, тринадцать, острие
То откровенно, то обманно,
Но непрестанно, неустанно
Пронзает наше бытие.

И, волей Первого Творца,
Тринадцать, ты — необходимо.
Законом мира ты хранимо —
Для мира грозного Конца.

1903

Коростель

А[нтону] К[арташеву]

«Горяча моя постель...
Думка белая измята...
Где-то плачет коростель,
Ночь дневная пахнет мятой.

Утомленная луна
Закатилась за сирени...
Кто-то бродит у окна,
Чьи-то жалобные тени.

And, to get his own way, on a sacred night of secret conversation, to two and ten he deliberately added one more.

Thirteen, your sharp point now openly, now deceitfully, but constantly, tirelessly pierces our being.

And, by the will of the First Creator, you are essential, thirteen. You are preserved by the world's law — for the world's dreadful End.

The Corncrake   *For A[nton] K[artashiov]*
'My bed is hot... the white pillow crumpled... Somewhere the corncrake cries, the diurnal night smells of mint.

The weary moon has rolled behind the lilac bushes... Someone is prowling by the window, someone's plaintive shadows.

Не меня — ее, ее
Любит он! Но не ревную,
Счастье ведаю мое
И, страдая, — торжествую.

Шорох, шепот я ловлю...
Обнял он ее, голубит...
Я одна — но я люблю!
Он — лишь думает, что любит.

Нет любви для двух сердец.
Там, где двое, — разрушенье.
Где начало — там конец.
Где слова — там отреченье.

Посветлеет дым ночной,
Встанет солнце над сиренью,
Он уйдет к любви иной...
Было тенью — будет тенью...

Горяча моя постель,
Светел дух мой окрыленный...
Плачет нежный коростель,
Одинокий и влюбленный».

1904

He loves her, her, not me! But I am not jealous, I know my happiness and, suffering, I triumph.

I listen for the rustling, the whispering... He has embraced her, he is fondling her... I am alone — but I love! He only thinks that he loves.

There is no love for two hearts. Where there are two, there is destruction. Where there is a beginning, there is an end. Where there are words, there is renunciation.

The nocturnal smoke will brighten, the sun will rise over the lilac, he will go off to another love... What was a shadow will be a shadow...

My bed is hot, my winged spirit is bright... The tender corncrake, alone and in love, is weeping.'

Нелюбовь

З[инаиде] В[енгеровой]

Как ветер мокрый, ты бьешься в ставни,
Как ветер черный, поешь: ты мой!
Я древний хаос, я друг твой давний,
Твой друг единый, — открой, открой!

Держу я ставни, открыть не смею,
Держусь за ставни и страх таю.
Храню, лелею, храню, жалею
Мой луч последний — любовь мою.

Смеется хаос, зовет безокий:
Умрешь в оковах, — порви, порви!
Ты знаешь счастье, ты одинокий,
В свободе счастье — и в Нелюбви.

Охладевая, творю молитву,
Любви молитву едва творю...
Слабеют руки, кончаю битву,
Слабеют руки... Я отворю!

1907

Non-love   *For Z[inaida] V[engerova]*

Like a wet wind you bang at the shutters, like a black wind, you sing: 'You are mine! I am ancient chaos, I am your old friend, your only friend, — open, open!'

I hold the shutters, I dare not open them, I hold onto the shutters and hide my fear. I keep, nurture, keep, pity my last ray of light, my love.

Chaos laughs, eyeless it calls: 'You will die in fetters, tear them, tear them! You know happiness, you are alone, happiness is in freedom, and in Non-love.'

As I grow chilled I make a prayer, I can barely make a prayer to love... My hands weaken, I end the struggle, my hands weaken... I shall open!

Осенью (Сгон на революцию)

На баррикады! На баррикады!
Сгоняй из дальних, из ближних мест...
Замкни облавой, сгруди, как стадо,
Кто удирает — тому арест.
Строжайший отдан приказ народу,
Такой, чтоб пикнуть никто не смел.
Все за лопаты! Все за свободу!
А кто упрется — тому расстрел.
И все: старуха, дитя, рабочий —
Чтоб пели Интер-национал.
Чтоб пели, роя, а кто не хочет
И роет молча — того в канал!
Нет революций краснее нашей:
На фронт — иль к стенке, одно из двух.
...Поддай им сзаду! Клади им взашей,
Вгоняй поленом мятежный дух!

На баррикады! На баррикады!
Вперед, за «Правду», за вольный труд!
Колом, веревкой, в штыки, в приклады...
Не понимают? Небось поймут!

25 октября 1919   *СПб*

In Autumn (A Roundup for the Revolution)
To the barricades! To the barricades! round them up from distant, from nearby places...
Close them off with a cordon, pile them together like cattle, whoever slips away, arrest
them. The strictest order has been given to the people, such that no-one will dare to
squeak. Everyone to their spades! All for freedom! And any who resists is to be shot.
And all — old woman, child, worker — must sing the International. Let them sing as
they dig, and whoever refuses and digs in silence, into the canal with him. No
revolutions are redder than ours: to the front or the wall, one or the other. ...Kick their
behinds! Give them one in the neck, force in the spirit of rebellion with a big lump of
wood.
   To the barricades! To the barricades! Onwards, for '*Pravda* [*Truth*]', for free labour!
By the stake, by the rope, faced with bayonets, with rifle butts... They don't
understand? Never mind, they will!

Подожди

«... революция выкормила его, как волчица Ромула...»
Д[митрию] М[ережовскому]

Пришла и смотрит тихо.
В глазах — тупой огонь.
Я твой щенок, волчиха!
Но ты меня не тронь.
      Щетенишься ли, лая,
      Скулишь ли — что за толк!
      Я все ухватки знаю,
      Недаром тоже волк.
Какую ни затеешь
Играть со мной игру —
Ты больше не сумеешь
Загнать меня в нору.
      Ни шагу с косогора!
      Гляди издалека
      И жди... Узнаешь скоро
      Ты волчьего щенка!
Обходные дороги,
Нежданные пути
К тебе, к твоей берлоге,
Сумею я найти.
      Во мху, в душистой прели,
      Разнюхаю твой след...
      Среди родимых елей
      Двоим нам — места нет.

Just You Wait   *'...the revolution raised him as the she-wolf raised Romulus...'*
For Dmitrii Merezhkovskii

She has come and is quietly watching. There is a dim fire in her eyes. I am your pup,
she-wolf! But don't you touch me.

If you bristle as you bark, if you whine — what's the sense! I know all the tricks, for I
am a wolf too.

Whatever game you try to play with me, you won't manage to get me into the den
again.

Not a step from the hillside! Look from a distance and wait... You will soon know the
wolf-pup!

Roundabout paths, unexpected routes to you, to your lair, I shall manage to find.

In the moss, in the fragrant humus, I shall sniff out your track... Among the fir-trees
of my infancy there is no room for both of us.

Ты мне заплатишь шкурой...
Дай отрастить клыки!
По ветру шерсти бурой
Я размечу клоки!

1927

Вступление из поэмы «Последний круг (И новый Дант в аду)»

Вскипают волны тошноты нездешней
И в черный рассыпаются туман.
И вновь во тьму, которой нет кромешней,
Скользят к себе, в подземный океан.

Припадком боли, горестно-сердечной,
Зовем мы это здесь. Но боль — не то.
Для тошноты подземной и навечной
Все здешние слова — ничто.

Пред болью — всяческой — на избавленье
Надежд раскинута живая сеть:
На дружбу новую, на Время, на забвенье...
Иль, наконец, надежда — умереть.

You will pay me with your skin... Wait till I grow fangs! I shall scatter tufts of brown fur to the wind!

Introduction from 'The Last Circle (And a New Dante is in Hell)'
Waves of unearthly nausea boil and scatter into black mist. And again into darkness, which is blacker than any pitch, they slip back home, to the underground ocean.

Here we call this an attack of pain, grievous and heartfelt. But pain is the wrong word. For underground and eternal nausea all earthly words are nothing.

As salvation from pain, any sort, a living net of hopes is spread out: hopes of new friendship, of Time, of oblivion... Or, finally, there is the hope of dying.

Будь счастлив, Дант, что по заботе друга
В жилище мертвых ты не всё познал,
Что спутник твой отвел тебя от круга
Последнего — его ты не видал.
И если б ты не умер от испуга —
Нам всё равно о нем бы не сказал.

А тот, кто ведал на земле живой
Чернильно-черных вод тяжелое кипенье
И был, хотя бы час, в их тошном окруженьи —
Кто ощущал в себе размерный их прибой,
Тот понял всё: он обречен заране
Познать, что там — в подземном океане, —
Там нет ни Времени, ни звуков, только мгла,
Что кучею по черному легла.
Там только грузное ворчанье вод
И вечности тупой круговорот.

1945

Be happy, Dante, that thanks to a friend's care you did not know everything in the habitations of the dead, that your companion led you away from the last circle, that you did not see it. And even if you hadn't died of fright, you still would not have told us about it.

But he who has known on living earth the heavy seething of the ink-black waters and has, if only for an hour, been in their nauseating midst — whoever has felt in himself their steady breakers will have understood everything: he is doomed beforehand to know that there, in the underground ocean, there is neither Time nor sounds, but only a gloom which has fallen in a heap over the blackness. Only the weighty grumbling of the waters is there and eternity's sluggish vortex.

МИХАИЛ АЛЕКСЕЕВИЧ КУЗМИН
MIKHAIL ALEKSEEVICH KUZMIN

* *
*

Из глубины земли источник бьет.
Его художник опытной рукою,
Украсив хитро чашей золотою,
Преобразил в шумящий водомет.

Из тьмы струя, свершая свой полет,
Спадает в чашу звучных капль толпою,
И золотится радужной игрою,
И чаша та таинственно поет.

В глубь сердца скорбь ударила меня,
И громкий крик мой к небу простирался,
Коснулся неба, радужно распался
И в чашу чудную упал звеня.

Мне петь велит любви лишь сладкий яд —
Но в счастии уста мои молчат.

1903

A spring bubbles up from the earth's depths. An artist with an experienced hand, cunningly adorning it with a golden chalice, has transformed it into a roaring jet.

From the darkness the stream, completing its flight, falls in a crowd of resonant drops into the chalice and is gilded in a play of rainbow colours, and the chalice sings mysteriously.

Grief has struck me deep in the heart and my loud cry has extended to heaven, has struck heaven, has refracted in many colours and fallen, ringing, into a wondrous chalice.

Only love's sweet poison tells me to sing, but my lips are silent in happiness.

Мои предки

Моряки старинных фамилий,
влюбленные в далекие горизонты,
пьющие вино в темных портах,
обнимая веселых иностранок;
франты тридцатых годов,
подражающие д'Орсэ и Брюммелю,
внося в позу дэнди
всю наивность молодой расы;
важные, со звездами, генералы,
бывшие милыми повесами когда-то,
сохраняющие веселые рассказы за ромом,
всегда одни и те же;
милые актеры без большого таланта,
принесшие школу чужой земли,
играющие в России «Магомета»
и умирающие с невинным вольтерьянством;
вы — барышни в бандо,
с чувством играющие вальсы Маркалью,
вышивающие бисером кошельки
для женихов в далеких походах,
говеющие в домовых церквах
и гадающие на картах;
экономные, умные помещицы,
хвастающиеся своими запасами,
умеющие простить и оборвать
и близко подойти к человеку,
насмешливые и набожные,

My Ancestors
Sailors from ancient families, enamoured of distant horizons, drinking wine in dark ports, embracing merry foreign women; dandies of the 1830s, imitating D'Orsay and Brummel, bring to the dandy's pose all the naïveté of a young race; solemn, star-wearing generals who were once likable rakes, preserving merry stories while drinking rum, always the same ones; nice actors with no great talent, who brought a foreign land's school and played *Mahomet* in Russia and died in innocent Voltairean freethinking; you young ladies wearing a head band, playing Marcailhou waltzes with feeling, embroidering purses with pearls for fiancés who were on distant campaigns, young ladies who were shriven at Easter in private churches and used cards for fortune-telling; thrifty clever women landowners, boasting of their stocked larders, who knew how to forgive and break off and come close to a man, who were sarcastic and religious,

встающие раньше зари зимою;
и прелестно-глупые цветы театральных училищ,
преданные с детства искусству танцев,
нежно развратные,
чисто порочные,
разоряющие мужа на платья
и видающие своих детей полчаса в сутки;
и дальше, вдали — дворяне глухих уездов,
какие-нибудь строгие бояре,
бежавшие от революции французы,
не сумевшие взойти на гильотину, —
все вы, все вы —
вы молчали ваш долгий век,
и вот вы кричите сотнями голосов,
погибшие, но живые,
во мне: последнем, бедном,
но имеющем язык за вас,
и каждая капля крови
близка вам,
слышит вас,
любит вас;
и вот все вы:
милые, глупые, трогательные, близкие,
благословляетесь мною
за ваше молчаливое благословенье.

Май 1907

who got up in winter before dawn; and charmingly silly flowers of theatrical schools, dedicated from childhood to the art of the dance, tenderly debauched, purely depraved, ruining their husbands with their dresses and seeing their children for half an hour every day; and further off, far off — gentry from remote districts, some strict lords, Frenchmen who fled the revolution, having failed to mount the guillotine — all of you, all of you have been silent for your long lives, and now, perished but alive, you shout in hundreds of voices within me: the last, poor one, but me who have a tongue for you, and whose every drop of blood is close to you, hears you, loves you; and now all of you — dear, silly, touching, close — are blessed by me for your silent blessing.

* * *

О, быть покинутым — какое счастье!
Какой безмерный в прошлом виден свет —
Так после лета — зимнее ненастье:
Всё помнишь солнце, хоть его уж нет.

Сухой цветок, любовных писем связка,
Улыбка глаз, счастливых встречи две, —
Пускай теперь в пути темно и вязко,
Но ты весной бродил по мураве.

Ах, есть другой урок для сладострастья,
Иной есть путь — пустынен и широк.
О, быть покинутым — такое счастье!
Быть нелюбимым — вот горчайший рок.

Сентябрь 1907

Из цикла «Струи»

На твоей планете всходит солнце,
И с моей земли уходит ночь.
Между нами узкое оконце,
Но мы время можем превозмочь.

Нас связали крепкими цепями,
Через реку переброшен мост.

O what happiness it is to be left! What immeasurable light can be seen in the past — thus after summer comes winter's bad weather: you still remember the sun, although it is no longer there.

A dry flower, a bundle of love letters, smiling eyes, two happy meetings — though now the journey is dark and sticky, in spring you still wandered over fresh grass.

Ah, here is another lesson for voluptuousness, here is another path — deserted and broad. Oh, it is such happiness to be left. To be unloved — that is the bitterest fate.

From 'Streams'

The sun rises over your planet, and the night departs from my earth. Between us is a narrow little window, but we can overcome time.

We have been bound by strong chains, a bridge has been thrown across the river.

Пусть идем мы разными путями —
Непреложен наш конец и прост.

Но смотри, я — цел и не расколот,
И бесслезен стал мой зрящий глаз.
И тебя пусть не коснется молот,
И в тебе пусть вырастет алмаз.

Мы пройдем чрез мир, как Александры,
То, что было, повторится вновь,
Лишь в огне летают саламандры,
Не сгорает в пламени любовь.

1908

Смерть

В крещенски-голубую прорубь
Мелькнул души молочный голубь.

Взволнённый, долгий сердца вздох,
Его поймать успел ли Бог?

Испуганною трясогузкой
Прорыв перелетаю узкий.

Своей шарахнусь черноты...
Верчу глазами: где же ты?

Though we go along different paths, our destination is fixed and simple.

But look, I am whole and not split, and my seeing eye has become tearless. And may the hammer not touch you and may a diamond grow in you.

We shall traverse the world like Alexander the Greats; what has been will be repeated again, salamanders fly only in fire, love does not burn up in the flame.

Death

Into the blue, freezing January hole in the ice flashed the soul's milky dove.

A distressed long sigh from the heart: has God managed to catch it?

Like a frightened wagtail, I fly across the narrow gap.

I shall shy at my blackness... I roll my eyes: where are you, then?

Зовет бывалое влеченье,
Труда тяжеле облегченье.

В летучем, без теней, огне
Пустынно и привольно мне!

Май 1917

Фузий в блюдечке

Сквозь чайный пар я вижу гору Фузий,
На желтом небе золотой вулкан.
Как блюдечко природу странно узит!
Но новый трепет мелкой рябью дан.
Как облаков продольных паутинки
Пронзает солнце с муравьиный глаз,
А птицы-рыбы, черные чаинки,
Чертят лазури зыблемый топаз!
Весенний мир вместится в малом мире:
Запахнут миндали, затрубит рог,
И весь залив, хоть будь он вдвое шире,
Фарфоровый обнимет ободок.
Но ветка неожиданной мимозы,
Рассекши небеса, легла на них, —
Так на страницах философской прозы
Порою заблестит влюбленный стих.

1917

Former affections call me, relief is heavier than labour.
In flying fire without shadows I feel deserted and free.

Mt Fuji in a Saucer
Through the steaming tea I can see Mount Fuji, a golden volcano against a yellow sky. How strangely the saucer narrows nature! But a new quiver is given by the shallow rippling. How the gossamer of elongated clouds is penetrated by a sun the size of an ant's eye, how the bird-fishes, black tea-leaves, outline the azure's quivering topaz! The world of spring will fit inside a little world: the almond will give off its scent, a horn will sound, and the whole bay, be it twice as wide, is enclosed by the porcelain rim. But a branch of unexpected mimosa, cleaving the sky, has fallen across it, — thus on the pages of philosophical prose an infatuated verse will sometimes shine.

Али

Не так ложишься, мой Али,
Какие женские привычки!
Люблю лопаток миндали
Чрез бисерные перемычки,
Чтоб расширялася спина
В два полушария округлых,
Где дверь запретная видна
Пленительно в долинах смуглых.
Коралловый дрожит бугор,
Как ноздри скакуна степного,
И мой неутомимый взор
Не ищет зрелища другого.
О, свет зари! О, розы дух!
Звезда вечерних вожделений!
Как нежен юношеский пух
Там, на истоке разделений!

Когда б я смел, когда б я мог,
О, враг, о, шах мой, свиться в схватке,
И сладко погрузить клинок
До самой, самой рукоятки!
Вонзить и долго так держать,
Сгорая страстью и отвагой,
Не вынимая, вновь вонзить
И истекать любовной влагой!
Разлился соловей вдали,
Порхают золотые птички!
Ложись спиною вверх, Али,
Отбросив женские привычки!

1918

You lie down the wrong way, my Ali, what female habits! I love the almonds of your shoulder blades through the pearly connective tissue, I like your back broadening into two rounded hemispheres where the forbidden door can be seen, enchanting in swarthy valleys. The coral mount quivers, like a steppe charger's nostrils, and my untiring gaze seeks no other spectacle. O light of dawn! O scent of the rose! Star of evening concupiscences! How tender is the youthful down, there at the source of divisions.

If I dared, if I could, o enemy, o my Shah, roll up in a clench, and sweetly let my blade in right up to the very hilt! To thrust and long hold it there, burning with passion and bravery, not taking it out, again to thrust and let flow love's juice! Far off a nightingale has burst into song, golden birds flutter! Lie prone, Ali, casting off female habits.

* * *

Несовершенство мира — милость Божья!
Паси стада своих свободных воль,
Пускай стоишь у нижнего подножья.

Желанье вольное утолено ль?
Автоматичность — вряд ли добродетель,
Без тела тупы и восторг и боль.

Во мгле ли дремлем мы, в зенитном свете ль
Крылим, острее стрел, свои лучи —
Отображение небесных петель, —

Чужой чертеж прилежнее учи,
Желаний ветошь с воли совлекая,
И слушай голос в набожной ночи.

Воскликнешь, удивясь: «Так вот какая
Нам сила суждена! ее берем!»
Не борозди, кометою мелькая,

Случайный небосвод, плыви путем
Тебе удобнейшим. Желанье Бога!
Едина цель и волен твой ярём,

Покорная, свободная дорога!

1919

The world's imperfection is God's mercy! Graze the flocks of free wills, though you stand by the lower foothill.

Has free desire been satisfied? Being an automaton is hardly virtuous, both delight and pain are dull without a body.

Whether we slumber in mist or whether we wing our rays, sharper than arrows, in the light of the zenith — the reflection of heavenly loops —

Study the alien drawing more assiduously, drawing down the cloth of desires from will, and listen to the voice in the pious night.

You will exclaim in amazement: 'So this is the force allotted to us! Let us take it!' Do not furrow, flashing like a comet,

A chance sky, sail the path most convenient for you. Desire is of God! Single is the goal and your yoke is free,

The road is compliant and open.

* * *

Декабрь морозит в небе розовом,
Нетопленный мрачнеет дом.
А мы, как Меншиков в Березове,
Читаем Библию и ждем.

И ждем чего? самим известно ли?
Какой спасительной руки?
Уж взбухнувшие пальцы треснули
И развалились башмаки.

Никто не говорит о Врангеле,
Тупые протекают дни.
На златокованном Архангеле
Лишь млеют сладостно огни.

Пошли нам крепкое терпение,
И кроткий дух, и легкий сон,
И милых книг святое чтение,
И неизменный небосклон!

Но если ангел скорбно склонится,
Заплакав: «Это навсегда!» —
Пусть упадет, как беззаконница,
Меня водившая звезда.

Нет, только в ссылке, только в ссылке мы,
О, бедная моя любовь.
Струями нежными, не пылкими,
Родная согревает кровь,

December freezes in a pink sky, unheated, the house grows gloomy. And we, like Menshikov [*in exile*] at Beriozov, read the Bible and wait.

And what are we awaiting? Do we know ourselves? For what rescuing hand? Our fingers, already swollen, have cracked and shoes have fallen apart.

Nobody talks of Wrangel, dull days pass. On the gold-shod Archangel fires are only sweetly dormant.

Send us strong patience, and a meek spirit and easy sleep, and the sacred reading of books we love and an unchanging horizon!

But if an angel bends down in grief, weeping: 'This is for ever!' — let the star that leads me fall like a woman outside the law.

No, only in exile, we are only in exile, o my poor love. In gentle, not ardent streams our own blood warms us,

Окрашивает щеки розово,
Не холоден минутный дом,
И мы, как Меншиков в Березове,
Читаем Библию и ждем.

8 декабря 1920

* * *

Живется нам не плохо:
Водица да песок...
К земле чего же охать,
А к Богу путь высок!

Не болен, не утоплен,
Не спятил, не убит!
Не знает вовсе воплей
Наш кроликовый скит.

Молиться вздумал, милый?
(Кочан зайчонок ест.)
Над каждою могилой
Поставят свежий крест.

Оконце слюдяное,
Тепло лазурных льдин!
Когда на свете двое,
То значит — не один.

Colours our cheeks pink, the temporary home is not cold, and we, like Menshikov at Beriozov, read the Bible and wait.

Our life is not bad: water and sand... Why groan to the earth: the path to God is lofty!
    You're not sick, drowned, crazy, or killed! Our rabbit hutch knows no yells at all.
    Dear boy, did you think of praying? (A leveret is eating a cabbage.) Over each grave a fresh cross will be put.
    A little mica window, the warmth of azure ice-floes! When there are two in the world, that means one's not alone.

А может быть, и третий
Невидимо живет.
Кого он раз приветил,
Тот сирым не умрет.

Сентябрь 1921

* * *

Стеклянно сердце и стеклянна грудь,
Звенят от каждого прикосновенья,
Но, строгий сторож, осторожен будь:
Подземная да не проступит муть
За это блещущее огражденье.

Сплетенье жил, теченье тайных вен,
Движение частиц, любовь и сила,
Прилив, отлив, таинственный обмен, —
Весь жалостный состав — благословен:
В нем наша суть искала и любила.

О звездах, облаке, траве, о вас
Гадаю из поющего колодца,
Но в сладостно-непоправимый час
К стеклу прихлынет сердце — и алмаз
Пронзительным сияньем разольется.

1922

And perhaps a third person is living invisibly. Anyone he has once greeted will not die orphaned.

The heart is glass, the chest is glass, they ring at every touch, but, strict guard, be guarded: lest the underground sediment penetrates this shining protection.
    A plethora of sinews, the flow of secret veins, movement of particles, love and strength, flow, ebb, mysterious circulation — the whole pathetic composition is blessed: in it our essence has sought and loved.
    About stars, a cloud, a grass, you, I tell the future from the singing well, but at a sweetly irrevocable hour, the heart will gush to the glass — and a diamond will pour out penetrating radiance.

Северный веер

Юр. Юркуну

1

Слоновой кости страус поет:
— Оледенелая Фелица! —
И лак, и лес, Виндзорский лед,
Китайский лебедь Бердсли снится.
Дощечек семь. Сомкни, не вей!
Не иней — букв совокупленье!
На пчельниках льняных полей
Голубоватое рожденье.

2

Персидская сирень! «Двенадцатая ночь».
Желтеет кожею водораздел желаний.
Сидит за прялкою придурковато дочь,
И не идет она поить псаломских ланей.
Без звонка, через кухню, минуя швейцара,
Не один, не прямо, прямо и просто
И один,
Как заказное письмо
С точным адресом под расписку,
Вы пришли.
Я видел глазами (чем же?)
Очень белое лицо,
Светлые глаза,
Светлые волосы,
Высокий для лет рост.
Всё было не так.

A Northern Fan   *For Iurii Iurkun*

1. The ivory ostrich sings: 'Felicia turned to ice!' And Beardsley dreams of lacquer, forest, Windsor ice, a Chinese swan. There are seven blades. Close them, don't fan! It isn't frost but a copulation of letters! There is a bluish birth in the flax fields' apiaries.

2. [*The perfumes*] 'Persian Lilac'! 'Twelfth Night'! The skin of the watershed of desires is turning yellow. The daughter sits imbecilically at the spinning wheel, and she does not go to water the deer of the psalms. Without ringing the bell, across the kitchen, avoiding the porter, not alone, not directly, directly and simply and alone, like a registered letter with an exact address to be signed for, you came. I saw with my eyes (what with, then?) an extremely pale face, bright eyes, fair hair, a good height for his age. It was all wrong.

Я видел не глазами,
Не ушами я слышал:
От желтых обоев пело
Шекспировски плотное тело:
— «За дело, лентяйка, за дело».

3

О, завтрак, чок! о, завтрак, чок!
Позолотись зимой, скачок!
Румяных крыльев какая рань!
Луком улыбки уныло рань.
Холодный по́тик рюмку скрыл,
Иголкой в плечи — росточек крыл,
Апрель январский, Альбер, Альбер,
«Танец стрекоз», арена мер!

4

Невидимого шум мотора,
За поворотом сердце бьется.
Распирает муза капризную грудь.
В сферу удивленного взора
Алмазный Нью-Йорк берется
И океанский, горный, полевой путь.
Раскидав могильные обломки,
Готова заплакать от весны незнакомка,
Царица, не верящая своему царству,
Но храбро готовая покорить переулок

I saw not with my eyes, I heard not with my ears: the Shakespearean fleshiness of the body sang from the yellow wallpaper: 'Get on with it, lazy woman, get on with it.'

3. O, breakfast, clink glasses! O, breakfast, clink glasses! Gild yourself with winter, o leap! What an early hour for fresh red wings. Wound dejectedly with the bow of your smile! A chill mist has hidden the wine-glass, the bud of wings is like a needle in the shoulders, a January April, Albert, Albert, [*the restaurant*] 'The Dance of the Dragonflies'[*Legard's operetta*], an arena of measures!

4. The sound of an invisible motor car, the heart beats around the turning. The muse lets the capricious breast expand. Into the amazed gaze's sphere a diamond New York takes itself and so does the path of the ocean, the mountains, the fields. Scattering the fragments of the grave, the unknown woman is ready to burst into tears because of spring, an empress who is distrusting of her empire, but bravely ready to subdue the lane

И поймать золотую пчелу.
Ломаны брови, ломаны руки,
Глаза ломаны.
Пупок то подымается, то опускается...
Жива! Жива! Здравствуй!
Недоверие, смелость,
Желание, робость,
Прелесть перворожденной Евы
Среди австралийских тростников,
Свист уличного мальчишки,
И ласточки, ласточки, ласточки.

5

Баржи затопили в Кронштадте,
Расстрелян каждый десятый, —
Юрочка, Юрочка мой,
Дай Бог, чтоб Вы были восьмой.

Казармы на затонном взморье,
Прежний, я крикнул бы: «Люди!»
Теперь молюсь в подполье,
Думая о белом чуде.

6

На улице моторный фонарь
Днем. Свет без лучей
Казался нездешним рассветом.

---

and to catch a golden bee. Eyebrows arch, hands are wrung, eyes hurt. The navel now rises, now falls... She's alive! Alive! Greetings! Mistrust, boldness, desire, shyness, the charm of Eve, first to be born, amid Australian reed-beds, a street urchin's whistle, and swallows, swallows, swallows.

5. Barges were sunk at Kronstadt, every tenth man was shot — Iurochka, my Iurochka, God grant that you were the eighth.
   Barracks on the backwater shore, my former self would have shouted 'People!' Now I pray in the cellars, thinking of a white miracle.

6. A car headlight in the street at daytime. The rayless light seemed an unearthly dawn.

Будто и теперь, как встарь,
Заблудился Орфей
Между зимой и летом.
Надеждинская стала лужайкой
С загробными анемонами в руке,
А Вы, маленький, идете с Файкой,
Заплетая ногами, вдалеке, вдалеке.
Собака в сумеречном зале
Лает, чтобы Вас не ждали.

7

Двенадцать — вещее число,
А тридцать — Рубикон:
Оно носителю несло
Подземных звезд закон.

Раскройся, веер, плавно вей,
Пусти все планки в ход.
Животные земли, огней,
И воздуха, и вод.

Стихий четыре: север, юг,
И запад, и восток.
Корою твердой кроет друг
Живительный росток.

It was as though now, as of old, Orpheus had got lost between winter and summer. Nadezhdinskaia became a glade holding the anemones of Hades in its hand. And you, little boy, are taking Faika for a walk, your legs stumbling, far away, far away. The dog in the twilit hall barks that you are not to be expected.

7. Twelve is a prophetic number, and thirty is the Rubicon: it has brought its bearer the law of underground stars.

Open, fan, fan smoothly, let all your blades work, there are animals of earth, fires, air and waters.

There are four elements: North, South, and West and East. A friend covers the life-giving growth with a hard crust.

Быть может, в щедрые моря
Из лейки нежность лью, —
Возьми ее — она твоя.
Возьми и жизнь мою.

1925

Perhaps I am pouring affection from a watering-can into generous seas, — take it, it is yours, take my life too.

ВАЛЕРИЙ ЯКОВЛЕВИЧ БРЮСОВ
VALERII IAKOVLEVICH BRIUSOV

Поэту

Ты должен быть гордым, как знамя;
Ты должен быть острым, как меч;
Как Данту, подземное пламя
Должно тебе щеки обжечь.

Всего будь холодный свидетель,
На все устремляя свой взор.
Да будет твоя добродетель —
Готовность взойти на костер.

Быть может, все в жизни лишь средство
Для ярко-певучих стихов,
И ты с беспечального детства
Ищи сочетания слов.

В минуты любовных объятий
К бесстрастью себя приневоль,
И в час беспощадных распятий
Прославь исступленную боль.

В снах утра и в бездне вечерней
Лови, что шепнет тебе Рок,
И помни: от века из терний
Поэта заветный венок.

18 декабря 1907

To the Poet

You must be as proud as a banner; you must be as sharp as a sword; like Dante, you
must have had your cheeks singed by a subterranean flame.

Be a cold witness to everything, fixing your gaze on everything. Let your virtue be
readiness to be burnt at the stake.

Perhaps, everything in life is merely a means to brightly singing verses, so from your
carefree childhood seek combinations of words.

In minutes of love's embraces force yourself to be passionless, and at a time of
merciless crucifixions glorify ecstatic pain.

In the morning's dreams and the evening's chasm, listen out for what Fate whispers to
you, and remember: since time began, the poet's cherished crown has been of thorns.

Египетский раб

Я жалкий раб царя. С восхода до заката,
Среди других рабов, свершаю тяжкий труд,
И хлеба кус гнилой — единственная плата
За слезы и за пот, за тысячи минут.

Когда порой душа отчаяньем объята,
Над сгорбленной спиной свистит жестокий кнут,
И каждый новый день товарища иль брата
В могилу общую крюками волокут.

Я жалкий раб царя, и жребий мой безвестен;
Как утренняя тень, исчезну без следа,
Меня с лица земли века сотрут, как плесень;

Но не исчезнет след упорного труда,
И вечность простоит, близ озера Мерида,
Гробница царская, святая пирамида.

7—20 октября 1911

Поэт пред Алтарем Поэзии
(Азбука от А до Ѳ)

Алтарь алеющий — алмазен.
Бесстрашно будь богобоязен!

The Egyptian Slave
I am the king's wretched slave. From sunrise to sundown, among other slaves, I carry out heavy labour, and a rotten chunk of bread is the only pay for tears and sweat, for thousands of minutes.

When, at times, my soul is gripped with despair, the cruel whip whistles over my bowed back, and every day a comrade or brother is dragged by hooks to a common grave.

I am the king's wretched slave, and my lot is unknown; like a morning shadow, I shall vanish without trace, the centuries will rub me, like mould, off the face of the earth;

But the trace of stubborn labour will not vanish, and for eternity, near Lake Meris, the king's mausoleum, a sacred pyramid, will stand.

The Poet before Poetry's Altar (The Complete Cyrillic Alphabet)
The scarlet-coloured altar is of diamonds. Be fearlessly god-fearing!

Всё, всё — верховные веленья:
Грусть, горести, года гоненья!

Дань Духу даруй достовластно
Ежеминутно, ежечасно!

Жрец жгуче-жадного желанья,
Знай золотые заклинанья.

И истины ищи — Ирана,
Іерусалима, Іордана!

Когда кругом кричат кимвалы,
Люби лишь лавры, льдины, лаллы;

Меж молнийных метаний мира
Недвижность наблюдай надира;

Останься одинок, ответствен
Пред правосудьем — правдой песен!

Риторика — расчета ищет;
Суд своевольный судит, свищет; —

Ты торопись тропой тлетворной,
Уверен, умилен, упорный!

Фантазия, фиалки, феи —
Хвалы, хулителей хитрее.

Everything, everything — is supreme commandments: sadness, woes, years of harassment!
Pay tribute to the Spirit with all your power, every minute, every hour!
Priest of ardently eager desire, know the golden spells.
And seek the truths — of Iran, Jerusalem, Jordan!
When cymbals cry out around, love only laurels, ice-floes, amethysts.
Among the world's lightning-like rushing, observe the nadir's immobility.
Remain alone, responsible to jurisdiction by the justice of songs.
Rhetoric looks for calculation; arbitrary justice judges, whistles: —
You must hurry along a putrefying path, confident, moved to fondness, stubborn!
Fantasy, violets, fairies — praises more cunning than those who abuse you.

Целители, целя, целуют;
Читатели, чинясь, чаруют;

Шумящие .   .   .   .   .
Щ .   .   .   .

.   .   .   .
Ѣздок, ѣздок! Ѣзда ли?

Элегии — эфирно эхо,
Юнее — юмор юносмеха.

Яд — ямбы; ясность — яркость ямы.
Ѳеогония — Ѳимиамы!

1918

**

Дни для меня не замысловатые фокусы,
В них стройность математического уравнения.
Пусть звездятся по водам безжизненные лилии,
Но и ало пылают бесстыдные крокусы.
Лишь взвихренный атом космической пыли я,
Но тем не менее
Эти прожитые годы
(Точка в вечности вечной природы)
Так же полны значения,
Как $f(x, y) = 0$.

Healers, as they heal, kiss; readers, as they stand on ceremony, enchant;
Rustling .   .   .   .   .
.   .   . Rider, rider! Is this riding?
The echo of elegies is ethereal, the humour of young laughter is younger.
Iambics are poison; clarity is the brightness of the pit. Theogony is incense!

Days are for me not ingenious tricks, they have the symmetry of a mathematical equation. Let lifeless lilies spread over the waters like stars, the shameless crocuses also burn crimson. I am just a swirling atom in cosmic dust, but, nevertheless, the years that I have lived (a point in eternal nature's eternity) are as full of significance as $f(x, y) = 0$.

Богомольно сгибало страдание страсти,
К золотым островам уводили наркотики,
Гулы борьбы оглушали симфонией,
В безмерные дали
Провал разверзали,
Шелестя сцепленьями слов, библиотеки.
Но с горькой иронией,
Анализируя
Переменные мигов и лет,
Вижу, что миру я
Был кем-то назначен,
Как назначены эллипсы солнц и планет.
И когда, умиленным безумьем охвачен
Иль кротко покорен судьбе,
Я целую чье-то дрожащее веко,
Это — к формуле некой
Добавляю я «а» или «b».

26 февраля 1921

Suffering piously curbed passions, drugs led me to the golden islands, the roar of the struggle deafened me with a symphony, libraries opened up a chasm into measureless vistas, rustling the combinations of words. But analysing with bitter irony the moments' and years' variables, I can see that I have been appointed by somebody to the world, as the ellipses of suns and planets are appointed. And when, in the grip of fond madness, or meekly submissive to fate, I am kissing someone's quivering eyelid, this is me adding *a* or *b* to some formula.

ТАТЬЯНА ЛЬВОВНА ЩЕПКИНА-КУПЕРНИК
TATIANA LVOVNA SHCHEPKINA-KUPERNIK

На кладбище

Мы шли на кладбище. Осенний день был светел,
Деревья — пурпуром и золотом горя --
Стояли пышные... В стенах монастыря
Нас хор торжественно и величаво встретил.
Опущен в землю гроб. Рыдавшая вдова
Со стоном ужаса упала на колени...
Священник говорил напутствия слова,
Кругом монахини темнелись, точно тени.
Осенний ветерок, так шаловливо-свеж,
Играя складками печальными вуали,
Ласкаясь, пробегал сквозь траурный кортеж...
И, равнодушные, как он, к слезам печали,
Недвижно темные монахини стояли.
Обряд окончился — надгробный хор утих,
И плавно двинулись монахини... меж них
Две — юные совсем — ступая тихо рядом,
Вдруг подняли глаза — и обожгли нас взглядом.
Потом скользнул их взгляд по каменным стенам —
Стенам монастыря, спокойным и холодным...
— Они мучительно завидовали нам —
Страдавшим, плакавшим, рыдавшим — но свободным.

1899

At the Cemetery
We were going to the cemetery. The autumn day was bright. Trees, burning with purple and gold, stood luxuriant... Within the nunnery walls a choir greeted us solemnly and majestically. The coffin was lowered into the earth. The sobbing widow fell on her knees with a groan of horror... The priest spoke the parting words, all around were the dark shapes of nuns, like shadows. An autumn breeze, so mischievously fresh, playing with the veil's sad folds, caressingly ran through the mourning cortège... And, as indifferent as the breeze to the tears of grief, the dark nuns stood motionless. The ceremony finished, and the choir over the coffin fell silent, and the nuns moved smoothly... among them two, quite young, stepping quietly together, suddenly raised their eyes and burnt us with a look. Then their gaze slipped over the stone walls — the nunnery walls, peaceful and cold... They painfully envied us, who were suffering, weeping, sobbing, but free.

Коромысло дней

Как тяжко нести коромысло дней...
В том ведре, где счастье — совсем на донце.
То ведро, где горе — много тяжелей!
И трудна дорога, и резко светит солнце.
Переменить плечо — и снова, снова в путь.
Дух перевести — и засмеяться бодро:
Когда-нибудь конец! Можно отдохнуть!
Только б донести не расплескавши ведра.
Горе расплескать — затопишь все вокруг...
Счастье расплескать — с чем же оставаться?
Но ты мне поможешь, мой любимый друг,
Ношу донести — и не надорваться.

1930-е годы

Гаданье

По реке сплывают тихо
Семь серебряных лампад.
Шесть — горят, седьмая — гаснет...
И туманится твой взгляд.

The Yoke of Days
How hard it is to carry the yoke of days... In the bucket with happiness in it, there is
only a little at the bottom. The bucket with grief in it is much heavier! And the road is
difficult and the sun shines harshly. I have to change shoulders and again, again set off.
To get my breath back and laugh cheerfully: some time the end will come! I shall be
able to rest! If only I can carry the yoke all the way without spilling the buckets. If you
spill grief, you flood everything around... If you spill happiness, what will you be left
with? But you will help me, my beloved friend, to carry my burden to the end and not
break my strength.

Fortune Telling
Down the river quietly float seven silver icon-lamps. Six burn, the seventh is going
out... and your gaze goes misty.

По реке сплывают тихо
Три таинственных венка.
Два — плывут, а третий — тонет...
И в душе твоей тоска.

Не гадай и не печалься —
Неизбежен вечный рок!
Все в конце концов погибнет:
Жизнь, лампада и венок.

?1935–1940

* * *

Ночь мне кажется старой темной гравюрой,
И сама я на ней — ненужным пятном.

1940-е годы

Down the river quietly float three mysterious wreaths. Two float, but the third sinks...
and there is anguish in your soul.

Don't tell fortunes and do not grieve — eternal fate is inevitable! Everything
ultimately will perish — life, icon-lamp and wreath.

The night seems to me to be an old dark etching, and against it I myself seem to be an
unnecessary blotch.

МАКСИМИЛИАН АЛЕКСАНДРОВИЧ ВОЛОШИН
MAKSIMILIAN ALEKSANDROVICH VOLOSHIN

Предвестия (1905 г.)

Сознанье строгое есть в жестах Немезиды:
Умей читать условные черты:
Пред тем как сбылись Мартовские Иды,
Гудели в храмах медные щиты...

Священный занавес был в скинии распорот:
В часы Голгоф трепещет смутный мир...
О, бронзовый Гигант! ты создал призрак-город,
Как призрак-дерево из семени — факир.

В багряных свитках зимнего тумана
Нам солнце гневное явило лик втройне,
И каждый диск сочился, точно рана...
И выступила кровь на снежной пелене.

А ночью по пустым и гулким перекресткам
Струились шелесты невидимых шагов,
И город весь дрожал далеким отголоском
Во чреве времени шумящих голосов...

Уж занавес дрожит перед началом драмы,
Уж кто-то в темноте — всезрящий, как сова, —
Чертит круги, и строит пентаграммы,
И шепчет вещие заклятья и слова.

9 января 1905   *С.-Петербург*

Harbingers

Nemesis's gestures have a strict awareness: know how to read their symbolic features: before the Ides of March happened, brass shields hummed in the temples...

In the tabernacle the holy curtain was rent; the confused world quivers during Golgothas... O bronze giant, you created a ghost city as a fakir a ghost tree from a seed.

In blood-red scrolls of winter fog the wrathful sun showed us its image in triple form and each disk, like a wound, dripped and blood came out on the snowy covering.

At night over the empty echoing cross-roads a rustling of invisible footsteps streamed and the whole city shook with the distant echo of voices roaring in time's womb...

Now the curtain shakes before the drama's start, now someone in the dark, all-seeing as an owl, draws circles and makes pentagrams in the dark and whispers prophetic spells and words.

* * *

Кость сожженных страстью — бирюза —
      Тайная мечта...
Многим я заглядывал в глаза:
      Та или не та?
В тихой пляске свились в легкий круг —
      Тени ль? Нити ль мглы?
Слишком тонки стебли детских рук,
      Пясти тяжелы...
Пальцы гибки, как лоза с лозой,
      Заплелись, виясь...
Отливает тусклой бирюзой
      Ожерелий вязь.
Слишком бледны лица, профиль чист,
      Нежны ветви ног...
В волосах у каждой аметист —
      Темный огонек.
Мгла одежд скрывает очерк плеч
      И прозрачит грудь;
Их тела, как пламенники свеч,
      Может ветр задуть...
...И я сам, колеблемый, как дым
      Тлеющих костров,
Восхожу к зелено-золотым
      Далям вечеров.

30 мая 1912   *Коктебель*

The bone of those burnt by passion is turquoise — a secret dream... I have looked many in the eye — was she the one or not? Did shadows or threads of gloom weave together into a light circle in the quiet dance? The stalks of the childlike arms are too thin, the wrists too heavy... Fingers, subtle, have plaited as they twine, like vine with vine... The chain of necklaces gives off a dull turquoise colour. The faces are too pale, the profile too clean, the branches of the legs tender... Every one has an amethyst, dark fire, in her hair. The mist of clothes covers the outline of shoulders and makes the breast transparent; their bodies, like the flambeaux of candles, can be put out by the wind...
...And I myself, blown to and fro like the smoke of smouldering fires, rise up to the evenings' green-gold vistas.

Святая Русь

А. М. Петровой

Суздаль да Москва не для тебя ли
По уделам землю собирали
Да тугую золотом суму?
В рундуках приданое копили
И тебя невестою растили
В расписном да тесном терему?

Не тебе ли на речных истоках
Плотник-Царь построил дом широко —
Окнами на пять земных морей?
Из невест красой да силой бранной
Не была ль ты самою желанной
Для заморских княжих сыновей?

Но тебе сыздетства были любы —
По лесам глубоких скитов срубы,
По степям кочевья без дорог,
Вольные раздолья да вериги,
Самозванцы, воры да расстриги,
Соловьиный посвист да острог.

Быть царевой ты не захотела —
Уж такое подвернулось дело:
Враг шептал: развей да расточи,
Ты отдай казну свою богатым,
Власть — холопам, силу — супостатам,
Смердам — честь, изменникам — ключи.

Holy Russia   *For A. M. Petrova*

Didn't Suzdal and Moscow gather land, fiefdom by fiefdom, and a bag packed tight with gold for you? Didn't they stack a dowry in coffers and nurture you as a bride in a decorated narrow chamber?

Didn't the carpenter-tsar build for you on the rivers' sources a spacious house with windows on the earth's five seas? Weren't you the most desirable of brides in beauty and warrior strength for foreign princes' sons?

But from childhood you liked the rough wood hermitages in the forest depths, roadless nomads' roaming in the steppes, wide open spaces and ascetics' chains, usurpers, thieves and unfrocked monks, the whistle of Robber Nightingale and prison stockades.

You refused to be the Tsar's — that's how things went: an enemy whispered: scatter and squander, give your treasure to the rich, power to serfs, strength to foes, honour to peasants, keys to traitors.

Поддалась лихому подговору,
Отдалась разбойнику и вору,
Подожгла посады и хлеба,
Разорила древнее жилище
И пошла поруганной и нищей
И рабой последнего раба.

Я ль в тебя посмею бросить камень?
Осужу ль страстной и буйный пламень?
В грязь лицом тебе ль не поклонюсь,
След босой ноги благословляя, —
Ты — бездомная, гулящая, хмельная,
Во Христе юродивая Русь!

19 ноября 1917   Коктебель

Демоны глухонемые

> «Кто так слеп, как раб Мой? и глух,
> как вестник Мой, Мною посланный?»
> *Исайя 42, 19*

Они проходят по земле,
Слепые и глухонемые,
И чертят знаки огневые
В распахивающейся мгле.

Собою бездны озаряя,
Они не видят ничего,
Они творят, не постигая
Предназначенья своего.

You surrendered to evil persuasion, you gave yourself to the bandit and thief, you burned down settlements and corn, laid waste ancient habitations and went off disgraced and destitute, the lowest slave's slave-girl.

Is it for me to dare to cast a stone at you? Shall I condemn the passionate turbulent flame? Shall I not bow to you, my face in the mud, blessing your bare foot's trace, you, homeless, wanton, drunken fool-in-Christ Russia?

Deaf-Mute Demons

Who is blind, but my servant? or deaf, as my messenger that I sent? *Isaiah, 42, 19*

They pass over the earth, blind and deaf-mute and make fiery signs in the riven mist.

Illuminating abysses, they see nothing, they act, unaware of their destiny.

Сквозь дымный сумрак преисподней
Они кидают вещий луч...
Их судьбы — это лик Господний,
Во мраке явленный из туч.

29 декабря 1917   *Коктебель*

Заклинание (От усобиц)

Из крови, пролитой в боях,
Из праха обращенных в прах,
Из мук казненных поколений,
Из душ, крестившихся в крови,
Из ненавидящей любви,
Из преступлений, исступлений —
Возникнет праведная Русь.

Я за нее за всю молюсь
И верю замыслам предвечным:
Ее куют ударом мечным,
Она мостится на костях,
Она святится в ярых битвах,
На жгучих строится мощах,
В безумных плавится молитвах.

19 июня 1920   *Коктебель*

Through the smoky twilight of deepest hell they throw a prophetic ray of light... Their destinies are the Lord's face, revealed out of the storm clouds in the darkness.

Spell against Internecine Strife
From blood spilt in battles, from the ash of those turned to ashes, from the agonies of executed generations, from souls baptised in blood, from love that hates, from crimes and frenzies, pious Russia will rise up.

I shall pray for all of her and I believe God's everlasting designs: she is being forged by a blow of the sword, she is being paved on bones, consecrated in furious battles, built on burning relicts, smelted in crazed prayers.

Террор

Собирались на работу ночью. Читали
    Донесенья, справки, дела.
Торопливо подписывали приговоры.
    Зевали. Пили вино.

С утра раздавали солдатам водку.
    Вечером при свече
Выкликали по спискам мужчин, женщин.
    Сгоняли на темный двор.

Снимали с них обувь, белье, платье.
    Связывали в тюки.
Грузили на подводу. Увозили.
    Делили кольца, часы.

Ночью гнали разутых, голых
    По оледенелым камням,
Под северо-восточным ветром
    За город в пустыри.

Загоняли прикладами на край обрыва.
    Освещали ручным фонарем.
Полминуты работали пулеметы.
    Доканчивали штыком.

Terror

They gathered to work at night. They read denunciations, certificates, cases. They hurriedly signed sentences. They yawned. They drank wine.

When morning came they gave the soldiers vodka, in the evening by candle light they called out from the lists men, women, herded them into the dark courtyard.

They took off their footwear, linen, dresses. They tied them into bundles, loaded them onto a cart. They drove them away. They shared out rings, watches.

At night they chased barefooted, naked people over ice-covered stones against a north-east wind into wastelands outside town.

They hurried them along with rifle butts to the edge of a cliff. They used the light of a hand-held torch. The machine-guns worked for half a minute, they finished them off with bayonets.

Еще недобитых валили в яму.
Торопливо засыпали землей.
А потом с широкою русскою песней
Возвращались в город домой.

А к рассвету пробирались к тем же оврагам
Жены, матери, псы.
Разрывали землю. Грызлись за кости.
Целовали милую плоть.

26 апреля 1921   *Симферополь*

На дне преисподней

Памяти А. Блока и Н. Гумилева

С каждым днем всё диче и всё глуше
Мертвенная цепенеет ночь.
Смрадный ветр, как свечи, жизни тушит:
Ни позвать, ни крикнуть, ни помочь.

Темен жребий русского поэта:
Неисповедимый рок ведет
Пушкина под дуло пистолета,
Достоевского на эшафот.

Может быть, такой же жребий выну,
Горькая детоубийца — Русь!
И на дне твоих подвалов сгину,
Иль в кровавой луже поскользнусь,

They threw them, not all killed yet, into a pit. They hurriedly covered them with earth.
And then with an expansive Russian song they returned home to town.

Towards dawn wives, mothers, dogs made their way to the same gullies. They dug
away the earth. They fought over bones. They kissed loved flesh.

At the Bottom of Inferno   *To the memory of Blok and Gumiliov*

Every day more savage and more obscure, the dead night freezes up. A stinking wind
puts out lives like candles: you can't call, shout or help.

Dark is the lot of the Russian poet: an inscrutable fate leads Pushkin to the pistol's
barrel, Dostoevsky to the scaffold.

Perhaps I shall pick the same short straw, Russia, wretched killer of her children! And
I shall disappear at the bottom of your dungeons or I shall slip over in a puddle of blood,

Но твоей Голгофы не покину,
От твоих могил не отрекусь.

Доконает голод или злоба,
Но судьбы не изберу иной:
Умирать, так умирать с тобой,
И с тобой, как Лазарь, встать из гроба!

12 января 1922   *Коктебель*

Из цикла «Пар»

7

Адам изваян был
По образцу Творца,
Но паровой котел счел непристойной
Божественную наготу
И пересоздал
По своему подобью человека:
Облек его в ливрею, без которой
Тот не имеет права появляться
В святилищах культуры,
Он человеческому торсу придал
Подобие котла,
Украшенного клепками;
На голову надел дымоотвод,
Лоснящийся блестящей сажей;
Ноги
Стесал как два столба,
Просунул руки в трубы,

but I shall not abandon your Golgotha, I shall not renounce your graves.
   Whether famine or spite finish me off, I shall not renounce your graves: if I must die,
then with you, and with you, like Lazarus, I shall arise from the coffin!

From 'Steam'
Adam was sculpted in the Creator's image, but the steam boiler thought Divine
nakedness indecent and re-created man in its own likeness: it clothed him in livery,
without which man has no right to appear in culture's shrines, it gave the human torso
the appearance of a boiler, decorated with rivets; it placed a smoke-stack on his head,
shiny with bright soot; it trimmed the legs like two pillars, it pushed the arms into pipes,

Одежде запретил все краски, кроме
Оттенков грязи, копоти и дыма,
И, вынув душу, вдунул людям пар.

8 февраля 1922   *Феодосия*

Из поэмы «Россия»

1

С Руси тянуло выстуженным ветром.
Над Карадагом сбились груды туч.
На берег опрокидывались волны,
Нечастые и тяжкие. Во сне,
Как тяжело больной, вздыхало море,
Ворочаясь со стоном. Этой ночью
Со дна души вздувалось, нагрубало
Мучительно-бесформенное чувство —
Безмерное и смутное — Россия...
Как будто бы во мне самом легла
Бескрайняя и тусклая равнина,
Белесою лоснящаяся тьмой,
Остуженная жгучими ветрами.
В молчании вился морозный прах:
Ни выстрелов, ни зарев, ни пожаров;
Мерцали солью топи Сиваша,
Да камыши шуршали на Кубани,
Да стыл Кронштадт... Украина и Дон,

it forbade all colours for clothing except for shades of dirt, soot and smoke, and, removing the soul, breathed steam into people.

From 'Russia'
1. A chilled wind blew from Russia. Piles of storm-clouds collided over Mt Karadagh [*in the Crimea*]. Waves, infrequent and heavy, overturned onto the shore. In its sleep, like a seriously ill patient, the sea sighed, tossing and turning with a groan. That night something welled up from the depths of the soul, an agonisingly formless feeling — immense and confused, Russia — turned solid... In me a boundless and dim plain, shining with whitish darkness, chilled by burning winds, seemed to appear. Frosty ashes swirled in silence; no shots, no dawn glow, no fires; the Sivash marshes glinted with salt, and reeds rustled on the Kuban, and Kronstadt grew cold... Ukraine and the Don,

Урал, Сибирь и Польша — всё молчало.
Лишь горький свет могилы заметал...
Но было так неизъяснимо томно,
Что старая всей пережитой кровью,
Усталая от ужаса душа
Всё вынесла бы — только не молчанье.

2

Я нес в себе — багровый, как гнойник,
Горячечный и триумфальный город,
Построенный на трупах, на костях
«Всея Руси» — во мраке финских топей,
Со шпилями церквей и кораблей,
С застенками подводных казематов,
С водой стоячей, вправленной в гранит,
С дворцами цвета пламени и мяса,
С белесоватым мороком ночей,
С алтарным камнем финских чернобогов,
Растоптанным копытами коня,
И с озаренным лаврами и гневом
Безумным ликом медного Петра.

В болотной мгле клубились клочья марев:
Российских дел неизжитые сны...
[...]

the Urals, Siberia and Poland were all silent. Only a wretched light swept the graves... But it was so inexplicably wearying that the soul, old with all the blood experienced, tired from terror, could have endured anything, only not silence.

2. I bore in me, crimson as an abscess, a feverish and triumphal city built on corpses, on the bones of 'All Russia'— in the dark of Finnish marshes with the spires of churches and ships, with the torture chambers of underwater casemates, with stagnant water directed into granite, with palaces the colour of flame and flesh, with the whitish murk of nights, with Finnish black gods' altar stone, trampled over by horse's hooves, and with bronze Peter's mad face lit up by laurels and wrath.

In the marsh mist patches of haze swirled: the dreams, not yet lived out, of Russian deeds.

4

Великий Петр был первый большевик,
Замысливший Россию перебросить,
Склонениям и нравам вопреки,
За сотни лет к ее грядущим далям.
Он, как и мы, не знал иных путей,
Опричь указа, казни и застенка,
К осуществленью правды на земле.
Не то мясник, а может быть, ваятель —
Не в мраморе, а в мясе высекал
Он топором живую Галатею,
Кромсал ножом и шваркал лоскуты.
Строителю необходимо сручье:
Дворянство было первым Р. К. П. —
Опричниною, гвардией, жандармом,
И парником для ранних овощей.
Но, наскоро его стесавши, невод
Закинул Петр в морскую глубину.
Спустя сто лет иными рыбарями
На невский брег был вытащен улов.
[...]

6

[...]
У нас в душе некошенные степи.
Вся наша непашь буйно заросла

4. Peter the Great was the first Bolshevik who planned to throw Russia, ignoring inclinations and customs, across hundreds of years to its future vistas. Like us, he knew no other paths, other than decree, execution and the torture chamber, for realising truth and justice on earth. If not a butcher he was perhaps a sculptor — not in marble but in human flesh he hacked out a living Galatea with his axe, he hacked away with a knife and flung the scrap about. A builder cannot do without support: the nobility was the first Russian Communist Party — an *oprichnina* secret police, a guard, a gendarmerie and a hothouse for early vegetables. But, hurriedly throwing it together, Peter flung a net into the depths of the seas. A hundred years later, by other fishermen, the catch was hauled up onto the shore of the Neva.

6. We have unmown steppes in our soul, all our unploughed land is lushly overgrown

Разрыв-травой, быльем да своевольем.
Размахом мысли, дерзостью ума,
Паденьями и взлетами — Бакунин
Наш истый лик отобразил вполне.
В анархии всё творчество России:
Европа шла культурою огня,
А мы в себе несем культуру взрыва.
Огню нужны — машины, города,
И фабрики, и доменные печи,
А взрыву, чтоб не распылить себя, —
Стальной нарез и маточник орудий.
Отсюда — тяж советских обручей
И тугоплавкость колб самодержавья.
Бакунину потребен Николай,
Как Петр — стрельцу, как Аввакуму — Никон.
Поэтому так непомерна Русь
И в своевольи, и в самодержавьи.
И нет истории темней, страшней,
Безумней, чем история России.

7

И этой ночью с напряженных плеч
Глухого Киммерийского вулкана
Я вижу изневоленную Русь
В волокнах расходящегося дыма,
Просвеченную заревом лампад —

with the magic grass of unlocking, with weeds and with anarchy. In the free sweep of his thought, the boldness of his mind Bakunin fully reflected our true image. All Russia's creativity is in anarchy: Europe developed by the culture of fire, but we bear in ourselves the culture of explosion. Fire needs machines, cities, and factories and furnaces, while explosion, if it is not to atomise itself, needs artillery weapons' steel rifling and helical borer. Hence the tightness of Soviet hoops, the refractoriness of autocracy's retorts. Bakunin needed Nicolas as the musketeer needed Peter, as Avvakum needed Nikon. That is why Russia is so immeasurable both in anarchy and in autocracy. And there is no history darker, more terrible, madder, than Russia's.

7. And this night from the tensed shoulders of the dormant Cimmerian volcano I see an enslaved Russia in fibres of dissipating smoke, lit up by the dawn glow of icon lamps —

Страданьями горящих о России...
И чувствую безмерную вину
Всея Руси — пред всеми и пред каждым.

6 февраля 1924 Коктебель

which burn on their sufferings for Russia... And I feel the guilt without measure of All Russia before everyone and before each person.

САША ЧЕРНЫЙ
SASHA CHIORNYI

Обстановочка

Ревет сынок. Побит за двойку с плюсом.
Жена на локоны взяла последний рубль.
Супруг, убитый лавочкой и флюсом,
Подсчитывает месячную убыль.

Кряхтят на счетах жалкие копейки:
Покупка зонтика и дров пробила брешь,
А розовый капот из бумазейки
Бросает в пот склонившуюся плешь.

Над самой головой насвистывает чижик
(Хоть птичка Божия не кушала с утра).
На блюдце киснет одинокий рыжик,
Но водка выпита до капельки вчера.

Дочурка под кроватью ставит кошке клизму,
В наплыве счастия полуоткрывши рот,
И кошка, мрачному предавшись пессимизму,
Трагичным голосом взволнованно орет.

Безбровая сестра в облезшей кацавейке
Насилует простуженный рояль,
А за стеной жиличка-белошвейка
Поет романс: «Пойми мою печаль!»

Everyday Life

The son is howling. He was beaten for getting a D+. The wife took the last rouble to have her hair done. The husband, depressed by the shop and an abscess, is counting up the monthly losses.

Wretched kopecks creak on the abacus: buying an umbrella and firewood has made a hole [*in the budget*], and a pink fustian housecoat makes his bowed bald patch sweat.

The siskin whistles right over his head (although the bird, God's creature, has not eaten since morning). On a saucer a lonely red mushroom goes sour, but the last drop of vodka was drunk yesterday.

Under the bed the daughter is giving the cat an enema, her mouth half-open in a rush of happiness, and the cat, fallen into dark pessimism, howls anxiously, in a tragic voice.

Her sister, with no eyebrows, wearing a worn-out jacket, rapes the chilled grand piano, and in the next room the tenant, a seamstress, sings a love song: 'Understand my grief!'

Как не понять?! В столовой тараканы,
Оставя черствый хлеб, задумались слегка,
В буфете дребезжат сочувственно стаканы,
И сырость капает слезами с потолка.

1909

Несправедливость

Адам молчал сурово, зло и гордо,
Спеша из рая, бледный как стена.
Передник кожаный зажав в руке нетвердой,
По-детски плакала дрожащая жена...

За ними шло волнующейся лентой
Бесчисленное пестрое зверье:
Резвились юные, не чувствуя момента,
И нехотя плелось угрюмое старье.
Дородный бык мычал в недоуменье:
«Ярмо... Труд в поте морды... О Эдем!
Я яблок ведь не ел от сотворенья,
И глупых фрукт я вообще не ем...»
Толстяк-баран дрожал, тихонько блея:
«Пойдет мой род на жертвы и в очаг!
А мы щипали мох на триста верст от змея,

How can you fail to understand?! In the dining room the cockroaches, abandoning the stale bread, have become a little thoughtful, the glasses in the sideboard jangle in sympathy and from the ceiling the damp drips like tears.

Injustice
Adam was silent, harsh, angry and proud, as he rushed out of paradise, pale as a wall. Clutching a leathery front in her shaking hand, his quivering wife wept like a child.

Like a waving ribbon, a motley crowd of innumerable animals followed after them: the young ones, not sensing the occasion, gambolled, and the sullen older ones trudged reluctantly. The portly bull bellowed, bewildered: 'The yoke... Labour in the sweat of my brow... O, Eden! But I've never eaten apples since creation and anyway I don't eat stupid fruit...' The fat ram shook, quietly baaing: 'My race will be used for sacrifices and for the kitchen hearth! But we grazed the moss two hundred miles from the serpent,

И сладкой кротостью дышал наш каждый шаг...»
Ржал вольный конь, страшась неволи вьючной,
Тоскливо мекала смиренная коза,
Рыдали раки горько и беззвучно,
И зайцы терли лапками глаза.
Но громче всех в тоске визжала кошка:
«За что должна я в муках чад рожать?!»
А крот вздыхал: «Ты маленькая сошка,
Твое ли дело, друг мой, рассуждать?..»
Лишь обезьяны весело кричали, —
Почти все яблоки пожрав уже в раю,
Бродяги верили, что будут без печали
Они их рвать — теперь в ином краю.
И хищники отчасти были рады:
Трава в раю была не по зубам!
Пусть впереди облавы и засады,
Но кровь и мясо, кровь и мясо там!..

Адам молчал сурово, зло и гордо,
По-детски плакала дрожащая жена.
Зверье тревожно подымало морды.
Лил серый дождь, и даль была черна.

1910

and our every step breathed sweet meekness...' The free horse neighed, afraid of a
pack-animal's slavery, the humble goat bleated mournfully, the crayfish sobbed bitterly
and soundlessly, and the hares rubbed their eyes with their paws. But louder than anyone
the cat shrieked in anguish: 'Why should I give birth in travail?!' And the mole sighed:
'You small fry, is it your business, my friend, to philosophize?..' Only the apes shouted
merrily — having gorged themselves on almost all the apples in paradise, the tramps
believed that they would now be plucking them without sorrow in another country. And
the predators were partly pleased: the grass in paradise hadn't suited their teeth! Let
there be round-ups and ambushes ahead, but there would be blood and meat, blood and
meat there!..

Adam was silent, harsh, angry and proud, his quivering wife wept like a child. The
animals raised their snouts anxiously. Grey rain poured down and the vistas were black.

На Невском ночью

Темно под арками Казанского собора.
Привычной грязью скрыты небеса.
На тротуаре в вялой вспышке спора
Хрипят ночных красавиц голоса.

Спят магазины, стены и ворота.
Чума любви в накрашенных бровях
Напомнила прохожему кого-то,
Давно истлевшего в покинутых краях...

Недолгий торг окончен торопливо —
Вон на извозчике любовная чета:
Он жадно курит, а она гнусит.

Проплыл городовой, зевающий тоскливо,
Проплыл фонарь пустынного моста,
И дева пьяная вдогонку им свистит.

1911

On Nevskii Avenue at Night
It is dark beneath the arches of the Kazan cathedral. The skies are concealed behind the usual dirt. On the pavement in a jaded flare-up of an argument the hoarse voices of the beauties of the night make themselves heard.

The shops, walls and gates are asleep. The bubonic plague of love in painted eyebrows has reminded the passer-by of someone who has long rotted away in abandoned parts...

The quick bargaining has been hurriedly finished — the loving couple are now off in a cab: he smokes greedily and she snuffles.

A constable, yawning mournfully, has floated by, so has the lamp-post on the deserted bridge, and a drunken girl whistles in their wake.

АНДРЕЙ БЕЛЫЙ
ANDREI BELYI

Объяснение в любви

Сияет роса на листочках.
И солнце над прудом горит.
Красавица с мушкой на щечках,
как пышная роза, сидит.

Любезная сердцу картина!
Вся в белых, сквозных кружевах,
мечтает под звук клавесина...
Горит в золотистых лучах

под вешнею лаской фортуны
и хмелью обвитый карниз,
и стены. Прекрасный и юный,
пред нею склонился маркиз

в привычно заученной роли,
в волнисто-седом парике,
в лазурно-атласном камзоле,
с малиновой розой в руке.

«Я вас обожаю, кузина!
Извольте цветок сей принять...»
Смеются под звук клавесина,
и хочет кузину обнять.

Declaration of Love   *Dedicated to my dear mother*

Dew sparkles on the leaves and the sun burns over the pond. The fine lady with beauty-spots on her cheeks sits like a voluptuous rose.

A picture pleasing to the heart! All in white, translucent lace she dreams to the sound of a harpsichord... In the golden rays

Under Fortune's spring caress glow a cornice covered with a hop vine and the walls. Handsome and young, a marquis has bowed in front of her —

In his habitual rehearsed role, wearing a wavy grey wig, in an azure satin camisole, with a bright pink rose in his hand.

'I adore you, cousin, please accept this flower...' He laughs to the sound of the harpsichord and tries to embrace his cousin.

Уже вдоль газонов росистых
туман бледно-белый ползет.
В волнах фиолетово-мглистых
луна золотая плывет.

Март 1903   *Москва*

Игры кентавров

Кентавр бородатый,
мохнатый
и голый
на страже
у леса стоит.
С дубиной тяжелой
от зависти вражьей
жену и детей сторожит.

В пещере кентавриха кормит ребенка
пьянящим
своим молоком.
Шутливо трубят молодые кентавры над звонко
шумящим
ручьем.

Вскочивши один на другого,
копытами стиснувши спину,
кусают друг друга, заржав.

Now over the dewy lawns a pale white mist creeps. In violet foggy waves a golden moon drifts.

Centaurs' Games

A bearded, shaggy and naked centaur stands on guard by the woods. With a heavy oak club he guards his wife and children from hostile envy.

In the cave the female centaur feeds her child with her intoxicating milk. Young centaurs jokingly trumpet over the roaring stream.

Leaping onto one another, pressing hooves onto backs, they bite one other, neighing.

Согретые жаром тепла золотого,
другие глядят на картину,
а третьи валяются, ноги задрав.

Тревожно зафыркал старик, дубиной корнистой взмахнув.
В лес пасмурно-мглистый
умчался, хвостом поседевшим вильнув.

И вмиг присмирели кентавры, оставив затеи,
и скопом,
испуганно вытянув шеи,
к пещере помчались галопом.

1903

Друзьям

Н. И. Петровской

Золотому блеску верил,
А умер от солнечных стрел.
Думой века измерил,
А жизнь прожить не сумел.

Не смейтесь над мертвым поэтом:
Снесите ему цветок.
На кресте и зимой и летом
Мой фарфоровый бьется венок.

Basking in the heat of the golden warmth, others look at the spectacle and others sprawl, their legs up in the air.

The old centaur snorted with alarm, waving his gnarled oak club. Into the gloomy haze of the forest he rushed, waving his greying tail.

And instantly the centaurs calmed down, abandoning their activities and, in a crowd, stretching their necks out in fright, rushed galloping off towards the cave.

To My Friends   *For N. I. Petrovskaia*

I trusted the golden radiance and died of the sun's arrows. I measured centuries with my thoughts but was unable to live a life.

Don't laugh at the dead poet: bring him a flower. Winter and summer my porcelain wreath bangs against the cross.

Цветы на нем побиты.
Образок полинял.
Тяжелые плиты.
Жду, чтоб их кто-нибудь снял.

Любил только звон колокольный
И закат.
Отчего мне так больно, больно!
Я не виноват.

Пожалейте, придите;
Навстречу венком метнусь.
О, любите меня, полюбите —
Я, быть может, не умер, быть может, проснусь —
Вернусь!

Январь 1907   *Париж*

Отчаянье

З. Н. Гиппиус

Довольно: не жди, не надейся —
Рассейся, мой бедный народ!
В пространство пади и разбейся
За годом мучительный год!

Века нищеты и безволья.
Позволь же, о родина мать,

Its flowers are smashed. The icon has faded. There are heavy gravestones. I am waiting for someone to remove them.

I loved only the sound of bells and the sunset. Why am I in such pain, such pain? It's not my fault.

Take pity, come; I shall rush to meet you as a wreath. O, love me, learn to love me — perhaps I haven't died, perhaps I shall wake up — I shall return!

Despair   *For Zinaida Gippius*

Enough, don't wait, don't hope — scatter, my wretched nation! Fall in space and smash, year after agonising year!

Centuries of destitution and of enslavement. But permit me, my mother country, to

В сырое, в пустое раздолье,
В раздолье твое прорыдать: —

Туда, на равнине горбатой, —
Где стая зеленых дубов
Волнуется купой подъятой,
В косматый свинец облаков,

Где по полю Оторопь рыщет,
Восстав сухоруким кустом,
И в ветер пронзительно свищет
Ветвистым своим лоскутом,

Где в душу мне смотрят из ночи,
Поднявшись над сетью бугров,
Жестокие, желтые очи
Безумных твоих кабаков, —

Туда, — где смертей и болезней
Лихая прошла колея, —
Исчезни в пространство, исчезни,
Россия, Россия моя!

Июль 1908　　　　　　*Серебряный Колодезь*

---

utter loud sobs into your wide spaces, your raw, empty wide spaces.

To a place on the humped plain, where a group of green oak trees waves like a clump lifted up, to the shaggy lead of the clouds

Where Panic ranges over the fields, rising up like a bush with withered arms, and it whistles penetratingly into the wind with the rags of its branches,

Where your crazed drinking dens with their cruel yellow eyes, risen over the network of hills, look out of the night into my soul —

To the place where the evil rut of deaths and illnesses has passed — vanish into space, vanish, Russia, my Russia!

Родине

Рыдай, буревая стихия,
В столбах громового огня!
Россия, Россия, Россия, —
Безумствуй, сжигая меня!

В твои роковые разрухи,
В глухие твои глубины, —
Струят крылорукие духи
Свои светозарные сны.

Не плачьте: склоните колени
Туда — в ураганы огней,
В грома серафических пений,
В потоки космических дней!

Сухие пустыни позора,
Моря неизливные слез —
Лучом безглагольного взора
Согреет сошедший Христос.

Пусть в небе — и кольца Сатурна,
И млечных путей серебро, —
Кипи фосфорически бурно,
Земли огневое ядро!

To my Country
Sob, tempestuous element, in pillars of thunderous fire! Russia, Russia, Russia — go mad as you burn me.

Into your fatal ruins, into your remote depths, spirits with arms like wings let flow their luciferous dreams.

Don't weep: bend your knees there, into the hurricanes of flames, into the thunders of seraphic singing, into the currents of cosmic days!

Dry deserts of disgrace, inexhaustible seas of tears will be warmed by the ray of the wordless gaze of Christ descended.

Let there be in the sky both Saturn's rings and the silver of milky ways: boil in a phosphoric storm, earth's fiery core.

И ты, огневая стихия,
Безумствуй, сжигая меня,
Россия, Россия, Россия —
Мессия грядущего дня!

Август 1917   *Поворовка*

Из поэмы «Маленький балаган на маленькой планете "Земля"»

[...]

19

Легко мне,
Легко —
         — Всё иное:
         Не то...
И —
    — Огромней —
            — Огромней —
                  — Огромней —
Расширены
Очи —
    — В —
        — Родное —
             — В —
                  — Пустое,
                  Пустое
                  Такое —
В ничто!

And you, element of fire, go mad as you burn me, Russia, Russia, Russia, Messiah of the day to come!

From 'A Little Fairground Theatre on a Little Planet called "Earth"'
19. I feel at ease, at ease — everything is different: it's not right... and, more enormously, enormously, enormously eyes are wide open into the native, into the empty, empty thing that is nothingness!

20

В вызове
Твоем —
Ложь!..

Взбрызни же
В очи
Забвение...
Вызови ж —
Предсмертную дрожь...

Взвизгни ж,
Сердце
Мое,
Дикий
Вырванный
Стриж, —
    — В бездны звездные,
     Сердце —
        — Ты —
         — Крики дикие
        Мчишь!..

Бум — бум:
   Кончено!

Июнь 1922   *Цоссен*

20. In your challenge there is a lie!..
  Sprinkle oblivion into my eyes... And summon the shudder that comes before death...
  Screech then, my heart, a wild torn-out martin — into starry abysses, heart, you precipitate wild cries!
  Boom, boom: it's over!

Кольцо

— «Кольцо —
                        — Сними мое:
                        Мое, как лед —
Лицо!..
В сырой, —
                        — Как лед, глухой,
                        Земле — скорей
Укрой!..
Мой дух —
                        — Сквозной взметет
                        В поля — сквозной
Воздýх!..
— Тебя —
                        — Найдет серебряным
                        Лучом
Кипя —
                        — Любовь! —
                                          — Моя!..»
. . . .
И — то — ж: —
                        — Благоухающее
                        Поле, —
Рожь, —
В ночь
            Улетающие
            Волны, ветер,
Ночь...

The Ring
'Take off my ring: my face is like ice! Hide me quickly in the raw earth, as deaf as ice. My transparent spirit will sweep into the fields the transparent paten [*corpse cloth*]. Seething, my love will come onto you as a silver ray of light.'
   And what is more: a fragrant field, rye, waves flying off into the night, wind, night...

Гул
    Вдруг забрякавших
    Колокольцо́в —
Плеснул,
Как в сон —
         — Проплакавший,
         Серебряный —
Трезвон —
     — Тех —
        — Похорон...

1931   *Москва*

There will be a din of bells that have suddenly begun to jangle — the silvery knell of that funeral will have splashed as into a dream, having wept.

АЛЕКСАНДР АЛЕКСАНДРОВИЧ БЛОК
ALEKSANDR ALEKSANDROVICH BLOK

* **

Ужасен холод вечеров,
Их ветер, бьющийся в тревоге,
Несуществующих шагов
Тревожный шорох на дороге.

Холодная черта зари —
Как память близкого недуга
И верный знак, что мы внутри
Неразмыкаемого круга.

Июль 1902

Статуя

Лошадь влекли под уздцы на чугунный
Мост. Под копытом чернела вода.
Лошадь храпела, и воздух безлунный
Храп сохранял на мосту навсегда.

Песни воды и хрипящие звуки
Тут же вблизи расплывались в хаос.
Их раздирали незримые руки.
В черной воде отраженье неслось.

Horrible is the cold of the evenings, their wind that strikes hard in alarm, the worrying rustle of non-existent footsteps on the road.

The dawn's cold line is like the memory of a recent illness and a true sign that we are inside a circle that is irreversibly closed.

The Statue

The horse had been dragged by the bridle to the iron bridge. Under its hoof was the black water. The horse snorted and the moonless air preserved the snort on the bridge for ever.

The water's songs and the snorting sounds there and then dissolved into chaos. Invisible hands tore them apart. The reflection was borne off in the black water.

Мерный чугун отвечал однотонно.
Разность отпала. И вечность спала.
Черная ночь неподвижно, бездонно —
Лопнувший в бездну ремень увлекла.

Всё пребывало. Движенья, страданья —
Не было. Лошадь храпела навек.
И на узде в напряженьи молчанья
Вечно застывший висел человек.

28 декабря 1903

Балаганчик

Вот открыт балаганчик
Для веселых и славных детей,
Смотрят девочка и мальчик
На дам, королей и чертей.
И звучит эта адская музыка,
Завывает унылый смычок.
Страшный чёрт ухватил карапузика,
И стекает клюквенный сок.

М а л ь ч и к

Он спасется от черного гнева
Мановением белой руки.
Посмотри: огоньки

The measured iron replied monotonously. Differences vanished. And eternity slept. Black night motionlessly, bottomlessly dragged the strap that had broken into the abyss.
 Everything lingered. There was no movement, suffering. The horse snorted for ever. And from its bridle in the tension of silence a man hung forever frozen.

The Puppet Theatre Man
The travelling theatre man has opened up for nice happy children, a girl and a boy are watching the ladies, kings and devils. And this hellish music plays, a mournful violin bow wails. A terrible devil has grabbed a chubby baby, and cranberry juice is flowing.

The Boy : 'He will be saved from black anger by a wave of a white hand. Look: lights

А рядом у соседних столиков
Лакеи сонные торчат,
И пьяницы с глазами кроликов
«In vino veritas!» кричат.

И каждый вечер, в час назначенный
(Иль это только снится мне?),
Девичий стан, шелками схваченный,
В туманном движется окне.

И медленно, пройдя меж пьяными,
Всегда без спутников, одна,
Дыша духами и туманами,
Она садится у окна.

И веют древними поверьями
Ее упругие шелка,
И шляпа с траурными перьями,
И в кольцах узкая рука.

И странной близостью закованный,
Смотрю за темную вуаль,
И вижу берег очарованный
И очарованную даль.

Глухие тайны мне поручены,
Мне чье-то солнце вручено,
И все души моей излучины
Пронзило терпкое вино.

And next to me by the nearby tables sleepy waiters hang about, and drunks with rabbit eyes shout 'In vino veritas!'

And every evening, at a set time (or do I just dream that?) a girl's figure swathed in silk moves reflected in the misty window.

And slowly making her way past the drunks, always unaccompanied, alone, breathing perfume and mists, she sits down by the window.

And ancient creeds waft from her taut silks, and the hat with black feathers and the narrow hand covered with rings.

And transfixed by this strange intimacy, I look through the dark veil and see an enchanted shore and an enchanted vista.

Remote mysteries are entrusted to me, someone's sun is handed to me and all the convolutions of my soul are imbued by the acrid wine.

И перья страуса склоненные
В моем качаются мозгу,
И очи синие бездонные
Цветут на дальнем берегу.

В моей душе лежит сокровище,
И ключ поручен только мне!
Ты право, пьяное чудовище!
Я знаю: истина в вине.

24 апреля 1906.   *Озерки*

* * *

Я пригвожден к трактирной стойке.
Я пьян давно. Мне всё — равно.
Вон счастие мое — на тройке
В сребристый дым унесено...

Летит на тройке, потонуло
В снегу времен, в дали веков...
И только душу захлестнуло
Сребристой мглой из-под подков...

В глухую темень искры мечет,
От искр всю ночь, всю ночь светло...
Бубенчик под дугой лепечет
О том, что счастие прошло...

And the inclined ostrich feathers rock in my brain and blue bottomless eyes flower on a distant shore.

A treasure lies in my soul and the key is entrusted to me alone. You are right, drunken monster! I know: truth is in wine.

I am nailed to the bar. I have long been drunk. I don't care. There goes my happiness — borne off on a troika into the silvery smoke.

It is flying away on a troika, it has sunk in the snows of time in the distance of the ages... And just my soul has been lashed by the silvery haze from a horse shoe...

The horseshoe throws off sparks into the muffled darkness, the sparks make the whole night, the whole night bright... The bell under the horses' yoke murmurs something about happiness passing...

И только сбруя золотая
Всю ночь видна... Всю ночь слышна...
А ты, душа... душа глухая...
Пьяным пьяна... пьяным пьяна...

26 октября 1908

На поле Куликовом

1

Река раскинулась. Течет, грустит лениво
        И моет берега.
Над скудной глиной желтого обрыва
        В степи грустят стога.

О, Русь моя! Жена моя! До боли
        Нам ясен долгий путь!
Наш путь — стрелой татарской древней воли
        Пронзил нам грудь.

Наш путь — степной, наш путь — в тоске безбрежной,
        В твоей тоске, о, Русь!
И даже мглы — ночной и зарубежной —
        Я не боюсь.

Пусть ночь. Домчимся. Озарим кострами
        Степную даль.

And only the golden horses' harness can be seen all night... Can be heard all night... while you, my soul, my soul is deaf... Is drunk as drunk... drunk as drunk...

On the Field of Kulikovo
1. The river has spread out. It flows, grieves lazily and washes the banks. Over the yellow cliff's mean clay haystacks grieve in the steppe.
    O Russia! My wife! To the point of pain the long road is clear to us! Our road, like ancient will's Tatar arrow, has pierced our breast.
    Our road is a steppe one, our road is in boundless anguish, in your anguish, o Russia! And even the mist, nocturnal and foreign, does not frighten me.
    Let it be night, we shall gallop to the end. Our campfires will light up the steppe vistas

В степном дыму блеснет святое знамя
И ханской сабли сталь...

И вечный бой! Покой нам только снится
Сквозь кровь и пыль...
Летит, летит степная кобылица
И мнет ковыль...

И нет конца! Мелькают версты, кручи...
Останови!
Идут, идут испуганные тучи,
Закат в крови!

Закат в крови! Из сердца кровь струится!
Плачь, сердце, плачь...
Покоя нет! Степная кобылица
Несется вскачь!

2

Мы, сам-друг, над степью в полночь стали:
Не вернуться, не взглянуть назад.
За Непрядвой лебеди кричали,
И опять, опять они кричат...

На пути — горючий белый камень.
За рекой — поганая орда.
Светлый стяг над нашими полками
Не взыграет больше никогда.

In the steppe smoke the sacred banner and the Khan's sabre steel will shine...
    And eternal battle! We only dream of peace through blood and dust... The steppe
mare flies on and on and crushes the feather-grass.
    And there is no end! Miles and cliffs flash past... Stop! Frightened rain clouds are
coming, coming, the sunset is bathed in blood!
    The sunset is bloody. Blood streams from the heart. Weep, heart, weep... There is no
peace. The steppe mare gallops on!

2. The two of us stopped at midnight in the steppe: no turning or looking back. On the
other side of the Nepriadva the swans cried and again, again they cry...
    On our way is the [*magic*] hot white stone. Across the river is the pagan Horde. The
bright banner over our regiments will never flutter again.

И, к земле склонившись головою,
Говорит мне друг: «Остри свой меч,
Чтоб недаром биться с татарвою,
За святое дело мертвым лечь!»

Я — не первый воин, не последний,
Долго будет родина больна.
Помяни ж за раннею обедней
Мила друга, светлая жена!

3

В ночь, когда Мамай залег с ордою
 Степи и мосты,
В темном поле были мы с Тобою, —
 Разве знала Ты?

Перед Доном темным и зловещим,
 Средь ночных полей,
Слышал я Твой голос сердцем вещим
 В криках лебедей.

С полуно́чи тучей возносилась
 Княжеская рать,
И вдали, вдали о стремя билась,
 Голосила мать.

And bowing her head to the earth my friend tells me: 'Sharpen your sword, lest in vain you fight the Tatars and lay down your life for the sacred cause!'

I am not the first warrior nor the last, the motherland will long be ill. Radiant wife, remember your beloved friend at early Mass.

3. On the night that Mamai and his Horde occupied the steppe and bridges, when You and I were in the dark field — did You know?

Approaching the Don, dark and ominous, amid the nocturnal fields, I heard Your voice with my intuitive heart in the swans' cries.

From midnight onwards the prince's army was rising up like a storm cloud and far off, far off, convulsing by the stirrup, a mother wailed.

И, чертя круги, ночные птицы
    Реяли вдали.
А над Русью тихие зарницы
    Князя стерегли.

Орлий клёкот над татарским станом
    Угрожал бедой,
А Непрядва убралась туманом,
    Что княжна фатой.

И с туманом над Непрядвой спящей,
    Прямо на меня
Ты сошла, в одежде свет струящей,
    Не спугнув коня.

Серебром волны блеснула другу
    На стальном мече,
Освежила пыльную кольчугу
    На моем плече.

И когда, наутро, тучей черной
    Двинулась орда,
Был в щите Твой лик нерукотворный
    Светел навсегда.

4

Опять с вековою тоскою
    Пригнулись к земле ковыли.

And, circling, the night birds hovered afar. And over Russia quiet summer lightning guarded the prince.

Harsh eagles' cries over the Tatar camp threatened disaster, and the Nepriadva covered herself with mist as the princess might with a veil.

And with the mist over the sleeping Nepriadva, straight down on me You descended, in raiment that streamed light, without startling the horse.

You shone the wave's silver on Your friend's steel sword, You cleaned the dusty armour on my shoulder.

And when in the morning the Horde advanced like a black cloud, the image of Your face, not made by human hands, was bright in my shield.

4. Once again with age-old anguish the feather grasses have bent down to the ground.

Опять за туманной рекою
Ты кличешь меня издали́...

Умчались, пропали без вести
Степных кобылиц табуны,
Развязаны дикие страсти
Под игом ущербной луны.

И я с вековою тоскою,
Как волк под ущербной луной,
Не знаю, что делать с собою,
Куда мне лететь за тобой!

Я слушаю рокоты сечи
И трубные крики татар,
Я вижу над Русью далече
Широкий и тихий пожар.

Объятый тоскою могучей,
Я рыщу на белом коне...
Встречаются вольные тучи
Во мглистой ночной вышине.

Вздымаются светлые мысли
В растерзанном сердце моем,
И падают светлые мысли,
Сожженные темным огнем...

across the misty river You call me from afar.

The herds of steppe mares have galloped off, vanished without trace, wild passions are unleashed under the waning moon's yoke.

And I with age-old anguish, like a wolf under the waning moon, do not know what to do with myself, where to fly after you.

I listen to the clatter of battle and the Tatars' trumpet calls, I can see further over Russia a widespread and quiet fire.

Seized by mighty anguish I range on a white horse; I come across free-moving clouds in the misty nocturnal heights.

Bright thoughts rise up in my lacerated heart, and bright thoughts fall, burnt by dark fire...

«Явись, мое дивное диво!
Быть светлым меня научи!»
Вздымается конская грива...
За ветром взывают мечи...

5

И мглою бед неотразимых
Грядущий день заволокло.
Вл. Соловьев

Опять над полем Куликовым
Взошла и расточилась мгла,
И, словно облаком суровым,
Грядущий день заволокла.

За тишиною непробудной,
За разливающейся мглой
Не слышно грома битвы чудной,
Не видно молньи боевой.

Но узнаю тебя, начало
Высоких и мятежных дней!
Над вражьим станом, как бывало,
И плеск и трубы лебедей.

Не может сердце жить покоем,
Недаром тучи собрались.
Доспех тяжел, как перед боем.
Теперь твой час настал. — Молись!

7 июня — 23 декабря 1908

'Appear, my wondrous wonder. Teach me to be bright!' The horse's mane rises up...
swords summon me in the wind...

5.   And the haze of ineluctable disasters veiled the day that was to come. *Vladimir Soloviov*
Again over the field of Kulikovo haze has risen and spread and, like a harsh cloud,
veiled the day to come.

The utter silence and spreading haze make the thunder of wondrous battle inaudible
and the battle lightning invisible.

But I can recognise you, beginning of lofty and mutinous times! Over the enemy
camp, as of old, are the swans' splashing and trumpeting.

The heart cannot live by peace, the clouds have gathered for good reason. The armour
is heavy as before battle. Now your hour has come: pray!

* * *

О доблестях, о подвигах, о славе
Я забывал на горестной земле,
Когда твое лицо в простой оправе
Передо мной сияло на столе.

Но час настал, и ты ушла из дому.
Я бросил в ночь заветное кольцо.
Ты отдала свою судьбу другому,
И я забыл прекрасное лицо.

Летели дни, крутясь проклятым роем...
Вино и страсть терзали жизнь мою...
И вспомнил я тебя пред аналоем,
И звал тебя, как молодость свою...

Я звал тебя, но ты не оглянулась,
Я слезы лил, но ты не снизошла.
Ты в синий плащ печально завернулась,
В сырую ночь ты из дому ушла.

Не знаю, где приют своей гордыне
Ты, милая, ты, нежная, нашла...
Я крепко сплю, мне снится плащ твой синий,
В котором ты в сырую ночь ушла...

Уж не мечтать о нежности, о славе,
Всё миновалось, молодость прошла!
Твое лицо в его простой оправе
Своей рукой убрал я со стола

30 декабря 1908

I was forgetting about valour, heroism, glory on the sorrowful earth when your face in a simple frame shone before me on the desk.

But the hour came and you left the house. I threw the cherished ring into the night. You gave your fate to another man, and I forgot the beautiful face.

Days flew, swirling in a cursed swarm... Wine and passion tortured my life... I remembered you before the altar and called you as I called my youth...

I called you but you did not look round, I shed tears, but you did not deign. You sadly wrapped yourself in a blue cloak and left the house for the raw night.

I do not know where, darling, tender one, you found shelter for your pride... I sleep deeply, I dream of your blue cloak in which you left for the raw night...

Too late to dream of tenderness, of glory, all is over, youth has past. With my own hand I removed your face in its simple frame from the desk.

* * *

> Там человек сгорел.
> *Фет*

Как тяжело ходить среди людей
И притворяться непогибшим,
И об игре трагической страстей
Повествовать еще не жившим.

И, вглядываясь в свой ночной кошмар,
Строй находить в нестройном вихре чувства,
Чтобы по бледным заревам искусства
Узнали жизни гибельной пожар!

10 мая 1910

Авиатор

Летун отпущен на свободу.
Качнув две лопасти свои,
Как чудище морское в воду,
Скользнул в воздушные струи.

Его винты поют, как струны...
Смотри: недрогнувший пилот
К слепому солнцу над трибуной
Стремит свой винтовой полет...

> A human being was burnt up there. *Fet*

How hard it is to walk among people and pretend not to have perished, and to talk of the tragic play of passions to those who have not yet lived.

And, examining one's nightmare, to try and find order in feeling's disordered tempest, so that by art's pale crepuscular light people might know life's deadly fire.

The Aviator

The flier and his craft have been released. Dipping its two flaps, like a sea monster into the water, it has slipped into the aerial streams.

Its propellers sing like strings... Look: the intrepid pilot is aiming his helical flight towards the blind sun over the stands...

Уж в вышине недостижимой
Сияет двигателя медь...
Там, еле слышный и незримый,
Пропеллер продолжает петь...

Потом — напрасно ищет око:
На небе не найдешь следа:
В бинокле, вскинутом высоко,
Лишь воздух — ясный, как вода...

А здесь, в колеблющемся зное,
В курящейся над лугом мгле,
Ангары, люди, всё земное —
Как бы придавлено к земле...

Но снова в золотом тумане
Как будто — неземной аккорд...
Он близок, миг рукоплесканий
И жалкий мировой рекорд!

Всё ниже спуск винтообразный,
Всё круче лопастей извив,
И вдруг... нелепый, безобразный
В однообразьи перерыв...

И зверь с умолкшими винтами
Повис пугающим углом...
Ищи отцветшими глазами
Опоры в воздухе... пустом!

Now at unattainable heights the engine's bronze shines... There, barely audible and invisible, the propeller continues to sing.

Then the eye searches in vain: you won't find a trace in the sky: in the binoculars, tipped back high, there is only air, as clear as water...

But here, in the shimmering heat, in the mist steaming over the meadow, hangars, people, everything terrestrial seems to be crushed against the earth...

But again in the golden mist there seems to be an unearthly chord... It's close: the moment for applause and the pathetic world record.

Lower and lower is the spiralling descent, tighter and tighter the bending of the flaps, and suddenly... an absurd, hideous interruption in the monotony...

And the beast with silent propellers has stalled at a frightening angle... Try and find with faded eyes support in air... which is empty.

Уж поздно: на траве равнины
Крыла измятая дуга...
В сплетеньи проволок машины
Рука — мертвее рычага...

Зачем ты в небе был, отважный,
В свой первый и последний раз?
Чтоб львице светской и продажной
Поднять к тебе фиалки глаз?

Или восторг самозабвенья
Губительный изведал ты,
Безумно возалкал паденья
И сам остановил винты?

Иль отравил твой мозг несчастный
Грядущих войн ужасный вид:
Ночной летун, во мгле ненастной
Земле несущий динамит?

1910 — январь 1912

Шаги Командора

В. А. Зоргенфрею

Тяжкий, плотный занавес у входа,
За ночным окном — туман.
Что́ теперь твоя постылая свобода,
Страх познавший Дон-Жуан?

It's too late now: the wing's crumpled arc is on the grass of the plain... In the tangle of the machine's wire the hand is deader than a handle...

Why did you go to the sky, bold man, for your first and last time? So that some venal star of society should raise up the violets of her eyes to you?

Or did you experience the destructive ecstasy of self-oblivion, madly thirst for the fall and stop the propellers yourself?

Or was your unhappy brain poisoned by the horrible prospect of wars to come: the night flyer, carrying in the gloomy haze dynamite for the earth?

The Commendatore's Footsteps   *For V. A. Zorgenfrei*
A heavy, thick curtain by the entrance, mist outside the night window. What price your hateful freedom now, Don Juan who has tasted fear?

Холодно и пусто в пышной спальне,
Слуги спят, и ночь глуха.
Из страны блаженной, незнакомой, дальней
Слышно пенье петуха.

Что́ изменнику блаженства звуки?
Миги жизни сочтены.
Донна Анна спит, скрестив на сердце руки,
Донна Анна видит сны...

Чьи черты жестокие застыли,
В зеркалах отражены?
Анна, Анна, сладко ль спать в могиле?
Сладко ль видеть неземные сны?

Жизнь пуста, безумна и бездонна!
Выходи на битву, старый рок!
И в ответ — победно и влюбленно —
В снежной мгле поет рожок...

Пролетает, брызнув в ночь огнями,
Черный, тихий, как сова, мотор,
Тихими, тяжелыми шагами
В дом вступает Командор...

Настежь дверь. Из непомерной стужи,
Словно хриплый бой ночных часов —
Бой часов: «Ты звал меня на ужин.
Я пришел. А ты готов?..»

It's cold and empty in the luxurious bedroom, the servants are asleep and the night is impenetrable. From the blessed, unknown distant country you can hear the cock crow.

What are the sounds of bliss for a traitor? Life's moments are numbered. Donna Anna sleeps with her hands crossed on her heart, Donna Anna dreams...

Whose cruel features have frozen, reflected in the mirrors? Anna, Anna, is it sweet sleeping in the grave? Is it sweet to have unearthly dreams?

Life is empty, mad and bottomless. Come out and fight, old fate! And answering victoriously and amorously, a horn sings in the snowy mist...

A black motor car, quiet as an owl, flies past, plunging its lights into the night. With quiet heavy steps the Commendatore enters the house...

The door is wide open, out of the immense chill, like the night clock's hoarse stroke, the clock strikes: 'You invited me to supper. I have come. But are you ready?'

На вопрос жестокий нет ответа,
　　Нет ответа — тишина.
В пышной спальне страшно в час рассвета,
　　Слуги спят, и ночь бледна.

В час рассвета холодно и странно,
　　В час рассвета — ночь мутна.
Дева Света! Где ты, донна Анна?
　　Анна! Анна! — Тишина.

Только в грозном утреннем тумане
　　Бьют часы в последний раз:
Донна Анна в смертный час твой встанет.
Анна встанет в смертный час.

Сентябрь 1910 — 16 февраля 1912

* * *

Ночь, улица, фонарь, аптека,
Бессмысленный и тусклый свет.
Живи еще хоть четверть века —
Всё будет так. Исхода нет.

Умрешь — начнешь опять сначала,
И повторится всё, как встарь:
Ночь, ледяная рябь канала,
Аптека, улица, фонарь.

10 октября 1912

There is no reply to the cruel question, no reply — silence. In the luxurious bedroom the hour of daybreak is frightening, the servants are asleep and the night is pale.

The hour of daybreak is cold and strange, night is opaque at the hour of daybreak. Maiden of Light! Where are you, Donna Anna? Anna! Anna! Silence.

Only in the dread morning mist the clock strikes for the last time: Donna Anna will rise at the hour of your death, Anna will rise at the hour of death.

Night, street, street lamp, chemist's, senseless and dim light. Live even another quarter of a century. It will all be the same. There is no way out.

When you die you begin again from the beginning and everything will recur as of old: night, the canal's icy ripple, chemist's, street, street lamp.

К Музе

Есть в напевах твоих сокровенных
Роковая о гибели весть.
Есть проклятье заветов священных,
Поругание счастия есть.

И такая влекущая сила,
Что готов я твердить за молвой,
Будто ангелов ты низводила,
Соблазняя своей красотой...

И когда ты смеешься над верой,
Над тобой загорается вдруг
Тот неяркий, пурпурово-серый
И когда-то мной виденный круг.

Зла, добра ли? — Ты вся — не отсюда.
Мудрено про тебя говорят:
Для иных ты — и Муза, и чудо.
Для меня ты — мученье и ад.

Я не знаю, зачем на рассвете,
В час, когда уже не было сил,
Не погиб я, но лик твой заметил
И твоих утешений просил?

Я хотел, чтоб мы были врагами,
Так за что ж подарила мне ты

To the Muse
There is a fatal message of perdition in your secret tunes, there is a curse on sacred traditions, there is a profanation of happiness.

And such a magnetic force that I am ready to repeat the rumour that you have seduced angels, tempting them with your beauty...

And when you laugh at faith, over you there suddenly lights up that faint purple-grey halo I used to see.

Are you evil or good? You are entirely from elsewhere. They say eery things about you: for some you are Muse and miracle, for me you are agony and hell.

I don't know why, at dawn, at an hour when I had no strength left, I did not perish but noticed your image and asked for your comforts.

I wanted us to be enemies, so for what reason then did you make me a present of the

Луг с цветами и твердь со звездами —
Всё проклятье своей красоты?

И коварнее северной ночи,
И хмельней золотого аи,
И любови цыганской короче
Были страшные ласки твои…

И была роковая отрада
В попираньи заветных святынь,
И безумная сердцу услада —
Эта горькая страсть, как полынь!

29 декабря 1912

Песня Гаэтана из пьесы «Роза и крест» (Действие 4, сцена III)

Ревет ураган,
Поет океан,
Кружится снег,

Мчится мгновенный век,
Снится блаженный брег!

В темных расселинах ночи
Прялка жужжит и поет.
Пряха незримая в очи
Смотрит и судьбы прядет.

flowering meadow and the starry firmament — all the curse of your beauty?

More devious than the northern night, more intoxicating than golden Aў champagne, and shorter than a gypsy's love were your terrible caresses…

And there was a fateful joy in trampling the cherished and sacrosanct, and an insane sweetness for the heart — this passion, bitter as wormwood!

Gaetan's Song from The Rose and the Cross *[Act 4, Scene III)*
The hurricane roars, the ocean sings, snow whirls.

Momentary time flashes past, we dream of the blessed shore!

In the dark clefts of night the spinning wheel buzzes and sings. An invisible spinner looks into one's eyes and spins fates.

Смотрит чертой огневою
Рыцарю в очи закат,
Да над судьбой роковою
Звездные ночи горят.

Мира восторг беспредельный
Сердцу певучему дан.
В путь роковой и бесцельный
Шумный зовет океан.

Сдайся мечте невозможной,
Сбудется, что суждено.
Сердцу закон непреложный —
Радость-Страданье одно!

Путь твой грядущий — скитанье,
Шумный поет океан.
Радость, о, Радость-Страданье —
Боль неизведанных ран!

Всюду — беда и утраты,
Что́ тебя ждет впереди?
Ставь же свой парус косматый,
Меть свои крепкие латы
Знаком креста на груди!

Ревет ураган,
Поет океан,
Кружится снег,

The sunset looks into the eyes of the knight like a streak of fire, and starry nights burn over fateful destiny.

A world of unlimited delight is given to the singing heart, the roaring ocean calls to a fateful and aimless journey.

Give yourself to an impossible dream, what has been doomed will come, an unalterable law to the heart is that Joy-Suffering are one!

Your future path is wandering, the roaring ocean sings. Joy, o Joy-Suffering — the pain of wounds still unknown!

Everywhere are trouble and losses, what awaits you ahead? Set up your rough sail, mark your strong armour with the sign of the cross on the breast!

The hurricane roars, the ocean sings, snow whirls.

Мчится мгновенный век,
Снится блаженный брег!

1912–1913

Голос из хора

Как часто плачем — вы и я —
Над жалкой жизнию своей!
О, если б знали вы, друзья,
Холод и мрак грядущих дней!

Теперь ты милой руку жмешь,
Играешь с нею, шутя,
И плачешь ты, заметив ложь,
Или в руке любимой нож,
      Дитя, дитя!

Лжи и коварству меры нет,
А смерть — далека.
Всё будет чернее страшный свет,
И всё безумней вихрь планет
      Еще века, века!

И век последний, ужасней всех,
      Увидим и вы и я.
Всё небо скроет гнусный грех,
На всех устах застынет смех,
      Тоска небытия....

Momentary time flashes past, we dream of the blessed shore.

A Voice from the Choir
How often you and I weep over our wretched lives! O if only you knew, friends, the
cold and darkness of days to come!
   Now you squeeze your darling's hand, you play and joke with her, and you weep
when you notice a lie or a knife in your beloved's hand, o child, child!
   There is no limit to lies and deviousness, and death is a long way off. The terrible
world will be blacker and blacker, and the planets' tempest madder and madder for
centuries, centuries more!
   And you and I shall see the last century, the most horrible of all. The whole sky will
be covered by vile sin, laughter will die on all lips, an anguish of non-existence...

Весны, дитя, ты будешь ждать —
　　　Весна обманет.
Ты будешь солнце на небо звать —
　　　Солнце не встанет.
И крик, когда ты начнешь кричать,
　　　Как камень, канет...

Будьте ж довольны жизнью своей,
　　　Тише воды, ниже травы!
О, если б знали, дети, вы,
　　　Холод и мрак грядущих дней!

6 июня 1910 — 27 февраля 1914

* *
*

Грешить бесстыдно, непробудно,
Счет потерять ночам и дням,
И, с головой от хмеля трудной,
Пройти сторонкой в Божий храм.

Три раза преклониться долу,
Семь — осенить себя крестом,
Тайком к заплеванному полу
Горячим прикоснуться лбом.

Кладя в тарелку грошик медный,
Три, да еще семь раз подряд
Поцеловать столетний, бедный
И зацелованный оклад.

Child, you will expect spring — spring will let you down. You will call the sun to the sky — the sun will not rise. And the yell when you begin to shout will fall like a stone...
So be content with your life, quieter than water, lower than grass! O if only you knew, children, the cold and darkness of days to come!

To sin brazenly, without a qualm, to lose count of nights and days and, your head heavy from intoxication, to slip off into God's temple.
To bow down three times , to make the sign of the cross seven times, to touch the spit-covered floor with your hot brow.
Putting a copper penny in the plate, to kiss three, then seven more times in a row the century-old poor icon frame, worn by kisses.

А воротясь домой, обмерить
На тот же грош кого-нибудь,
И пса голодного от двери,
Икнув, ногою отпихнуть.

И под лампадой у иконы
Пить чай, отщелкивая счет,
Потом переслюнить купоны,
Пузатый отворив комод,

И на перины пуховые
В тяжелом завалиться сне...
Да, и такой, моя Россия,
Ты всех краев дороже мне.

26 августа 1914

Из поэмы «Двенадцать»

2

Гуляет ветер, порхает снег.
Идут двенадцать человек.

Винтовок черные ремни,
Кругом — огни, огни, огни...

В зубах — цыгарка, примят картуз,
На спину б надо бубновый туз!

And returning home, to cheat someone of the same penny with short measure, and with a hiccup to kick away the hungry cur from the door.

And by the icon lamp to drink tea while you calculate on the abacus, then to slobber over your bonds after opening the bow-fronted chest,

And to tumble onto the eiderdown duvet in heavy sleep... Even like this, my Russia, you are dearer than any other land to me.

From 'The Twelve'

2. The wind is roaming, the snow fluttering. Twelve men march.

Black rifle straps, around are fires, fires, fires...

A roll-up cigarette in their teeth, their caps flattened down, you could put a convict's diamond on their backs.

Свобода, свобода,
Эх, эх, без креста!

Тра-та-та!

Холодно, товарищи, холодно!

— А Ванька с Катькой — в кабаке…
— У ей керенки есть в чулке!

— Ванюшка сам теперь богат…
— Был Ванька наш, а стал солдат!

— Ну, Ванька, сукин сын, буржуй,
Мою, попробуй, поцелуй!

Свобода, свобода,
Эх, эх, без креста!
Катька с Ванькой занята —
Чем, чем занята?

Тра-та-та!

Кругом — огни, огни, огни…
Оплечь — ружейные ремни…

Революцьонный держите шаг!
Неугомонный не дремлет враг!

Freedom, freedom, eh, oh, with no cross!
Bang-bang-bang!
It's cold, comrades, cold!
— And Vanka and Katka are in the bar… — She has old rouble notes in her stocking!
— Vanka is rich himself now… — Vanka was one of us but became a soldier!
— Well, Vanka, son of a bitch, bourgeois, try kissing my girl!
Freedom, freedom, eh, oh, with no cross! Katka and Vanka are busy — busy at what?
Bang-bang-bang!
Around are fires, fires, fires… Rifle straps shouldered…
Keep a revolutionary pace! The tireless enemy is not asleep.

Товарищ, винтовку держи, не трусь!
Пальнем-ка пулей в Святую Русь —

В кондову́ю,
В избяну́ю,
В толстозадую!

Эх, эх без креста! [...]

12

...Вдаль идут державным шагом...
— Кто еще там? Выходи!
Это — ветер с красным флагом
Разыгрался впереди...

Впереди — сугроб холодный,
— Кто в сугробе — выходи!..
Только нищий пес голодный
Ковыляет позади...

— Отвяжись ты, шелудивый,
Я штыком пощекочу!
Старый мир, как пес паршивый,
Провались — поколочу!

...Скалит зубы — волк голодный —
Хвост поджал — не отстает —
Пес холодный — пес безродный...
— Эй, откликнись, кто идет?

Comrade, hold up your rifle, don't waver! Let's put a bullet in Holy Russia —
In Russia of old traditions, Russia of the peasant huts, Russia of the fat arse!
Eh, oh, with no cross!

12. Far off they march at a stately pace... — Who else is there? Come out! It is the wind
playing ahead with the red flag...
Ahead is a cold snowdrift. 'Who's in the snowdrift — come out!..' Only a destitute
hungry cur hobbles behind them...
'Clear off, you scabby animal, I'll give you a tickle of my bayonet! Old world, like a
mangy cur, get lost, or I'll thrash you.'
It bares its teeth — a hungry wolf — it has put its tail between its legs — it keeps up
with them, a cold cur, a mongrel cur... 'Eh, answer, who passes?'

— Кто там машет красным флагом?
— Приглядись-ка, эка тьма!
— Кто там ходит беглым шагом,
Хоронясь за все дома?

— Всё равно, тебя добуду,
Лучше сдайся мне живьем!
— Эй, товарищ, будет худо,
Выходи, стрелять начнем!

Трах-тах-тах! — И только эхо
Откликается в домах...
Только вьюга долгим смехом
Заливается в снегах...

        Трах-тах-тах!
        Трах-тах-тах...

...Так идут державным шагом —
Позади — голодный пес,
Впереди — с кровавым флагом,
    И за вьюгой невидим,
    И от пули невредим,
Нежной поступью надвьюжной,
Снежной россыпью жемчужной,
    В белом венчике из роз —
    Впереди — Исус Христос.

Январь 1918

'Who's waving a red flag there? — Have a good look, what darkness! — Who's moving at a run there, taking cover behind all the buildings?

All the same I'll get you, you'd better surrender to me alive! — Eh, comrade, it will be bad, come out, we'll open fire!'

Bang-bang-bang! And only the echo resounds in the buildings... Only the blizzard bursts into long laughter in the snows...

Bang-bang-bang! Bang-bang-bang...

...So they march at a stately pace — behind is the hungry cur, ahead, with a bloody flag, and invisible in the blizzard and unharmed by bullets, with a tender gait over the blizzard, in a snowy scattering of pearls, in a white crown of roses, ahead is Jesus Christ.

НИКОЛАЙ АЛЕКСЕЕВИЧ КЛЮЕВ
NIKOLAI ALEKSEEVICH KLIUEV

* **

Любви начало было летом,
Конец — осенним сентябрем.
Ты подошла ко мне с приветом
В наряде девичьи простом.

Вручила красное яичко,
Как символ крови и любви:
Не торопись на север, птичка,
Весну на юге обожди!

Синеют дымно перелески,
Настороженны и немы,
За узорочьем занавески
Не видно тающей зимы.

Но сердце чует: есть туманы,
Движенье смутное лесов,
Неотвратимые обманы
Лилово-сизых вечеров.

О, не лети в туманы пташкой!
Года уйдут в седую мглу —
Ты будешь нищею монашкой
Стоять на паперти в углу.

Love's beginning was in summer, its end in autumnal September. Dressed in a simple girl's clothes, you came up to me with a greeting.

You offered me a red-painted egg as a symbol of blood and love: don't hurry north, bird, wait for spring in the south.

The coppices, watchful and mute, go smoke-blue, thawing winter is invisible through the pattern of the curtain.

But the heart senses: there are mists, a vague movement of the forests, irrevocable illusions of violet-grey evenings.

O do not fly off into the bushes like a little bird! The years will go into the grey haze — you will be a mendicant nun standing on the church porch corner.

И, может быть, пройду я мимо,
Такой же нищий и худой...
О, дай мне крылья херувима
Лететь незримо за тобой!

Не обойти тебя приветом,
И не раскаяться потом...
Любви начало было летом,
Конец — осенним сентябрем.

1908

Путешествие

«Я здесь», — ответило мне тело, —
Ладони, бедра, голова, —
Моей страны осиротелой
Материки и острова.

И, парус солнечный завидя,
Возликовало Сердце-мыс:
«В моем лазоревом Мадриде
Цветут миндаль и кипарис».

Аорты устьем красноводным
Плывет Владычная Ладья;
Во мгле, по выступам бесплодным
Мерцают мхи да ягеля.

And perhaps I shall walk past as mendicant and thin... Oh give me a cherub's wings on which to follow you invisibly!

One cannot pass you by without a greeting without repenting afterwards... Love's beginning was in summer, the end in autumnal September.

A Journey
'I am here', my body replied — palms, hips, head, — my orphaned country's continents and islands.

And, catching sight of the sail of the sun, Cape Heart rejoiced: 'In my azure Madrid almonds and cypresses flower.'

Down the aorta's red-watered estuary sails the Bishop's Boat; in the haze, along the barren cliffs glimmer moss and lichen.

Вот остров Печень. Небесами
Над ним раскинулся Крестец.
В долинах с желчными лугами
Отары пожранных овец.

На деревах тетерки, куры,
И души проса, пухлых реп.
Там солнце — пуп, и воздух бурый
К лучам бесчувственен и слеп.

Но дальше путь, за круг полярный,
В края Желудка и Кишок,
Где полыхает ад угарный
Из огнедышащих молок.

Где салотопни и толкуши,
Дубильни, свалки нечистот,
И населяет гребни суши
Крылатый, яростный народ.

О, плотяные Печенеги,
Не ваш я гость! Плыви ладья
К материку любви и неги,
Чей берег ладан и кутья!

Лобок — сжигающий Марокко,
Где под смоковницей фонтан
Мурлычет песенку востока
Про Магометов караван.

Here is Liver island. The sacrum is spread like the skies above it. In the valleys with their bilious meadows are herds of devoured sheep.

In the trees are grouse, chickens and souls of millet, of swollen turnip. There the sun is the navel, and brown air is insensitive and blind to the sun's rays.

But journey farther, beyond the polar circle into the Stomach and Guts regions, where a fuming hell flares from fire-breathing milt.

Where there are lard-melters and renderers, tanners, cesspits, and the crests of dry land are populated by a winged, furious people.

O Pechenegs of the flesh, I am no guest of yours! Sail, boat, to the continent of love and bliss whose shore is incense and funeral pudding!

The mount of Venus is a burning Morocco where a fountain under the fig tree murmurs an oriental ditty about Mahomet's caravan.

Как звездотечностью пустыни
Везли семь солнц — пророка жен —
От младшей Евы, в Месяц Скиний,
Род человеческий рожден.

Здесь Зороастр, Христос и Брама
Вспахали ниву ярых уд,
И ядра — два подземных храма
Их плуг алмазный стерегут.

Но и для солнечного мага
Сокрыта тайна алтарем...
Вздыхает судоржно бумага
Под ясновидящим пером.

И возвратясь из далей тела,
Душа, как ласточка в прилет,
В созвучий домик опустелый
Пушинку первую несет.

* * *

Кто за что, а я за двоперстье,
За байку над липовой зыбкой...
Разгадано ль русское безвестье
Пушкинской Золотою рыбкой?

How seven suns — the prophet's wives — were brought across the star-flowing of the desert; of the youngest Eve, in the month of the tabernacle, the human race was born.

Here Zoroaster, Christ and Brahma ploughed the cornfield of furious limbs, and the balls — two underground temples guard their diamond plough.

But even for the solar magus the secret is concealed by an altar... The paper sighs convulsively under the clairvoyant pen.

And returning from the body's distant parts, the soul, like a swallow flying in, brings the first wisp of down into the house of harmonies.

Each to his own, I am for the [*old believers'*] two-fingered signing of the cross, for the story told over the lime-wood cradle... Has Russian obscurity been explained by Pushkin's golden fish?

Изловлены ль все павлины,
Финисты, струфокамилы
В кедровых потемках овина,
В цветнике у маминой могилы?

Погляди на золотые сосны,
На холмы — праматерние груди!
Хорошо под гомон сенокосный
Побродить по Припяти и Чуди, —

Окунать усы в квасные жбаны
С голубой татарскою поливой,
Слушать ласточек, и раным-рано
Пересуды пчел над старой сливой. —

«Мол, кряжисты парни на Волыни,
Как березки девушки по Вятке»...
На певущем огненном павлине
К нам приедут сказки и загадки.

Сядет Суздаль за лазорь и вапу,
Разузорит Вологда коклюшки...
Кто за что, а я за цап-царапу,
За котягу в дедовской избушке.

Have the peacocks, the Finist birds [*spellbound princes*], the ostriches in the gloom of the grange's cedars, in the flowers by mama's grave, all been caught?

Look at the golden pines, at the hills — our ancestral mother's breasts! It is good to the bustle of haymaking to wander over the Pripiat and the Chud —

To dip one's whiskers in the kvas jugs with their blue Tatar glaze, to listen to swallows and very early the discussions of the bees over the old plum tree. —

'They say the lads in Volhynia are thick-set, the girls on the Viatka river are like birch trees.' Fairy tales and riddles come to us riding on a singing fiery peacock.

The town of Suzdal will get down to its azure and icon paints, Vologda will decorate bobbins... Each to his own, but I am for scratchy-claws, for the big tom-cat in grandfather's hut.

Из поэмы «Плач о Сергее Есенине»

(а)

[...]
Отцвела моя белая липа в саду,
Отзвенел соловьиный рассвет над речкой.
Вольготней бы на поклоне в Золотую Орду
Изведать ятагана с ханской насечкой!

Умереть бы тебе, как Михайле Тверскому,
Опочить по-мужицки — до рук борода!..
Не напрасно по брови родимому дому
Нахлобучили кровлю лихие года.

Неспроста у касаток не лепятся гнезда,
Не играет котенок веселым клубком...
С воза, сноп-недовязок, в пустые борозды
Ты упал, чтобы грудь испытать колесом.

Вот и хрустнули кости... По желтому жнивью
Бродит песня-вдовица — ненастью сестра...
Счастливее елка, что зимнею синью,
Окутана саваном, ждет топора.

From 'The Lament for Esenin'

(a) [...] My white lime-tree in the garden has stopped flowering, the nightingale's dawn over the river has fallen silent. It would have been easier, going cap in hand to the Golden Horde, to have had a taste of a yataghan with the Khan's notch!

You should have died like Mikhail of Tver [*tortured by the Horde*], you should have gone to your grave like a peasant, with a beard as long as your arms! Not for nothing have the evil years rammed the roof like a hat over the eyebrows of the house where you were born.

It's not mere chance that the swallows' nests don't stick together, that the kitten doesn't play with a merry ball of wool... A badly tied bundle, fell off the cart onto the empty furrows so as to torture your chest with the wheel.

So the bones crunched... Over the yellow stubble a widowed song wanders, a sister to bad weather... Luckier is the fir tree which in the winter's blueness, wrapped in a shroud, awaits the axe.

Разумнее лодка, дырявые груди
Целящая корпией тины и трав...
О жертве вечерней иль новом Иуде
Шумит молочай у дорожных канав?
[...]

(б)

Мой край, мое поморье,
Где песни в глубине!
Твои лядины, взгорья
Дозорены Егорьем
На лебеде-коне!

Твоя судьба — гагара
С Кащеевым яйцом,
С лучиною стожары,
И повитухи-хмары
Склонились над гнездом.

Ты посвети лучиной,
Синебородый дед!
Гнездо шумит осиной,
Ямщицкою кручиной
С метелицей вослед.

За вьюжною кибиткой
Гагар нескор полет...
Тебе бы сад с калиткой

More sensible is the boat, aiming its holed breasts with the lint of the slough and grasses... Is it about an evening sacrifice or a new Judas that the spurge by the roadside ditches rustles? [...]

(b) My land, my coastal province where songs are in the depths! Your marsh forests, hills are patrolled by St George on his swan-horse!

Your fate is the loon with Kashchei's egg, with a taper of the Northern Lights, and the midwife mists have come down over the nest.

Blue-bearded grandfather, give light with your taper! The nest rustles like the aspen, with the coach driver'a grief and the blizzard following.

After the snow-swept sledge the loons' flight is slow.... You need a garden with a gate

Да опашень в раскидку
У лебединых вод.

Боярышней собольей
Привиделся ты мне,
Но в сорок лет до боли
Глядеть в глаза сокольи
Зазорно в тишине.

Приснился ты белицей —
По бровь холстинный плат,
Но Алконостом-птицей
Иль вещею зегзицей
Не кануть в струнный лад.

Остались только взгорья,
Ковыль да синь-туман,
Меж тем как редкоборьем
Над лебедем Егорьем
Орлит аэроплан.

(в) *Успокоение*

Падает снег на дорогу —
Белый ромашковый цвет.
Может, дойду понемногу
К окнам, где ласковый свет?
Топчут усталые ноги
Белый ромашковый цвет.

and arable land stretching out by the swanny waters.

As a sable-furred duchess your ghost appeared to me. But at forty, to look in silence into the hawk eyes until it hurts is shameful.

I dreamt of you as a novice nun — a rough linen kerchief down to the eyebrows, but you would not flow into the harmony of the strings like the Alkonost bird of grief or as a magical cuckoo.

Only the hills, the feather grass and the blue mist remained, while over the conifer scrub, like St George, an aeroplane soars.

(c) Solace

Snow falls on the road — white camomile flowers. Perhaps, gradually, I shall get to the windows where there is a loving light. My tired legs tread the white camomile flowers.

Вижу за окнами прялку,
Песенку мама поет,
С нитью веселой вповалку
Пухлый мурлыкает кот.
Мышку-вдову за мочалку
Замуж сверчок выдает.

Сладко уснуть на лежанке...
Кот — непробудный сосед.
Пусть забубнит в позаранки
Ульем на странника дед,
Сед он, как пень на полянке —
Белый ромашковый цвет.

Только б коснуться покоя,
В сумке огниво и трут,
Яблоней в розовом зное
Щеки мои расцветут,
Там, где вплетает левкои
В мамины косы уют.

Жизнь — океан многозвонный —
Путнику плещет вослед.
Волгу ли, берег ли Роны —
Все принимает поэт...
Тихо ложится на склоны
Белый ромашковый цвет.

1926

I can see a spinning-wheel through the windows, mama is singing a song, a plump tom cat is purring, entangled with a merry thread. The cricket is marrying off a widowed mouse to a string of bast.

It is sweet to fall asleep on the bench by the stove... The cat is a neighbour you can't wake. Let grandfather at first daylight mumble at the wanderer like a bee-hive, he is grey-haired like a stump in a clearing — white camomile flowers.

If I could touch peace, I have steel and tinder in my bag, my cheeks will blossom in the apple trees' rosy heat, where domestic bliss plaits gillyflowers into mama's tresses.

Life is a polyphonous ocean, it laps in the traveller's wake. The Volga or the shore of the Rhone, the poet accepts everything. White camomile flowers quietly fall onto the slopes.

Из поэмы «Деревня»

[...]
Ты Рассея, Рассея теща,
Насолила ты лихо во щи,
Намаслила кровушкой кашу —
Насытишь утробу нашу!
Мы сыты, мать, до печёнок,
Душа — степной жеребенок
Копытом бьет о грудину, —
Дескать, выпусти на долину
К резедовым лугам, водопою...
Мы не знаем ныне покою,
Маята-змея одолела
Без сохи, без милого дела,
Без сусальной в углу Пирогощей...

Ты Рассея — лихая теща!
Только будут, будут стократы
На Дону вишневые хаты,
По Сибири лодки из кедра,
Олончане песнями щедры,
Только б месяц, рядяся в дымы,
На реке бродил по налимы,
Да черемуху в белой шали
Вечера как девку ласкали!

1926

From 'The Countryside'
Russia, Russia you are a mother-in-law, you have put a nasty lot of salt in the soup, you have buttered our porridge with blood, you will sate our innards! Mother, we are sated to the liver, the soul is a steppe colt striking its hooves against my chest, — saying let me go out to the valley, to the mignonette valleys, the watering hole... We now know no peace, toil the snake has overcome us, without ploughshare, without our beloved trade, without the tinsel Pie-giver in the corner...
Russia, you are an evil mother-in-law! Only there will be, there will be a hundred-fold cherry-tree cottages on the Don, boats of tall spruce all over Siberia, the people of Olonetsk are generous with songs, if only the moon, dressing up in smoke, would wander to catch burbot in the river and if only the evenings would caress like a wench the bird-cherry in its white shawl.

Из поэмы «Погорельщина»

[...]
Се предреченная звезда,
Что темным бором иногда
Совою окликала нас!..
Грызет лесной иконостас
Октябрь — поджарая волчица,
Тоскуют печи по ковригам
И шарит оторопь по ригам
Щепоть кормилицы-мучицы.
Ушли из озера налимы,
Поедены гужи и пимы,
Кора и кожа с хомутов,
Не насыщая животов.
Покойной Прони в руку сон:
Сиговец змием полонен,
И синеглазого Васятку
Напредки посолили в кадку.
Ах, синеперый селезень!..
Чирикал воробьями день,
Когда, как по грибной дозор,
Малютку кликнули на двор.
За кус говядины с печенкой
Сосед освежевал мальчонка,
И серой солью посолил
Вдоль птичьих ребрышек и жил.
Старуха же с бревна под балкой
Замыла кровушку мочалкой.
Опосле, — как лиса в капкане,

Излилась лаем на чулане.
И страшен был старуший лай,
Похожий то на баю-бай,
То на сорочье стрекотанье.
Ополночь бабкино страданье
Взошло над бедною избой
Васяткиною головой.
Стеклися мужики и бабы:
«Да, те ж вихры и носик рябый!»
И вдруг за гиблую вину
Громада взвыла на луну.
Завыл Парфён, худой Егорка,
Им на обглоданных задворках
Откликнулся матерый волк...
И народился темный толк:
Старух и баб сорокалеток
Захоронить живьем в подклеток,
С обрядой, с жалкой плачеей
И с теплою мирской свечей;
Над ними избу запалить,
Чтоб не достались волку в сыть!

Так погибал Великий Сиг.
Заставкою из древних книг,
Где Стратилатом на коне
Душа России, вся в огне,
Летит ко граду, чьи врата
Под знаком чаши и креста! [...]

1927

she burst out barking in the storeroom. And the old woman's bark was terrible, like a lullaby, or like magpie's chattering. At midnight the grandmother's suffering rose over the poor hut as Vasia's head. Peasants, men and women, crowded round: 'Yes, the same curls and pock-marked nose!' And suddenly the mob howled at the moon for the mortal guilt. Parfion howled, so did thin Egorka, and the massive wolf echoed them on the eaten-out back yards... And dark decisions were born: to bury alive the old women and women of forty under the floorboards, with rites, with wretched wailing and a warm lay candle; to set fire to the house over them, so that the wolf might not have its fill of them.

Thus perished Great Sig. Like an illumination in ancient books, where the soul of Russia, all on fire, like Stratilatus on horseback, flies towards a city whose gates are under the sign of the chalice and cross!

ВЕЛИМИР ХЛЕБНИКОВ
VELIMIR KHLEBNIKOV

Заклятие смехом

О, рассмейтесь, смехачи!
О, засмейтесь, смехачи!
Что смеются смехами, что смеянствуют смеяльно,
О, засмейтесь усмеяльно!
О, рассмешищ надсмеяльных — смех усмейных смехачей!
О, иссмейся рассмеяльно, смех надсмейных смеячей!
Смéйево, смéйево,
Усмей, осмей, смешики, смешики,
Смеюнчики, смеюнчики.
О, рассмейтесь, смехачи!
О, засмейтесь, смехачи!

1908–1909

* * *

О, достоевскиймо бегущей тучи!
О, пушкиноты млеющего полдня!
Ночь смотрится, как Тютчев,
Безмерное замирным полня.

1908–1909

Laughter Spell
O laugh out, laughers! O, laugh, laughers! That laugh with laughter, that laugherise laughingly, o, laugh laughably! O laughter of superlaugh laughtries, of laughly laughers! O outlaugh laughishly, laugh of superlaugh laughlings! Laughitty, laughitty, uplaugh, offlaugh, laughlets, laughlets, laughikins, laughikins. O laugh out, laughers! O laugh, laughers!

O Dostoevskimo of the running rain cloud! O Pushkindolence of swooning noon! Night looks down, like Tiutchev, filling the measureless with the metaworldly.

* *
*

Бобэоби пелись губы,
Вээоми пелись взоры,
Пиээо пелись брови,
Лиэээй — пелся облик,
Гзи-гзи-гзэо пелась цепь.
Так на холсте каких-то соответствий
Вне протяжения жило Лицо.

1908–1909

* *
*

Чудовище — жилец вершин,
С ужасным задом,
Схватило несшую кувшин,
С прелестным взглядом.
Она качалась, точно плод,
В ветвях косматых рук.
Чудовище, урод,
Довольно, тешит свой досуг.

1908–1909

* *
*

Гонимый — кем, почем я знаю?
Вопросом: поцелуев в жизни сколько?

Bobeóbi were sung the lips, veeómi were sung the eyes, pieéo were sung the eyebrows, lieéei was sung the face, gzi-gzi-gzéo was sung the chain. Thus on the canvas of certain correspondences beyond a physical dimension the Face lived.

A monster, inhabitant of the heights with a horrible backside, grabbed a girl carrying a pitcher, with a charming gaze. She swung like a fruit in the branches of his hairy arms. The monster, a freak, is pleased, he is enjoying his leisure.

Pursued — by whom, how do I know? by a question: how many kisses are there in life?

Румынкой, дочерью Дуная,
Иль песнью лет про прелесть польки, —
Бегу в леса, ущелья, пропасти
И там живу сквозь птичий гам.
Как снежный сноп, сияют лопасти
Крыла, сверкавшего врагам.
Судеб виднеются колеса
С ужасным сонным людям свистом.
И я, как камень неба, несся
Путем не нашим и огнистым.
Люди изумленно изменяли лица,
Когда я падал у зари.
Одни просили удалиться,
А те молили: «Озари».
Над юга степью, где волы
Качают черные рога,
Туда, на север, где стволы
Поют, как с струнами дуга,
С венком из молний белый чёрт
Летел, крутя власы бородки:
Он слышит вой власатых морд
И слышит бой в сквородки.
Он говорил: «Я белый ворон, я одинок,
Но всё — и черную сомнений ношу,
И белой молнии венок —
Я за один лишь призрак брошу:
Взлететь в страну из серебра,
Стать звонким вестником добра».

by a Romanian, daughter of the Danube, or by the song of the years about a Polish girl's charm — I run to the forests, ravines, chasms and live there through the bird song. Like a sheaf of snow glimmer the flaps of a wing which shines against enemies. The wheels of fate are visible with a whistling that is horrible for sleepy people. And I, like a stone from the sky, was borne along a path not ours and fiery. People altered their faces in amazement when I fell at the crepuscular light. Some asked me to remove myself, but others besought me: 'Enlighten us!' Over the south of the steppe, where the oxen sway their black horns, to the far north where tree trunks sing like yokes with strings, flew a white devil with a crown of lightning flashes, twisting the hairs of his beard: he can hear the howl of hairy animal faces and hear the banging of frying pans. He said: 'I am a white raven, I am alone, but everything — the black burden of doubts, and the crown of white lightning — I shall abandon just for a spectre: to fly up into the land of silver, to become a resonant herald of good.'

У колодца расколоться
Так хотела бы вода,
Чтоб в болотце с позолотцей
Отразились повода.
Мчась, как узкая змея,
Так хотела бы струя,
Так хотела бы водица
Убегать и расходиться,
Чтоб, ценой работы добыты,
Зеленее стали чёботы,
Черноглазые, ея.
Шепот, ропот, неги стон,
Краска темная стыда,
Окна, избы с трех сторон,
Воют сытые стада.
В коромысле есть цветочек,
А на речке синей челн.
«На, возьми другой платочек,
Кошелек мой туго полн». —
«Кто он, кто он, что он хочет?
Руки дики и грубы!
Надо мною ли хохочет
Близко тятькиной избы?
Или? Или я отвечу
Чернооку молодцу, —
О, сомнений быстрых вече, —
Что пожалуюсь отцу?
Ах, юдоль моя гореть!»
Но зачем устами ищем
Пыль, гонимую кладбищем,

The water would so like to split by the well, so that the reins could be reflected in the bog with the gilding. Rushing like a narrow snake, the stream would so like, the water would so like to run off and part, so that her boots, black-eyed, earned by work, would become greener. Whispering, murmuring, groans of bliss, dark hue of shame, windows, village houses on three sides, the sated herds are lowing. There is a flower in the bucket-yoke, and a boat on the blue river. 'Come on, take another scarf, my purse is stuffed full.' — 'Who is he, who is he, what does he want? His hands are wild and coarse! Is he laughing loud at me near daddy's house? Or? Or shall I reply to the black-eyed lad, — o parliament of fleeting doubts — shall I complain to my father then? Oh, it is my fate on this earth to burn!' But why do we seek with lips to wipe off dust driven by the cemetery

Знойным пламенем стереть?

И в этот миг к пределам горшим
Летел я, сумрачный, как коршун.
Воззреньем старческим глядя на вид земных шумих,
Тогда в тот миг увидел их.

1912

Числа

Я всматриваюсь в вас, о, числа,
И вы мне видитесь одетыми в звери, в их шкурах,
Рукой опирающимися на вырванные дубы.
Вы даруете единство между змееобразным движением
Хребта вселенной и пляской коромысла,
Вы позволяете понимать века, как быстрого хохота зубы.
Мои сейчас вещеобразно разверзлися зеницы
Узнать, что будет Я, когда делимое его — единица.

1912

with a sultry hot flame?
   And at that instant I was flying to more celestial regions, gloomy as a black kite. Looking at the sight of earthly bustling with an old man's view, at that instant I saw them.

Numbers
I look hard at you, o numbers, and you are seen by me dressed as wild animals, in their skins, propping yourselves up with your hands against torn-out oaks. You grant the unity between the snake-like movement of the universe's spin and the dance of the yoke and buckets, you allow the ages to be understood as the teeth of rapid loud laughter. The pupils of my eyes have now been opened thingishly to learn what *I* will be when its dividend is a unity.

Курган

Копье татар чего бы ни трогало —
Бессильно всё на землю клонится.
Раздевши мирных женщин догола,
Летит в Сибирь — Сибири конница.

Курганный воин, умирая,
Сжимал железный лик Еврея.
Вокруг земля, свист суслика, нора и —
Курганный день течет скорее.

Семья лисиц подъемлет стаю рожиц,
Несется конь, похищенный цыганом,
Лежит суровый запорожец
Часы столетий под курганом.

1915

* * *

Годы, люди и народы
Убегают навсегда,
Как текучая вода.
В гибком зеркале природы
Звезды — невод, рыбы — мы,
Боги — призраки у тьмы.

1915

The Burial Mound
Whatever the Tatars' lance touches, everything on earth bows down powerless. Having stripped peaceful women naked, Siberia's cavalry flies to Siberia.

The warrior in the burial mound, as he died, gripped the Jew's iron face. All around is the earth, the marmot's whistle, the burrow and — the burial mound day passes faster.

A family of foxes raises a flock of little muzzles, the horse stolen by a gypsy rushes past, a stern Zaporozhian Cossack lies for the hours of centuries under the burial mound.

Years, people and nations run away forever like flowing water. In nature's flexible mirror stars are a net, we are the fish, the gods are spectres of darkness.

**

Ни хрупкие тени Японии,
Ни вы, сладкозвучные Индии дщери,
Не могут звучать похороннее,
Чем речи последней вечери.
Пред смертью жизнь мелькает снова,
Но очень скоро и иначе.
И это правило — основа
Для пляски смерти и удачи.

1915

Три сестры

Как воды полночных озер
За темными ветками ивы,
Блестели глаза у сестер,
А все они были красивы.
Одна, зачарована богом
Старинных людских образов,
Стояла под звездным чертогом
И слушала полночи зов.
А та замолчала навеки,
Душой простодушнее дурочки,
Боролися черные веки
С глазами усталой снегурочки.
А та — золотистые глины
Любила весною у тела,

Neither Japan's fragile shadows, nor you, India's sweet-sounding daughters, can sound more funereal that the last supper's speeches. Life flashes again before death, but very quickly and differently. And this rule is the basis for the dance of death and for success.

Three Sisters
Like the midnight lakes' waters beyond the willow's dark branches, the eyes of the sisters shone, and they were all beautiful. One, spell-bound by the god of ancient human images, stood beneath the starry chamber and listened to midnight's call. And another fell silent forever, her soul more simple-minded than an idiot's, black eyelids fought with a tired Snow Maiden's eyes. And another loved golden clays by her body in spring,

На сене, на стоге овина
Лежать — ее вечное дело.
Внезапный язык из окошка на птичнике —
Прохожего дразнит цыгана,
То, полная песен язычника,
Стоит на вершине кургана.
И, полная неба и лени,
Жует голубые цветы,
И в мертвом засохнувшем сене
Плывет в голубые пути.
Порой, быть одетой устав,
Оденет ночную волну,
Позволит ветров табуну
Ласкать ее стана устав.
И около тела нагого
Холодная пела волна
Давно позабытое слово
Из мира далекого сна.
Она одуванчиком тела
Летит к одуванчику мира,
И сказка великая пела, —
Глаза человека — секира.
И в сказку вечернего неба
Летели девичьи глаза,
И волосы темного хлеба
Волнуются, льются назад.
Умчалися девичьи земли
В молитвенник дальнего неба,
И волосы черного хлеба
Волнуются, полночи внемля.

lying on hay, in the grange's hayloft, was her constant occupation. A sudden tongue from the window in the hen house teases a passing gypsy, or, full of a pagan's songs, she stands on top of a burial mound. And full of sky and idleness, she chews blue flowers, and in dead, dried-up hay she floats into sky-blue paths. At times, tired of being dressed, she clothes herself in night's waves, lets the winds' horses caress her body's forms. And round the naked body the cold wave sang a long forgotten word from the world of far-off dreams. Her body's dandelion flies to the world's dandelion, and a great fairy tale sang, — man's eyes are a pole-axe. And the girl's eyes flew into the evening sky's fairy tale, and hair of dark corn waves, pours backwards. The girl's lands rushed to the far-off sky's prayer-book, and the dark corn hair waves, as it hearkens to midnight.

Она — точно смуглый зверок,
И смуглые блещут глазенки;
Небес синева, точно слабый урок,
Блеснет на зарницах теленка.
Те волосы — золота темного мед,
Те волосы — черного хлеба поток,
То черная бабочка небо сосет
И хоботом узким пьет синий цветок.
Поверили звезд водоему
Ее молодые лета,
Темнеет сестрой чернозему
Любимая сном нагота.
И кротость и жалость к себе
В ее разметавшихся ку́дрях,
И небо горит голубей
В колосьях священных и мудрых.
И неба священный подсолнух,
То золотом черным, то синим отливом
Блеснет по разметанным волнам,
Проходит, как ветер по нивам.
Идет, как священник, и темной рукой
Дает темным волнам и сон и покой,
Иль, может быть, Пушкин иль Ленский
По ниве идет деревенской;
И слабая кашка запутает ноги
Случайному путнику сельской дороги.
Глазами зеваки, иль, может быть, боги
Пришли красивыми очами
Все на земле благословить.

She is like a swarthy little animal, and swarthy eyes shine; the skies' blue, like a weak lesson, will shine on the calf's night lights. That hair is the honey of dark gold, that hair is a flow of black corn, it is a black butterfly sucking at the sky and drinking the blue flower with its narrow proboscis. Her youthful age has trusted in the stars' water catchment, the nakedness beloved by sleep goes dark, as a sister to the black earth. And there is meekness and self-pity in her dishevelled curls, and the sky burns more blue in sacred and wise ears of corn. And heaven's sacred sunflower, now black with gold, now with a tinge of blue, shines over the scattered waves, passing like a wind over the cornfields. It passes like a priest and with its dark hand gives the dark waves sleep and peace, or perhaps Pushkin or Lenskii walk through the country cornfield; and the weak clover entangles the feet of the traveller who chances on a village road. With an idler's eyes, or, it may be, the gods with beautiful eyes have come to bless everything on earth.

Другая окутана сказкой
Умерших недавно событий,
К ней тянутся часто за лаской
Другого дыхания нити.
Она величаво, как мать,
Проходит по зарослям вишни
И любит глаза подымать,
Где звезды раскинул Всевышний.
Дрожали лучи поговоркою,
И время столетьями цедится,
Ты смотришь, задумчиво-зоркая,
Как слабо шагает Медведица.
Платка белоснежный ковер,
Одежда бела и чиста;
Как пена далеких озер.
Ее колыхались уста.
И дышит старинная вольница,
Ушкуйницы гордая стать.
О, строгая ликом раскольница,
Поморов отшельница-мать.
Лоск ласк и хитрости привычной сети
Чертили тучное лицо у третьей,
Измены низменной она
Была живые письмена.
И темные тела дары,
Как небо, светлы и свободны;
На облако черной главы
Нисходит огонь благородный.
И голод голубого холода

Another sister is wrapped in the fairy tale of newly expired events, threads of other breath often stretch out to her for affection. Majestically, like a mother, she passes through cherry trees thickets and loves to lift her eyes where the Almighty has strewn the stars. Their rays quivered with sayings, and time is sieved through centuries, you look pensively sharpsighted at the Great Bear striding weakly. The snow-white rug of the head scarf, the clothes are white and clean; like distant lakes' foam, her lips swayed. And the ancient freewoman breathes, the proud form of the river-pirates' women. O dissenter, strict in face, the mother-hermit of the White Sea coast. The gloss of caresses and the nets of customary cunning have outlined the third sister's plump face, she was the living lettering of base treachery. And the body's dark gifts are as bright and free as the sky; a noble fire descends onto the cloud of the black head. And blue cold's hunger

Оставит женщину и глину,
И вновь таинственно и молодо
Молилась глина властелину.
И полумать и полудитя,
И с мглой языческой дружа,
Она уходит в лес, хотя
Зовет назад ее межа.
Стонавших радостно черемух
Зовет бушующий костер.
Там в стороне от глаз знакомых
Находишь, дикая, шатер.
Сквозь белые дерева очи
Ты скачешь товаркою ночи,
И в черной шубе медвежонок
Своих на тело падших кос, —
Ты, разбросавший волосы ребенок,
Забыв про яд жестоких ос,
Но помнишь прелести стрекоз.
И ловишь шмелей-медвежат,
Хоть дерева ветки дрожат,
И пьешь цветы медовой пыли,
И лазаешь поспешней белки, —
Тогда весна сидит сиделкой
У первых дней зеленой силы.
И, точно хохот обезьяны,
Взлетели косы выше плеч,
И ветров синие цыгане
Ведут взволнованную речь.
Она весна или сестра,

will leave woman and clay, and again, mysteriously and youthfully, the clay has prayed to its owner. And half-mother, half-child, and allied to the pagan mist, she leaves for the forest, although the strip of field calls her back. The raging bonfire of joyfully groaning bird-cherries calls her. There, away from familiar eyes, wild woman, you will find a shelter. Through the tree's white eyes you will gallop, a comrade of the night, and you are a bear-cub in a black fur coat of its own locks, falling on its body, a child who has scattered her hair, forgetting about the cruel wasps' poison, but you remember the dragonflies' charms. And you hunt the bear-cub-bumble-bees, though the tree's branches shake, and you drink the flowers of honey pollen, and you climb more hurriedly than a squirrel, — then spring sits like a nurse at the green force's first days. And like an ape's loud laughter, the locks have flown up high above the shoulders, and the winds' blue gypsies are conducting an emotional discourse. She is spring or a sister,

В ней кровь весенняя течет,
И жар весеннего костра
В ее дыхании печет.
Она пчелиным божеством
На службу тысячи шмелей
Идет, хоть трудно меж ветвей
Служить молитву божеством.

30 марта 1920, 1921

* * *

Участок — великая вещь!
Это — место свиданья
Меня и государства.
Государство напоминает,
Что оно все еще существует!

1922

Из сверхповести «Зангези»

Плоскость VI

З а н г е з и

Мне, бабочке, залетевшей
В комнату человеческой жизни,
Оставить почерк моей пыли

spring blood flows in her, and bakes the spring bonfire's heat in her breath. Like a bee divinity serving a thousand bumble-bees, she passes, though it is hard among the branches to hold prayers as a divinity.

A police station is a great thing! It is a place for me and the state to have a rendez-vous. The state reminds one that it still exists!

From 'Zangezi', a Supertale
Plane VI.
Zangezi. Am I, a moth flown into human life's room, to leave my dust's handwriting

По суровым окнам, подписью узника,
На строгих стеклах рока.
Так скучны и серы
Обои из человеческой жизни!
Окон прозрачное «нет»!
Я уж стер свое синее зарево, точек узоры,
Мою голубую бурю крыла — первую свежесть.
Пыльца снята, крылья увяли и стали прозрачны и жестки.
Бьюсь я устало в окно человека.
Вечные числа стучатся оттуда
Призывом на родину, число зовут к числам вернуться.
[...]

Плоскость XI

Боги шумят крылами, летя ниже облака.

Б о г и

Гагаг*а*га гэгэгэ!
Граках*а*та гророр*о*
Лили эги, ляп, ляп, бэмь.
Лилиб*и*би нирар*о*
Сино*а*но цицир*и*ц.
Хию хм*а*па, хир зэнь, че*н*чь
Ж*у*ри к*и*ка син сонэга.
Хахот*и*ри эсс эсэ.
*Ю*нчи, энчи, ук!
*Ю*нчи, энчи, пипок*а*.
Клям! Клям! Эпс!

[...]

over the stern windows, as a prisoner's signature, on fate's strict panes. So boring and grey is the wallpaper made of human life! The windows' transparent 'No!' I have now rubbed off my blue morning light, patterns of dots, my wing's sky-blue storm — first freshness. The powder is removed, the wings have faded and turned transparent and hard. I beat wearily at man's window. Eternal numbers knock from the other side with a call to the motherland, they call on a number to return to numbers.

Plane XI. The gods rustle their wings, flying below the clouds.
The gods. Gagagága, gegegé! Grakakháta grororó lili égi, liap, liap, bém´. Libibíbi niraró sinoáno tsitsiríts. Khiiu khmápa, khir zen´, chénch´ zhúri kíka sin sonéga. Khakhotíri ess esé. Iúnchi, énchi, uk! Iúnchi, énchi, pipoká. Kliam! Kliam! Eps!

АЛЕКСЕЙ ЕЛИСЕЕВИЧ КРУЧЕНЫХ
ALEKSEI ELISEEVICH KRUCHIONYKH

3 стихотворения
написанные на
собственном языке
От др. отличается:
слова его не имеют
определенного значения

№ 1

Дыр бул щыл
убешщур
   скум
вы со бу
   р л эз

№ 2

Фрот фрон ыт
не спорю влюблен
черный язык
то было и у диких
     племен

№ 3

Та са мае
ха ра бау
Саем сию дуб
радуб мола
    аль

1913

3 Poems written in my own language. Differs from others: its words have no definite meaning
No. 1. Dyr bul shchyl ubeshshchur skum vy so bu r l ez
No. 2. Frot fron yt I don't argue I'm in love black language savage tribes had it too
No. 3. Ta sa mae kha ra bau Saem siiu dub radub mola al

* * *

В полночь я заметил на своей простыне черного и твердого,
величиной с клопа
в красной бахроме ножек.
Прижег его спичкой. А он, потолстел без ожога, как
повернутая дном железная бутылка...
Я подумал: мало было огня?..
Но ведь для такого — спичка как бревно!..
Пришедшие мои друзья набросали на него щепок,
бумаги с керосином — и подожгли...
Когда дым рассеялся — мы заметили зверька,
сидящего в углу кровати
в позе Будды (ростом с $^1/_4$ аршина)
И, как би-ба-бо ехидно улыбающегося.
Поняв, что это **ОСОБОЕ** существо,
я отправился за спиртом в аптеку
а тем временем
приятели ввертели ему окурками в живот
пепельницу.
Топтали каблуками, били по щекам, поджаривали уши
а кто-то накаливал спинку кровати на свечке.
Вернувшись, я спросил:
— Ну как?
В темноте тихо ответили:
— Все уже кончено!
— Сожгли?
— Нет, сам застрелился...
ПОТОМУ ЧТО, сказал он,
В ОГНЕ Я УЗНАЛ НЕЧТО ЛУЧШЕЕ!

1922

At midnight I noticed on my sheet something black and hard the size of a bedbug in a
red fringe of legs. I burnt him with a match. But he, he grew fat, with no burn mark, like
an iron bottle turned bottom up... I thought: wasn't there enough flame?.. But for
something like him a match is like a beam!.. My friends who had arrived threw kindling,
paper soaked in paraffin over him and set fire to him... When the smoke cleared we
noticed a little animal sitting in the corner of the bed in a Buddha pose (7 inches high).
And smiling sarcastically like a puppet. Realising that this was a SPECIAL creature I set
off to the chemist's for spirit, and meanwhile my friends twisted an ashtray full of
cigarette ends into his belly, trampled him under their heels, struck his cheeks, roasted
his ears; somebody heated up the back of the bedstead with a candle. When I got back I
asked: 'Well?' In the darkness they quietly replied: 'It's all over now!' 'Did you burn
him?' 'No, he shot himself... BECAUSE, he said, IN FIRE I RECOGNISED
SOMETHING BETTER!'

НИКОЛАЙ СТЕПАНОВИЧ ГУМИЛЁВ
NIKOLAI STEPANOVICH GUMILIOV

Из поэмы «Капитаны»

I

На полярных морях и на южных,
По изгибам зеленых зыбей,
Меж базальтовых скал и жемчужных
Шелестят паруса кораблей.

Быстрокрылых ведут капитаны —
Открыватели новых земель,
Для кого не страшны ураганы,
Кто изведал мальстремы и мель.

Чья не пылью затерянных хартий —
Солью моря пропитана грудь,
Кто иглой на разорванной карте
Отмечает свой дерзостный путь

И, взойдя на трепещущий мостик,
Вспоминает покинутый порт,
Отряхая ударами трости
Клочья пены с высоких ботфорт,

Или, бунт на борту обнаружив,
Из-за пояса рвет пистолет,
Так что сыпется золото с кружев,
С розоватых брабантских манжет.

From 'The Captains'
1. Over polar seas and southern seas, over the ridges of the green waves, between basalt rocks and pearly rocks the ships' sails rustle.

The swift-winged vessels are steered by captains, discoverers of new lands, who are not afraid of hurricanes, who have known maelstroms and shallows;

Whose breasts are imbued not with the dust of lost charts but with the salt of the sea, who mark with a needle on a torn map their daring course.

And who, climbing to the shuddering bridge, recall the port they have left, shaking with blows of their stick flocks of foam from their high jack boots,

Or, discovering a mutiny on board, pull a pistol from their belt, so that gold spills from the lace, from the pink Brabant lace cuffs.

Пусть безумствует море и хлещет,
Гребни волн поднялись в небеса —
Ни один пред грозой не трепещет,
Ни один не свернет паруса.

Разве трусам даны эти руки,
Этот острый, уверенный взгляд,
Что умеет на вражьи фелуки
Неожиданно бросить фрегат,

Меткой пулей, острогой железной
Настигать исполинских китов
И приметить в ночи многозвездной
Охранительный свет маяков?

[...]

IV

Но в мире есть иные области,
Луной мучительной томимы.
Для высшей силы, высшей доблести
Они навек недостижимы.

Там волны с блесками и всплесками
Непрекращаемого танца,
И там летит скачками резкими
Корабль Летучего Голландца.

Let the sea rage and lash, crests of waves rise up to the sky, not one captain trembles before the storm, not one will furl his sails.

These hands are surely not given to cowards, not this sharp confident gaze which can suddenly send in a frigate against enemy feluccas,

Strike giant whales with a well-aimed bullet, an iron harpoon, and pick out in a night full of stars the protective light of lighthouses. [...]

4. But there are other regions in the world which are agonisingly worn down by the moon. For the highest strength, the highest valour they are eternally unattainable.

There are waves with radiance and splashes of a ceaseless dance, and there the Flying Dutchman's ship flies in sharp leaps.

Ни риф, ни мель ему не встретятся,
Но, знак печали и несчастий,
Огни святого Эльма светятся,
Усеяв борт его и снасти.

Сам капитан, скользя над бездною,
За шляпу держится рукою.
Окровавленной, но железною
В штурвал вцепляется — другою.

Как смерть, бледны его товарищи,
У всех одна и та же дума.
Так смотрят трупы на пожарище —
Невыразимо и угрюмо.

И если в час прозрачный, утренний
Пловцы в морях его встречали,
Их вечно мучил голос внутренний
Слепым предвестием печали.

Ватаге буйной и воинственной
Так много сложено историй,
Но всех страшней и всех таинственней
Для смелых пенителей моря —

He encounters neither reef nor shallows, but, a sign of grief and misfortunes, St Elma's fire shines, scattered over his board and rigging.

The captain himself, skating over the abyss, holds onto his hat with one hand. With the other, blood-covered but iron, he clings to the helm.

His comrades are as pale as death, they all have the same thought. This is how corpses look at charred ruins — expressionless and sullen.

And if at a transparent morning hour sailors met him at sea, they were eternally tormented by an inner voice and its blind harbinger of grief.

So many stories have been concocted about the turbulent and militant gang, but the most frightening and most mysterious for bold foamers of the seas

О том, что где-то есть окраина —
Туда, за тропик Козерога! —
Где капитана с ликом Каина
Легла ужасная дорога.

1909

Потомки Каина

Он не солгал нам, дух печально-строгий,
Принявший имя утренней звезды,
Когда сказал: «Не бойтесь вышней мзды,
Вкусите плод и будете, как боги».

Для юношей открылись все дороги,
Для старцев — все запретные труды,
Для девушек — янтарные плоды
И белые, как снег, единороги.

Но почему мы клонимся без сил,
Нам кажется, что кто-то нас забыл,
Нам ясен ужас древнего соблазна,

Когда случайно чья-нибудь рука
Две жердочки, две травки, два древка
Соединит на миг крестообразно?

1909

Is about there being a region — yonder, beyond the Tropic of Capricorn! — where the horrible route lay of a captain with Cain's face.

Cain's Descendants
He did not lie to us, the sadly severe spirit who took the name of the morning star, when he said: 'Fear not the highest reward, taste the fruit and you will be like gods.'

All roads have opened for young men, for old men all forbidden labours, for girls the amber fruits and unicorns, as white as snow.

But why do we bend powerless, we think someone has forgotten us, we clearly see the ancient temptations' horror

When by chance someone's hand puts together for a moment two stakes, two blades of grass, two piece of wood in the form of a cross?

Ворота рая

Не семью печатями алмазными
В Божий рай замкнулся вечный вход,
Он не манит блеском и соблазнами,
И его не ведает народ.

Это дверь в стене, давно заброшенной,
Камни, мох и больше ничего,
Возле — нищий, словно гость непрошеный,
И ключи у пояса его.

Мимо едут рыцари и латники,
Трубный вой, бряцанье серебра,
И никто не взглянет на привратника,
Светлого апостола Петра.

Все мечтают: «Там, у Гроба Божия,
Двери рая вскроются для нас,
На горе Фаворе, у подножия,
Прозвенит обетованный час».

Так проходит медленное чудище,
Завывая, трубит звонкий рог,
И апостол Петр в дырявом рубище,
Словно нищий, бледен и убог.

1910

The Gates of Paradise
The eternal entrance to God's paradise is not locked with seven diamond seals, it does not lure by radiance and temptations, the people do not know it.

It is a door in a long abandoned wall, stones, moss and nothing else, nearby is a beggar, like an uninvited guest, and the keys are on his belt.

Knights and armourers ride past, a howl of trumpets, a jangle of silver, and nobody will look at the gatekeeper, the Apostle Peter.

Everybody dreams: 'Yonder by God's Sepulchre the doors of paradise will open for us, on Mt Tabor, by the foot of the mountain the promised hour will ring out.'

Thus a slow-moving absurd spectacle passes, a clear horn sounds out with a howl, and the Apostle Peter in a shirt with holes in it, like a beggar, is pale and destitute.

Из логова змиева

Из логова змиева,
Из города Киева,
Я взял не жену, а колдунью.
А думал — забавницу,
Гадал — своенравницу,
Веселую птицу-певунью.

Покликаешь — морщится,
Обнимешь — топорщится,
А выйдет луна — затомится,
И смотрит, и стонет,
Как будто хоронит
Кого-то, — и хочет топиться.

Твержу ей: «Крещеному,
С тобой по-мудреному
Возиться теперь мне не в пору.
Снеси-ка истому ты
В днепровские омуты,
На грешную Лысую гору».

Молчит — только ежится,
И всё ей неможется.
Мне жалко ее, виноватую,
Как птицу подбитую,
Березу подрытую
Над очастью, Богом заклятою.

1911

From the Snake's Den
From the snake's den, from Kiev city I got not a wife but a sorceress. But I thought she was an entertainer, I reckoned a wilful woman, a merry songbird.

If you call, she frowns, if you embrace her, she bristles; when the moon comes out she pines and looks and groans as if she is burying someone and means to drown herself.

I keep telling her: 'A Christian man like me has no time to fuss with your difficult ways. Take your pining down to the Dnepr's still waters, to the sinful Bare Mountain.'

She says nothing, just shrinks away, and she always feels ill. I'm sorry for her, abashed liked a wounded bird, an undermined birch over a swamp spell-bound by God.

Восьмистишие

Ни шороха полночных далей,
Ни песен, что певала мать,
Мы никогда не понимали
Того, что стоило понять.
И, символ горнего величья,
Как некий благостный завет, —
Высокое косноязычье
Тебе даруется, поэт.

1915

Рабочий

Он стоит пред раскаленным горном,
Невысокий старый человек.
Взгляд спокойный кажется покорным
От миганья красноватых век.

Все товарищи его заснули,
Только он один еще не спит:
Всё он занят отливаньем пули,
Что меня с землею разлучит.

Кончил, и глаза повеселели.
Возвращается. Блестит луна.
Дома ждет его в большой постели
Сонная и теплая жена.

Octave
Neither the rustle of midnight's vistas, nor the songs our mother sang — we never did understand what was worth understanding. And, a symbol of celestial majesty, like some blessed testament, a lofty inarticulacy has been granted to you, o poet.

The Workman
A little old man, he stands in front of a red-hot furnace. The blinking of his reddish eyelids makes his calm gaze seem submissive.

All his workmates have gone to sleep, only he is still awake: he is still busy casting the bullet that will part me from the earth.

He has finished and his eyes have brightened. He goes home. The moon is shining. At home his sleepy warm wife waits for him in a big bed.

Пуля, им отлитая, просвищет
Над седою, вспененной Двиной,
Пуля, им отлитая, отыщет
Грудь мою, она пришла за мной.

Упаду, смертельно затоскую,
Прошлое увижу наяву,
Кровь ключом захлещет на сухую,
Пыльную и мятую траву.

И Господь воздаст мне полной мерой
За недолгий мой и горький век.
Это сделал в блузе светло-серой
Невысокий старый человек.

1916

Память

Только змеи сбрасывают кожи,
Чтоб душа старела и росла.
Мы, увы, со змеями не схожи,
Мы меняем души, не тела.

Память, ты рукою великанши
Жизнь ведешь, как под уздцы коня,
Ты расскажешь мне о тех, что раньше
В этом теле жили до меня.

The bullet he has cast will whistle over the white whipped up foam of the Dvina, the bullet he has cast will find my chest, it has come for me.

I shall fall, I shall be in mortal anguish, I shall see the past in my waking state, blood will gush like a spring onto the dry, dusty and trampled grass.

And the Lord will reward me in full measure for my short and bitter lifespan. This was done by a little old man in a light-grey blouse.

Memory

Only snakes cast their skins, so that the soul may age and grow. We, alas, are not like snakes, we change souls, not bodies.

Memory, with a giantess's hand you lead life like a horse by the bridle, you will tell me of those who lived in this body before me.

Самый первый: некрасив и тонок,
Полюбивший только сумрак рощ,
Лист опавший, колдовской ребенок,
Словом останавливавший дождь.

Дерево да рыжая собака —
Вот кого он взял себе в друзья.
Память, память, ты не сыщешь знака,
Не уверишь мир, что то был я.

И второй... Любил он ветер с юга,
В каждом шуме слышал звоны лир,
Говорил, что жизнь — его подруга,
Коврик под его ногами — мир.

Он совсем не нравится мне, это
Он хотел стать Богом и царем,
Он повесил вывеску поэта
Над дверьми в мой молчаливый дом.

Я люблю избранника свободы,
Мореплавателя и стрелка.
Ах, ему так звонко пели воды
И завидовали облака.

Высока была его палатка,
Мулы были резвы и сильны,
Как вино, впивал он воздух сладкий
Белому неведомой страны.

The very first — ugly and thin, loving only the twilight of the groves, a fallen leaf — was a magical child who could stop the rain with a word.

A tree and a reddish dog are the beings he befriended. Memory, memory, you will not find a sign, you will not convince the world that this was me.

And the second... He loved the wind from the south, he heard the lyre's sound in every rustle, he said that life was his beloved, the rug beneath his feet his world.

I don't like him at all, he tried to become God and a king, he hung out the poet's sign over the doors of my taciturn house.

I love freedom's chosen one, the navigator and marksman. Oh, the waters sang so resonantly for him and the clouds envied him.

His tent was tall, the mules were lively and strong; like wine, he drank in the sweet air of a country unknown to the white man.

Память, ты слабее год от году,
Тот ли это или кто другой
Променял веселую свободу
На священный долгожданный бой.

Знал он муки голода и жажды,
Сон тревожный, бесконечный путь,
Но святой Георгий тронул дважды
Пулею не тронутую грудь.

Я — угрюмый и упрямый зодчий
Храма, восстающего во мгле.
Я возревновал о славе Отчей,
Как на небесах, и на земле.

Сердце будет пламенем палимо
Вплоть до дня, когда взойдут, ясны,
Стены Нового Иерусалима
На полях моей родной страны.

И тогда повеет ветер странный —
И прольется с неба страшный свет:
Это Млечный Путь расцвел нежданно
Садом ослепительных планет.

Предо мной предстанет, мне неведом,
Путник, скрыв лицо; но всё пойму,
Видя льва, стремящегося следом,
И орла, летящего к нему.

Memory, you are fainter with every year: did this man, or another exchange cheerful freedom for sacred long-awaited battle?

He knew the agonies of hunger and thirst, anxious sleep, endless journeys, but St George touched twice a chest untouched by bullets.

I am the sullen and stubborn builder of a temple arising in the mist. I have been the zealous guardian of our Father's glory both in heaven and on earth.

My heart will be burnt by fire right until the day when the bright walls of the New Jerusalem will rise up on the fields of my native country.

And then a strange wind will blow and terrible light will be shed from heaven: this will be the Milky Way flowering unexpectedly as a garden of dazzling planets.

A stranger, a traveller, his face hidden, will appear before me: but I shall understand everything on seeing a lion that rushes after him and an eagle flying towards him.

Крикну я... но разве кто поможет,
Чтоб моя душа не умерла?
Только змеи сбрасывают кожи,
Мы меняем души, не тела.

1919

Слово

В оный день, когда над миром новым
Бог склонял лицо Свое, тогда
Солнце останавливали словом,
Словом разрушали города.

И орел не взмахивал крылами,
Звезды жались в ужасе к луне,
Если, точно розовое пламя,
Слово проплывало в вышине.

А для низкой жизни были числа,
Как домашний, подъяремный скот,
Потому что все оттенки смысла
Умное число передает.

Патриарх седой, себе под руку
Покоривший и добро и зло,
Не решаясь обратиться к звуку,
Тростью на песке чертил число.

I shall shout... but can anyone stop my soul dying? Only snakes shed their skins, we change souls, not bodies.

The Word
On the day that God bent his face over a new world, then the sun was stopped by a word, towns were destroyed by the word.

And the eagle did not flap its wings, stars clung in horror to the moon, if, like a pink flame, the word sailed past in the heights.

And for life below there were numbers, like household draught cattle, because all shades of meaning are conveyed by clever numbers.

The grey-haired patriarch, who had subdued both good and evil to his own hand, hesitating to resort to sound, would draw a number with a stick in the sand.

Но забыли мы, что осиянно
Только слово средь земных тревог,
И в Евангелии от Иоанна
Сказано, что Слово это — Бог.

Мы ему поставили пределом
Скудные пределы естества,
И, как пчелы в улье опустелом,
Дурно пахнут мертвые слова.

1919

Заблудившийся трамвай

Шел я по улице незнакомой
И вдруг услышал вороний грай,
И звоны лютни, и дальние громы, —
Передо мною летел трамвай.

Как я вскочил на его подножку,
Было загадкою для меня,
В воздухе огненную дорожку
Он оставлял и при свете дня.

Мчался он бурей темной, крылатой,
Он заблудился в бездне времен...
Остановите, вагоновожатый,
Остановите сейчас вагон.

But we have forgotten that among earthly concerns only the word is lit up with radiance, and in the Gospel of St John it is said that the Word is God.

We have set the mean limits of nature as its limit and, like bees in a deserted hive, dead words smell bad.

The Lost Tram

I was walking down an unknown street and suddenly heard the croaking of crows and the sounds of a lute and distant thunderclaps — a tram was flying past me.

How I leapt onto its step was a mystery to me, it left a fiery trail in the air even in daylight.

It rushed on like a dark winged storm, it was lost in the abyss of time... Tram-driver, stop, stop the tram at once.

Поздно. Уж мы обогнули стену,
Мы проскочили сквозь рощу пальм,
Через Неву, через Нил и Сену
Мы прогремели по трем мостам.

И, промелькнув у оконной рамы,
Бросил нам вслед пытливый взгляд
Нищий старик, — конечно, тот самый,
Что умер в Бейруте год назад.

Где я? Так томно и так тревожно
Сердце мое стучит в ответ:
«Видишь вокзал, на котором можно
В Индию Духа купить билет?»

Вывеска... кровью налитые буквы
Гласят: «Зеленная», — знаю, тут
Вместо капусты и вместо брюквы
Мертвые головы продают.

В красной рубашке, с лицом как вымя,
Голову срезал палач и мне,
Она лежала вместе с другими
Здесь, в ящике скользком, на самом дне.

А в переулке забор дощатый,
Дом в три окна и серый газон...
Остановите, вагоновожатый,
Остановите сейчас вагон.

Too late, we had already followed a wall round and leapt through a palm grove, we thundered across the Neva, the Nile and the Seine over three bridges.

And, flashing past the window frame, an old beggar — of course the one that died in Beirut a year ago — shot an inquisitive glance after us.

Where am I? My heart beats in reply so wearily and anxiously: 'Can you see the station where one can buy a ticket to India of the Spirit?'

A sign, letters suffused with blood announce: 'Greengrocer' — I know dead heads are sold here instead of cabbages and swedes.

In a red shirt, with a face like an udder, an executioner has cut off my head too. It lay with the others here at the very bottom of a slippery box.

And there is a boarded fence in the alley, a three-windowed house and a grey lawn... Stop, tram-driver, stop the tram at once.

Машенька, ты здесь жила и пела,
Мне, жениху, ковер ткала,
Где же теперь твой голос и тело,
Может ли быть, что ты умерла?

Как ты стонала в своей светлице,
Я же с напудренною косой
Шел представляться Императрице
И не увиделся вновь с тобой.

Понял теперь я: наша свобода —
Только оттуда бьющий свет,
Люди и тени стоят у входа
В зоологический сад планет.

И сразу ветер знакомый и сладкий,
И за мостом летит на меня
Всадника длань в железной перчатке
И два копыта его коня.

Верной твердынею православья
Врезан Исакий в вышине,
Там отслужу молебен о здравье
Машеньки и панихиду по мне.

И всё ж навеки сердце угрюмо,
И трудно дышать, и больно жить...
Машенька, я никогда не думал,
Что можно так любить и грустить.

1920

Mashenka, you used to live and sing here, you wove a carpet for me, your fiancé: where are your voice and body now, can you possibly have died?

How you groaned in your chamber, while I with powdered plait went to present myself to the Empress and did not see you again.

I have now understood: our freedom is only light pulsing from the other side, people and shades are standing by the entrance to the planets' zoological gardens.

And at once there is a familiar and sweet wind and over the bridge the horseman's hand in an iron glove and his horse's two hooves are flying towards me.

A true stronghold of Orthodoxy, the cathedral of Isakii is etched in the heights, there I will have prayers said for Mashenka's well-being and a requiem for myself.

Nevertheless the heart is sullen for ever, and breathing is hard and living is painful... Mashenka, I never thought that one could love and grieve like this.

Шестое чувство

Прекрасно в нас влюбленное вино
И добрый хлеб, что в печь для нас садится,
И женщина, которою дано,
Сперва измучившись, нам насладиться.

Но что нам делать с розовой зарей
Над холодеющими небесами,
Где тишина и неземной покой,
Что делать нам с бессмертными стихами?

Ни съесть, ни выпить, ни поцеловать.
Мгновение бежит неудержимо,
И мы ломаем руки, но опять
Осуждены идти всё мимо, мимо.

Как мальчик, игры позабыв свои,
Следит порой за девичьим купаньем
И, ничего не зная о любви,
Всё ж мучится таинственным желаньем;

Как некогда в разросшихся хвощах
Ревела от сознания бессилья
Тварь скользкая, почуя на плечах
Еще не появившиеся крылья, —

Sixth Sense

Fine is the wine that is in love with us and the good bread that goes into the oven for us, and woman, whom we are allowed, after torments, to enjoy.

But what are we to do with the rosy sunset over the cooling skies, where there is silence and unearthly peace, what are we to do with immortal verses?

They can't be eaten, drunk or kissed. The moment runs past unstoppable, and we wring our hands, but again are condemned to walk on and on.

As a boy, forgetting his games, sometimes watches girls bathing and, knowing nothing about love, still is tormented by mysterious desire;

As once in thick patches of mare's tails, a slippery creature roared from an awareness of helplessness when it sensed on its shoulders wings that had not yet appeared —

Так век за веком — скоро ли, Господь? —
Под скальпелем природы и искусства
Кричит наш дух, изнемогает плоть,
Рождая орган для шестого чувства.

1920

Мои читатели

Старый бродяга в Аддис-Абебе,
Покоривший многие племена,
Прислал ко мне черного копьеносца
С приветом, составленным из моих стихов.
Лейтенант, водивший канонерки
Под огнем неприятельских батарей,
Целую ночь над южным морем
Читал мне на память мои стихи.
Человек, среди толпы народа
Застреливший императорского посла,
Подошел пожать мне руку,
Поблагодарить за мои стихи.

Много их, сильных, злых и веселых,
Убивавших слонов и людей,
Умиравших от жажды в пустыне,
Замерзавших на кромке вечного льда,
Верных нашей планете,
Сильной, веселой и злой,
Возят мои книги в седельной сумке,

So, æon after æon — Lord, for how long? — under nature's and art's scalpel our spirit cries out, our flesh is exhausted, giving birth to an organ for the sixth sense.

My Readers
And old nomad in Addis Ababa, who had subdued many tribes, sent me a black spear-bearer with a greeting composed of my verses. A lieutenant who had led gunboats under enemy battery fire, read me my verses by heart for a whole night over a southern sea. A man who had shot an emperor's envoy in a crowd of people came up to shake my hand, to thank me for my verses.

Many of them, strong, vicious, cheerful people who have killed elephants, who have nearly died of thirst in the desert, or frozen to death on a floe broken off from eternal ice, who are true to our strong, cheerful, vicious planet, carry my books in a saddle-bag,

Читают их в пальмовой роще,
Забывают на тонущем корабле.

Я не оскорбляю их неврастенией,
Не унижаю душевной теплотой,
Не надоедаю многозначительными намеками
На содержимое выеденного яйца,
Но когда вокруг свищут пули,
Когда волны ломают борта,
Я учу их, как не бояться,
Не бояться и делать, что надо.
И когда женщина с прекрасным лицом,
Единственно дорогим во вселенной,
Скажет: «Я не люблю вас», —
Я учу их, как улыбнуться,
И уйти, и не возвращаться больше.
А когда придет их последний час,
Ровный, красный туман застелет взоры,
Я научу их сразу припомнить
Всю жестокую, милую жизнь,
Всю родную, странную землю
И, представ перед лицом Бога
С простыми и мудрыми словами,
Ждать спокойно Его суда.

1921

read them in a palm grove, forget them on a sinking ship.

I do not insult them with neuroses, I do not degrade them with cordiality, I don't bore them with meaningful allusions to the utterly worthless, but when bullets whistle around them, when waves smash the decks, I teach them how not to be afraid, not to be afraid and to do what has to be done. And when a woman with a beautiful face, the only thing in the universe dear to them, says 'I don't love you' — I teach them to smile and go away and never go back. And when their last hour comes, and an even red mist clouds their gaze, I shall teach them to recall in one go the whole of cruel and dear life, the whole of their native and strange earth and, appearing before the face of God with simple and wise words, to await His judgement calmly.

* * *

На далекой звезде Венере
Сердце пламенней и золотистей.
На Венере, ах, на Венере
У деревьев синие листья.

Всюду вольные звонкие воды,
Реки, гейзеры, водопады
Распевают в полдень песнь свободы,
Ночью пламенеют, как лампады.

На Венере, ах, на Венере
Нету слов обидных или властных.
Говорят ангелы на Венере
Языком из одних только гласных.

Если скажут «еа» и «аи» —
Это радостное обещанье.
«Уо», «ао» — о древнем рае
Золотое воспоминанье.

На Венере, ах, на Венере
Нету смерти терпкой и душной.
Если умирают на Венере —
Превращаются в пар воздушный.

On Venus, the far star, the heart is more fiery and golden. On Venus, oh on Venus trees have blue leaves.

Everywhere free resonant waters, rivers, geysers, waterfalls sing a song of freedom at noon, at night flare up like icon lamps.

On Venus, oh on Venus there are no hurtful or imperious words. Angels on Venus speak a language made only of vowels.

If they say 'ea' or 'ai', it is joyful promise. 'Uo', 'ao' is golden memory of ancient paradise.

On Venus, oh on Venus there is no bitter suffocating death. If people die on Venus they turn into steam in the air.

И блуждают золотые дымы
В синих-синих вечерних кущах
Иль, как радостные пилигримы,
Навещают еще живущих.

1921

And golden puffs of smoke wander in blue, blue evening habitations or, like joyful pilgrims, visit those who are still alive.

ВЛАДИСЛАВ ФЕЛИЦИАНОВИЧ ХОДАСЕВИЧ
VLADISLAV FELITSIANOVICH KHODASEVICH

Ночи

Сергею Кречетову

Чуть воют псы сторожевые.
Сегодня там же, где вчера,
Кочевий скудных дети злые,
Мы руки греем у костра.

И дико смотрит исподлобья
Пустых ночей глухая сонь.
В дыму рубиновые хлопья,
Свистя, гремя, кружит огонь.

Молчит пустыня. Вдаль без звука
Колючий ветер гонит прах, —
И наших песен злая скука
Язвя кривится на губах...

Чуть воют псы сторожевые.

7 мая 1907   *Лидино*

The Nights   *For Sergei Krechetov*

The guard dogs howl quietly. Today, at the same place as yesterday, evil children of mean nomad encampments, we warm our hands at the camp fire.

And the remote slumber of empty nights looks savagely and frowning. The fire, as it whistles and crackles, makes ruby flakes swirl in the smoke.

The wilderness is silent. Far off, soundless, the prickly wind drives the dust, — and the evil dreariness of our songs, wounding us, is twisted on our lips...

The guard dogs howl quietly.

Золото

*Иди, вот уже золото кладем в уста твои, уже
мак и мед кладем тебе в руки. Salve aeternum.*

Красинский

В рот — золото, а в руки — мак и мед;
Последние дары твоих земных забот.

Но пусть не буду я, как римлянин, сожжен:
Хочу в земле вкусить утробный сон,

Хочу весенним злаком прорасти,
Кружась по древнему по звездному пути.

В могильном сумраке истлеют мак и мед,
Провалится монета в мертвый рот...

Но через много, много темных лет
Пришлец неведомый отроет мой скелет,

И в черном черепе, что заступом разбит,
Тяжелая монета загремит —

И золото сверкнет среди костей,
Как солнце малое, как след души моей.

7 января 1917

Gold

Go, now we put gold in your mouth, now we put poppies and
honey in your hands. Salve aeternum [*Farewell forever*]. *Krasiński*

Gold in the mouth, and poppies and honey into the hands; your earthly cares' last gifts.
But let me not be burnt like a Roman: I want to taste the womb's sleep in the earth.
I want to grow as a spring corn, circling along the ancient starry path.
Poppies and honey will rot in the grave's twilight, the coin will fall into the dead mouth...
But after many, many dark years, an unknown newcomer will dig up my skeleton,
And in the black skull which is smashed by the spade, the heavy coin will jangle —
And gold will flash among the bones like a little sun, like the trace of my soul.

Про мышей

1. Вечер

Пять лет уж прошло, как живу я с мышами,
Великая дружба и братство меж нами.
Чуть ветер настанет, померкнет закат —
Проворные лапки легко зашуршат:
Приходят они, мои милые мыши,
И сердце смиряется, бьется всё тише.
Шуршащей возней наполняется дом, —
И вот, собираются все впятером:
Приветливый Сырник, мой друг неизменный,
Охотник до сыра, спокойный, степенный;
Бараночник маленький, юркий шалун,
Любитель баранок и бойкий плясун;
Ученейший Книжник, поклонник науки, —
Беседуя с ним, не почувствуешь скуки:
Всё знает он: как, отчего, почему...
Я сам очень многим обязан ему.
За ними — Ветчинник, немножко угрюмый,
Всегда погруженный в мышиные думы;
На свете не мало узнал он скорбей —
Сидел в мышеловке за благо мышей.
Приходит и Свечник, поэт сладкогласный,
Всегда вдохновенный, восторженно-ясный,
Любимый мой Свечник, товарищ и друг...
Как сладок с мышами вечерний досуг!

About Mice
1. Evening. Five years have passed since I began living with mice. There is great
friendship and brotherhood between us. As soon as evening comes, the sunset goes dark
— nimble paws start gently rustling: they come, my dear mice, and my heart grows
humble, beats quieter and quieter. The house fills with rustling and bustling, — and now
all five of them gather: the welcoming Cheeselover, my faithful friend, lover of cheese,
calm and dignified; little Bageleater, a boisterous rogue, lover of bagels and an eager
dancer; the most learned Booklover, a devotee of learning, — chatting to him you won't
feel boredom: he knows everything: how, why, for what... I myself owe a lot to him.
After them comes Hameater, a bit sullen, always deep in mousy thoughts; he has known
quite a few woes in this world, he has served time in a mousetrap for the good of mice.
Candlelover also comes, a melodious poet, always inspired, exalted and clear, my
beloved Candlelover, comrade and friend... how sweet is a leisurely evening with mice!

Ведем разговор мы о разных предметах,
О людях, о том, что прочел я в газетах,
О странах чудесных, о дальних морях,
О сказках и былях, о разных делах,
О том, что халвы есть кусок на окошке,
И даже — о кознях бессовестной кошки.
Стихи свои Свечник читает нам вслух...
Порою же мыши становятся в круг,
Привычною лапкой за лапку берутся,
Под музыку ночи по комнате вьются, —
И, точно колдуя, танцуют оне,
Легко и воздушно, как будто во сне...
И длится их танец, как тихое чудо,
И мыши всё пляшут и пляшут, покуда
Зарей не окрасятся неба края, —
А видят их пляску — лишь месяц да я.

6 февраля 1917

Из окна

1

Нынче день такой забавный:
От возниц, что было сил,
Конь умчался своенравный;
Мальчик змей свой упустил;
Вор цыпленка утащил
У безносой Николавны.

We have a conversation on various subjects, about people, about what I've read in the papers, about wonderful countries, about distant seas, about fairy stories and real events, about various things, about a piece of halva being on the windowsill, and even about the subterfuges of the wicked cat. Candlelover reads us his verses aloud... Sometimes the mice form a circle, they take one other by a familiar paw, twirl round the room to night's music and, as if casting spells, they dance, lightly and airily, as if in a dream... And their dance goes on like a quiet miracle, and the mice are still dancing and dancing until dawn turns the sky's edges red, — and only the moon and I see their dance.

From the Window
1. Today is such a funny day: at top speed a wilful horse raced away from the drayman; a boy let go his kite, a thief snatched a chicken away from Nikolavna who has no nose.

Но — настигнут вор нахальный,
Змей упал в соседний сад,
Мальчик ладит хвост мочальный,
И коня ведут назад:
Восстает мой тихий ад
В стройности первоначальной.

2

Всё жду: кого-нибудь задавит
Взбесившийся автомобиль,
Зевака бедный окровавит
Торцовую сухую пыль.

И с этого пойдет, начнется:
Раскачка, выворот, беда,
Звезда на землю оборвется,
И станет горькою вода.

Прервутся сны, что душу душат,
Начнется всё, чего хочу,
И солнце ангелы потушат,
Как утром — лишнюю свечу.

23 июля — 11 августа 1921

But the brazen thief is caught, the kite fell into the next-door garden, the boy is fixing a kite-tail made of bast, and the horse is being led back: my quiet hell is resurrecting in its original harmony.

2. I keep waiting: an enraged automobile will run someone down, the poor bystander will cover the wooden paving's dry dust with blood.

And it will start, begin with this: a swing, a wrench, trouble, a star will break off and fall to earth, and water will turn bitter.

Dreams that suffocate the soul will be interrupted, everything I want will begin, and angels will put out the sun like an unneeded candle in the morning.

* * *

Леди долго руки мыла,
Леди крепко руки терла.
Эта леди не забыла
Окровавленного горла.

Леди, леди! Вы как птица
Бьетесь на бессонном ложе.
Триста лет уж вам не спится —
Мне лет шесть не спится тоже.

9 января 1922

* * *

Перешагни, перескочи,
Перелети, пере- что хочешь —
Но вырвись: камнем из пращи,
Звездой, сорвавшейся в ночи...
Сам затерял — теперь ищи...

Бог знает, что себе бормочешь,
Ища пенсне или ключи.

11 января 1922

The lady washed her hands a long time, the lady scrubbed her hands firmly. This lady did not forget the blood-stained throat.
    Lady, lady! Like a bird you toss on the sleepless bed. For three hundred years you haven't been able to sleep — I haven't been able to sleep either for about six years.

Step across, leap across, fly across, what ever you want across — but tear yourself out: like a stone from a sling, like a star, tearing away in the night... You lost it, now look for it...
    God knows what you mumble to yourself when you are looking for your pince-nez or keys.

Слепой

Палкой щупая дорогу,
Бродит наугад слепой,
Осторожно ставит ногу
И бормочет сам с собой.
А на бельмах у слепого
Целый мир отображен:
Дом, лужок, забор, корова,
Клочья неба голубого —
Всё, чего не видит он.

8 октября 1922 — 10 апреля 1923

* * *

Жив Бог! Умен, а не заумен,
Хожу среди своих стихов,
Как непоблажливый игумен
Среди смиренных чернецов.
Пасу послушливое стадо
Я процветающим жезлом.
Ключи таинственного сада
Звенят на поясе моем.
Я — чающий и говорящий.
Заумно, может быть, поет
Лишь ангел, Богу предстоящий, —
Да Бога не узревший скот

The Blind Man
Feeling his way with his stick, the blind man wanders haphazardly, he carefully places his foot and mumbles to himself. And in the blind man's wall-eyes a whole world is reflected: house, meadow, fence, cow, fragments of blue sky — everything he cannot see.

God lives! Logical, not metalogical, I walk among my verses, like a severe abbot among humble monks. I graze my obedient flock with a flowering crosier. The keys to a mysterious garden jingle on my belt. I am one who waits and speaks. Perhaps, only an angel who stands before God sings metalogically — and cattle which have not seen God

Мычит заумно и ревет.
А я — не ангел осиянный,
Не лютый змий, не глупый бык.
Люблю из рода в род мне данный
Мой человеческий язык:
Его суровую свободу,
Его извилистый закон...
О, если б мой предсмертный стон
Облечь в отчетливую оду!

4 февраля — 13 мая 1923

Перед зеркалом

Nel mezzo del cammin di nostra vita.

Я, я, я. Что за дикое слово!
Неужели вон тот — это я?
Разве мама любила такого,
Желто-серого, полуседого
И всезнающего, как змея?

Разве мальчик, в Останкине летом
Танцевавший на дачных балах, —
Это я, тот, кто каждым ответом
Желторотым внушает поэтам
Отвращение, злобу и страх?

Разве тот, кто в полночные споры
Всю мальчишечью вкладывал прыть, —
Это я, тот же самый, который

moo metalogically and bellow. But I am not an angel bathed in radiance, not a fierce serpent, not a foolish bull. I love my human language which has been given to me from generation to generation: its harsh freedom, its sinuous law... O if my dying groan could be clothed in a precise ode!

In Front of the Mirror

Me, me, me. What a weird word! Is that man there really me? Did mama love someone like that, yellowish-grey, hair half grey and all-knowing like a snake?

Is the boy who danced at country house balls in Ostankino in summer really me, whose every response to newly hatched poets arouses revulsion, spite and fear?

Is the person who put all his boyish verve into midnight arguments really me, who has

На трагические разговоры
Научился молчать и шутить?

Впрочем — так и всегда на средине
Рокового земного пути:
От ничтожной причины — к причине,
А глядишь — заплутался в пустыне,
И своих же следов не найти.

Да, меня не пантера прыжками
На парижский чердак загнала.
И Виргилия нет за плечами, —
Только есть одиночество — в раме
Говорящего правду стекла.

18–23 июля 1924   Париж

Дактили

1

Был мой отец шестипалым. По ткани, натянутой туго,
    Бруни его обучал мягкою кистью водить.
Там, где фиванские сфинксы друг другу в глаза загляделись,
    В летнем пальтишке зимой перебегал он Неву.
А на Литву возвратясь, веселый и нищий художник,
    Много он там расписал польских и русских церквей.

learnt to react with silence or a joke to tragic conversations?

Anyway, it's always like that in the middle of our fateful journey on earth: from one trivial reason to another reason, and before you know it, you are floundering in a desert and can't find your own footprints.

No, it wasn't a panther that drove me to a Paris attic with its leaps. And I have no Virgil right behind me, — I have only loneliness — framed by a glass that tells the truth.

Dactyls
1. My father had six fingers. Over a tautly stretched canvas Bruni taught him to move a soft brush. Where the Theban sphinxes have long stared each other in the eye, he would run across the Neva in a thin summer overcoat. And when he went back to Lithuania, a cheerful and destitute artist, he decorated the interiors of many Polish and Russian churches.

2

Был мой отец шестипалым. Такими родятся счастливцы.
  Там, где груши стоят подле зеленой межи,
Там, где Вилия в Неман лазурные воды уносит,
  В бедной, бедной семье встретил он счастье свое.
В детстве я видел в комоде фату и туфельки мамы.
  Мама! Молитва, любовь, верность и смерть — это ты!

3

Был мой отец шестипалым. Бывало, в «сороку-ворону»
  Станем играть вечерком, сев на любимый диван.
Вот на отцовской руке старательно я загибаю
  Пальцы один за другим — пять. А шестой — это я.
Шестеро было детей. И вправду: он тяжкой работой
  Тех пятерых прокормил — только меня не успел.

4

Был мой отец шестипалым. Как маленький лишний мизинец
  Прятать он ловко умел в левой зажатой руке,
Так и в душе навсегда затаил незаметно, подспудно
  Память о прошлом своем, скорбь о святом ремесле.
Ставши купцом по нужде — никогда ни намеком, ни словом
  Не поминал, не роптал. Только любил помолчать.

2. My father had six fingers. Lucky people are born like that. Where pear trees stand by the green boundary strip, where the Vilija carries its azure waters into the Neman, in a poor, poor family he met his happiness. In childhood I saw in a chest of drawers mama's veil and soft shoes. Mama! Prayer, love, fidelity and death is what you are.

3. My father had six fingers. We used to start playing 'magpie and crow' in the evening, sitting on a favourite divan. Then I would assiduously fold the fingers of my father's hand one after the other — five. And the sixth was me. There were six children. And in fact by hard work he brought the five up, he did not last long enough only for me.

4. My father had six fingers. Just as he could cleverly hide a tiny extra finger in his clenched left hand, so he concealed in his soul forever, unnoticed, under the barrel, memory of his past, grief for his sacred craft. Becoming a merchant out of necessity, never by hint or by word did he mention it, did he grumble. Only he liked to be silent.

5

Был мой отец шестипалым. В сухой и красивой ладони
    Сколько он красок и черт спрятал, зажал, затаил?
Мир созерцает художник — и судит, и дерзкою волей,
    Демонской волей творца — свой созидает, иной.
Он же очи смежил, муштабель и кисти оставил,
    Не созидал, не судил... Трудный и сладкий удел!

6

Был мой отец шестипалым. А сын? Ни смиренного сердца,
    Ни многодетной семьи, ни шестипалой руки
Не унаследовал он. Как игрок на неверную карту,
    Ставит на слово, на звук — душу свою и судьбу...
Ныне, в январскую ночь, во хмелю, шестипалым размером
    И шестипалой строфой сын поминает отца.

Январь 1927 — 3 марта 1928

* * *

Не ямбом ли четырехстопным,
Заветным ямбом, допотопным?
О чем, как не о нем самом —
О благодатном ямбе том?

5. My father had six fingers. How many colours and lines had he hidden, clenched, concealed in the dry and handsome palm of his hand? The artist contemplates the world — and judges it and by daring will, by the creator's demonic will, creates his own, a different one. But he had closed his eyes, abandoned his maulstick and brushes, did not create, did not judge... A difficult and sweet lot!

6. My father had six fingers. And the son? Neither a humble heart nor a large family, nor a six-fingered hand did he inherit. Like a gambler on a wrong card, he puts his soul and fate on a word, a sound... Now, on a January night, intoxicated, the son commemorates the father with a six-fingered metre and a six-fingered stanza.

Should it not be in a four-footed iambics, the cherished antediluvian iambics? About what, if not about it — about those grace-giving iambics?

С высот надзвездной Музикии
К нам ангелами занесен,
Он крепче всех твердынь России,
Славнее всех ее знамен.

Из памяти изгрызли годы,
За что и кто в Хотине пал,
Но первый звук Хотинской оды
Нам первым криком жизни стал.

В тот день на холмы снеговые
Камена русская взошла
И дивный голос свой впервые
Далеким сестрам подала.

С тех пор в разнообразье строгом,
Как оный славный «Водопад»,
По четырем его порогам
Стихи российские кипят.

И чем сильней спадают с кручи,
Тем пенистей водоворот,
Тем сокровенней лад певучий
И выше светлых брызгов взлет —

Тех брызгов, где, как сон, повисла,
Сияя счастьем высоты,
Играя переливом смысла, —
Живая радуга мечты.

From the heights of the Muses' world beyond the stars it has been brought by angels to us, it is stronger than all Russia's strongholds, more glorious than all her banners.

The years have gnawed from our memory who fell at Khotin and what for, but the first sound of [*Lomonosov's*] Khotin ode became the first yell of life for us.

That day a Russian Kamena arose on the snowy hills and for the first time let her wonderful voice be heard by distant sisters.

Since then in strict diversity, like that glorious 'Waterfall' [*by Derzhavin*] Russian verses boil over its four thresholds.

And the harder they fall from the cliff, the more foam there is in the swirling waters, the more secret is the singing mode and the higher the flight of the bright splashes —

Of those splashes where, like a dream, radiating the happiness of the heights, playing with an overflow of sense, dream's living rainbow has hung.

. . . .

Таинственна его природа,
В нем спит спондей, поет пэон,
Ему один закон — свобода.
В его свободе есть закон...

1938

Its nature is mysterious, the spondee sleeps and the pæon sings in it. It has one law: freedom. In its freedom there is law...

ВЛАДИМИР ИВАНОВИЧ НАРБУТ
VLADIMIR IVANOVICH NARBUT

Волк

Живу, как вор, в трущобе одичавший,
впивая дух осиновой коры
и перегноя сонные пары
и по ночам бродя, покой поправши.
Когда же мордой заостренной вдруг
я воздух потяну и — хлев овечий
попритчится в сугробе недалече, —
трусцой перебегаю мерзлый луг
и под луной, щербатой и холодной,
к селу по-за ометами крадусь.
И снега, в толщь прессованного, груз
за прясла стелет синие полотна.
И тяжко жмутся впалые бока,
выдавливая выгнутые ребра,
и похоронно воет пес недобрый:
он у вдовы — на страже молока.
«Не спит, не спит проклятая старуха!»
Мигнула спичка, желтый свет ожог.
Чу!
    Звякнул наст...
                Как будто чей прыжок...
Заиндевев, свернулось трубкой ухо...

1912

The Wolf

I live like a thief, feral in the slums, drinking in the smell of aspen bark and the humus's sleepy vapours and wandering at night, destroying peace. But when I suddenly draw in air through my sharpened muzzle and — I get a hint that a sheepcote is nearby in a snowdrift — I run across the frozen meadow at a jog-trot and under the moon, which is chipped and cold, I creep up to the village, taking cover behind the hay-ricks. And the weight of the snow, compressed into a layer, spreads out canvases of blue over the gate bars. And my caved-in flanks are heavily squeezed, pushing out my ribs, which stick out, and a malevolent dog howls funereally: he is kept by the widow to guard the milk. 'The damned old woman isn't asleep, isn't asleep!' A match has flared up, yellow light has burnt me. Watch out! The ice on the snow has crunched... It could be someone leaping... Covered with frost, my ear has rolled up into a tube...

Гаданье

Нападет вранье на воронье.
Тянется, ворочается сволочь,
Свекорья — на якорь, и с родней
У ворот не достучаться полчищ.
А сугробы лбами намело,
Сквозь подсвечник светится сочельник.
И петух сочится на мелок
Лютым клювом: выискался мельник!
Он вошел, и пыльный чернозем
Ярким мелом начертил двенадцать,
Сургучом печатку и — при сем
Следует, сказал, распеленаться.
Валенки долой, долой кожух:
На пол, об пол — вроде как и надо б
Он сказал, и что ему скажу:
Козырек петуший над ушатом.
Теплая оскомина во рту
И помет куриный красит святки.
К черту четверговую черту,
Тело выспится в телячьей схватке.

Fortune-Telling

A fit of lying will come over the corvids. The bastard stretches out, tosses and turns, fathers-in-law come to the anchor, and with their kith and kin they cannot make the hordes hear the knocking by the gate. But the snowdrifts have been driven at loggerheads, Christmas Eve shines through the candlestick. And the cockerel oozes through its vicious beak onto the piece of chalk: some miller! He has come in and the dusty black earth has drawn twelve in bright chalk, a seal with sealing-wax and — meanwhile one ought, he said, to unwrap oneself. Felt boots off, off comes the sheepskin jacket: onto the floor, against the floor — somehow how it ought to be, he said, and what shall I tell him: the cockerel's cap is over the wash-tub. A warm bitter taste is in the mouth and chicken droppings enhance Christmas, to the devil with the Thursday limit, the body will get its sleep in the calf's skirmish.

Россия

Щедроты сердца не разменяны,
и хлеб — все те же пять хлебов,
Россия Разина и Ленина,
Россия огненных столбов!
Бредя тропами незнакомыми
и ранами кровоточа,
лелеешь волю исполкомами
и колесуешь палача.
Здесь, в меркнущей фабричной копоти,
сквозь гул машин вопит одно:
— И улюлюкайте, и хлопайте
за то, что мне свершить дано!
А там — зеленая и синяя,
туманно-алая дуга
восходит над твоею скинией,
где что ни капля, то серьга.
Бесслезная и безответная!
Колдунья рек, трущоб, полей!
Как медленно, но всепобедная
точится мощь от мозолей.
И день грядет — и молний трепетных
распластанные веера
на труп укажут за совдепами,
на околевшее Вчера.
И Завтра... веки чуть приподняты,
но мглою даль заметена.
Ах, с розой девушка — Сегодня! — Ты
обетованная страна.

1918   *Воронеж*

Russia

The heart's generosity has not been turned into small change and the bread is still the
same five loaves, Russia of Razin and of Lenin, Russia of pillars of fire! Wandering
down unknown paths and bleeding from wounds, you nurture freedom with executive
committees and break the executioner on the wheel. Here, in the dimming factory soot,
through the roar of machines one thing cries out: whoop and applaud for what I have
been given to achieve! And yonder a green and blue mistily scarlet arc arises over your
tabernacle, wherever there is a drop, it is an ear-ring. [*Russia*] without tears, and
submissive! Sorceress of rivers, slums, fields! However slowly, but all-conquering
might seeps from the calluses. And the day is coming — and the spread-out fans of
quivering lightning flashes will point to the corpse beyond the Soviets, to Yesterday
which has snuffed it. And Tomorrow... the eyelids are raised just a little, but the vista is
covered up by haze. Ah, girl with a rose — Today! — you are the promised land.

В эти дни

Дворянской кровию отяжелев,
густые не полощатся полотна,
и (в лапе меч), от боли корчась, лев
по киновари вьется благородной.
Замолкли флейты, скрипки, кастаньеты,
и чуют дети, как гудит луна,
как жерновами стынущей планеты
перетирает копья тишина.
— Грядите, сонмы нищих и калек
(се голос рыбака из Галилеи)! —
Лягушки кожей крытый человек
прилег за гаубицей короткошеей.
Кругом косматые роятся пчелы
и лепят улей медом со слюной.
А по ярам добыча волчья — сволочь, —
чуть ночь, обсасывается луной...
Не жить и не родиться б в эти дни!
Не знать бы маленького Вифлеема!
Но даже крик: распни его, распни! —
не уязвляет воинова шлема,
и, пробираясь чрез пустую площадь,
хромающий на каждое плечо,
чело вечернее прилежно морщит
на Тютчева похожий старичок.

1920

These Days
Grown heavy with the blood of the gentry, the thick canvases are not flapping and (sword in paw), writhing with pain, the lion winds over the noble cinnabar. The flutes, violins, castanets have fallen silent and children sense the moon humming, the silence wearing out the lances with the cooling planet's grindstones. 'Come, hosts of beggars and cripples (behold the voice of the fisherman from Galilee)!' A man covered in frog skin has lain down behind the short-necked howitzer. Around shaggy bees swarm and make a hive out of honey and saliva. And in the ravines the wolves' booty, the dregs, as soon as night comes, are sucked at by the moon... If only one did not live and was not born in these days! Not to know little Bethlehem! But even the shout: crucify him, crucify! does not hurt the warrior's helmet, and, making its way across the empty square, limping on every shoulder, a little old man who looks like Tiutchev assiduously wrinkles the evening's brow.

Телеграфист (на Захолустной)

Обмокшей пигалицей стебанула,
Аортой заорала — и во мне!
Певучий голос (да, во сне)
Проталкивается из караула.
Где это было? И как давно прошло,
Сияя бабочками, детство?
Горластое здоровье я приветствую
И в три шея выталкиваю зло.
Что пигалица, спутница отары,
Коль, остывая, кличет плоть
На сахар кость перемолоть
И бросить аппарат и взять гитару?
Замерзни, Морзе! Не подняться, не взойти,
Не прокричать на льдистую лунку:
Петушиная спесь, и на шее фурункул,
И сусло в дрожжах, как желе, в груди!
Скучная филантропия! И нет интереса.

The Telegraph Operator (at Backwoods Station)
She lashed like a waterlogged plover, she roared like an aorta — and in me! A singing voice (yes, in a dream) pushes its way through the guard. Where was this? And how long ago did childhood pass, radiant with butterflies? I welcome loud-voiced health and push out evil on its neck. Well then, plover, companion of the flock, if, as it grows cold, the flesh calls on one to grind down bones for sugar and to abandon your telegraph machine and pick up a guitar? Freeze, Morse code! You are not to get up, not to arise, not to shout at the icy hollow: a cockerel's arrogance, and a furuncle on the neck, and must full of yeast, like a jelly, in the breast! Boring philanthropy! And there's no interest.

АННА АНДРЕЕВНА АХМАТОВА
ANNA ANDREEVNA AKHMATOVA

Он любил...

Он любил три вещи на свете:
За вечерней пенье, белых павлинов
И стертые карты Америки.
Не любил, когда плачут дети,
Не любил чая с малиной
И женской истерики.
...А я была его женой.

1910

Песня последней встречи

Так беспомощно грудь холодела,
Но шаги мои были легки.
Я на правую руку надела
Перчатку с левой руки.

Показалось, что много ступеней,
А я знала — их только три!
Между кленов шепот осенний
Попросил: «Со мною умри!

Я обманут моей унылой,
Переменчивой, злой судьбой».
Я ответила: «Милый, милый!
И я тоже. Умру с тобой...»

He Loved...
He loved three things in the world: singing at vespers, white peacocks and faded maps of America. He didn't like children crying, he didn't like tea with raspberries or women's hysterics. ...And I was his wife.

Song of the Last Meeting
My breast went so helplessly cold, but my footsteps were light, I put the left glove on my right hand.

It seemed there were a lot of steps, but I knew there were just three! Among the maples an autumnal whisper asked: 'Die with me!

I am disillusioned by my miserable, changeable, evil fate.' I replied: 'Darling, darling! Me too. I shall die with you...'

Это песня последней встречи.
Я взглянула на темный дом.
Только в спальне горели свечи
Равнодушно-желтым огнем.

1911

Вечером

Звенела музыка в саду
Таким невыразимым горем.
Свежо и остро пахли морем
На блюде устрицы во льду.

Он мне сказал: «Я верный друг!» —
И моего коснулся платья.
Как не похожи на объятья
Прикосновенья этих рук.

Так гладят кошек или птиц,
Так на наездниц смотрят стройных...
Лишь смех в глазах его спокойных,
Под легким золотом ресниц.

А скорбных скрипок голоса
Поют за стелющимся дымом:

This is the song of the last meeting. I looked at the dark house. Only in the bedroom candles burned with an indifferently yellow flame.

Evening
The music in the garden rang with such inexpressible grief. The oysters on the dish of ice smelt fresh and sharp of the sea.

He told me: 'I am a true friend!' and touched my dress. How unlike embraces was the touch of those hands.

That is how cats or birds are stroked, that is how slender circus riders are looked at. There was only laughter in his calm eyes under the eyelashes' light gold.

Meanwhile the mournful voices of the violins are singing through the drifting smoke:

«Благослови же небеса —
Ты первый раз одна с любимым».

Март 1913

Июль 1914

1

Пахнет гарью. Четыре недели
Торф сухой по болотам горит.
Даже птицы сегодня не пели,
И осина уже не дрожит.

Стало солнце немилостью Божьей,
Дождик с Пасхи полей не кропил.
Приходил одноногий прохожий
И один на дворе говорил:

«Сроки страшные близятся. Скоро
Станет тесно от свежих могил.
Ждите глада, и труса, и мора,
И затменья небесных светил.

Только нашей земли не разделит
На потеху себе супостат:
Богородица белый расстелет
Над скорбями великими плат».

'Bless the heavens: for the first time you are alone with your beloved.'

July 1914
1. There is a smell of burning. For four weeks the dry peat in the bogs has been on fire. Even the birds were not singing today and the aspen no longer trembles.

The sun has become God's disfavour, not a drop of rain has fallen on the fields since Easter. A one-legged passer-by came and alone in the courtyard said:

'Terrible times are approaching. Soon there will be no room because of the fresh graves. Expect famine, earthquakes, pestilence and the eclipse of heavenly bodies.

Only the evil one will not split up our land for his own amusement: the Mother of God will spread a veil over great sorrows.'

2

Можжевельника запах сладкий
От горящих лесов летит.
Над ребятами стонут солдатки,
Вдовий плач по деревне звенит.

Не напрасно молебны служились,
О дожде тосковала земля!
Красной влагой тепло окропились
Затоптанные поля.

Низко, низко небо пустое,
И голос молящего тих:
«Ранят тело Твое пресвятое,
Мечут жребий о ризах Твоих».

* *
*

Есть в близости людей заветная черта,
Ее не перейти влюбленности и страсти, —
Пусть в жуткой тишине сливаются уста
И сердце рвется от любви на части.

И дружба здесь бессильна, и года
Высокого и огненного счастья,
Когда душа свободна и чужда
Медлительной истоме сладострастья.

2. The sweet smell of juniper rushes from the burning forests, the soldiers' wives groan over their children, a widows lament rings out through the village.

Not for nothing were prayers said, the earth yearned for rain: the trampled fields have been sprinkled with warm red moisture.

Low, low is the empty sky and the voice of one praying is quiet: 'Your most holy Body is being wounded, they are casting lots for Your garments.'

There is a secret line in human intimacy, it cannot be crossed by infatuation and passion — though lips fuse in awesome silence and the heart breaks into pieces from love.

Even friendship is powerless here, as are years of lofty and fiery happiness, when the soul is free and alien to sensuality's lingering languor.

Стремящиеся к ней безумны, а ее
Достигшие — поражены тоскою…
Теперь ты понял, отчего мое
Не бьется сердце под твоей рукою.

1915

* * *

Чем хуже этот век предшествующих? Разве
Тем, что в чаду печали и тревог
Он к самой черной прикоснулся язве,
Но исцелить ее не мог.

Еще на западе земное солнце светит
И кровли городов в его лучах блестят,
А здесь уж белая дома крестами метит
И кличет воронов, и вороны летят.

1919

* * *

Всё расхищено, предано, продано,
Черной смерти мелькало крыло,
Всё голодной тоскою изглодано,
Отчего же нам стало светло?

Those who aim for this line are crazed, and those who have reached it are struck by anguish… Now you have understood why my heart does not beat beneath your hand.

How is this century worse than its predecessors? Perhaps because in the fumes of grief and anxiety it has touched the blackest sore but has failed to heal it.

The earth's sun still shines in the west and the town roofs sparkle in its rays; here the grim reaper now marks houses with crosses and calls the ravens, and the ravens are flying.

Everything has been looted, betrayed, sold, black death's wing has flashed; everything is gnawed by hungry anguish: why then do we sense light?

Днем дыханьями веет вишневыми
Небывалый под городом лес,
Ночью блещет созвездьями новыми
Глубь прозрачных июльских небес,

И так близко подходит чудесное
К развалившимся грязным домам...
Никому, никому не известное,
Но от века желанное нам.

1921

* *
*

Не с теми я, кто бросил землю
На растерзание врагам.
Их грубой лести я не внемлю,
Им песен я своих не дам.

Но вечно жалок мне изгнанник,
Как заключенный, как больной.
Темна твоя дорога, странник,
Полынью пахнет хлеб чужой.

А здесь, в глухом чаду пожара
Остаток юности губя,
Мы не единого удара
Не отклонили от себя.

By day the unprecedented forest near the town wafts cherry-blossom scent, by night the depths of the transparent July skies shine with new constellations,
And the miraculous approaches the ruined dirty houses so close... something unknown to anybody, to anybody, but eternally desired by us.

I am not with those who left the land for enemies to tear apart. I do not hearken to their coarse flattery, I do not give them my songs.
But I am eternally sorry for the exile, as for a prisoner, a patient. Dark is your road, wanderer, alien bread smells of wormwood.
Here, in the impenetrable smoke of the fire, destroying what remains of youth, we have not fended a single blow off from ourselves.

И знаем, что в оценке поздней
Оправдан будет каждый час...
Но в мире нет людей бесслезней,
Надменнее и проще нас.

1922

Лотова жена

> Жена же Лотова оглянулась позади его, и
> стала соляным столпон, *Бытие 19, 26*

И праведник шел за посланником Бога,
Огромный и светлый, по черной горе.
Но громко жене говорила тревога:
Не поздно, ты можешь еще посмотреть

На красные башни родного Содома,
На площадь, где пела, на двор, где пряла,
На окна пустые высокого дома,
Где милому мужу детей родила.

Взглянула — и, скованы смертною болью,
Глаза ее больше смотреть не могли;
И сделалось тело прозрачною солью,
И быстрые ноги к земле приросли.

Кто женщину эту оплакивать будет?
Не меньшей ли мнится она из утрат?
Лишь сердце мое никогда не забудет
Отдавшую жизнь за единственный взгляд.

1922–1924

And we know that each hour will be proved right in a belated judgement... But the world has no people more tearless, haughty and simple than us.

Lot's Wife
But his wife looked back from behind him, and she became a pillar of salt. *Genesis XIX, 26)*

And the just man, enormous and bright, followed God's emissary up the black mountain. But alarm said loudly to the woman: it's not too late, you can still look at the red towers of your native Sodom, at the square where you sang, at the yard where you span, at the tall house's empty windows, where you bore your dear husband children.

She looked and, fixed by deadly pain, her eyes could look no longer; and her body became transparent salt and her nimble feet fused with the earth.

Who will lament this woman? Isn't she thought to be the least of losses? Only my heart will never forget the woman who gave her life for one single glance.

Муза

Когда я ночью жду ее прихода,
Жизнь, кажется, висит на волоске.
Что́ почести, что́ юность, что́ свобода
Пред милой гостьей с дудочкой в руке.

И вот вошла. Откинув покрывало,
Внимательно взглянула на меня.
Ей говорю: «Ты ль Данту диктовала
Страницы Ада?» Отвечает: «Я».

1924

* * *

Так просто можно жизнь покинуть эту,
Бездумно и безбольно догореть,
Но не дано Российскому поэту
Такою светлой смертью умереть.

Всего верней свинец душе крылатой
Небесные откроет рубежи,
Иль хриплый ужас лапою косматой
Из сердца, как из губки, выжмет жизнь.

1925

The Muse
When I wait at night for her to come, life seems to hang by a thread. What are honours, what is youth, what is freedom compared with the dear guest with pipes in her hand?
   Now she has entered. Throwing back a veil, she has looked hard at me. I say to her: 'Was it you who dictated the pages of Hell to Dante?' She answers: 'Yes.'

It is so simple to leave this life, to burn out with no thoughts or pain, but the Russian poet is not allowed to die such a bright death.
   A lead bullet is the surest way to open heaven's boundaries to the winged soul, or croaking horror's hairy paw will squeeze life out of the heart as from a sponge.

Воронеж

О. М[андельштаму]

И город весь стоит оледенелый.
Как под стеклом деревья, стены, снег.
По хрусталям я прохожу несмело.
Узорных санок так неверен бег.
А над Петром воронежским — вороны,
Да тополя, и свод светло-зеленый,
Размытый, мутный, в солнечной пыли,
И Куликовской битвой веют склоны
Могучей, победительной земли.
И тополя, как сдвинутые чаши,
Над нами сразу зазвенят сильней,
Как будто пьют за ликованье наше
На брачном пире тысячи гостей.

А в комнате опального поэта
Дежурят страх и Муза в свой черед.
И ночь идет,
Которая не ведает рассвета.

1936

Voronezh   *For O. M[andelstam]*

And the town stands completely ice-bound. The trees, walls, snow seem to be under glass. I pass timidly over the crystals. The running of the decorated sledge is so unsure. And there are crows over the Voronezh Peter, and poplars, and a light green sky, washed out, muddy, full of sun dust, and the mighty victorious land's slopes suggest the Battle of Kulikovo. And the poplars, like chalices moved together, will ring out all the louder over us as if they were drinking to our celebration at a thousand guests' wedding feast.

But fear and the Muse take turns to be on duty in the banished poet's room. And a night is coming which knows no dawn.

Из цикла «Реквием»

Вступление

Это было, когда улыбался
Только мертвый, спокойствию рад.
И ненужным привеском болтался
Возле тюрем своих Ленинград.
И когда, обезумев от муки,
Шли уже осужденных полки
И короткую песню разлуки
Паровозные пели гудки,
Звезды смерти стояли над нами
И безвинная корчилась Русь
Под кровавыми сапогами
И под шинами черных марусь.

I

Уводили тебя на рассвете,
За тобой, как на выносе, шла,
В темной горнице плакали дети,
У божницы свеча оплыла.
На губах твоих холод иконки,
Смертный пот на челе... Не забыть!
Буду я, как стрелецкие женки,
Под кремлевскими башнями выть.

1935. Осень.   *Москва*

From 'Requiem'
Prelude. This happened when only a dead man, glad of peace, would smile. And Leningrad swung like a useless appendage around its prisons. And when, crazed by torment, regiments of the condemned were already on the move and the locomotive sirens sang a short song of separation, death's stars stood over us and a guiltless Russia writhed under bloody boots and the tyres of the black Marias.

I. They took you away at dawn, I followed you as if it was a body off to the funeral, children wept in the dark room, the candle guttered in the icon case. The icon's cold was on your lips, death's sweat on your brow... Not to be forgotten! I shall, like the wives of the [*executed*] sharpshooters, howl under the Kremlin towers.

Путем всея земли

[Китежанка]

В санях сидя, отправляясь путем всея земли...
Поучение Владимира Мономаха детям

1

Прямо под ноги пулям,
Расталкивая года,
По январям и июлям
Я проберусь туда...
Никто не увидит ранку,
Крик не услышит мой,
Меня, китежанку,
Позвали домой.
И гнались за мною
Сто тысяч берез,
Стеклянной стеною
Струился мороз.
У давних пожарищ
Обугленный склад.
«Вот пропуск, товарищ,
Пустите назад...»
И воин спокойно
Отводит штык.
Как пышно и знойно
Тот остров возник!
И красная глина,
И яблочный сад...
О salve, Regina! —
Пылает закат.
Тропиночка круто
Взбиралась, дрожа.

The Way of All the Earth [The Woman of Kitezh]
   *I*n my sledge, setting off the way of all the earth... *Vladimir Monomakh's Homily to Children*
1. Straight through the low-flying bullets, pushing aside the years, through many a January and July I shall make my way there... No-one will see the wound or hear my shout, I, the woman of Kitezh, have been called home. And a hundred thousand birches raced after me, the frost flowed like a glass wall. There is a charred warehouse by the old burnt-out places. 'Here's a pass, comrade, let me back...' And the soldier calmly lowers his bayonet. How rich and sultry that island rose up! Red clay and an apple orchard... O salve, Regina! The sunset glows. The track climbed up steeply, shivering.

Мне надо кому-то
Здесь руку пожать...
Но хриплой шарманки
Не слушаю стон.
Не тот китежанке
Послышался звон.

2

Окопы, окопы, —
Заблудишься тут!
От старой Европы
Остался лоскут,
Где в облаке дыма
Горят города...
И вот уже Крыма
Темнеет гряда.
Я плакальщиц стаю
Веду за собой.
О, тихого края
Плащ голубой!..
Над мертвой медузой
Смущенно стою;
Здесь встретилась с Музой,
Ей клятву даю.
Но громко смеется,
Не верит: «Тебе ль?»
По капелькам льется
Душистый апрель.
И вот уже славы
Высокий порог,
Но голос лукавый

I have to shake somebody's hand here. But I do not listen to the hoarse barrel-organ's groan. The woman of Kitezh heard the wrong ringing.

2. Trenches, trenches, — you could get lost here! Of old Europe a rag is left where towns burn in a cloud of smoke... And now the Crimea's dark ridge appears. I lead a flock of mourners. O blue cloak of the quiet land! I stand confused over a dead jellyfish; here I met the muse, I make her an oath. But she laughs loudly, she doesn't trust me: 'Can you?' Fragrant April flows in drops. Now is fame's high threshold, but a sly voice

Предостерег:
«Сюда ты вернешься,
Вернешься не раз,
Но снова споткнешься
О крепкий алмаз.
Ты лучше бы мимо,
Ты лучше б назад,
Хулима, хвалима,
В отеческий сад».

3

Вечерней порою
Сгущается мгла.
Пусть Гофман со мною
Дойдет до угла.
Он знает, как гулок
Задушенный крик
И чей в переулок
Забрался двойник.
Ведь это не шутки,
Что двадцать пять лет
Мне видится жуткий
Один силуэт.
«Так, значит, направо?
Вот здесь, за углом?
Спасибо!» — Канава
И маленький дом.
Не знала, что месяц
Во всё посвящен.
С веревочных лестниц
Срывается он,

has warned: 'You will come back here, come back several times, but again you will stumble on a hard diamond. You had better go past, you had better go back, cursed at, praised, to your father's garden.'

3. In the evening the haze thickens. Let Hoffmann come with me as far as the corner. He knows how resonant is a stifled cry and whose double has got into the alley. It's no joke, after all, that I have been seeing for twenty-five years one awful silhouette. 'So then, to the right? Here, round the corner? Thank you!' — A ditch and a little house. I did not know that the moon had been initiated into everything. It tears itself off the rope ladders,

Спокойно обходит
Покинутый дом,
Где ночь на исходе
За круглым столом
Гляделась в обломок
Разбитых зеркал
И в груде потемок
Зарезанный спал.

4

Чистейшего звука
Высокая власть,
Как будто разлука
Натешилась всласть.
Знакомые зданья
Из смерти глядят —
И будет свиданье
Печальней стократ
Всего, что когда-то
Случилось со мной...
Столицей распятой
Иду я домой.

5

Черемуха мимо
Прокралась, как сон,
И кто-то «Цусима!»
Сказал в телефон.
Скорее, скорее —
Кончается срок:
«Варяг» и «Кореец»

calmly walks round the abandoned house, where night, on the way out at the round table, stared at itself in a fragment of broken mirrors and in the pile of darkness a man slept, his throat cut.

4. The purest sound's lofty power, it is as if separation has had its fill of enjoyment. Familiar buildings look out of death — and the reunion will be a hundred times sadder than anything that ever happened to me... Through the crucified capital I return home.

5. The bird-cherry crept past like a dream, and someone said 'Tsushima!' over the telephone. Hurry, hurry up — our time is running out: 'The Viking' and 'The Korean'

Пошли на восток...
Там ласточкой реет
Старая боль...
А дальше темнеет
Форт Шаброль,
Как прошлого века
Разрушенный склеп,
Где старый калека
Оглох и ослеп.
Суровы и хмуры,
Его сторожат
С винтовками буры.
«Назад, назад!!»

6

Великую зиму
Я долго ждала,
Как белую схиму
Ее приняла.
И в легкие сани
Спокойно сажусь...
Я к вам, китежане,
До ночи вернусь.
За древней стоянкой
Один переход...
Теперь с китежанкой
Никто не пойдет,
Ни брат, ни соседка,
Ни первый жених, —
Лишь хвойная ветка

have sailed eastwards... There old pain hovers like a swallow... And further is the dark of Fort Chabrol [*the anti-Dreyfus headquarters*], like the last century's destroyed crypt, where an elderly cripple has gone deaf and blind. Harsh and grim, Boers with rifles guard him: 'Go back, go back.'

6. I waited long for the great winter, I took it like a white nun's vows. And I am calmly getting into the light sledge... I shall return to you, people of Kitezh, by night. From the ancient stopping-place lies one day's journey. Nobody will now accompany the woman of Kitezh — neither brother, neighbour nor first bridegroom, — only a conifer branch

Да солнечный стих,
Оброненный нищим
И поднятый мной...
В последнем жилище
Меня упокой.

Март 1940   *Фонтанный Дом*

* * *

Но я предупреждаю вас,
Что я живу в последний раз.
Ни ласточкой, ни кленом,
Ни тростником и ни звездой,
Ни родниковою водой,
Ни колокольным звоном —
Не буду я людей смущать
И сны чужие навещать
Неутоленным стоном.

1940

* * *

Когда человек умирает,
Изменяются его портреты.
По-другому глаза глядят, и губы

and a verse of sunlight, dropped by a beggar and picked up by me... Lay me to rest in my last dwelling-place.

But I warn you, that I am living for the last time. Neither as a swallow, nor a maple, nor a reed, nor a star, nor spring water, nor a bell's toll shall I upset people or visit other's dreams with an unquenched groan.

When someone dies, their portraits change. The eyes look at you differently and the lips

Улыбаются другой улыбкой.
Я заметила это, вернувшись
С похорон одного поэта.
И с тех пор проверяла часто,
И моя догадка подтвердилась.

1940

Из «*Поэмы без героя*»

Глава третья

И под аркой на Галерной...
А. Ахматова

В Петербурге мы сойдемся снова,
Словно солнце мы похоронили в нем.
О. Мандельштам

То был последний год...
М. Лозинский

*Петербург 1913 года. Лирическое отступление: последнее
воспоминание о Царском Селе. Ветер, не то вспоминая, не то
пророчествуя, бормочет:*

Были святки кострами согреты,
И валились с мостов кареты,
И весь траурный город плыл
По неведомому назначенью,
По Неве иль против теченья, —

smile another smile. I noticed this, returning from a poet's funeral. And since then I
have often checked and my intuition has been confirmed.

From Poem without a Hero. Chapter 3
And under an archway on Galernaia street... *Anna Akhmatova*
In Petersburg we shall meet again, as though we had buried the sun there. *Osip Mandelshtam*
That was the last year... *Mikhail Lozinskii*
*Petersburg in 1913. A lyrical digression: the last memory of Tsarskoe Selo. The wind,
remembering or prophesying, mumbles:*
Christmas was warmed by bonfires, and carriages piled off the bridges, and the whole
bereaved city sailed to an unknown destination, down the Neva or against the current, —

Только прочь от своих могил.
На Галерной чернела арка,
В Летнем тонко пела флюгарка,
И серебряный месяц ярко
Над серебряным веком стыл.
Оттого, что по всем дорогам,
Оттого, что ко всем порогам
Приближалась медленно тень,
Ветер рвал со стены афиши,
Дым плясал вприсядку на крыше,
И кладбищем пахла сирень.
И царицей Авдотьей заклятый,
Достоевский и бесноватый
Город в свой уходил туман,
И выглядывал вновь из мрака
Старый питерщик и гуляка,
Как пред казнью бил барабан...
И всегда в духоте морозной,
Предвоенной, блудной и грозной,
Жил какой-то будущий гул...
Но тогда он был слышен глуше,
Он почти не тревожил души
И в сугробах невских тонул.
Словно в зеркале страшной ночи,
И беснуется и не хочет
Узнавать себя человек, —
А по набережной легендарной
Приближался не календарный —
Настоящий Двадцатый Век.

only away from its graves. An archway showed black on Galernaia street, in the Summer garden only a weather vane sang and the silvery moon brightly froze over the Silver Age. Since over all roads, since to all thresholds a shadow slowly approached, the wind ripped posters off walls, smoke danced squatting on the roof, and the lilac smelt of the cemetery, and under Empress Avdotia's spell, Dostoevsky's and the possessed city receded into its own mist, and out of the gloom peered again an old Petersburger and idler, as the drum rolled before the execution... And always in the frozen, pre-war, depraved and dreadful airlessness, a future roaring lived... But then it was harder to hear, it barely disturbed souls and drowned in the Neva snowdrifts. As if in a terrible night's mirror, man is raging and yet refuses to recognise himself, — while down the legendary embankment approached not the calendar twentieth century, but the real one.

А теперь бы домой скорее
Камероновой Галереей
В ледяной таинственный сад,
Где безмолвствуют водопады,
Где все девять мне будут рады,
Как бывал ты когда-то рад.
Там, за островом, там, за садом,
Разве мы не встретимся взглядом
Наших прежних ясных очей?
Разве ты мне не скажешь снова
Победившее смерть слово
И разгадку жизни моей?

1945

Из цикла «Тайны ремесла»

1. Творчество

Бывает так: какая-то истома
В ушах не умолкает бой часов;
Вдали раскат стихающего грома.
Неузнанных и пленных голосов
Мне чудятся и жалобы и стоны,
Сужается какой-то тайный круг,
Но в этом бездне шепотов и звонов
Встает один, всё победивший звук.

But now I want to go home as fast as possible through the Cameron gallery to the icy mysterious garden, where the fountains are silent, where all nine [muses] will be glad to see me, as you were once sometimes glad There, beyond the island, there, beyond the garden, will our looks not meet, the looks of our former bright eyes? Will you not say again to me the word that overcame death and the solution to my life's mystery?

From 'Trade Secrets'
1. Creativity
It's like this at times: a sort of lassitude; the clock's ticking does not die down in your ears; far off a roll of dying thunder. I fancy I hear complaints and groans from unrecognised and captive voices, some secret circle narrows, but in this abyss of whispers and ringing sounds there rises up one sound, which has overcome everything.

Так вкруг него непоправимо тихо,
Что слышно, как в лесу растет трава,
Как по земле идет с котомкой лихо...
Но вот уже послышались слова
И легких рифм сигнальные звоночки, —
Тогда я начинаю понимать,
И просто продиктованные строчки
Ложатся в белоснежную тетрадь.

2

Мне ни к чему одические рати
И прелесть элегических затей.
По мне, в стихах все быть должно некстати,
Не так, как у людей.

Когда б вы знали, из какого сора
Растут стихи, не ведая стыда,
Как желтый одуванчик у забора,
Как лопухи и лебеда.

Сердитый окрик, дегтя запах свежий,
Таинственная плесень на стене...
И стих уже звучит, задорен, нежен,
На радость вам и мне.

[...]

Around it is an irreparable silence, so that you can hear the grass growing in the forest, evil walking the earth with its knapsack... But now words have been heard and the tell-tale little resonances of light rhymes, — then I begin to understand, and the simply dictated lines fall into the snow-white notebook.

2. I have no use for odic battles or the charm of elegiac inventions. In my view, everything should be uncalled for in verses, not like conventional people.
   If you knew what rubbish verses grow from, knowing no shame, like a yellow dandelion by the fence, like burdocks and goose-grass.
   An angry shout, the fresh smell of tar, mysterious mould on the wall... And a verse already sounds, teasing, tender, to give you and me joy.

6. Последнее стихотворение

Одно, словно кем-то встревоженный гром,
С дыханием жизни врывается в дом,
Смеется, у горла трепещет,
И кружится, и рукоплещет.

Другое, в полночной родясь тишине,
Не знаю откуда крадется ко мне,
Из зеркала смотрит пустого
И что-то бормочет сурово.

А есть и такие: средь белого дня,
Как будто почти что не видя меня,
Струятся по белой бумаге,
Как чистый источник в овраге.

А вот еще: тайное бродит вокруг —
Не звук и не цвет, не цвет и не звук, —
Гранится, меняется, вьется,
А в руки живым не дается.

Но это!.. по капельке выпило кровь,
Как в юности злая девчонка — любовь,
И, мне не сказавши ни слова,
Безмолвием сделалось снова.

6. *The Last Poem*

One sort, like thunder aroused by somebody, breaks into the house with a breath of life, laughs, trembles by your throat and circles and applauds.

Another, born in the midnight stillness, creeps up to me, I know not from where. It looks out of an empty mirror and gruffly mumbles something.

But there are others: in broad daylight, as if almost not seeing me, they stream over the white paper like a pure source in a gully.

And yet another sort: a secret one wanders around, not exactly sound or colour, or colour or sound, it cuts facets, it changes, it weaves around, but won't surrender alive.

But this one!.. it has drunk your blood drop by drop, as the spiteful girl, love, did in youth, and, without saying a word to me, has become silence again.

И я не знавала жесточе беды.
Ушло, и его протянулись следы
К какому-то крайнему краю,
А я без него... умираю.

1936–1959

* * *

Я подымаю трубку — я называю имя,
Мне отвечает голос — какого на свете нет...
Я не так одинока, проходит тот смертный холод,
Тускло вокруг струится, едва голубея, свет.
Я говорю: «О Боже, нет, нет, я совсем не верю,
Что будет такая встреча в эфире двух голосов».
И ты отвечаешь: «Долго ж ты помнишь свою потерю,
Я даже в смерти услышу твой, ангел мой, дальний зов».
. . . .
Похолодев от страха, свой собственный слышу стон.

?1964

And I have never known a more cruel trouble. It has gone, and its traces have stretched to some extreme edge, while without it I... die.

I pick up the phone — I say a name, a voice replies which does not exist in the world... I am not so alone, the deathly chill passes, light flows dimly around, faintly blue. I say: 'O God, no, no, I don't believe at all that there will be this sort of meeting of two voices in the ether.' And you reply: 'But you have remembered your loss for a long time, even in death I shall hear, my angel, your distant call.' . . . . Chilled with fear, I can hear my own groan.

БОРИС ЛЕОНИДОВИЧ ПАСТЕРНАК
BORIS LEONIDOVICH PASTERNAK

* **

Февраль. Достать чернил и плакать!
Писать о феврале навзрыд,
Пока грохочущая слякоть
Весною черною горит.

Достать пролетку. За шесть гривен,
Чрез благовест, чрез крик колес,
Перенестись туда, где ливень
Еще шумней чернил и слез.

Где, как обугленные груши,
С деревьев тысячи грачей
Сорвутся в лужи и обрушат
Сухую грусть на дно очей.

Под ней проталины чернеют,
И ветер криками изрыт,
И чем случайней, тем вернее
Слагаются стихи навзрыд.

1912

February. Get some ink and weep! Write sobbing about February, while the rumbling slush burns with black spring.

Get a cab. For 1 rouble 20, through church bells, through the shout of the wheels, be borne to where the downpour is even louder than the ink and tears.

Where, like charred pears, thousands of rooks from the trees will drop into puddles and collapse the dry sadness onto the bottom of eyes.

Under the cab the thawed places go black and the wind is furrowed with shouts, and the more random they are, the more surely verses are composed sobbing.

Памяти Демона

Приходил по ночам
В синеве ледника от Тамары.
Парой крыл намечал,
Где гудеть, где кончаться кошмару.

Не рыдал, не сплетал
Оголенных, исхлестанных, в шрамах.
Уцелела плита
За оградой грузинского храма.

Как горбунья дурна,
Под решеткою тень не кривлялась.
У лампады зурна,
Чуть дыша, о княжне не справлялась.

Но сверканье рвалось
В волосах, и, как фосфор, трещали.
И не слышал колосс,
Как седеет Кавказ за печалью.

От окна на аршин,
Пробирая шерстинки бурнуса,
Клялся льдами вершин:
Спи, подруга, — лавиной вернуся.

In Memory of the Demon
He came at night from Tamara in the blue of the glacier. He marked with a pair of wings, where the nightmare should hum and where it should end.

He did not sob, he did not weave together [*his wings*] which were bared, ripped, covered in scars. The gravestone was intact behind the fence of the Georgian church.

Ugly as a hunchback woman, the shadow was undistorted under the grid. The chalumeau by the lamp, barely breathing, did not enquire about the princess.

But the flashing burst out in his hair, which crackled like phosphorus. And the colossus did not sense the Caucasus going grey with grief.

Two feet from the window, fingering the weave of his burnous, he swore by the ices of the summits: 'Sleep, my beloved, — I shall return as an avalanche.'

* *
*

Ты в ветре, веткой пробующем,
Не время ль птицам петь,
Намокшая воробышком
Сиреневая ветвь!

У капель — тяжесть запонок,
И сад слепит, как плес,
Обрызганный, закапанный
Мильоном синих слез.

Моей тоскою вынянчен
И от тебя в шипах,
Он ожил ночью нынешней,
Забормотал, запах.

Всю ночь в окошко торкался,
И ставень дребезжал.
Вдруг дух сырой прогорклости
По платью пробежал.

Разбужен чудным перечнем
Тех прозвищ и времен,
Обводит день теперешний
Глазами анемон.

You are in the wind which is testing with a branch whether it is time for the birds to sing, o lilac branch, wet through with sparrows.

The drops have the weight of cufflinks, and the garden blinds one like a stretch of river, spattered, spotted with a million blue tears.

Nursed by my anguish, covered in thorns from you, it has come to life this night, it has started murmuring and perfuming.

It pushed itself through the window all night and the shutter jangled. Suddenly a spirit of damp rankness ran over the dress.

Roused by a wondrous recounting of those nicknames and times, an anemone runs its eyes over the present day.

Уроки английского

Когда случилось петь Дездемоне, —
А жить так мало оставалось, —
Не по любви, своей звезде, она —
По иве, иве разрыдалась.

Когда случилось петь Дездемоне
И голос завела, крепясь,
Про черный день чернейший демон ей
Псалом плакучих русл припас.

Когда случилось петь Офелии, —
А жить так мало оставалось, —
Всю сушь души взмело и свеяло,
Как в бурю стебли с сеновала.

Когда случилось петь Офелии, —
А горечь слез осточертела, —
С какими канула трофеями?
С охапкой верб и чистотела.

Дав страсти с плеч отлечь, как рубищу,
Входили, с сердца замираньем,
В бассейн вселенной, стан свой любящий
Обдать и оглушить мирами.

English Lessons

When Desdemona's time came to sing, and there was so little time left to live, — it wasn't for love, her star, that she sobbed, but for the willow tree, the willow tree.

When Desdemona's time came to sing and she let her voice sing, gathering strength, the blackest demon for a black day reserved her a psalm of weeping river beds.

When Ophelia's time came to sing, and there was so little time left to live, all the dry land of her soul was swept up and blown away, like stalks from a haystack in a storm.

When Ophelia's time came to sing — and she was utterly sick of the bitterness of tears — what trophies did she drop with? With an armful of willow and celandine.

Letting passions hang off their shoulders like rags, they entered, with hearts dying away, into the universe's swimming pool, for their loving figure to be bathed and drowned out by other worlds.

Определение поэзии

Это — круто налившийся свист,
Это — щелканье сдавленных льдинок,
Это — ночь, леденящая лист,
Это — двух соловьев поединок.

Это — сладкий заглохший горох,
Это — слезы вселенной в лопатках,
Это — с пультов и флейт — Фигаро́
Низвергается градом на грядку.

Всё, что ночи так важно сыскать
На глубоких купаленных доньях,
И звезду донести до садка
На трепещущих мокрых ладонях.

Площе досок в воде — духота.
Небосвод завалился ольхою.
Этим звездам к лицу б хохотать,
Ан вселенная — место глухое.

Степь

Как были те выходы в тишь хороши!
Безбрежная степь, как марина,
Вздыхает ковыль, шуршат мураши,
И плавает плач комариный.

Definition of Poetry
It is a whistle in full flow, it is the crackling of piled up ice floes, it is night icing a leaf, it is two nightingales' duel.

It is the choked sweet peas, it is the universe's tears in the pods, it is Figaro falling from the conductors' desks and flutes as hail onto the vegetable bed.

Everything that it is so important for night to find in the deep bottoms of the bathing places and to carry a star to the trap in quivering wet hands.

The stifling is flatter than boards in the water. The sky has collapsed under the alder trees' weight. These stars are made to be laughed at, but the universe is a deaf place.

Steppe
How good were those excursions into the stillness! The boundless steppe is like a seascape. The feather grass sighs, the ants rustle and the mosquito's weeping drifts.

Стога с облаками построились в цепь
И гаснут, вулкан на вулкане.
Примолкла и взмокла безбрежная степь,
Колеблет, относит, толкает.

Туман отовсюду нас морем обстиг,
В волчцах волочась за чулками,
И чудно нам степью, как взморьем, брести —
Колеблет, относит, толкает.

Не стог ли в тумане? Кто поймет?
Не наш ли омет? Доходим. — Он.
— Нашли! Он самый и есть. — Омет,
Туман и степь с четырех сторон.

И Млечный Путь стороной ведет
На Керчь, как шлях, скотом пропылен.
Зайти за хаты, и дух займет:
Открыт, открыт с четырех сторон.

Туман снотворен, ковыль как мед.
Ковыль всем Млечным Путем рассорён.
Туман разойдется, и ночь обоймет
Омет и степь с четырех сторон.

Тенистая полночь стоит у пути,
На шлях навалилась звездами,
И через дорогу за тын перейти
Нельзя, не топча мирозданья.

The hayricks and clouds have lined up in a chain and fade out like one volcano on another. The boundless steppe is silent and wet through, it sways you, carries off, jolts.

The mist has caught us like sea on all sides, trailing after the stockings in the burrs, and it is eery for us to wander the steppe like a sea coast, it sways you, carries off, jolts.

Isn't that a rick in the mist? Who can tell? Isn't that our stack of straw? We reach it. It is. 'We've found it. This is it.' The straw stack, mist and steppe on all four sides.

And the Milky Way leads on one side to Kerch, like a dirt road turned to dust by cattle. If you go behind the huts it is breath-taking: it is open, open on all four sides.

The mist is soporific, the feather-grass is like honey. Feather grass is strewn all over the Milky Way. The mist will lift and night will embrace the straw stack and the steppe on all four sides.

Shadowy midnight stands by the path, and has collapsed with the stars onto the high road. And you can't cross the road beyond the fence without treading on the universe.

Когда еще звезды так низко росли
И полночь в бурьян окунало,
Пылал и пугался намокший муслин,
Льнул, жался и жаждал финала?

Пусть степь нас рассудит и ночь разрешит.
Когда, когда не: — В Начале
Плыл Плач Комариный, Ползли Мураши,
Волчцы по Чулкам Торчали?

Закрой их, любимая! Запорошит!
Вся степь как до грехопаденья:
Вся — миром объята, вся — как парашют,
Вся — дыбящееся виденье!

* * *

Любимая, — жуть! Когда любит поэт,
Влюбляется бог неприкаянный.
И хаос опять выползает на свет,
Как во времена ископаемых.

Глаза ему тонны туманов слезят.
Он застлан. Он кажется мамонтом.
Он вышел из моды. Он знает — нельзя:
Прошли времена и — безграмотно.

When did the stars ever grow so low and midnight get dunked into tall weeds, and the wet muslin flare and get scared, cling, huddle and long for the finale?

Let the steppe decide between us and night decide. When, when not: — In the Beginning the Mosquito's Weeping Floated, Ants Crawled, Burrs stuck in Stockings?

Close them, my darling, or you'll be blinded! The whole steppe is as before the Fall: all bathed in peace, all like a parachute, all a vision rearing up.

My darling — it's awesome! When a poet loves, a restless god falls in love. And chaos again crawls out into the world, as in the times of fossils.

Tonnes of mists make his eyes weep. He is obscured. He looks like a mammoth. He has gone out of fashion. He knows he mustn't: times have passed, and they're undocumented.

Он видит, как свадьбы справляют вокруг.
Как спаивают, просыпаются.
Как общелягушечью эту икру
Зовут, обрядив ее, — паюсной.

Как жизнь, как жемчужную шутку Ватто,
Умеют обнять табакеркою.
И мстят ему, может быть, только за то,
Что там, где кривят и коверкают,

Где лжет и кадит, ухмыляясь, комфорт
И трутнями трутся и ползают,
Он вашу сестру, как вакханку с амфор,
Подымет с земли и использует.

И таянье Андов вольет в поцелуй,
И утро в степи, под владычеством
Пылящихся звезд, когда ночь по селу
Белеющим блеяньем тычется.

И всем, чем дышалось оврагам века́,
Всей тьмой ботанической ризницы
Пахнёт по тифозной тоске тюфяка,
И хаосом зарослей брызнется.

He sees marriages being celebrated all round, he sees people being made drunk;
awakening, he sees this general frog's spawn, when dressed up, called best caviar.

He sees life, like a pearl joke by Watteau, ably embraced with a snuff box. And they
are vindictive to him perhaps only because where they distort and twist,

Where comfort lies and flatters, sniggering, and people rub and crawl like drones, he
will lift a woman like you from the ground, like a Bacchante from the amphora, and
possess her.

And he will pour the thawing of the Andes into a kiss, and a morning in the steppe,
under the suzerainty of dusty stars, when night's pallid bleating prods over the village.

And there will be a smell of everything which for centuries the gullies breathed, of all
the dark mass of the botanical raiment, over the typhous anguish of the straw mattress,
and it will spurt in the chaos of the thickets.

Маргарита

Разрывая кусты на себе, как силок,
Маргаритиных стиснутых губ лиловей,
Горячей, чем глазной Маргаритин белок,
Бился, щелкал, царил и сиял соловей.

Он как запах от трав исходил. Он как ртуть
Очумелых дождей меж черемух висел.
Он кору одурял. Задыхаясь, ко рту
Подступал. Оставался висеть на косе.

И, когда изумленной рукой проводя
По глазам, Маргарита влеклась к серебру,
То казалось, под каской ветвей и дождя
Повалилась без сил амазонка в бору.

И затылок с рукою в руке у него,
А другую назад заломила, где лег,
Где застрял, где повис ее шлем теневой,
Разрывая кусты на себе, как силок.

1919

Gretchen
Tearing the bushes entangling him like a net trap, more violet than Gretchen's compressed lips, hotter than the white of Gretchen's eye, the nightingale struggled, trilled, reigned and radiated.

He issued from the grasses like a smell. Like the mercury of crazed rains he hovered amid the bird cherries. He intoxicated the bark. Panting, he approached her mouth. He remained hanging on her plait.

And when, passing an amazed hand over her eyes, Gretchen was drawn to the silver, it seemed that under a helmet of branches and rain an amazon had collapsed exhausted in the pine grove.

And the back of her neck and her hand are in his hand, and she has thrown back the other where her helmet of shadows had lain down, dawdled, hovered, tearing the bushes entangling it like a net trap.

* * *

Так начинают. Года в два
От мамки рвутся в тьму мелодий,
Щебечут, свищут, — а слова
Являются о третьем годе.

Так начинают понимать.
И в шуме пущенной турбины
Мерещится, что мать — не мать,
Что ты — не ты, что дом — чужбина.

Что делать страшной красоте
Присевшей на скамью сирени,
Когда и впрямь не красть детей?
Так возникают подозренья.

Так зреют страхи. Как он даст
Звезде превысить досяганье,
Когда он — Фауст, когда фантаст?
Так начинаются цыгане.

Так открываются, паря
Поверх плетней, где быть домам бы,
Внезапные, как вздох, моря.
Так будут начинаться ямбы.

That's how they begin. At about two they tear from their wet-nurse into a myriad of melodies, twitter, whistle, and words appear towards the third year.

That's how they begin to understand. And in the noise of the working turbine they fancy that their mother is not a mother, that you are not you, that home is alien.

What is terrible beauty to do, perched on the lilac's bench, if not indeed to kidnap children? Thus suspicions arise.

That's how fears develop. How can he let a star exceed the attainable, if he is Faust, if he is a fantasist? That is how gypsies begin.

That's how, soaring over the wattle fences where houses should be, seas as sudden as sighs open up. This is how iambics will begin.

Так ночи летние, ничком
Упав в овсы с мольбой: исполнься,
Грозят заре твоим зрачком.
Так затевают ссоры с солнцем.

Так начинают жить стихом.

1921

Поэзия

Поэзия, я буду клясться
Тобой и кончу, прохрипев:
Ты не осанка сладкогласца,
Ты — лето с местом в третьем классе,
Ты — пригород, а не припев.

Ты — душная, как май, Ямская,
Шевардина ночной редут,
Где тучи стоны испускают
И врозь по роспуске идут.

И, в рельсовом витье двояся, —
Предместье, а не перепев —
Ползут с вокзалов восвояси
Не с песней, а оторопев.

Thus summer nights, prone, after falling into the oats, pleading 'Come true!', threaten the dawn with the pupil of your eye. Thus quarrels are begun with the sun.

That's how they begin to live by verse.

Poetry

Poetry, I shall swear by you and end with you, when I croak: you are not a sweet-voiced orator's pose, you are summer with a place in the third class, you are a suburb, not a refrain.

You are Iamskaia street, stifling as May, the night redoubt of Shevardino, where rain clouds emit groans and go off in different directions when dismissed.

And, doubling in the intricacies of the rails, an outskirt and not a repeat, they creep their own way from the stations not with a song, but aghast.

Отростки ливня грязнут в гроздьях
И долго, долго до зари
Кропают с кровель свой акростих,
Пуская в рифму пузыри.

Поэзия, когда под краном
Пустой, как цинк ведра, трюизм,
То и тогда струя сохранна,
Тетрадь подставлена — струись!

1922

Смерть поэта

Не верили, — считали — бредни,
Но узнавали: от двоих,
Троих, от всех. Равнялись в строку
Остановившегося срока
Дома чиновниц и купчих,
Дворы, деревья, и на них
Грачи, в чаду от солнцепека
Разгоряченно на грачих
Кричавшие, чтоб дуры впред не
Совались в грех, да будь он лих.
Лишь был на лицах влажный сдвиг,
Как в складках порванного бредня.

Offshoots of the downpour hang heavily in the grape bunches and long, long before dawn drip their acrostic from the roofs, releasing bubbles into rhyme.

Poetry, when a truism as empty as the zinc of the bucket is under the tap, even then the stream is intact, the notebook is under it — flow!

The Poet's Death

They didn't believe it, they thought it was nonsense, but they found out from two, from three, from everybody. The houses of officials' and merchants' widows stood in a line of verse of time that had stopped, so did the yards, the trees and the rooks in them, bemused by the baking sun, shouting furiously at the female rooks that the fools should not poke their nose into trouble, the devil take it. Only there was a moist displacement on faces as in the folds of a torn fishing net.

Был день, безвредный день, безвредней
Десятка прежних дней твоих.
Толпились, выстроясь в передней,
Как выстрел выстроил бы их.

Ты спал, постлав постель на сплетне,
Спал и, оттрепетав, был тих, —
Красивый, двадцатидвухлетний,
Как предсказал твой тетраптих.

Ты спал, прижав к подушке щеку,
Спал, — со всех ног, со всех лодыг
Врезаясь вновь и вновь с наскоку
В разряд преданий молодых.
Ты в них врезался тем заметней,
Что их одним прыжком достиг.
Твой выстрел был подобен Этне
В предгорьи трусов и трусих.

1930

* * *

Красавица моя, вся стать,
Вся суть твоя мне пό сердцу,
Вся рвется музыкою стать,
И вся на рифмы просится.

It was a day, a harmless day, more harmless than a dozen of your former days. They
crowded, lining up in the hall, as a shot might have lined them up.

You slept, making your bed on gossip, slept, and when you stopped quivering, were
quiet, — handsome, twenty two years old, as your tetraptych had predicted.

You slept, pressing your cheek to the pillow, you slept, as fast as your legs, your
ankles could carry you, breaking again and again at a leap into the genus of new
traditions. You broke into them all the more notably by reaching them in one leap. Your
shot was like Mt Etna in foothills of cowards, male and female.

My beauty, all your form, all your essence pleases me, all bursts to become music and
all begs to be made rhyme.

А в рифмах умирает рок,
И правдой входит в наш мирок
Миров разноголосица.

И рифма — не вторенье строк,
А гардеробный номерок,
Талон на место у колонн
В загробный гул корней и лон.

И в рифмах дышит та любовь,
Что тут с трудом выносится,
Перед которой хмурят бровь
И морщат переносицу.

И рифма не вторенье строк,
Но вход и пропуск за порог,
Чтоб сдать, как плащ за бляшкою,
Болезни тягость тяжкую,
Боязнь огласки и греха
За громкой бляшкою стиха.

Красавица моя, вся суть,
Вся стать твоя, красавица,
Спирает грудь и тянет в путь,
И тянет петь и — нравится.

And fate dies in rhymes and the dissonance of other worlds enters our little world as truth.

And rhyme is not repeating lines, but a cloakroom tag, a coupon for a place by the columns into the roar of roots and wombs beyond the grave.

And in rhymes breathes the love which is hard to endure here, at which brows frown and bridges of noses wrinkle.

And rhyme is not repeating lines, but an entry and pass over the threshold, to hand over, like a coat for a tag, the heavy weight of disease, the fear of publicity and sin in exchange for the loud tag of the verse.

My beauty, all your essence, all your form, beauty, makes my chest taut and draws me on and draws me to sing and attracts me.

Тебе молился Поликлет.
Твои законы изданы.
Твои законы в далях лет.
Ты мне знакома издавна.

1931

* * *

Пока мы по Кавказу лазаем,
И в задыхающейся раме
Кура ползет атакой газовою
К Арагве, сдавленной горами,
И в августовский свод из мрамора,
Как обезглавленных гортани,
Заносят яблоки адамовы
Казненных замков очертанья.

Пока я голову заламываю,
Следя, как шеи укреплений
Плывут по синеве сиреневой
И тонут в бездне поколений,
Пока, сменяя рощи вязовые,
Курчавится лесная мелочь,
Что шепчешь ты, что мне подсказываешь, —
Кавказ, Кавказ, о что мне делать!

Polycletes prayed to you. Your laws are published. Your laws are in the distance of the years. I have known you for a long time.

While we clamber over the Caucasus and in the panting frame the Kura crawls like a gas attack towards the Aragva, which is squeezed by the mountains, and into the August marble vault of sky, like the throats of men beheaded, the outlines of executed castles thrust their Adam's apples.

While I throw back my head, following the fortifications' necks floating over the lilac azure and drowning in the abyss of generations, while, replacing the elm groves, the scrubby woodland curls, what are you whispering, what are you suggesting to me, Caucasus, Caucasus, o what am I to do?

Объятье в тысячу охватов,
Чем обеспечен твой успех?
Здоровый глаз за веко спрятав,
Над чем смеешься ты, Казбек?
Когда от высей сердце ёкает
И гор колышутся кадила,
Ты думаешь, моя далекая,
Что чем-то мне не угодила.
И там, у Альп в дали Германии,
Где так же чокаются скалы,
Но отклики еще туманнее,
Ты думаешь, — ты оплошала?

Я брошен в жизнь, в потоке дней
Катящую потоки рода,
И мне кроить свою трудней,
Чем резать ножницами воду.

Не бойся снов, не мучься, брось.
Люблю и думаю и знаю.
Смотри: и рек не мыслит врозь
Существованья ткань сквозная.

1931

Embrace of a thousand arms' lengths, by what is your success assured? Hiding your healthy eye behind its eyelid, what are you laughing at, Mt Kazbek? When the heart misses a beat because of the height and the censers of the mountains sway, you think, my distant [*wife*] that you have displeased me somehow. And by the Alps in faraway Germany, where the rocks clink glasses the same way, but the echoes are even mistier, do you think that you have failed?

I am thrown into life, which rolls currents of human kind in the current of days, and it is harder for me to tailor my own life than to cut water with scissors. Do not fear dreams, don't torment yourself, stop. I love and think and know. Look: even rivers are not thought apart by the transparent tissue of existence.

* * *

О, знал бы я, что так бывает,
Когда пускался на дебют,
Что строчки с кровью — убивают,
Нахлынут горлом и убьют!

От шуток с этой подоплекой
Я б отказался наотрез.
Начало было так далеко,
Так робок первый интерес.

Но старость — это Рим, который
Взамен турусов и колес
Не читки требует с актера,
А полной гибели всерьез.

Когда строку диктует чувство,
Оно на сцену шлет раба,
И тут кончается искусство,
И дышат почва и судьба.

1932

* * *

Мне по душе строптивый норов
Артиста в силе: он отвык
От фраз, и прячется от взоров,
И собственных стыдится книг.

Oh, if I'd known that it was like that, when I went in for my début, that lines with blood kill, that they would gush out of the throat and kill!

I'd have renounced outright jokes with those implications. The beginning was so far off, the first interest so shy.

But old age is Rome which, instead of rubbish and twaddle, demands from the actor not a reading but full perdition in earnest.

When feeling dictates a line it sends a slave onto the stage, and here art ends and soil and fate breathe.

I like the querulous temper of an artist in his prime; he is unused to fine phrases and hides from people's gaze and is ashamed of his own books.

Но всем известен этот облик.
Он миг для пряток прозевал.
Назад не повернуть оглобли,
Хотя б и затаясь в подвал.

Судьбы под землю не заямить.
Как быть? Неясная сперва,
При жизни переходит в память
Его признавшая молва.

Но кто ж он? На какой арене
Стяжал он поздний опыт свой?
С кем протекли его боренья?
С самим собой, с самим собой.

Как поселенье на Гольфштреме,
Он создан весь земным теплом.
В его залив вкатило время
Всё, что ушло за волнолом.

Он жаждал воли и покоя,
А годы шли примерно так,
Как облака над мастерскою,
Где горбился его верстак.

Декабрь 1935

But everyone knows this image. He has missed the moment for hide and seek. You cannot turn the shafts back, even if you hide yourself in the basement.

You can't bury fate in an underground pit. How is it to be? Vague at first, the fame that gave him recognition in his own lifetime changes into a memory.

But who is he? In what arena did he win his late experience? With whom did his struggles take place? With himself, with himself.

Like a settlement in the Gulf Stream, he is entirely created by the earth's warmth. Into his bay time rolled everything that got past the breakwater.

He thirsted for freedom and peace, but the years passed pretty well like the clouds over his workshop where his workbench stood hunched.

Памяти Марины Цветаевой

Хмуро тянется день непогожий.
Безутешно струятся ручьи
По крыльцу перед дверью прихожей
И в открытые окна мои.

За оградою вдоль по дороге
Затопляет общественный сад.
Развалившись, как звери в берлоге,
Облака в беспорядке лежат.

Мне в ненастьи мерещится книга
О земле и ее красоте.
Я рисую лесную шишигу
Для тебя на заглавном листе.

Ах, Марина, давно уже время,
Да и труд не такой уж ахти,
Твой заброшенный прах в реквиеме
Из Елабуги перенести.

Торжество твоего переноса
Я задумывал в прошлом году
Над снегами пустынного плеса,
Где зимуют баркасы во льду.

———

In Memory of Marina Tsvetaeva
The bad weather day drags on gloomily. Disconsolately the streams flow over the porch before the front door and into my open windows.

Beyond the fence along the road the public park is flooded. Sprawling, like wild beasts in their den, clouds lie in disarray.

In the foul weather I imagine a book about the earth and its beauty. I draw for you an evil spirit of the forest on the title page.

Oh, Marina, it's long been time, and not such a terrible trouble, to transfer your neglected ashes from Elabuga in a requiem.

Last year I planned the ceremony of your transfer over the snows of the deserted stretch of river, where the longboats spend the winter in the ice.

———

Мне так же трудно до сих пор
Вообразить тебя умершей,
Как скопидомкой мильонершей
Средь голодающих сестер.

Что сделать мне тебе в угоду?
Дай как-нибудь об этом весть.
В молчаньи твоего ухода
Упрек невысказанный есть.

Всегда загадочны утраты.
В бесплодных розысках в ответ
Я мучаюсь без результата:
У смерти очертаний нет.

Тут всё — полуслова и тени,
Обмолвки и самообман,
И только верой в воскресенье
Какой-то указатель дан.

Зима — как пышные поминки:
Наружу выйти из жилья,
Прибавить к сумеркам коринки,
Облить вином — вот и кутья.

Пред домом яблоня в сугробе,
И город в снежной пелене —
Твое огромное надгробье,
Как целый год казалось мне.

It is still just as hard for me to imagine you dead as to imagine you a miserly millionairess among your starving sisters.

What can I do to please you? Give me a message about it somehow. In the silence of your departure there is an unexpressed reproach.

Losses are always enigmatic. In the fruitless searches which are my reply I agonise without result: death has no outlines.

Everything is there — half-words and shadows, slips of the tongue and self-deception, and only by faith in resurrection is any indication given.

Winter is like a rich memorial feast: go outside from where you live, add currants to the twilight, pour wine over it and you have your funeral pudding.

In front of the house the apple tree is in a snowdrift. And the town is swaddled in snow — your enormous tombstone, as it seemed to me for a whole year.

Лицом повернутая к Богу,
Ты тянешься к нему с земли,
Как в дни, когда тебе итога
Еще на ней не подвели.

1943

Гамлет

Гул затих. Я вышел на подмостки.
Прислонясь к дверному косяку,
Я ловлю в далеком отголоске,
Что случится на моем веку.

На меня наставлен сумрак ночи
Тысячью биноклей на оси.
Если только можно, Авва Отче,
Чашу эту мимо пронеси.

Я люблю твой замысел упрямый
И играть согласен эту роль.
Но сейчас идет другая драма,
И на этот раз меня уволь.

Но продуман распорядок действий,
И неотвратим конец пути.
Я один, всё тонет в фарисействе.
Жизнь прожить — не поле перейти.

1946

Your face turned to God, you are drawn to him from the earth, as in the days when on earth a bill for you had not yet been added up.

Hamlet

The roar has abated. I have come out onto the stage. Leaning on the door frame I seek out in the distant echo what is to happen in my lifetime.

The night's twilight is fixed on me through the axis of a thousand opera glasses. If it is at all possible, Abba Father, let this cup pass forth from me.

I love your stubborn plot and agree to play this part. But now another drama is running, so release me this time.

But the order of the acts has been thought out and the end of the journey is ineluctable. I am alone, everything drowns in philistinism. Living a life is not like crossing a field.

Зимняя ночь

Мело, мело по всей земле
Во все пределы.
Свеча горела на столе,
Свеча горела.

Как летом роем мошкара
Летит на пламя,
Слетались хлопья со двора
К оконной раме.

Метель лепила на стекле
Кружки и стрелы.
Свеча горела на столе,
Свеча горела.

На озаренный потолок
Ложились тени,
Скрещенья рук, скрещенья ног,
Судьбы скрещенья.

И падали два башмачка
Со стуком на пол.
И воск слезами с ночника
На платье капал.

И всё терялось в снежной мгле,
Седой и белой.
Свеча горела на столе,
Свеча горела.

Winter Night

[*Snow*] swept, swept over all the earth, to every corner. A candle burned on the table, a candle burned.

As a swarm of midges in summer flies towards a flame, flakes of snow from outside flocked to the window frame.

The blizzard stuck circles and arrows on the glass. A candle burned on the table, a candle burned.

Onto the illuminated ceiling shadows fell, hands crossed, feet crossed, fates crossed.

And two small shoes fell clattering onto the floor. And tears of wax from the nightlight dripped onto the dress.

And everything was lost in snowy mist, grey and white. A candle burned on the table, a candle burned.

На свечку дуло из угла,
И жар соблазна
Вздымал, как ангел, два крыла
Крестообразно.

Мело весь месяц в феврале,
И то и дело
Свеча горела на столе,
Свеча горела.

1946

Ветер

Я кончился, а ты жива.
И ветер, жалуясь и плача,
Раскачивает лес и дачу.
Не каждую сосну отдельно,
А полностью все дерева
Со всею далью беспредельной,
Как парусников кузова
На глади бухты корабельной.
И это не из удальства
Или из ярости бесцельной,
А чтоб в тоске найти слова
Тебе для песни колыбельной.

1953

A draught from the corner blew on the candle and the heat of temptation raised, like an angel, two wings in the form of a cross.

All of February the snow swept and every now and again a candle burned on the table, a candle burned.

The Wind

I have finished, but you are alive. And the wind, complaining and weeping, rocks the forest and the cottage. Not each pine separately, but all the trees completely with all the unbounded distance, like the hulls of sailboats on the surface of a bay of ships. And this is not from bravado or pointless fury, but so as in anguish to find words for a cradle song for you.

* **

Во всем мне хочется дойти
До самой сути.
В работе, в поисках пути,
В сердечной смуте.

До сущности протекших дней,
До их причины,
До оснований, до корней,
До сердцевины.

Всё время схватывая нить
Судеб, событий,
Жить, думать, чувствовать, любить,
Свершать открытья.

О, если бы я только мог
Хотя отчасти,
Я написал бы восемь строк
О свойствах страсти.

О беззаконьях, о грехах,
Бегах, погонях,
Нечаянностях впопыхах,
Локтях, ладонях.

Я вывел бы ее закон,
Ее начало,
И повторял ее имен
Инициалы.

In everything I want to reach the very essence. In work, in searching for the road, in the heart's turbulence.

To the substance of the days that have passed, to their cause, to the foundations, to the roots, to the heartwood.

Constantly grasping for the thread of fates, events, to live, to think, to feel, to love, to make discoveries.

O if only I could, at least in part, I would write eight lines about passion's properties.

About lawless acts, about sins, races, pursuits, unexpected sudden events, elbows, palms of hands.

I would deduce passion's law, its prime cause, and repeat the initials of its names.

Я б разбивал стихи, как сад.
Всей дрожью жилок
Цвели бы липы в них подряд,
Гуськом, в затылок.

В стихи б я внес дыханье роз,
Дыханье мяты,
Луга, осоку, сенокос,
Грозы раскаты.

Так некогда Шопен вложил
Живое чудо
Фольварков, парков, рощ, могил
В свои этюды.

Достигнутого торжества
Игра и мука —
Натянутая тетива
Тугого лука.

1956

Ночь

Идет без проволо́чек
И тает ночь, пока
Над спящим миром летчик
Уходит в облака.

I would lay out verses like a park. With all the quiver of sinews lime trees would blossom in it continuously, in a row, into the back of one's neck.

I would introduce into verse, the breath of roses, the breath of mint, meadows, reads, haymaking, rolls of thunder.

That is how Chopin used to put the living miracle of Polish farms, parks, groves, graves into his études.

The play and agony of an achieved triumph is the drawn bowstring of a taut bow.

Night
The night passes without delays and thaws while over the sleeping world the pilot leaves for the clouds.

Он потонул в тумане,
Исчез в его струе,
Став крестиком на ткани
И меткой на белье.

Под ним ночные бары,
Чужие города,
Казармы, кочегары,
Вокзалы, поезда.

Всем корпусом на тучу
Ложится тень крыла.
Блуждают, сбившись в кучу,
Небесные тела.

И страшным, страшным креном
К другим каким-нибудь
Неведомым вселенным
Повернут Млечный Путь.

В пространствах беспредельных
Горят материки.
В подвалах и котельных
Не спят истопники.

В Париже из-под крыши
Венера или Марс
Глядят, какой в афише
Объявлен новый фарс.

He is swallowed up in fog, has vanished in its stream, having become a cross on cloth and a mark on linen.

Below him are night bars, alien towns, barracks, stokers, stations, trains.

The shadow of a wing falls with its entire body on a cloud. Heavenly bodies wander, bunched together.

And at a terrible, terrible list towards some other unknown universes the Milky Way is turned.

In boundless spaces continents burn. In cellars and boiler rooms the boiler men do not sleep.

In Paris Venus or Mars look from under the roof to see what new farce is advertised on a poster.

Кому-нибудь не спится
В прекрасном далеке
На крытом черепицей
Старинном чердаке.

Он смотрит на планету,
Как будто небосвод
Относится к предмету
Его ночных забот.

Не спи, не спи, работай,
Не прерывай труда,
Не спи, борись с дремотой,
Как летчик, как звезда.

Не спи, не спи, художник,
Не предавайся сну.
Ты — вечности заложник
У времени в плену.

1956

В больнице

Стояли как перед витриной,
Почти запрудив тротуар.
Носилки втолкнули в машину.
В кабину вскочил санитар.

Somebody cannot sleep in the beautiful distance in the ancient attic covered with tiles. He looks at the planet as if the sky is relevant to the object of his nocturnal worries.

Don't sleep, don't sleep, work, don't interrupt your labour, don't sleep, battle with drowsiness, like the pilot, like the star.

Don't sleep, don't sleep, artist, do not surrender to sleep. You are eternity's hostage in pawn to time.

In the Hospital

They stood as before a shop window, almost blocking the pavement. The stretcher was pushed into the van, the ambulance man got into the cab.

И скорая помощь, минуя
Панели, подъезды, зевак,
Сумятицу улиц ночную,
Нырнула огнями во мрак.

Милиция, улицы, лица
Мелькали в свету фонаря.
Покачивалась фельдшерица
Со склянкою нашатыря.

Шел дождь, и в приемном покое
Уныло шумел водосток,
Меж тем как строка за строкою
Марали опросный листок.

Его положили у входа.
Всё в корпусе было полно.
Разило парами иода,
И с улицы дуло в окно.

Окно обнимало квадратом
Часть сада и неба клочок.
К палатам, полам и халатам
Присматривался новичок.

Как вдруг из расспросов сиделки,
Покачивавшейся головой,
Он понял, что из переделки
Едва ли он выйдет живой.

And the ambulance, passing pavements, entrances, gawpers, the streets' nocturnal confusion, plunged its lights into the dark.

Police, streets, faces flashed past in the light of a street lamp. The paramedic swayed with a phial of smelling salts.

It was raining and in the reception the drainpipe was mournfully swishing, while line after line they were daubing the questionnaire form.

He was put by the entrance. Everything was full in the block. There was a waft of iodine fumes and a draught through the window from the street.

The window framed in a square part of a park and a fragment of sky. The new patient peered at the wards, the floors and the gowns.

When suddenly from the questions asked by the nurse who was shaking her head, he realised that he was unlikely to come out of this mess alive.

Тогда он взглянул благодарно
В окно, за которым стена
Была точно искрой пожарной
Из города озарена.

Там в зареве рдела застава,
И, в отсвете города, клен
Отвешивал веткой корявой
Больному прощальный поклон.

«О Господи, как совершенны
Дела Твои, — думал больной, —
Постели, и люди, и стены,
Ночь смерти и город ночной.

Я принял снотворного дозу
И плачу, платок теребя.
О Боже, волнения слезы
Мешают мне видеть Тебя.

Мне сладко при свете неярком,
Чуть падающем на кровать,
Себя и свой жребий подарком
Бесценным Твоим сознавать.

Кончаясь в больничной постели,
Я чувствую рук Твоих жар.
Ты держишь меня, как изделье,
И прячешь, как перстень, в футляр».

1956

Then he looked gratefully at the window, through which a wall was lit up as though by a spark from a fire in the town.

The town picket glowed in the dawn light and, in the town's reflected light, the maple was making with its gnarled branch a farewell bow to the sick man.

'O Lord, how perfect are your deeds,' thought the sick man. 'Beds, people, walls, the night of death and the nocturnal town.

I have taken a dose of sedative and weep as I fidget with my handkerchief. O God, tears of emotion prevent me from seeing You.

I find it sweet in the dim light barely falling on the bed to sense myself and my lot to be Your priceless gift.

Dying in a hospital bed, I feel the heat of Your hands. You hold me like a work of art and put me away like a ring in its box.'

Нобелевская премия

Я пропал, как зверь в загоне.
Где-то люди, воля, свет,
А за мною шум погони,
Мне наружу ходу нет.

Темный лес и берег пруда,
Ели сваленной бревно.
Путь отрезан отовсюду.
Будь что будет, всё равно.

Что же сделал я за пакость,
Я, убийца и злодей?
Я весь мир заставил плакать
Над красой земли моей.

Но и так, почти у гроба,
Верю я, придет пора —
Силу подлости и злобы
Одолеет дух добра.

Январь 1959

The Nobel Prize

I am doomed, like a wild animal at bay. Somewhere there are people, freedom, light, but the noise of the chase is after me, I have no way out.

Dark forest and a pond's shore, a beam of a felled fir tree. The path is cut off in all directions. Come what may, I don't care.

What sort of foul deed have I done, am I a murderer and evildoer? I made the whole world weep at the beauty of my land.

But even so, almost at the grave, I believe a time will come — the spirit of vileness and spite will be overcome by the spirit of good.

Единственные дни

На протяженьи многих зим
Я помню дни солнцеворота,
И каждый был неповторим
И повторялся вновь без счета.

И целая их череда
Составилась мало-помалу —
Тех дней единственных, когда
Нам кажется, что время стало.

Я помню их наперечет:
Зима подходит к середине,
Дороги мокнут, с крыш течет,
И солнце греется на льдине.

И любящие, как во сне,
Друг к другу тянутся поспешней,
И на деревьях в вышине
Потеют от тепла скворешни.

И полусонным стрелкам лень
Ворочаться на циферблате,
И дольше века длится день,
И не кончается объятье.

Январь 1959

Unique Days

In the course of many winters I remember the days of the solstice, and each one was unrepeatable and was again repeated innumerable times.

And their entire sequence has gradually been established — of those unique days, when we feel that time has stopped.

I remember every single one of them: winter approaches the middle, roads grow wet, the roofs drip and the sun is warmed on the ice floe.

And lovers, as in a dream, are drawn more hastily to each other, and on the trees in the heights the starling cotes sweat in the warmth.

And the half sleepy hands of the clock are too lazy to turn on the dial and the day lasts longer than a century and the embrace does not end.

ОСИП ЭМИЛЬЕВИЧ МАНДЕЛЬШТАМ
OSIP EMILIEVICH MANDELSHTAM

Silentium

Она еще не родилась,
Она и музыка и слово,
И потому всего живого
Ненарушаемая связь.

Спокойно дышат моря груди,
Но, как безумный, светел день,
И пены бледная сирень
В черно-лазуревом сосуде.

Да обретут мои уста
Первоначальную немоту,
Как кристаллическую ноту,
Что от рождения чиста!

Останься пеной, Афродита,
И, слово, в музыку вернись,
И, сердце, сердца устыдись,
С первоосновой жизни слито!

1910

Silentium

She has not yet been born, she is both music and word, and therefore all living things' unbreakable link.

The sea's breasts breathe peacefully but the day is as bright as a madman, and the foam's pale lilac is in a black-azure vessel.

May my lips find the primal muteness, like a crystal note that is pure from birth!

Remain foam, Aphrodite, and, word, return to music, and, heart, be abashed by heart, fused with life's first basis.

Notre Dame

Где римский судия судил чужой народ,
Стоит базилика, — и, радостный и первый,
Как некогда Адам, распластывая нервы,
Играет мышцами крестовый легкий свод.

Но выдает себя снаружи тайный план:
Здесь позаботилась подпружных арок сила,
Чтоб масса грузная стены не сокрушила,
И свода дерзкого бездействует таран.

Стихийный лабиринт, непостижимый лес,
Души готической рассудочная пропасть,
Египетская мощь и христианства робость,
С тростинкой рядом — дуб и всюду царь — отвес.

Но чем внимательней твердыня Notre Dame,
Я изучал твои чудовищные ребра,
Тем чаще думал я: из тяжести недоброй
И я когда-нибудь прекрасное создам.

1912

Notre Dame
Where a Roman judge judged an alien people stands a basilica, and, joyful and primary, as Adam was, splaying its nerves, the light cruciform vault flexes its muscles.

But the secret plan shows itself on the outside: here the girting arches' force made sure that the heavy mass did not crush the walls, and the ramming of the bold vault is inert.

An elemental labyrinth, an incomprehensible forest, the Gothic soul's rational abyss, Egyptian might and Christianity's shyness, next to the reed is the oak and everywhere the perpendicular is king.

But the more carefully, stronghold Notre Dame, I studied your monstrous ribs, the more often I thought: from hostile weight I too will some day create the beautiful.

* * *

Отравлен хлеб и воздух выпит.
Как трудно раны врачевать!
Иосиф, проданный в Египет,
Не мог сильнее тосковать!

Под звездным небом бедуины,
Закрыв глаза и на коне,
Слагают вольные былины
О смутно пережитом дне.

Немного нужно для наитий:
Кто потерял в песке колчан,
Кто выменял коня, — событий
Рассеивается туман;

И, если подлинно поется
И полной грудью, наконец,
Всё исчезает — остается
Пространство, звезды и певец!

1913

* * *

О временах простых и грубых
Копыта конские твердят,
И дворники в тяжелых шубах
На деревянных лавках спят.

The bread is poisoned and the air drained. How hard it is to doctor wounds! Joseph, sold into Egypt, could not have pined more.

Under a starlit sky Bedouin, eyes shut and on horseback, compose free epics on the confused day they have lived through.

Little is needed for serendipity: someone lost their quiver in the sand, someone swapped a horse — the mist of events is dispersed;

And if the singing is authentic and full-chested, finally, everything vanishes — there remain space, stars and the singer!

About simple and coarse times horses' hooves tell us, and yardmen in heavy fur coats sleep on wooden benches.

На стук в железные ворота
Привратник, царственно-ленив,
Встал, и звериная зевота
Напомнила твой образ, скиф,

Когда с дряхлеющей любовью,
Мешая в песнях Рим и снег,
Овидий пел арбу воловью
В походе варварских телег.

1914

* * *

Есть иволги в лесах, и гласных долгота
В тонических стихах единственная мера.
Но только раз в году бывает разлита
В природе длительность, как в метрике Гомера.

Как бы цезурою зияет этот день:
Уже с утра покой и трудные длинноты;
Волы на пастбище, и золотая лень
Из тростника извлечь богатство целой ноты.

1914

Hearing the knock at the iron gates, the porter, majestically lazy, arose, and the bestial yawn recalled your image, Scythian,

When with decrepit love, mingling Rome and snow in his songs, Ovid sang of the ox-cart in the convoy of barbarian wagons.

There are orioles in the forests, and length of vowels is the only measure in tonic verses. But only once a year does duration flood nature as in Homer's metrics.

This day seems to gape like a caesura: from morning there have been peace and difficult longueurs; the oxen are at pasture, and one is too golden and idle to extract the wealth of a whole note from a reed.

* *

Природа — тот же Рим и отразилась в нем.
Мы видим образы его гражданской мощи
В прозрачном воздухе, как в цирке голубом,
На форуме полей и в колоннаде рощи.

Природа — тот же Рим! И, кажется, опять
Нам незачем богов напрасно беспокоить —
Есть внутренности жертв, чтоб о войне гадать,
Рабы, чтобы молчать, и камни, чтобы строить!

1914

* *

Бессонница. Гомер. Тугие паруса.
Я список кораблей прочел до середины:
Сей длинный выводок, сей поезд журавлиный,
Что над Элладою когда-то поднялся.

Как журавлиный клин в чужие рубежи —
На головах царей божественная пена —
Куда плывете вы? Когда бы не Елена,
Чтó Троя вам одна, ахейские мужи?

И море, и Гомер — всё движется любовью.
Кого же слушать мне? И вот, Гомер молчит,
И море черное, витийствуя, шумит
И с тяжким грохотом подходит к изголовью.

1915

Nature is just like Rome and reflected in it. We see images of its civic might in the transparent air, as in a blue circus, on the fields' forum and in the grove's colonnade.

Nature is just like Rome! And, it seems, again we need not bother the gods in vain — there are victims' innards to augur about war, slaves to be silent and stones for building.

Insomnia. Homer. Taut sails, I read the list of ships to the middle: this long brood, this train of cranes that once rose up over Hellas.

Like a wedge of cranes into alien borders — divine foam is on the heads of kings — where are you sailing to? Were it not for Helen, what is just Troy to you, Achaean men?

The sea and Homer: all is moved by love. Whom am I to listen to? And now Homer is silent, and the black sea roars and orates and, rumbling heavily, approaches my bedside.

* * *

Прославим, братья, сумерки свободы,
Великий сумеречный год!
В кипящие ночные воды
Опущен грузный лес тенёт.
Восходишь ты в глухие годы —
О солнце, судия, народ!

Прославим роковое бремя,
Которое в слезах народный вождь берет.
Прославим власти сумрачное бремя,
Ее невыносимый гнет.
В ком сердце есть — тот должен слышать, время,
Как твой корабль ко дну идет.

Мы в легионы боевые
Связали ласточек — и вот
Не видно солнца; вся стихия
Щебечет, движется, живет;
Сквозь сети — сумерки густые —
Не видно солнца и земля плывет.

Ну что ж, попробуем: огромный, неуклюжий,
Скрипучий поворот руля.
Земля плывет. Мужайтесь, мужи.
Как плугом океан деля,
Мы будем помнить и в летейской стуже,
Что десяти небес нам стоила земля.

1918

Let us glorify, brothers, freedom's twilight, the great twilit year! Into seething night waters a heavy forest of snares is lowered. You rise in obscure years — o sun, judge, people!

Let us glorify the fateful burden which the people's leader takes up in tears. Let us celebrate power's twilight burden, power's unbearable oppression. Whoever has a heart must hear, time, your ship going to the bottom.

We have bound swallows into fighting legions, and now the sun is invisible; the whole element twitters, moves, is alive; through nets — thick twilight — the sun is invisible and the earth floats.

Well then, let's try: an enormous, awkward, screeching turn of the wheel. The earth is adrift. Courage, men. Parting the ocean as with a plough, we shall remember even in the Lethe's chill, that the earth cost us ten heavens.

Tristia

Я изучил науку расставанья
В простоволосых жалобах ночных.
Жуют волы, и длится ожиданье,
Последний час вигилий городских.
И чту обряд той петушиной ночи,
Когда, подняв дорожной скорби груз,
Глядели вдаль заплаканные очи
И женский плач мешался с пеньем муз.

Кто может знать при слове — расставанье,
Какая нам разлука предстоит?
Что нам сулит петушье восклицанье,
Когда огонь в акрополе горит?
И на заре какой-то новой жизни,
Когда в сенях лениво вол жует,
Зачем петух, глашатай новой жизни,
На городской стене крылами бьет?

И я люблю обыкновенье пряжи:
Снует челнок, веретено жужжит.
Смотри: навстречу, словно пух лебяжий,
Уже босая Делия летит!
О, нашей жизни скудная основа!
Куда как беден радости язык!
Всё было встарь. Всё повторится снова,
И сладок нам лишь узнаванья миг.

Tristia

I have studied the science of parting in night's loose-haired complaints. The oxen chew and expectation lingers, the town vigils' last hour. And I observe the rite of that cockerel night when, raising the weight of travelling grief, tear-stained eyes looked into the distance and woman's weeping mingled with the muses' singing.

Who can know on hearing the word 'parting' what sort of separation faces us? What does the cockerel's call augur for us when fire burns in the Acropolis? And at the dawn of a new life, when the ox idly chews in the shed, why does the cockerel, herald of new life, flap its wings on the town wall?

I too love the routine of spinning: the shuttle rushes, the wheel hums. Look, towards us, like swan's down, bare-footed Delia is now flying! O the sparse basis of our life, how very poor is the language of joy! Everything has been of old. Everything will be repeated anew. And only the moment of recognition is sweet to us.

Да будет так: прозрачная фигурка
На чистом блюде глиняном лежит,
Как беличья распластанная шкурка,
Склонясь над воском, девушка глядит.
Не нам гадать о греческом Эребе,
Для женщин воск — что для мужчины медь,
Нам только в битвах выпадает жребий,
А им дано гадая умереть.

1918

* *
 *

Сестры — тяжесть и нежность, одинаковы ваши приметы.
Медуницы и осы тяжелую розу сосут;
Человек умирает. Песок остывает согретый,
И вчерашнее солнце на черных носилках несут.

Ах, тяжелые соты и нежные сети!
Легче камень поднять, чем имя твое повторить.
У меня остается одна забота на свете:
Золотая забота, как времени бремя избыть.

Словно темную воду, я пью помутившийся воздух.
Время вспахано плугом, и роза землею была.
В медленном водовороте тяжелые нежные розы,
Розы тяжесть и нежность в двойные венки заплела.

1920

So be it: a transparent figure lies on the clean clay dish, like a pegged out squirrel skin, leaning over the wax, a girl looks. It is not for us to augur about the Greek Erebus, wax is for women what bronze is for a man, for us the lot is cast only in battles, but women are allowed to die, foretelling the future.

Sisters, heaviness and tenderness, your tokens are the same. Honey bees and wasps suck the heavy rose; man dies. Warmed sand cools and yesterday's sun is borne on a black stretcher.

Oh, heavy honeycombs and tender nets! It is easier to lift a stone than to repeat your name. I have one care left in the world: a golden care, how to get rid of time's burden.

Like dark water I drink the muddied air. Time is ploughed up and the rose was earth. There are heavy tender roses in a slow maelstrom, heaviness and tenderness have plaited the roses into double garlands.

* *
*

Я слово позабыл, что я хотел сказать.
Слепая ласточка в чертог теней вернется
На крыльях срезанных, с прозрачными играть.
В беспамятстве ночная песнь поется.

Не слышно птиц. Бессмертник не цветет.
Прозрачны гривы табуна ночного.
В сухой реке пустой челнок плывет.
Среди кузнечиков беспамятствует слово.

И медленно растет, как бы шатер иль храм:
То вдруг прокинется безумной Антигоной,
То мертвой ласточкой бросается к ногам,
С стигийской нежностью и веткою зеленой.

О, если бы вернуть и зрячих пальцев стыд,
И выпуклую радость узнаванья:
Я так боюсь рыданья аонид,
Тумана, звона и зиянья!

А смертным власть дана любить и узнавать,
Для них и звук в персты прольется!
Но я забыл, что я хочу сказать, —
И мысль бесплотная в чертог теней вернется.

I have forgotten the word I meant to say. The blind swallow will go on clipped wings back to the chamber of shadows to play with the shades. In unconsciousness the night song is sung.

No birds are heard. The immortelle does not flower. The manes of night's herd of horses are transparent. An empty boat drifts on a dry river. The word is unconscious amid the grasshoppers.

And it slowly grows, like a tent or a temple: or suddenly it rushes forth like mad Antigone, or it falls at one's feet like a dead swallow, with Stygian tenderness and a green twig.

O, if one could bring back both fingers' seeing shame and the tumescent joy of recognition: I am so afraid of the Aonids' sobbing, of mist, ringing and yawning gaps!

But mortals are given the power to love and recognise, for them even sound will pour into fingers! But I have forgotten what I want to say, — and an unfleshed thought will go back to the chamber of shadows.

Всё не о том прозрачная твердит,
Всё — ласточка, подружка, Антигона...
А на губах, как черный лед, горит
Стигийского воспоминанье звона.

1920

* * *

В Петербурге мы сойдемся снова,
Словно солнце мы похоронили в нем,
И блаженное, бессмысленное слово
В первый раз произнесем.
В черном бархате советской ночи,
В бархате всемирной пустоты,
Всё поют блаженных жен родные очи,
Всё цветут бессмертные цветы.

Дикой кошкой горбится столица,
На мосту патруль стоит,
Только злой мотор во мгле промчится
И кукушкой прокричит.
Мне не надо пропуска ночного,
Часовых я не боюсь:
За блаженное, бессмысленное слово
Я в ночи советской помолюсь.

The shade keeps on saying the wrong thing, just 'swallow, beloved, Antigone'...
while on my lips, like black ice, burns the memory of the Stygian resonance.

We shall meet in Petersburg again, as if we had buried the sun there, and we shall
pronounce for the first time the blessed senseless word. In the black velvet of a Soviet
night, in the velvet of universal emptiness, the familiar eyes of blessed women still sing,
immortal flowers still blossom.
   Like a wild cat the capital arches, a patrol stands on the bridge, only the evil motor car
rushes past in the mist and cries like a cuckoo. I need no night pass, I do not fear the
guards: for the blessed senseless word I shall pray in the Soviet night.

Слышу легкий театральный шорох
И девическое «ах» —
И бессмертных роз огромный ворох
У Киприды на руках.
У костра мы греемся от скуки,
Может быть, века пройдут,
И блаженных жен родные руки
Легкий пепел соберут.

Где-то хоры сладкие Орфея
И родные темные зрачки,
И на грядки кресел с галереи
Падают афиши-голубки.
Что ж, гаси, пожалуй, наши свечи,
В черном бархате всемирной пустоты
Всё поют блаженных жен крутые плечи,
А ночного солнца не заметишь ты.

1920

* *
*

Возьми на радость из моих ладоней
Немного солнца и немного меда,
Как нам велели пчелы Персефоны.

Не отвязать неприкрепленной лодки,
Не услыхать в меха обутой тени,
Не превозмочь в дремучей жизни страха.

I hear a light theatrical rustling and a girlish 'Oh!' — and an enormous heap of immortal roses is in Venus's arms. We warm ourselves from boredom by the bonfire, maybe centuries will pass, and blessed women's familiar hands will gather the light ash.

Somewhere are Orpheus's sweet choirs and familiar dark pupils, and from the upper circle posters like doves fall onto the rows of stalls. Well then, put out our candles if you like, in the black velvet of universal emptiness the shapely shoulders of blessed women still sing and you won't notice the night sun.

Take for joy from my palms a little sun and a little honey, as Persephone's bees told us.

You can't untie an unmoored boat. You can't hear a shade shod in furs. You can't overcome fear in dense life.

Нам остаются только поцелуи,
Мохнатые, как маленькие пчелы,
Что умирают, вылетев из улья.

Они шуршат в прозрачных дебрях ночи,
Их родина — дремучий лес Тайгета,
Их пища — время, медуница, мята...

Возьми ж на радость дикий мой подарок —
Невзрачное сухое ожерелье
Из мертвых пчел, мед превративших в солнце!

1920

Концерт на вокзале

Нельзя дышать, и твердь кишит червями,
И ни одна звезда не говорит,
Но, видит Бог, есть музыка над нами, —
Дрожит вокзал от пенья аонид,
И снова, паровозными свистками
Разорванный, скрипичный воздух слит.

Огромный парк. Вокзала шар стеклянный.
Железный мир опять заворожен.
На звучный пир в элизиум туманный
Торжественно уносится вагон.
Павлиний крик и рокот фортепьянный.
Я опоздал. Мне страшно. Это сон.

We are left with just kisses, shaggy as little bees which die as they fly from the hive.
They rustle in night's transparent virgin forest, their home is the dense forest of Taigetes, their food is time, lungwort, mint...
So take for joy my wild gift — an unpretentious dry necklace of dead bees which turned honey into sun.

A Concert at the Station
One can't breathe, and the firmament seethes with worms, and not one star speaks, but, God sees, there is music above us, the station quivers from the Aonids' singing and again, torn apart by locomotive whistles, the violin air is fused.
An enormous park. The station's glazed globe. The iron world is again spellbound. To a feast of sound, into a misty Elysium, the carriage solemnly departs. A peafowl's shriek and a piano's banging. I am late. I am afraid. It's a dream.

И я вхожу в стеклянный лес вокзала,
Скрипичный строй в смятеньи и слезах.
Ночного хора дикое начало
И запах роз в гниющих парниках,
Где под стеклянным небом ночевала
Родная тень в кочующих толпах.

И мнится мне: весь в музыке и пене
Железный мир так нищенски дрожит.
В стеклянные я упираюсь сени.
Куда же ты? На тризне милой тени
В последний раз нам музыка звучит.

1921

* **

Умывался ночью на дворе —
Твердь сияла грубыми звездами.
Звездный луч — как соль на топоре,
Стынет бочка с полными краями.

На замок закрыты ворота́,
И земля по совести сурова, —
Чище правды свежего холста
Вряд ли где отыщется основа.

And I enter the station's glazed forest, the violin ranks are in confusion and tears. The wild element of the night chorus, and the smell of roses in rotting hotbeds, where under a glass sky a familiar shade in nomadic crowds spent the night.

And I fancy: all music and foam, the iron world quivers so destitute. I rush for the glass entrance. Where are you off to? At a dear shade's wake music is sounding for us for the last time.

I was washing at night outside — the firmament's coarse stars shone. A star beam is like salt on an axe, the barrel full to the brim grows cold.

The gates are locked, and the earth is conscientiously harsh — a basis purer than truth's fresh canvas is unlikely to be found anywhere.

Тает в бочке, словно соль, звезда,
И вода студеная чернее,
Чище смерть, соленее беда,
И земля правдивей и страшнее.

1921

* * *

Я не знаю, с каких пор
Эта песенка началась —
Не по ней ли шуршит вор,
Комариный звенит князь?

Я хотел бы ни о чем
Еще раз поговорить,
Прошуршать спичкой, плечом
Растолкать ночь — разбудить.

Раскидать бы за стогом стог —
Шапку воздуха, что томит;
Распороть, разорвать мешок,
В котором тмин зашит.

Чтобы розовой крови связь,
Этих сухоньких трав звон,
Уворованная, нашлась
Через век, сеновал, сон.

1922

Like salt, the star melts in the barrel, and the chilled water is blacker, death is purer, disaster saltier, and the earth more just and frightening.

I don't know when this little song began — isn't it over the song that the thief rustles, the mosquito prince whines?

I'd like to talk about nothing once more, to strike a match, to jolt night with my shoulder, wake it up.

To fling off haystack after haystack — the hat of air which wearies me; to rip open, tear apart the sack in which the caraway is stitched.

So that the link of pink blood, the resonance of these dry grasses, once stolen, could be found after a life span, a hayloft, a dream.

Век

Век мой, зверь мой, кто сумеет
Заглянуть в твои зрачки
И своею кровью склеит
Двух столетий позвонки?
Кровь-строительница хлещет
Горлом из земных вещей,
Захребетник лишь трепещет
На пороге новых дней.

Тварь, покуда жизнь хватает,
Донести хребет должна,
И невидимым играет
Позвоночником волна.
Словно нежный хрящ ребенка
Век младенческий земли.
Снова в жертву, как ягненка,
Темя жизни принесли.

Чтобы вырвать век из плена,
Чтобы новый мир начать,
Узловатых дней колена
Нужно флейтою связать.
Это век волну колышет
Человеческой тоской,
И в траве гадюка дышит
Мерой века золотой.

The Age

My age, my beast, who will be able to look into your pupils and stick together with his blood two centuries' vertebrae? Blood the builder spurts from the throat of earthly things, the parasite only trembles on the threshold of new days.

A creature, while life lasts, must carry the backbone through, and a wave plays with the invisible spine. The infant age of the earth is like a child's tender cartilage. Again life's crown has been brought like a lamb for sacrifice.

To tear the age from captivity, to begin a new world, the knotty days' joints must be linked by a flute. It is the age which sways the wave with human anguish, and in the grass the viper breathes the age's golden measure.

И еще набухнут почки,
Брызнет зелени побег,
Но разбит твой позвоночник,
Мой прекрасный жалкий век!
И с бессмысленной улыбкой
Вспять глядишь, жесток и слаб,
Словно зверь, когда-то гибкий,
На следы своих же лап.

Кровь-строительница хлещет
Горлом из земных вещей
И горящей рыбой мещет
В берег теплый хрящ морей.
И с высокой сетки птичьей,
От лазурных влажных глыб
Льется, льется безразличье
На смертельный твой ушиб.

1922

Грифельная ода

> Мы только с голоса поймем,
> Что там царапалось, боролось...

Звезда с звездой — могучий стык,
Кремнистый путь из старой песни,
Кремня и воздуха язык,
Кремень с водой, с подковой перстень,
На мягком сланце облаков

And the buds will burst again, a shoot of green will spurt, but your spine is broken, my beautiful, pathetic age! And with a senseless smile you look back, cruel and weak, like a beast, once supple, at its own paws' traces.

Blood the builder spurts from the throat of earthly things and smashes the seas' tender cartilage like a burning fish against the shore. And from the high bird net, from the azure moist rocks, indifference pours and pours on your deadly trauma.

The Slate Ode

Only a voice will make us understand what was being scratched, what was struggling there... Star with star is a mighty conjunction, the flinty road from the old song, the language of flint and air, flint with water, the ring with the horseshoe, on the soft shale of the clouds

Молочный грифельный рисунок —
Не ученичество миров,
А бред овечьих полусонок.

Мы стоя спим в густой ночи
Под теплой шапкою овечьей.
Обратно в крепь родник журчит
Цепочкой, пеночкой и речью.
Здесь пишет страх, здесь пишет сдвиг
Свинцовой палочкой молочной,
Здесь созревает черновик
Учеников воды проточной.

Крутые козьи города,
Кремней могучее слоенье,
И все-таки еще гряда —
Овечьи церкви и селенья!
Им проповедует отвес,
Вода их учит, точит время —
И воздуха прозрачный лес
Уже давно пресыщен всеми.

Как мертвый шершень возле сот,
День пестрый выметен с позором,
И ночь-коршунница несет
Горящий мел и грифель кормит.
С иконоборческой доски
Стереть дневные впечатленья
И, как птенца, стряхнуть с руки
Уже прозрачные виденья!

is a milky slate drawing — not the worlds' apprenticeship, but ovine dozing's delirium.

We sleep standing in thick night under a warm sheepskin hat. The spring bubbles back to the timbering by chain, chiffchaff and speech. Here fear writes, here displacement writes with a leaden milky stick, here the draft of pupils of spring-fed water ripens.

Steep caprine towns, the might layering of flints, and yet another row — ovine churches and villages! The perpendicular preaches to them, water teaches them, time whittles away at them — and the air's transparent forest has long been sated by them all.

Like a dead hornet by the honeycombs, the garish day has been swept out in disgrace, and night the kite carries burning chalk and feeds the slate, to erase diurnal impressions from the iconoclastic board and to flick from its hand, like a fledgling, visions now transparent.

Плод нарывал. Зрел виноград.
День бушевал, как день бушует:
И в бабки нежная игра,
И в полдень злых овчарок шубы;
Как мусор с ледяных высот —
Изнанка образов зеленых —
Вода голодная течет,
Крутясь, играя, как звереныш.

И как паук ползет ко мне —
Где каждый стык луной обрызган,
На изумленной крутизне
Я слышу грифельные визги.
Ломаю ночь, горящий мел
Для твердой записи мгновенной,
Меняю шум на пенье стрел,
Меняю строй на стрепет гневный.

Кто я? Не каменщик прямой,
Не кровельщик, не корабельщик —
Двурушник я, с двойной душой,
Я ночи друг, я дня застрельщик.
Блажен, кто называл кремень
Учеником воды проточной!
Блажен, кто завязал ремень
Подошве гор на твердой почве!

The fruit festered. The grapes ripened. The day raged as a day rages: both a tender game of knucklebones, and the vicious sheepdogs' coats at noon; like rubbish from icy heights — the inner side of green images — the hungry water flows, twisting, playing like a young wild beast.

And as a spider crawls towards me — where every juncture is spattered by the moon, on the amazed steep slope I hear the screech of the slate. I break down night, burning chalk for the firm recording of the moment, I exchange the rustling for the singing of arrows, I exchange harmony for wrathful fluttering.

Who am I? Not a straight stonemason, not a roofer, not a shipwright — I am a double-dealer with a double soul, I am night's friend, I am day's trouble-shooter. Blessed is he who called flint the pupil of spring-fed water! Blessed is he who has tied the strap of the mountain's sole on firm soil!

И я теперь учу дневник
Царапин грифельного лета,
Кремня и воздуха язык,
С прослойкой тьмы, с прослойкой света,
И я хочу вложить персты
В кремнистый путь из старой песни,
Как в язву, заключая встык —
Кремень с водой, с подковой перстень.

1923

***

Колючая речь Араратской долины,
Дикая кошка — армянская речь,
Хищный язык городов глинобитных,
Речь голодающих кирпичей.

А близорукое шахское небо —
Слепорожденная бирюза —
Всё не прочтет пустотелую книгу
Черной кровью запекшихся глин.

Октябрь 1930

And now I study the diary of the slate summer's scratches, the language of flint and air, with a layer of darkness, a layer of light, and I want to insert my fingers into the flinty path from the old song, as into a sore, locking together flint and water, horseshoe and ring.

The Ararat valley's prickly speech, a wild cat — the Armenian speech, the predatory language of rammed-earth towns, the speech of famine-stricken bricks.
But the myopic Shah's sky — a turquoise blind from birth — will still not read the hollow book of clays that have congealed as black blood.

* * *

Я вернулся в мой город, знакомый до слез,
До прожилок, до детских припухлых желез.

Ты вернулся сюда — так глотай же скорей
Рыбий жир ленинградских речных фонарей,

Узнавай же скорее декабрьский денек,
Где к зловещему дегтю подмешан желток.

Петербург! я еще не хочу умирать:
У тебя телефонов моих номера.

Петербург! у меня еще есть адреса,
По которым найду мертвецов голоса.

Я на лестнице черной живу, и в висок
Ударяет мне вырванный с мясом звонок,

И всю ночь напролет жду гостей дорогих,
Шевеля кандалами цепочек дверных.

Декабрь 1930

I have come back to my city, familiar to the point of tears, of veins, of a child's swollen glands.
  You have come back here — so quickly swallow the cod-liver oil of Leningrad's river street lamps,
  Recognise quickly the December day, where yolk of egg is mixed with ominous tar.
  Petersburg, I still don't want to die: you have the numbers of my telephones.
  Petersburg, I still have addresses by which I shall find dead mens' voices.
  I live on a back staircase, and my temple is struck by a bell torn out with the plaster,
  And all night through, moving the leg-irons of the door-chains, I await dear guests.

* **

Жил Александр Герцович,
Еврейский музыкант, —
Он Шуберта наверчивал,
Как чистый бриллиант.

И всласть, с утра до вечера,
Затверженную вхруст,
Одну сонату вечную
Играл он наизусть...

Что, Александр Герцович,
На улице темно?
Брось, Александр Сердцевич,
Чего там! Всё равно!

Пускай там итальяночка,
Покуда снег хрустит,
На узеньких на саночках
За Шубертом летит —

Нам с музыкой-голубою
Не страшно умереть,
Там хоть вороньей шубою
На вешалке висеть...

Всё, Александр Герцович,
Заверчено давно,
Брось, Александр Скерцович,
Чего там! Всё равно!

27 марта 1931

There lived Alexander Herzovich, a Jewish musician, — he turned out Schubert like a pure diamond.

And to his heart's content, from morning to evening, he played by heart one eternal sonata, learnt to perfection...

Well, Alexander Herzovich, is it dark outside? Chuck it, Alexander Heartovich, what's in it! It doesn't matter!

Let the Italian girl, while the snow is crunchy, fly after Schubert on a narrow sleigh —

We aren't afraid of dying with darling music, even if we have to hang on the coat-hook like a crow-skin coat...

Alexander Herzovich, the wheel was set spinning long ago, chuck it Alexander Scherzovich, what's in it! It doesn't matter!

* **

За гремучую доблесть грядущих веков,
За высокое племя людей —
Я лишился и чаши на пире отцов,
И веселья, и чести своей.

Мне на плечи кидается век-волкодав,
Но не волк я по крови своей —
Запихай меня лучше, как шапку в рукав
Жаркой шубы сибирских степей...

Чтоб не видеть ни труса, ни хлипкой грязцы,
Ни кровавых костей в колесе;
Чтоб сияли всю ночь голубые песцы
Мне в своей первобытной красе, —

Уведи меня в ночь, где течет Енисей
И сосна до звезды достает,
Потому что не волк я по крови своей
И меня только равный убьет.

17–28 марта 1931

For future ages' roaring glory, for the noble human race I have forfeited a chalice at the fathers' feast and merriment and my honour.

The wolfhound-age hurls itself at my shoulders, but I am not a wolf by blood — better stuff me like a hat up the sleeve of the Siberian steppes' warm fur-coat...

So as to see neither the coward nor the clinging mud nor the bloody bones in the wheel; so that all night blue Arctic foxes should shine for me in their original beauty, —

Take me to the night where the Enisei flows and the pine reaches a star, because I am not a wolf by blood and only an equal can kill me.

* *
*

Нет, не спрятаться мне от великой муры
За извозчичью спину Москвы.
Я — трамвайная вишенка страшной поры
И не знаю, зачем я живу.

Мы с тобою поедем на «А» и на «Б»
Посмотреть, кто скорее умрет,
А она то сжимается, как воробей,
То растет, как воздушный пирог.

И едва успевает, грозит из угла —
«Ты как хочешь, а я не рискну!» —
У кого под перчаткой не хватит тепла,
Чтоб объехать всю курву-Москву.

Апрель 1931

* *
*

Сохрани мою речь за привкус несчастья и дыма,
За смолу кругового терпенья, за совестный деготь труда.
Как вода в новгородских колодцах должна быть черна и сладима,
Чтобы в ней к Рождеству отразилась семью плавниками звезда.

No, I can't hide from the great mess behind Moscow's cabby back. I am a tram route red bubble-sign from the terrible times, and I don't know why I live.

You and I will go by route 'A' and by 'B' to see who will die sooner, but Moscow shrinks like a sparrow or rises like a sponge cake.

And it barely has time, it threatens from a corner — 'Do as you like, I shan't risk it.' — who wouldn't have enough warmth under their glove enough to ride round all Moscow the whore.

Preserve my speech for its aftertaste of unhappiness and smoke, for the pitch of collective patience, for the conscientious tar of labour. Thus water in Novgorod wells has to be black and sweetened so that by Christmas a star's seven fins are reflected in it.

И за это, отец мой, мой друг и помощник мой грубый,
Я — непризнанный брат, отщепенец в народной семье —
Обещаю построить такие дремучие срубы,
Чтобы в них татарва опускала князей на бадье.

Лишь бы только любили меня эти мерзлые плахи —
Как, прицелясь насмёрть, городки зашибают в саду, —
Я за это всю жизнь прохожу хоть в железной рубахе
И для казни петровской в лесах топорище найду.

3 мая 1931

Ламарк

Был старик, застенчивый, как мальчик,
Неуклюжий, робкий патриарх...
Кто за честь природы фехтовальщик?
Ну конечно, пламенный Ламарк.

Если всё живое лишь помарка
За короткий выморочный день,
На подвижной лестнице Ламарка
Я займу последнюю ступень.

К кольчецам спущусь и к усоногим,
Прошуршав средь ящериц и змей,

And for that, my father, my friend and rough helper, I, an unrecognised brother, a black sheep in the people's family, promise to make such rough-wood well-timbers for the Tatars to lower princes down them in a bucket.

As long as these frozen executioner's blocks loved me — as, aiming to kill, they knock down skittles in an alley, — for that I'll spend all my life even in an iron shirt and will find a big axe in the forests for a Petrine execution.

Lamarck

There was an old man as shy as a boy, an awkward timid patriarch... Who is the swordsman fighting for nature's honour? Well, of course, fiery Lamarck.

If all living things are just a daub for a short escheated day, I shall occupy the last rung on Lamarck's moving staircase.

I shall sink to the annelids and to the ciliapods, rustling through the lizards and snakes,

По упругим сходням, по излогам
Сокращусь, исчезну, как Протей.

Роговую мантию надену,
От горячей крови откажусь,
Обрасту присосками и в пену
Океана завитком вопьюсь.

Мы прошли разряды насекомых
С наливными рюмочками глаз,
Он сказал: природа вся в разломах,
Зренья нет — ты зришь в последний раз.

Он сказал: довольно полнозвучья,
Ты напрасно Моцарта любил,
Наступает глухота паучья,
Здесь провал сильнее наших сил.

И от нас природа отступила
Так, как будто мы ей не нужны,
И продольный мозг она вложила,
Словно шпагу, в темные ножны.

И подъемный мост она забыла,
Опоздала опустить для тех,
У кого зеленая могила,
Красное дыханье, гибкий смех...

7–9 мая 1932

down taut gangways, over sea trenches I shall diminish, vanish like Proteus.

I shall put on a horny mantle, I shall forgo warm blood, I shall grow suckers and will sink into the ocean's foam with a tendril.

We have passed the classes of insects with eyes like juicy wine-glasses. He said: nature is all in fractures, there is no vision — you see for the last time.

He said: enough full harmony, you needn't have loved Mozart, arachnid deafness is coming, here the gap is stronger than our strength.

And nature has withdrawn from us as if it doesn't need us, and it has put the dolichocephalic brain like a rapier into a dark sheath.

And it has forgotten the drawbridge, left it too late to lower for those who have a green grave, red breath, pliant laughter...

К немецкой речи

Б. С. Кузину

Себя губя, себе противореча,
Как моль летит на огонек полночный,
Мне хочется уйти из нашей речи
За всё, чем я обязан ей бессрочно.

Есть между нами похвала без лести
И дружба есть в упор, без фарисейства,
Поучимся ж серьезности и чести
На Западе у чуждого семейства.

Поэзия, тебе полезны грозы!
Я вспоминаю немца-офицера:
И за эфес его цеплялись розы,
И на губах его была Церера.

Еще во Франкфурте отцы зевали,
Еще о Гёте не было известий,
Слагались гимны, кони гарцевали
И, словно буквы, прыгали на месте.

Скажите мне, друзья, в какой Валгалле
Мы вместе с вами щелкали орехи,
Какой свободой вы располагали,
Какие вы поставили мне вехи?

To the German Language   *For B. S. Kuzin*

Destroying myself, contradicting myself, as a moth flies to a midnight light, I want to leave our language, for all that I am obliged to it without time-limit.

There is among us praise without flattery and point-blank friendship, without cant, let us learn some seriousness and honour from an alien family in the West.

Poetry, thunderstorms are good for you! I recall a German officer: roses caught on his sword hilt and Ceres was on his lips.

The fathers still yawned in Frankfurt, there was still no news of Goethe, hymns were composed, horses pranced and, like letters, leapt without moving.

Tell me friends, in what Valhalla did you and I crack nuts, what freedom did you enjoy, what landmarks did you set me?

И прямо со страницы альманаха,
От новизны его первостатейной,
Сбегали в гроб — ступеньками, без страха,
Как в погребок за кружкой мозельвейна.

Чужая речь мне будет оболочкой,
И много прежде, чем я смел родиться,
Я буквой был, был виноградной строчкой,
Я книгой был, которая вам снится.

Когда я спал без облика и склада,
Я дружбой был, как выстрелом, разбужен.
Бог Нахтигаль, дай мне судьбу Пилада
Иль вырви мне язык — он мне не нужен.

Бог Нахтигаль, меня еще вербуют
Для новых чум, для семилетних боен.
Звук сузился. Слова шипят, бунтуют,
Но ты живешь, и я с тобой спокоен.

8–12 августа 1932

* * *

Друг Ариоста, друг Петрарки, Тасса друг —
Язык бессмысленный, язык солено-сладкий
И звуков стакнутых прелестные двойчатки...
Боюсь раскрыть ножом двустворчатый жемчуг!

Май 1933; август 1935

And straight off the almanac's pages, from its first-rate novelty, they ran to the coffin, down steps, without fear, as to a cellar for a jug of Mosel wine.

An alien speech will be a membrane for me, and long before I dared to be born I was a letter, I was a line of grape flesh, I was a book which you dream of.

When I slept without form or shape I was awoken by friendship, as by a shot. God Nachtigall, give me Pylades' fate or tear out my tongue, I don't need it.

God Nachtigall, I am still being recruited for new plagues, for seven-year slaughters. Sound has narrowed. Words hiss, rebel, but you live and I am at peace with you.

Ariosto's, Petrarch's, Tasso's friend — senseless, salty-sweet language and charming twins of consonant sounds... I am afraid to open the bivalve pearl with a knife.

* *
*

Мы живем, под собою не чуя страны,
Наши речи за десять шагов не слышны,
А где хватит на полразговорца,
Там припомнят кремлевского горца.
Его толстые пальцы, как черви, жирны,
И слова, как пудовые гири, верны,
Тараканьи смеются усища
И сияют его голенища.

А вокруг него сброд тонкошеих вождей,
Он играет услугами полулюдей.
Кто свистит, кто мяучит, кто хнычет,
Он один лишь бабачит и тычет,
Как подкову, дарит за указом указ:
Кому в пах, кому в лоб, кому в бровь, кому в глаз.

Что ни казнь у него — то малина,
И широкая грудь осетина.

Ноябрь 1933

We live without sensing the country beneath us, our words are inaudible at ten paces, and where there is room for half a chat, the Kremlin highlander is kept in mind. His fat fingers are as greasy as worms, and his words are as true as forty-pound weights, the cockroach moustaches laugh and the calves of his boots shine.

And around him is a gang of thin-necked leaders, he plays with the services of half-humans. Some whistle, some miaow, some whimper, he alone natters and pokes, he issues decree after decree like a horseshoe: they hit some in the groin, some in the eyebrow, some in the eye. Any execution is a fun for him, and the Ossetian's broad chest.

Восьмистишия

1

Люблю появление ткани,
Когда после двух или трех,
А то — четырех задыханий
Придет выпрямительный вздох.

И дугами парусных гонок
Зеленые формы чертя,
Играет пространство спросонок —
Не знавшее люльки дитя.

3

О, бабочка, о, мусульманка,
В разрезанном саване вся —
Жизняночка и умиранка,
Такая большая — сия!

С большими усами кусава
Ушла с головою в бурнус.
О флагом развернутый саван,
Сложи свои крылья — боюсь!

Eight-line Poems
1. I love the appearance of tissue, when after two or three or even four deep breaths the straightening sigh comes.
   And drawing green forms with the arcs of racing sails, space plays while barely awake, a child that has known no cradle.

3. O butterfly, o Muslim woman, all in a slit shroud, creature of life and of death, such a big one is this!
   With its big whiskers the biter has buried its head in its burnous. O shroud, unfolded as a flag, fold your wings — I am afraid.

4

Шестого чувства крошечный придаток
Иль ящерицы теменной глазок,
Монастыри улиток и створчаток,
Мерцающих ресничек говорок.

Недостижимое, как это близко:
Ни развязать нельзя, ни посмотреть,
Как будто в руку вложена записка —
И на нее немедленно ответь...

5

Преодолев затверженность природы,
Голуботвердый глаз проник в ее закон:
В земной коре юродствуют породы
И, как руда, из груди рвется стон.

И тянется глухой недоразвиток
Как бы дорогой, согнутою в рог, —
Понять пространства внутренний избыток,
И лепестка, и купола залог.

4. The tiny appendage of the sixth sense, or the lizard's pineal eye, monasteries of snails and molluscs, the hum of conversation of flashing eyelashes.

The unattainable, how close it is: you can't undo it or look, as if a note were thrust in your hand and you had to reply to it immediately...

5. Overcoming nature's rote-learning, the blue-firmament eye has penetrated its law: the rock strata run wild in the earth's crust and, as ore, a groan bursts from its chest.

And the deaf backward creature drags along, as it were, a road twisted into a spiral, — to understand space's inner excess, and the pledge of the petal and the dome.

6

Когда, уничтожив набросок,
Ты держишь прилежно в уме
Период без тягостных сносок,
Единый во внутренней тьме,

И он лишь на собственной тяге,
Зажмурившись, держится сам,
Он так же отнесся к бумаге,
Как купол к пустым небесам.

7

И Шуберт на воде, и Моцарт в птичьем гаме,
И Гёте, свищущий на вьющейся тропе,
И Гамлет, мысливший пугливыми шагами,
Считали пульс толпы и верили толпе.

Быть может, прежде губ уже родился шепот,
И в бездревесности кружилися листы,
И те, кому мы посвящаем опыт,
До опыта приобрели черты.

---

6. When, destroying a draft, you diligently keep in mind the sentence with no wearisome references, unique in the inner darkness,
    And just by its own weight it maintains itself, its eyes narrowed, it has the same relation to the paper as a dome to the empty skies.

7. Schubert on the water and Mozart in the bird song and Goethe whistling on the winding path and Hamlet, thinking in timid steps, took the crowd's pulse and trusted the crowd.
    Perhaps before the lips the whispering was already born, and leaves swirled in treelessness, and those to whom we consecrate our experience have acquired features before the experience.

8

И клена зубчатая лапа
Купается в круглых углах,
И можно из бабочек крапа
Рисунки слагать на стенах.

Бывают мечети живые —
И я догадался сейчас:
Быть может, мы — Айя-София
С бесчисленным множеством глаз.

9

Скажи мне, чертежник пустыни,
Арабских песков геометр,
Ужели безудержность линий
Сильнее, чем дующий ветр?

— Меня не касается трепет
Его иудейских забот —
Он опыт из лепета лепит
И лепет из опыта пьет.

8. And the maple's indented paw bathes in round angles, and you can compose drawings on the walls from a butterfly's spots.

  There are living mosques — and I have just realised: perhaps we are an Aya Sofia with an innumerable quantity of eyes.

9. Tell me, draughtsman of the desert, surveyor of Arabian sand, is the impetus of lines stronger than the blowing wind?

  — I am not concerned by the quivering of his Judaic concerns: he moulds experience from mumbling and drinks mumbling from experience.

10

В игольчатых чумных бокалах
Мы пьем наважденье причин,
Касаемся крючьями малых,
Как легкая смерть, величин.

И там, где сцепились бирюльки,
Ребенок молчанье хранит —
Большая вселенная в люльке
У маленькой вечности спит.

11

И я выхожу из пространства
В запущенный сад величин
И мнимое рву постоянство
И самосогласье причин.

И твой, бесконечность, учебник
Читаю один, без людей —
Безлиственный, дикий лечебник,
Задачник огромных корней.

1933–1935

10. In needle-like infected wine glasses we drink a delusion of reasons, we touch small magnitudes, like easy death, with hooks.

And where the spillikins get snagged, the child keeps silent — a big universe sleeps in the cradle of small eternity.

11. And I leave space for the neglected garden of magnitudes, and I tear the imagined constancy and self-concordance of reasons.

And I read, infinity, your textbook alone, without people — a leafless wild medicine book, a maths book of enormous roots.

Чернозем

Переуважена, перечерна, вся в холе,
Вся в холках маленьких, вся воздух и призор,
Вся рассыпаючись, вся образуя хор, —
Комочки влажные моей земли и воли...

В дни ранней пахоты черна до синевы,
И безоружная в ней зиждется работа —
Тысячехолмие распаханной молвы:
Знать, безокружное в окружности есть что-то.

И все-таки земля — проруха и обух.
Не умолить ее, как в ноги ей ни бухай, —
Гниющей флейтою настраживает слух,
Кларнетом утренним зазябливает ухо...

Как на лемех приятен жирный пласт,
Как степь лежит в апрельском провороте!
Ну, здравствуй, чернозем: будь мужествен, глазаст...
Черноречивое молчание в работе.

Апрель 1935

Black Earth

[*Land*] over-respected, over-black, all well tended, all little withers, all air and nurture, all crumbling, all forming a choir, — moist clods of my land and freedom.

On days of early ploughing black to the point of blueness, and defenceless work is built in it — the thousand hills of ploughed up rumour: so there is something uncircular in the circularity.

And yet the earth is a blunder and a butt. You cannot beseech it, however much you bow down to its feet, — it alerts your hearing like a rotting flute, it winter-ploughs the ear like a morning clarinet...

How pleasant is the greasy layer striking the ploughshare, how the steppe lies in the April churning! Well, greetings, black earth: be manly, quick-sighted... Black-loquent silence in work.

Рождение улыбки

Когда заулыбается дитя
С развилинкой и горечи, и сласти,
Концы его улыбки не шутя
Уходят в океанское безвластье.

Ему непобедимо хорошо:
Углами губ оно играет в славе —
И радужный уже строчится шов
Для бесконечного познанья яви.

На лапы из воды поднялся материк —
Улитки рта наплыв и приближенье —
И бьет в глаза один атлантов миг
Под легкий наигрыш хвалы и удивленья.

8 декабря 1936 –17 января 1937

* * *

Внутри горы бездействует кумир
В покоях бережных, безбрежных и счастливых,
А с шеи каплет ожерелий жир,
Оберегая сна приливы и отливы.

Когда он мальчик был и с ним играл павлин,
Его индийской радугой кормили,

The Birth of a Smile
When a child starts to smile with a bifurcation of bitterness and sweetness, the ends of his smile, not joking, go off to the ocean's powerlessness.

He feels invincibly good: he plays with the corners of his lips in glory — and now a rainbow seam is stitched for infinite knowledge of reality.

The continent has risen up from the water onto its paws — the looming and approach of the mouth's helix — and just one Atlantis moment strikes the eyes to a light folk-tune of praise and amazement.

Inside a mountain an idol is inert in thrifty, unbounded and happy chambers, but from his neck drips the fat of necklaces, guarding the ebb and flow of sleep.

When he was a boy and a peacock played with him, he was fed on an Indian rainbow,

Давали молока из розоватых глин
И не жалели кошенили.

Кость усыпленная завязана узлом,
Очеловечены колени, руки, плечи.
Он улыбается своим тишайшим ртом,
Он мыслит костию и чувствует челом
И вспомнить силится свой облик человечий...

10–26 декабря 1936

* * *

Дрожжи мира дорогие:
Звуки, слезы и труды —
Ударенья дождевые
Закипающей беды,
И потери звуковые
Из какой вернуть руды?

В нищей памяти впервые
Чуешь вмятины слепые,
Медной полные воды, —
И идешь за ними следом,
Сам себе немил, неведом —
И слепой, и поводырь...

12–18 января 1937

he was given milk from pinkish clays and the cochineal was not spared.

The anaesthetized bones are tied in a knot, the knees, arms, shoulders are humanised. He smiles with his very quiet mouth, he thinks in bone and feels with his brow and struggles to remember his human shape...

The world's dear yeast: sounds, tears and labours — raindrop beats of disaster coming to the boil, and losses of sound: from what ore are they to be retrieved?

For the first time in destitute memory you sense blind dents, full of copper water, — and you follow them, unlovable, unknown to yourself — both the blind man and the guide.

* * *

Что делать нам с убитостью равнин,
С протяжным голодом их чуда?
Ведь то, что мы открытостью в них мним,
Мы сами видим, засыпая, зрим —
И всё растет вопрос: куда они, откуда,
И не ползет ли медленно по ним
Тот, о котором мы во сне кричим, —
Пространств несозданных Иуда?

16 января 1937

* * *

Где связанный и пригвожденный стон?
Где Прометей — скалы подспорье и пособье?
А коршун где — и желтоглазый гон
Его когтей, летящих исподлобья?

Тому не быть — трагедий не вернуть,
Но эти наступающие губы —
Но эти губы вводят прямо в суть
Эсхила-грузчика, Софокла-лесоруба.

Он эхо и привет, он веха, — нет, лемех...
Воздушно-каменный театр времен растущих
Встал на ноги, и все хотят увидеть всех —
Рожденных, гибельных и смерти не имущих.

19 января—4 февраля 1937

What are we to do with the deadness of the plains, with the protracted hunger of their miracle? For what we think to be openness in them, we see ourselves and, as we fall asleep, perceive — and the question keeps growing: where are they going, from where are they coming, and is not the figure crawling slowly over them he about whom we shout in our sleep, the Judas of uncreated spaces?

Where is the bound and nailed groan? Where is Prometheus — the rock's support and help? And where is the kite — and the yellow-eyed rut of his claws, flying menacingly?
This shall not be — tragedies cannot be retrieved, but these coming lips — but these lips lead straight into the essence of Aeschylus the docker, Sophocles the lumberjack.
It is echo and welcome, it is landmark, — no, ploughshare... Growing times' aerial-stone theatre is on its feet, and all want to see all — born, doomed and having no death.

* * *

Пою, когда гортань сыра, душа — суха,
И в меру влажен взор, и не хитрит сознанье:
Здорово ли вино? Здоровы ли меха?
Здорово ли в крови Колхиды колыханье?
И грудь стесняется, без языка — тиха:
Уже не я пою — поет мое дыханье,
И в горных ножнах слух, и голова глуха...

Песнь бескорыстная — сама себе хвала:
Утеха для друзей и для врагов — смола.

Песнь одноглазая, растущая из мха, —
Одноголосый дар охотничьего быта,
Которую поют верхом и на верхах,
Держа дыханье вольно и открыто,
Заботясь лишь о том, чтоб честно и сердито
На свадьбу молодых доставить без греха...

8 февраля 1937

* * *

Вооруженный зреньем узких ос,
Сосущих ось земную, ось земную,
Я чую всё, с чем свидеться пришлось,
И вспоминаю наизусть и всуе...

I sing when the throat is wet, the soul is dry and the gaze is properly moist and the mind is not devious: is wine healthy? Are wineskins healthy? Is Colchis rippling in the blood healthy? And the breast is taut, without tongue, quiet: it is not me singing now — my breath sings, and hearing is in a mountain sheath, and the head is deaf.

A disinterested song is its own praise: amusement for friends and pitch for enemies.

A one-eyed song, growing from moss, — a one-voiced gift of hunter's way of life, a song sung on horseback and in high voices, holding breath freely and openly, concerned only to deliver the couple honestly and angrily without sin to their wedding...

Armed with the vision of narrow wasps, sucking the earth's axis, the earth's axis, I sense everything I have had to encounter and recall by heart and in vain...

И не рисую я, и не пою,
И не вожу смычком черноголосым:
Я только в жизнь впиваюсь и люблю
Завидовать могучим, хитрым осам.

О, если б и меня когда-нибудь могло
Заставить, сон и смерть минуя,
Стрекало воздуха и летнее тепло
Услышать ось земную, ось земную...

8 февраля 1937

* * *

Я в львиный ров и крепость погружен
И опускаюсь ниже, ниже, ниже
Под этих звуков ливень дрожжевой —
Сильнее льва, мощнее Пятикнижья.

Как близко, близко твой подходит зов —
До заповедей рода, и в первины —
Океанийских низка жемчугов
И таитянок кроткие корзины...

Карающего пенья материк,
Густого голоса низинами надвинься!
Богатых дочерей дикарско-сладкий лик
Не стоит твоего — праматери — мизинца.

And I do not draw, and do not sing, and do not wield a black-voiced bow: I only claw into life and love to envy the mighty cunning wasps.

O if I too could some day be compelled, missing sleep and death, by the air's goad and the summer warmth to hear the earth's axis, the earth's axis...

I have been plunged into the lion's den and fortress and I sink lower, lower, lower to the yeast shower of these sounds — stronger than a lion, mightier than the Pentateuch.

How near, how near your call approaches — to the race's commandments, and into first things — a threading of oceanic pearls and the meek baskets of Tahitian girls...

Continent of punitive singing, move up with the thick voice's lowlands! The savage-sweet face of rich daughters is not worth your little finger, ancestral mother.

Не ограничена еще моя пора:
И я сопровождал восторг вселенский,
Как вполголосная органная игра
Сопровождает голос женский.

12 февраля 1937

Стихи о неизвестном солдате

1

Этот воздух пусть будет свидетелем,
Дальнобойное сердце его,
И в землянках, всеядный и деятельный,
Океан без окна — вещество.

До чего эти звезды изветливы!
Всё им нужно глядеть — для чего? —
В осужденье судьи и свидетеля,
В океан без окна, вещество...

Помнит дождь, неприветливый сеятель,
Безымянная манна его,
Как лесистые крестики метили
Океан или клин боевой.

Будут люди, холодные, хилые
Убивать, холодать, голодать —
И в своей знаменитой могиле
Неизвестный положен солдат.

My time is not yet limited: I too have accompanied the universal delight, as a muted organ playing accompanies a woman's voice.

Verses on the Unknown Soldier
1. Let this air be a witness, his long-range heart, and in the dug-outs, omnivorous and active, the ocean minus a window — matter.

How inquisitive these stars are! They have to look at everything — for what? — In condemnation of judge and witness, at the ocean minus a window, matter.

The rain, a surly sower, his nameless manna, remembers forest-like crosses marking an ocean or a fighting salient.

People, cold, frail, will kill, go cold and hungry — and in his famous grave an unknown soldier has been placed.

Научи меня, ласточка хилая,
Разучившаяся летать,
Как мне с этой воздушной могилой
Без руля и крыла совладать.

И за Лермонтова Михаила
Я отдам тебе строгий отчет,
Как горбатого учит могила
И воздушная яма влечет.

2

Шевелящимися виноградинами
Угрожают нам эти миры,
И висят городами украденными,
Золотыми обмолвками, ябедами,
Ядовитого холода ягодами
Растяжимых созвездий шатры —
Золотые созвездий жиры...

3

Аравийское месиво, крошево,
Свет размолотых в луч скоростей,
И своими косыми подошвами
Луч стоит на сетчатке моей.

Teach me, frail swallow which has forgotten how to fly, how to cope with this air grave without helm or wing.

And for Lermontov, Mikhail I shall give you a strict account, how the grave straightens the humpback and the air pit draws one on.

2. Like moving grapes these worlds threaten us and hang as stolen towns, golden slips of the tongue, denunciations, berries of poisonous cold, tents of expandable constellations — golden oil slicks of constellations...

3. An Arabian mash, a hash, the light of velocities ground into a beam, and the beam with its crooked soles stands on my retina.

Миллионы убитых задешево
Протоптали тропу в пустоте —
Доброй ночи, всего им хорошего
От лица земляных крепостей.

Неподкупное небо окопное,
Небо крупных оптовых смертей —
За тобой, от тебя, целокупное,
Я губами несусь в темноте —

За воронки, за насыпи, осыпи,
По которым он медлил и мглил, —
Развороченных — пасмурный, оспенный
И придымленный гений могил.

4

Хорошо умирает пехота,
И поет хорошо хор ночной
Над улыбкой приплюснутой Швейка,
И над птичьим копьем Дон-Кихота,
И над рыцарской птичьей плюсной.
И дружи́т с человеком калека —
Им обоим найдется работа,
И стучит по околицам века
Костылей деревянных семейка —
Эй, товарищество, — шар земной!

Millions of men killed on the cheap have trampled the path in emptiness — good
night, all the best to them on behalf of the earthwork fortifications.

The incorruptible trench sky, the sky of major wholesale deaths — following you,
away from you, the wholeness, I rush with my lips in the darkness —

Past the craters, the embankments, the screes over which he dawdled and misted, —
the gloomy, poxy and smoked genius of the graves that have been churned up.

4. The infantry dies well and the night chorus sings well over Švejk's squashed up smile
and over Don Quixote's birdlike lance, and over the knight's birdlike metatarsus. And
the cripple makes friends with man — and for both work will be found, and over the
outskirts of the century bangs the family of wooden crutches — hey, comradeship — the
globe!

5

Для того ль должен череп развиться
Во весь лоб — от виска до виска,
Чтоб в его дорогие глазницы
Не могли не вливаться войска?
Развивается череп от жизни
Во весь лоб — от виска до виска,
Чистотой своих швов он дразнит себя,
Понимающим куполом яснится,
Мыслью пенится, сам себе снится —
Чаша чаш и отчизна отчизне —
Звездным рубчиком шитый чепец —
Чепчик счастья — Шекспира отец...

6

Ясность ясеневая, зоркость яворовая
Чуть-чуть красная мчится в свой дом,
Как бы обмороками затоваривая
Оба неба с их тусклым огнем.

Нам союзно лишь то, что избыточно,
Впереди не провал, а промер,
И бороться за воздух прожиточный —
Эта слава другим не в пример.

5. Must the skull develop the width of the forehead, from temple to temple, so that into its precious eye socket troops could not fail to pour? The skull develops from life the width of the forehead, from temple to temple, it teases itself with the purity of its seams, it shines clear as an understanding dome, it foams with thought, it dreams of itself — a chalice of chalices and a fatherland for the fatherland — a bonnet stitched with starry ribbing — a bonnet of happiness, Shakespeare's father.

6. The clarity of the ash tree, the sharp sight of the sycamore, faintly red rushes to its home, as if glutting with swoons both skies with their dim fire.
   Only what is superfluous has affinity to us, ahead is not a gap, but a sounding, and to fight for the air to survive on is a glory none other can compare with.

И сознанье свое затоваривая
Полуобморочным бытием,
Я ль без выбора пью это варево,
Свою голову ем под огнем?

Для чего же заготовлена тара
Обаянья в пространстве пустом,
Если белые звезды обратно
Чуть-чуть красные мчатся в свой дом?

Чуешь, мачеха звездного табора,
Ночь, — что будет сейчас и потом?

7

Напрягаются кровью аорты,
И звучит по рядам шепотком:
— Я рожден в девяносто четвертом...
— Я рожден в девяносто втором...
И, в кулак зажимая истертый
Год рожденья, с гурьбой и гуртом
Я шепчу обескровленным ртом:
— Я рожден в ночь с второго на третье
Января в девяносто одном
Ненадежном году, и столетья
Окружают меня огнем.

2 марта 1937–1938

And glutting my mind with a half-swooning state, do I drink this concoction without choice, do I eat my head under fire?

For what then has a packaging of enchantment been prepared in empty space, if white stars rush back, faintly red, to their home?

Do you sense, the starry camp's stepmother, the night which will come now and later?

7. Aortas tense with blood and a little whisper runs through the ranks: 'I was born in ninety four...' 'I was born in ninety two...' And clenching in my fist a worn-out date of birth, with the rest of the crowd I whisper with a blood-drained mouth: 'I was born on the night of the second and third of January in ninety-one, an unreliable year, and the centuries surround me with fire.

* **

Заблудился я в небе — что делать?
Тот, кому оно близко, — ответь! —
Легче было вам, Дантовых девять
Атлетических дисков, звенеть,
Задыхаться, чернеть, голубеть...

Если я не вчерашний, не зряшный —
Ты, который стоишь надо мной, —
Если ты виночерпий и чашник,
Дай мне силу без пены пустой
Выпить здравье кружащейся башни
Рукопашной лазури шальной...

Голубятни, черно́ты, скворешни,
Самых синих теней образцы —
Лед весенний, лед высший, лед вешний,
Облака — обаянья борцы, —
Тише: тучу ведут под уздцы!

9–19 марта 1937

* **

Флейты греческой тэта и йота —
Словно ей не хватало молвы, —
Неизваянная, без отчета,
Зрела, маялась, шла через рвы...

I got lost in the sky — what can be done? Whoever it is near to, answer! It was easier for you, Dante's nine athletic discs, to ring out, to pant, to go black, to go blue...

If I am not yesterday's, not pointless — you, who stand over me, if you are the wine-pourer and chalice-bearer, give me strength to drink without empty foam the swirling tower's toast to the wild azure's hand-to-hand fighting...

Dovecotes, blacknesses, starling cots, models of the bluest shades — primavernal ice, lofty ice, spring ice, clouds are fighters of enchantment, — be quiet, a rain-cloud is being led by the bridle!

The Greek flute's theta and iota — as if lacked a language — unsculpted, without account, ripened, weakened, crossed ditches...

И ее невозможно покинуть,
Стиснув зубы, ее не унять,
И в слова языком не продвинуть,
И губами ее не разнять...

А флейтист не узнает покоя:
Ему кажется, что он один,
Что когда-то он море родное
Из сиреневых вылепил глин...

Звонким шепотом честолюбивых,
Вспоминающих шепотом губ
Он торопится быть бережливым,
Емлет звуки — опрятен и скуп...

Вслед за ним мы его не повторим,
Комья глины в ладонях моря,
И когда я наполнился морем —
Мором стала мне мера моя...

И свои-то мне губы не любы —
И убийство на том же корню —
И невольно на убыль, на убыль
Равнодействие флейты клоню...

7 апреля 1937

And it can't be abandoned, it can't be diminished by clenching the teeth, and it can't be transmuted by the tongue into words, and it can't be taken apart by the lips...

But the flautist will not know peace: he thinks that he is alone, that once he moulded his own sea from lilac clays...

With an ambitious resonant whisper, with a recollecting whisper of lips he hastens to be thrifty, he catches sounds, is tidy and mean...

After him we shall not repeat him by working to death the lumps of clay in our hands, and when I was filled with the sea, my measure became my disease...

And my own lips are unpleasing to me — and murder on the same stem — and involuntarily I incline the flute's balance to decline, to decline...

* * *

I

К пустой земле невольно припадая,
Неравномерной сладкою походкой
Она идет — чуть-чуть опережая
Подругу быструю и юношу-погодка.
Ее влечет стесненная свобода
Одушевляющего недостатка,
И, может статься, ясная догадка
В ее походке хочет задержаться —
О том, что эта вешняя погода
Для нас — праматерь гробового свода,
И это будет вечно начинаться.

II

Есть женщины, сырой земле родные,
И каждый шаг их — гулкое рыданье,
Сопровождать воскресших и впервые
Приветствовать умерших — их призванье.
И ласки требовать у них преступно,
И расставаться с ними непосильно.
Сегодня — ангел, завтра — червь могильный,
А послезавтра — только очертанье...
Что было — поступь — станет недоступно...
Цветы бессмертны. Небо целокупно.
И всё, что будет, — только обещанье.

4 мая 1937

I. Involuntarily leaning towards the empty earth, with an uneven sweet gait she walks — just ahead of her quick friend and a young man within a year of her age. She is drawn by restricted freedom of an animating defect and, it could be, a clear intuition wants to linger in her gait — an intuition that this spring weather is for us the ancestral mother of the entrance to the grave and this will eternally begin.

II. There are women with affinity to the raw earth and their every step is loud sobbing, to accompany the resurrected and to be the first to welcome those who have died is their vocation. And to demand caresses from them is criminal and to part from them is unbearable. Today an angel, tomorrow a worm in the grave, and after tomorrow only an outline... What was — the gait — will become unattainable... Flowers are immortal. The sky is total and entire. And everything that will be is only a promise.

ИГОРЬ ГЕРАСИМОВИЧ ТЕРЕНТЬЕВ
IGOR GERASIMOVICH TERENTIEV

* * *

В зАхолУстНом осТолбѣ
ВоРоТа раСкрываЮт саТы изУмлеНия
ПониМаю: сНАчаЛа пРоглоТиТь нуЖно
ЦѣлЫй уТюг
А раньше Ара, Ару, УрА... ра
Не взДрагивай кУрочкА
На рУкАх под купОлом и ШпиЛем
ПроКаЧаЮ
Ясли УснУ даЖе
сАМа
пОлеЖишЬ
пО возДуху
кАк мУХа
На сТихоТвоРенІи
мІРа

ЧеремУха ❗❗

1919

In a backwoods dumbfound gates open up gartens of amazement I understand: first one has to swallow a whole clothes-iron but before Ara, Aru, Hurrah... ra Don't shake little chicken in the hands under the dome and spire I shall give the manger a swing I shall even go to sleep you yourself will lie in the air like a fly on the poem of the world **Bird-cherry!**

Из цикла «17 ерундовых орудий»

1

ЧУЖОЕ пальто украсть
и сдѣлать из него
сЕРДцебІение илИ
БезприЧинный СМѢХЪ
эТО вполнѣ одиНаковО
За примѣрАми хОдИ далеко
в брюКах С чуЖоГо
плечА
           зДАневич
обЛако В штанаХ
      маЯковскІй
      В перекинутоМ палЬто
ДуШѢ поЭт
           больШАКОв
в коСТюмѣ покроЯ шокинг
           крученыХ
непромокаемЫе штаны дружбы
           тЕрЕнтьЕв

1919

From '17 Rubbishy Instruments'
1. To steal someone else's overcoat and make out of it a beating heart or pointless
laughter is completely the same. Go a long way to get examples in britches from
someone else's shoulder Zdanevich A Cloud in Trousers Maiakovskii In an overcoat
over the shoulders a poet for the soul Bolshakov in a suit with of a shocking cut
Kruchionykh waterproof trousers of friendship Terentiev

МАРИНА ИВАНОВНА ЦВЕТАЕВА
MARINA IVANOVNA TSVETAEVA

* * *

Мне нравится, что Вы больны не мной,
Мне нравится, что я больна не Вами,
Что никогда тяжелый шар земной
Не уплывет под нашими ногами.
Мне нравится, что можно быть смешной —
Распущенной — и не играть словами,
И не краснеть удушливой волной,
Слегка соприкоснувшись рукавами.

Мне нравится еще, что Вы при мне
Спокойно обнимаете другую,
Не прочите мне в адовом огне
Гореть за то, что я не Вас целую.
Что имя нежное мое, мой нежный, не
Упоминаете ни днем ни ночью — всуе...
Что никогда в церковной тишине
Не пропоют над нами: аллилуйя!

Спасибо Вам и сердцем и рукой
За то, что Вы меня — не зная сами! —
Так любите: за мой ночной покой,
За редкость встреч закатными часами,
За наши не-гулянья под луной,

I'm pleased that you are crazy about someone other than me, I'm pleased that I am crazy about someone other than you, that the heavy earth's globe will never drift away from under our feet. I am pleased that I can be ridiculous, undisciplined and not play with words and not blush at the suffocating wave when our sleeves just brush each other.

I'm also pleased that when I'm there you calmly kiss another woman and don't forecast that I shall burn in hell's fire for kissing someone other than you. That my tender name, my tender man, you do not take in vain by day or by night... That never in the silence of the church will 'Hallelujah' be sung over us.

Thank you with my heart and hand for loving me, unwittingly! thus: for my peace at night, for the rarity of meetings at the sunset hours, for our non-strolls under the moon,

За солнце не у нас над головами,
За то, что Вы больны — увы! — не мной,
За то, что я больна — увы! — не Вами.

3 мая 1915

***

Из строгого, стройного храма
Ты вышла на визг площадей...
— Свобода! — Прекрасная Дама
Маркизов и русских князей.

Свершается страшная спевка, —
Обедня еще впереди!
— Свобода! — Гулящая девка
На шалой солдатской груди!

26 мая 1917

Андрей Шенье

1

Андрей Шенье взошел на эшафот,
А я живу — и это страшный грех.
Есть времена — железные — для всех.
И не певец, кто в порохе — поет.

for the sun over other heads than ours, for you being crazy, alas, about someone other than about me, for me being crazy, alas, about someone other than you.

From the strict, shapely temple you emerged to the shriek of squares... — Freedom! — The Beautiful Lady of marquises and Russian princes.
 A terrible rehearsal is coming to its end, — matins are still to come! — Freedom! — A streetwalker on a crazed soldier's breast!

André Chénier
1. André Chénier climbed onto the scaffold, but I live on — and that is a terrible sin. There are times, iron times, for everybody. And he who sings in gunpowder is no singer.

И не отец, кто с сына у ворот
Дрожа срывает воинский доспех.
Есть времена, где солнце — смертный грех.
Не человек — кто в наши дни живет.

2

Не узнаю́ в темноте
Руки — свои иль чужие?
Мечется в страшной мечте
Черная Консьержерия.

Руки роняют тетрадь,
Щупают тонкую шею.
Утро крадётся как тать.
Я дописать не успею.

17 апреля 1918

* * *

Развела тебе в стакане
Горстку жженых волос.
Чтоб не елось, чтоб не пелось,
Не пилось, не спалось.

Чтобы младость — не в радость,
Чтобы сахар — не в сладость,
Чтоб не ладил в тьме ночной
С молодой женой.

And he is no father who, quivering, strips military honours off his son by the gates. There are times when the sun is a mortal sin. He is not human who lives in our times.

2. In the darkness I can't tell if my hands are mine or someone else's. The black Conciergerie rushes about in a terrible dream.

My hands drop the notebook, they feel my thin neck. Morning creeps in like a thief. I will not have time to finish writing.

I have dissolved in a glass for you a handful of burnt hair. To stop you wanting to eat, sing, drink and sleep.

To make being young no joy, to make sugar no sweetness, to stop you getting on in the dark of night with your young wife.

Как власы мои златые
Стали серой золой,
Так года твои младые
Станут белой зимой.

Чтоб ослеп-оглох,
Чтоб иссох, как мох,
Чтоб ушел, как вздох.

3 ноября 1918

Из цикла «Стихи к Сонечке»

3

В мое окошко дождь стучится.
Скрипит рабочий над станком.
Была я уличной певицей,
А ты был княжеским сынком.

Я пела про судьбу-злодейку,
И с раззолоченных перил
Ты мне не рупь и не копейку, —
Ты мне улыбку подарил.

Но старый князь узнал затею:
Сорвал он с сына ордена
И повелел слуге-лакею
Прогнать девчонку со двора.

As my golden hair turned to grey ash, so your young years will become white winter.
To make you go blind and deaf, dry up like moss, depart like a sigh.

From 'Verses to Sonechka'
3. The rain hammers at my window. The workman creaks at his lathe. I was a street singer and you were a prince's son.

I sang of fate, the evil-doer, and from the golden banisters you gave me not a rouble or a kopeck, you gave me a smile.

But the old prince uncovered the intrigue: he ripped the medals from his son and ordered the lackey to chase the wench away.

И напилась же я в ту ночку!
Зато в блаженном мире — *том* —
Была *я* — княжескою дочкой,
А *ты* был уличным певцом!

24 апреля 1919

* *
*

Два дерева хотят друг к другу.
Два дерева. Напротив дом мой.
Деревья старые. Дом старый.
Я молода, а то б, пожалуй,
Чужих деревьев не жалела.

То, что поменьше, тянет руки,
Как женщина, из жил последних
Вытянулось, — смотреть жестоко,
Как тянется — к тому, другому,
Что старше, стойче и — кто знает? —
Еще несчастнее, быть может.

Два дерева: в пылу заката
И под дождем — еще под снегом —
Всегда, всегда: одно к другому,
Таков закон: одно к другому,
Закон один: одно к другому.

Август 1919

And I got very drunk that night! Yet in that *other* blessed world *I* was a princess's daughter and *you* were a street singer!

Two trees want to be with each other. Two trees. My house is opposite. Old trees. An old house. I am young, or else, probably, I wouldn't feel sorry for other people's trees.

The smaller tree stretches out its arms, like a woman it has racked its last sinews, — it's cruel to look at it stretching towards the other tree which is older, more resilient and — who knows — perhaps even unhappier.

Two trees: in the heat of the sunset and under the rain — even under snow — always, always: one longs for the other, that is the law: one for the other, there is just one law: one for the other.

* * *

Есть в стане моем — офицерская прямость,
Есть в ребрах моих — офицерская честь.
На всякую му́ку иду не упрямясь:
Терпенье солдатское есть!
Как будто когда-то прикладом и сталью
Мне выправили этот шаг.
Недаром, недаром черкесская талья
И тесный реме́нный кушак.

А зо́рю заслышу — Отец ты мой ро́дный! —
Хоть райские — штурмом — врата!
Как будто нарочно для сумки походной —
Раскинутых плеч широта.

Всё может — какой инвалид ошалелый
Над люлькой мне песенку спел…
И что-то от этого дня уцелело:
Я слово беру — на прицел!

И так мое сердце над Рэ-сэ-фэ-сэром
Скрежещет — корми, не корми! —
Как будто сама я была офицером
В Октябрьские смертные дни.

Сентябрь 1920

There is an officer's straightness in my figure, there is an officer's honour in my ribs. I go without dragging my feet to any torture: I have a soldier's patience.

As though at one time this stride had been trained by rifle butt and steel. There is a reason, a reason for the Circassian's waist and the tight sash of my belt.

If I hear reveille — o God my Father! — I will storm even the gates of paradise! The breadth of my flung back shoulders seems purpose made for the campaign rucksack.

It could still be that a crazed war veteran sang me a song in my cradle; and something has survived from that day: I take aim at the word.

And my heart grits its teeth at the RSFSR — feed me or don't — as though I myself were an officer in October's mortal days.

* * *

Целовалась с нищим, с вором, с горбачом,
Со всей каторгой гуляла — нипочём!
Алых губ своих отказом не тружу,
Прокаженный подойди — не откажу!

Пока молода —
Всё как с гуся вода!
Никогда никому:
Нет!
Всегда — да!

Что за дело мне, что рваный ты, босой:
Без разбору я кошу, как смерть косой!
Говорят мне, что цыган-ты-конокрад,
Про тебя еще другое говорят...

А мне что́ за беда —
Что с копытом нога!
Никогда никому:
Нет!
Всегда — да!

Блещут, плещут, хлещут раны — кумачом,
Целоваться я не стану — с палачом!

Ноябрь 1920   *Москва*

I have kissed a beggar, a thief a hunchback, I have gone on the spree with all the
convicts and thought nothing of it. Come on leper, I shan't say no!
    So long as I'm young, it's like water off a duck's back! Never 'No' to anyone: always
'Yes.'
    What do I care if you're in rags, barefoot: I reap without caring, like death with its
scythe! I'm told you're a gypsy horse-thief, they something else about you too...
    But what does it bother me — if your leg's got a hoof! Never 'No!' to anyone: always
'Yes!'
    Wounds shine, splash and gush like red calico, I won't kiss an executioner!

Офелия — Гамлету

Гамлетом — перетянутым — натуго,
В нимбе разуверенья и знания,
Бледный — до последнего атома...
(Год тысяча который — издания?)

Наглостью и пустотой — не тронете!
(Отроческие чердачные залежи!)
Некоей тяжеловесной хроникой
Вы на этой груди — лежали уже!

Девственник! Женоненавистник! Вздорную
Нежить предпочедший!.. Думали ль
Раз хотя бы о том — чтó сорвано
В маленьком цветнике безумия...

Розы?.. Но ведь это же — тссс! — Будущность!
Рвем — и новые растут! Предали ль
Розы хотя бы раз? Любящих —
Розы хотя бы раз? — Убыли ль?

Выполнив (проблагоухав!) тонете...
— Не было! — Но встанем в памяти
В час, когда над ручьёвой хроникой
Гамлетом — перетянутым — встанете...

28 февраля 1923

Ophelia to Hamlet
As Hamlet, belted tight, tautly, in an aureole of disillusion and knowledge, pale — to the last atom... (which century is the edition from?)

You won't touch me with arrogance and vacuity! (Layers of adolescent attic dust!) You have already lain on this breast like a certain weighty chronicle!

Virgin! Woman-hater! Who has preferred a rubbishy ghost!.. Did you ever think just once about what was plucked in the little flower bed of madness?

Roses?.. But that is, shshsh! — Futurity! We pluck and new ones grow! Did roses ever even once betray? Did roses [*betray*] those lovers? Did they wane?

Having fulfilled (by being a fragrance) you sink... — It didn't happen! — But we shall arise in the memory at the hour when over the stream's chronicle you arise as Hamlet, belted tight.

Офелия — в защиту Королевы

Принц Гамлет! Довольно червивую залежь
Тревожить... На розы взгляни!
Подумай о той, что — единого дня лишь —
Считает последние дни.

Принц Гамлет! Довольно царицыны недра
Порочить... Не девственным суд
Над страстью. Тяжéле виновная — Федра:
О ней и поныне поют.

И будут! — А Вы с Вашей примесью мела
И тлена... С костями злословь,
Принц Гамлет! Не Вашего разума дело
Судить воспаленную кровь.

Но если... Тогда берегитесь!.. Сквозь плиты —
Ввысь — в опочивальню — и всласть!
Своей Королеве встаю на защиту —
Я, Ваша бессмертная страсть.

28 февраля 1923

Из цикла «Поэты»

1

Поэт — издалека заводит речь.
Поэта — далеко заводит речь.

Ophelia in the Queen's Defence
Prince Hamlet! Stop disturbing that layer of worm casts... Look at the roses! Think about her who, for just a single day, is counting her last days.

Prince Hamlet! Stop casting aspersions on the queen's loins... It is not for virgins to judge passion. More seriously guilty was Phaedra: they sing of her even now.

And will go on! — While you and your mixture of chalk and decomposition... Talk spite with bones, Prince Hamlet! You are not clever enough to judge inflamed blood.

But if... Then look out!.. Through the tombstones, upwards, into the bedchamber and to my heart's content! In defence of my queen I, your immortal passion, arise.

From 'Poets'
A poet starts speech from afar. Speech carries the poet far.

Планетами, приметами, окольных
Притч рытвинами... Между да и нет
Он даже размахнувшись с колокольни
Крюк выморочит... Ибо путь комет —

Поэтов путь. Развеянные звенья
Причинности — вот связь его! Кверх лбом —
Отчаетесь! Поэтовы затменья
Не предугаданы календарем.

Он тот, кто смешивает карты,
Обманывает вес и счет,
Он тот, кто *спрашивает* с парты,
Кто Канта наголову бьет,

Кто в каменном гробу Бастилий
Как дерево в своей красе.
Тот, чьи следы — всегда простыли,
Тот поезд, на который все
Опаздывают...
    — ибо путь комет

Поэтов путь: жжя, а не согревая.
Рвя, а не взращивая — взрыв и взлом —
Твоя стезя, гривастая кривая,
Не предугадана календарем!

8 апреля 1923

Across planets, augurs, the ruts of devious parables... Between yes and no, even swinging from a bell tower, he will find some devious detour... For the path of comets
Is the path of poets. Scattered links in the chain of causality are his connections! With forehead upturned you will despair! Poets' eclipses are not anticipated by the calendar.
He is the one who shuffles the cards, cheats on weight and reckoning, he is the one who *asks* from his desk, the one who routs Kant,
Who in the stone coffins of Bastilles is like a tree in its beauty. The one whose traces have always gone cold, the train everyone is late for... for the path of comets
Is the path of poets: burning and not warming. Tearing and not nurturing — explosion and demolition — your path, a long-maned curve, is not anticipated by the calendar.

Ариадна

1

Оставленной быть — это втравленной быть
В грудь — синяя татуировка матросов!
Оставленной быть — это явленной быть
Семи океанам... Не валом ли быть
Девятым, что с палубы сносит?

Уступленной быть — это купленной быть
Задорого: ночи и ночи и ночи
Умоисступленья! О, в трубы трубить —
Уступленной быть! — Это длиться и слыть
Как губы и трубы пророчеств.

14 апреля 1923

2

— О всеми голосами раковин
Ты пел ей...
                    — Травкой каждою.

— Она томилась лаской Вакховой.
— Летейских маков жаждала...

Ariadne

1. To be abandoned is to be etched into the breast — a sailors' blue tattoo! To be abandoned is to be made manifest to seven oceans... Won't one be like the ninth breaker that washes people off the deck!

To be yielded up is to be bought at a high price; nights and nights and nights of crazed mind! O to trumpet it abroad — to be yielded up! — This is to linger and to be reputed as the lips and trumpets of prophecies.

2. O you sang to her in all the voices of the seashells... In every grass.

She languished under Bacchus's caress. She thirsted for the poppies of the Lethe...

— Но как бы те моря ни солоны,
Тот мчался...
          — Стены падали.
— И кудри вырывала полными
Горстями...
          — В пену падали...

21 апреля 1923

Из «Поэмы конца»

3

И — набережная. Воды́
Держусь, как толщи плотной.
Семирамидины сады
Висячие — так вот вы!

Воды (стальная полоса
Мертвецкого оттенка)
Держусь, как нотного листка —
Певица, края стенки —

Слепец... Обратно не отдашь?
Нет? Наклонюсь — услышишь?
Всеутолительницы жажд
Держусь, как края крыши

But however salty those seas were, the man was rushing off... Walls fell. And she tore out her curls in full handfuls... They fell into the foam...

From 'The Poem of the End'
3. And the embankment. I keep to the water as to a solid thickness. Semiramida's hanging gardens, so there you are!
    I keep to the water (a steel belt of cadaverous shade) as a singer keeps to the sheet of music, as to the wall's edge
    A blind man... You won't hand it back? No? I shall bend over — will you hear? I keep to the universal quencher of thirsts, as to the roof's edge

Лунатик...
          Но не от реки
Дрожь, — рождена наядой!
Реки держаться, как руки,
Когда любимый рядом —

И верен...
          Мертвые верны.
Да, но не всем в каморке...
Смерть с левой, с правой стороны —
Ты. Правый бок как мертвый.

Разительного света сноп.
Смех, как грошовый бубен.
— Нам с вами нужно бы...
                    (Озноб)
— Мы мужественны будем?

4

Тумана белокурого
Волна — воланом газовым.
Надышано, накурено,
А главное — насказано!
Чем пахнет? Спешкой крайнею,
Потачкой и грешком:
Коммерческими тайнами
И бальным порошком.

A sleepwalker... But the shivering is not because of the river — I was born a naiad!
To keep close to the river as to a hand when the beloved is next to you —
    And faithful... The dead are faithful. Yes, but not to everyone in the room... Death on
the left, you on the right. My right side seems dead.
    A sheaf of penetrating light. Laughter like a penny drum. 'You and I ought to...' (A
feverish shiver) 'Are we going to be manly?'

4. The wave of fair-haired fog is like a gauze flounce. There's been too much breathing,
smoking and, above all, too much said. What does it smell of? Extreme haste,
indulgence and peccadillo; commercial secrets and ballroom powder.

Холостяки семейные
В перстнях, юнцы маститые...
Нашучено, насмеяно,
А главное — насчитано!
И крупными, и мелкими,
И рыльцем, и пушком.
...Коммерческими сделками
И бальным порошком.

(Вполоборота: *это* вот —
Наш дом? — Не я хозяйкою!)
Один — над книжкой чековой,
Другой — над ручкой лайковой
А тот — над ножкой лаковой
Работает тишком.
...Коммерческими браками
И бальным порошком.

Серебряной зазубриной
В окне — звезда мальтийская!
Наласкано, налюблено,
А главное — натискано!
Нащипано... (Вчерашняя
Снедь — не взыщи: с душком!)
...Коммерческими шашнями
И бальным порошком.

Цепь чересчур короткая?
Зато не сталь, а платина!
Тройными подбородками
Тряся, тельцы — телятину

Bachelors with families, wearing rings, venerable youths... There's been too much joking, laughing and, above all, calculating! [*It smells of*] big and small deals, pigs' snouts in clover [*with down*]. ...Underhand deals and ballroom powder.

Half-turning: 'Is *that* our house?' — 'I'm not the mistress!') One man is working quietly on his cheque-book, another on a hand in a kid glove, and another on a foot in patent leather. ...Underhand marriages and ballroom powder.

Like a silver jagged line there is a Maltese star in the window! There's been too much caressing, loving and, above all, squeezing! Pinching... (Yesterday's food, don't blame me, smelt off!) ...Underhand amorous intrigues and ballroom powder.

The chain's too short? But it's platinum, not steel. Shaking triple chins, calves chew

Жуют. Над шейкой сахарной
Черт — газовым рожком.
...Коммерческими крахами
И неким порошком —
Бертольда Шварца...

                        Даровит
Был — и заступник людям.
— Нам с вами нужно говорить.
Мы мужественны будем?

[...]

12

Частой гривою
Дождь в глаза. — Холмы.
Миновали пригород.
За́ городом мы.

Есть — да нету нам!
Мачеха — не мать!
Дальше некуда.
Здесь околевать.

Поле. Изгородь.
Брат стоим с сестрой.
Жизнь есть пригород.
За́ городом строй!

---

veal. Over a neck as white as sugar hangs the devil as a gas jet. [*It smells*] of commercial crashes and a certain powder of Bertold Schwarz's. He was talented and a helper for mankind. 'You and I need to talk. Are we going to be manly?'

12. The rain gets in the eyes like a thick mane. Hills. We have passed the suburbs. We are out of town.

There is, but we haven't got one. A step-mother, not a mother. There's no going further. Here we must drop dead.

Fields. Hedges. We stand brother and sister. Life is a suburb. Build it out of town!

Эх, проигранное
Дело, господа!
Всё-то — пригороды!
Где же города?!

Рвет и бесится
Дождь. Стоим и рвем.
За три месяца
Первое вдвоем!

И у Иова,
Бог, хотел взаймы?
Да не выгорело:
Зá городом мы!

———

За городом! Понимаешь? Зá!
Вне! Перешед вал!
Жизнь — это место, где жить нельзя:
Ев–рейский квартал...

Так не достойнее ль вó сто крат
Стать Вечным Жидом?
Ибо для каждого, кто не гад,
Ев–рейский погром —

Жизнь. Только выкрестами жива!
Иудами вер!
На прокаженные острова!
В ад! — всюду! — но не в

———

Ach, gentleman, the game is hopeless! It's nothing but suburbs! Where are the towns?
The rain tears and rages. We stand and tear. In three months the first time we're alone.
You wanted a loan, God, even from Job? But it didn't work out: we are out of town.

———

Out of town! You understand? Out! Outside! Having crossed the rampart! Life is a
place where you can't live: a Je–wish quarter...
So isn't it a hundred times more dignified to become the Eternal Jew? For to anyone
who is not a reptile, a Je–wish pogrom
Is life. It lives only on renegade converts, on the Judases of faiths! To the leper
islands, to hell, anywhere but not to

Жизнь, — только выкрестов терпит, лишь
Овец — палачу!
Право-на-жительственный свой лист
Но—гами топчу!

Втаптываю! За Давыдов щит —
Месть! — В месиво тел!
Не упоительно ли, что жид
Жить — нé захотел?!

Гетто избранничеств! Вал и ров.
По—щады не жди!
В сём христианнейшем из миров
Поэты — жиды!

Прага, 1 февраля — Иловищи, 8 июня 1924

Попытка ревности

Как живется вам с другою, —
Проще ведь? — Удар весла! —
Линией береговою
Скоро ль память отошла

Обо мне, плавучем острове
(Пó небу — не по водам!)
Души, души! быть вам сестрами,
Не любовницами — вам!

Life — it puts up only with renegades, only sheep for the executioner! I trample with my fe–et my right to reside permit!

I trample it into the ground! Revenge for the shield of David. Into the mess of bodies! Isn't it entrancing that the Yid refused to live?!

The ghetto of the elect! A rampart and a ditch. Expect no mer–cy! In this most Christian of worlds, poets are Yids!

Attempt at Jealousy

What's your life like with another woman? Simpler, after all? Like falling off a log! Like the shore line, the memory soon recedes

Of me, a floating island (in the sky, not the water). Souls, souls! You should be sisters, being lovers is not for you.

Как живется вам с *простою*
Женщиною? *Без* божеств?
Государыню с престола
Свергши (с оного сошед),

Как живется вам — хлопочется —
Ежится? Встается — как?
С пошлиной бессмертной пошлости
Как справляетесь, бедняк?

«Судорог да перебоев —
Хватит! Дом себе найму».
Как живется вам с любою —
Избранному моему!

Свойственнее и съедобнее —
Снедь? Приестся — не пеняй...
Как живется вам с подобием —
Вам, поправшему Синай!

Как живется вам с чужою,
Здешнею? Ребром — люба?
Стыд Зевесовой вожжою
Не охлёстывает лба?

Как живется вам — здоровится —
Можется? Поется — как?
С язвою бессмертной совести
Как справляетесь, бедняк?

What's your life like with an *ordinary* woman? *Without* divinities? Having thrown the Empress off the throne (and having abdicated it),

What's life like, the everyday fuss, the shrugging off? What's getting up like? Poor man, how do you cope with the tax of immortal vulgarity?

'The convulsions and missed heart beats are too much! I'll rent myself a house.' What's life like with any woman, for my chosen one?

Is the food more to your liking and more edible? When you get fed up, don't complain... What's life like with a reproduction, for you who trod on Mt Sinai?

What's life like with an alien woman, from this world? Point blank: do you love her? Doesn't shame, like Zeus's rein, lash your forehead?

What's life like, how are you feeling, managing? Do you feel like singing? With the running sore of immortal conscience how do you cope, poor man?

Как живется вам с товаром
Рыночным? Оброк — крутой?
После мраморов Каррары
Как живется вам с трухой

Гипсовой? (Из глыбы высечен
Бог — и на́чисто разбит!)
Как живется вам с сто-тысячной —
Вам, познавшему Лилит!

Рыночною новизною
Сыты ли? К волшбам остыв,
Как живется вам с земною
Женщиною, бе́з шестых

Чувств?
           Ну, за голову: счастливы?
Нет? В провале без глубин —
Как живется, милый? Тяжче ли —
Так же ли — как мне с другим?

19 ноября 1924

Разговор с Гением

Глыбами — лбу
Лавры похвал.
«Петь не могу!»
— «Будешь!» — «Пропал,

What's your life like with market goods? Is the tax steep? After Carrara marble what's life like with rubble
Made of plaster? (God was hewn from one block and has been smashed completely!) What's life like with one of a hundred thousand for you who knew Lilith?
Are you sated with the market novelty? Grown indifferent to magic, what's life like with a terrestrial woman with no sixth
Senses? Well, on your life, are you happy? No? In a chasm with no depths — what's life like, darling? Worse or just the same as for me with another man?

Conversation with Genius
Praise's laurels are like rocks on your brow. 'I can't sing!' — 'You will.' — 'It's gone,

(На толокно
Переводи!)
Как молоко —
Звук из груди.

Пусто. Суха́.
В полную веснь —
Чувство сука».
— «Старая песнь!

Брось, не морочь!»
«Лучше мне впредь —
Камень толочь!»
— «Тут-то и петь!»

«Что́ я, снегирь,
Чтоб день-деньской
Петь?»
— «Не *моги*,
Пташка, а пой!

На́ зло врагу!»
«Коли двух строк
Свесть не могу?»
— «Кто когда — *мог?!*» —

«Пытка!» — «Терпи!»
«Скошенный луг —
Глотка!» — «Хрипи:
Тоже ведь — звук!»

(Reuse it as material for gruel!) like milk — the sound from my breast.
    I'm empty. [*My breast*] is dry. In full spring I feel like a knot in wood.' — 'An old song!
    Stop, don't try and fool me!' — 'I'd better grind stone in future!' — 'That's when you should sing!'
    'What do you think I am — a bullfinch, to sing day in day out?' —'Be *unable*, birdie, but sing!
    To spite the enemy!' — 'If I can't put two lines together?' — 'Who ever *could?!*'
    'It's torture!' — 'Keep going!' — 'What if my throat is a mown meadow!' — 'Croak: it's still a sound!'

«Львов, а не жен
Дело». — «*Детей:*
Распотрошен —
Пел же — Орфей!»

«Так и в гробу?»
— «И под доской».
«*Петь* не могу!»
— «*Это* воспой!»

4 июня 1928   Медон

*   *
*

Двух — жарче меха! рук — жарче пуха!
Круг — вкруг головы.
Но и под мехом — неги, под пухом
Гаги — дрогнете вы!

Даже богиней тысячерукой
— В гнезд, в звезд черноте —
Как ни кружи вас, как ни баюкай
— Ах! — бодрствуете...

Вас и на ложе неверья гложет
Червь (*бедные* мы!).
Не народился еще, кто вложит
Перст — в рану Фомы.

7 января 1940

It's a job for lions, not women.' 'For *children*: even when gutted, Orpheus still sang!'
'So even in the coffin?' — 'Even under the coffin lid.' — 'I can't *sing!*' — 'Sing of
that!'

The circle of two (hotter than fur) hands (hotter than down) around one's head. But even
under the fur of languor, even under eiderdown, you will quiver!
    Even if as a goddess with a thousand hands — in the blackness of nests, of stars, —
however much I swirl you, however much I lull you, alas, you stay awake...
    Even on the bed of doubt a worm gnaws at you (we are *poor!*). The man is not yet
born who will put his finger into Thomas's wound.

* *
*

«Я стол накрыл на шестерых...»

Всё повторяю первый стих
И всё переправляю слово:
— «Я стол накрыл на шестерых»...
Ты одного забыл — седьмого.

Невесело вам вшестером.
На лицах — дождевые струи...
Как мог ты за таким столом
Седьмого позабыть — седьмую...

Невесело твоим гостям,
Бездействует графин хрустальный.
Печально — им, печален — сам,
Непозванная — всех печальней.

Невесело и несветло.
Ах! не едите и не пьете.
— Как мог ты позабыть число?
Как мог ты ошибиться в счете?

Как мог, как смел ты не понять,
Что шестеро (два брата, третий —
Ты сам — с женой, отец и мать)
Есть семеро — раз я́ на свете!

I laid the table for six ... [after Arsenii Tarkovskii]

I keep repeating the first line and keep correcting one word: 'I laid the table for six'...
You forget someone, the seventh.

You are downcast as six. Faces show the streaming rain... How could you at such a table forget the seventh, the seventh a woman...

Your guests are downcast, the crystal decanter is untouched. They are sad, you are sad, the uninvited woman is saddest of all.

It's wretched and gloomy. Ach, you don't eat or drink. How could you forget the number? How could you get the reckoning wrong?

How could you, how dare you not understand that six (two brothers, yourself third with your wife, your father and mother) are seven once I exist?

Ты стол накрыл на шестерых,
Но шестерыми мир не вымер.
Чем пугалом среди живых —
Быть призраком хочу — с твоими,

(Своими)...
                    Робкая как вор,
О — *ни души* не задевая! —
За непоставленный прибор
Сажусь незваная, седьмая.

Раз! — опрокинула стакан!
И всё, что жаждало пролиться, —
Вся соль из глаз, вся кровь из ран —
Со скатерти — на половицы.

И — гроба нет! Разлуки — нет!
Стол расколдован, дом разбужен.
Как смерть — на свадебный обед,
Я — жизнь, пришедшая на ужин.

...Никто: не брат, не сын, не муж,
Не друг — и всё же укоряю:
— Ты, стол накрывший на шесть — *душ*,
Меня не посадивший — с краю.

6 марта 1941

You laid the table for six, but the world did not die out with six. Rather than a scarecrow among the living I want to be a ghost with your people,
  (With my people)... Shy as a thief, oh not touching *a soul*, uninvited I shall sit down, the seventh at an unset place setting.
  Right then! I've knocked over a glass! And everything that thirsted to be spilt, all the salt from eyes, all the blood from wounds, has fallen off the tablecloth onto the floorboards.
  And there is no coffin! There is no separation! The table's spell is broken, the house is woken. Like death to a marriage feast, I am life that has come to a supper.
  You are nobody to me: not brother, son, husband, or friend — and still I reproach you: you, who laid the table for six *souls*, without giving me a seat at the far end.

ВАДИМ ГАБРИЭЛЕВИЧ ШЕРШЕНЕВИЧ
VADIM GABRIÈLEVICH SHERSHENEVICH

Принцип проволок аналогий

Есть страшный миг, когда, окончив резко ласку,
Любовник вдруг измяк и валится ничком...
И только сердце бьется (колокол на Пасху)
Да усталь ниже глаз синит карандашом.

И складки сбитых простынь смотрят слишком
грубо
(Морщины лба всезнающего мудреца)...
Напрасно женщина еще шевелит губы
(Заплаты красные измятого лица)!

Как спичку на ветру, ее прикрыв рукою,
Она любовника вблизи грудей хранит,
Но, как поэт над конченной, удавшейся строкою,
Он знает только стыд,
Счастливый краткий стыд!

Ах! Этот жуткий миг придуман Богом Гневным,
Его он пережил воскресною порой,
Когда, насквозь вспотев, в хотеньи шестидневном,
Он землю томную увидел под собой.

Январь 1918

The Principle of Drawing Wires of Analogies
There is a terrible moment when, brusquely ending caresses, a lover has suddenly gone
soft and collapses prone... And only the heart beats (a bell at Easter) and tiredness
makes him blue below the eyes with its pencil.
　And the folds of the displaced sheets look too coarsely (the wrinkles of an all-knowing
sage's brow)... In vain the woman still moves her lips (red patches on a crumpled face)!
　Like a match in the wind, covering it with her hand, she keeps her lover close to her
breasts, but, like a poet over a finished, successful line, he knows only shame, happy
brief shame!
　Oh, this awesome moment has been thought up by the Wrathful God: he experienced
it one Sunday when, covered with sweat, in six-day desire, he saw the languid earth
beneath him.

Принцип басни

А. Кусикову

Закат запыхался. Загнанная лиса.
Луна выплывала воблою вяленой.
А у подъезда стоял рысак:
Лошадь как лошадь. Две белых подпалины.

И ноги уткнуты в стаканы копыт.
Губкою впитывало воздух ухо.
Вдруг стали глаза по-человечьи глупы,
И на землю заплюхало глухо.

И чу! Воробьев канитель и полет
Чириканьем в воздухе машется,
И клювами роют теплый помет,
Чтобы зернышки выбрать из кашицы.

И старый угрюмо учил молодежь:
«Эх! Пошла нынче пища не та еще!»
А рысак равнодушно глядел на галдеж.
Над кругляшками вырастающий.

Эй, люди! Двуногие воробьи,
Что несутся с чириканьем, с плачами,
Чтоб порыться в моих строках о любви,
Как глядеть мне на вас по-иначему?!

The Principle of a Fable   *For A. Kusikov*

The sunset was out of breath. A hounded vixen. The moon was sailing out like a sun-dried stock-fish. And by the entrance stood a carriage-horse: a horse like any other. Two white brand marks.

And its legs are thrust into the glasses of its hooves. Its ear has been drinking in air like a sponge. Suddenly its eyes became humanly stupid and there was a muffled plop onto the ground.

And lo! A flurry of sparrows, their flight waving its chirruping in the air, and with their beaks they dig through the warm droppings to pick grains out of the mess.

And the old sparrow sullenly taught the young ones: 'Hey! The food these days is still not what it used to be!' And the carriage-horse looked indifferently at the racket brewing over the round dollops.

Oh people! Two-legged sparrows which rush about chirruping, weeping, in order to dig about in my lines about love, how can I look otherwise at you?!

Я стою у подъезда придущих веков,
Седока жду с отчаяньем нищего
И трубою свой хвост задираю легко,
Чтоб покорно слетались на пищу вы!

Весна 1919

I am standing by the entrance to the centuries that are coming, with a beggar's despair I wait for a rider and I lightly lift up my tail like a pipe so that you can fly down compliantly for food.

ВЛАДИМИР ВЛАДИМИРОВИЧ МАЯКОВСКИЙ
VLADIMIR VLADIMIROVICH MAIAKOVSKII

Вам!

Вам, проживающим за оргией оргию,
имеющим ванную и теплый клозет!
Как вам не стыдно о представленных к Георгию
вычитывать из столбцов газет?!

Знаете ли вы, бездарные, многие,
думающие, нажраться лучше как, —
может быть, сейчас бомбой ноги
выдрало у Петрова поручика?..

Если б он, приведенный на убой,
вдруг увидел, израненный,
как вы измазанной в котлете губой
похотливо напеваете Северянина!

Вам ли, любящим баб да блюда,
жизнь отдавать в угоду?!
Я лучше в баре блядям буду
подавать ананасную воду!

1915

You!
You, who live orgy after orgy, who have a bathroom and a warm W. C.! Aren't you ashamed to read from newspaper columns about those recommended for the George medal?!
Has it occurred to you, the mediocre, the many, thinking how best to stuff your bellies, — perhaps Lieutenant Petrov has just had his leg ripped off by a bomb?..
If, brought to the slaughter, badly wounded, he had seen you lustfully singing to Severianin's verse with a lip smeared with hamburgers!
Should life be given for the benefit of you who love women and food?! I'd rather be serving pineapple water to the whores in the bar!

Лиличка! вместо письма

Дым табачный воздух выел.
Комната —
глава в крученыховском аде.
Вспомни —
за этим окном
впервые
руки твои, исступленный, гладил.
Сегодня сидишь вот,
сердце в железе.
День еще —
выгонишь,
может быть, изругав.
В мутной передней долго не влезет
сломанная дрожью рука в рукав.
Выбегу,
тело в улицу брошу я.
Дикий,
обезумлюсь,
отчаяньем иссечась.
Не надо этого,
дорогая,
хорошая,
дай простимся сейчас.
Все равно
любовь моя —
тяжкая гиря ведь —
висит на тебе,
куда ни бежала б.
Дай в последнем крике выреветь

Lilichka (Instead of a Letter)
Tobacco smoke has eaten up the air. The room is a chapter in Kruchionykh's Hell. Remember — the other side of this window for the first time, in ecstasy, I stroked your hands. Here you are sitting today, a heart in iron. One more day and you'll chase me away, perhaps after swearing at me. In the murky hallway my arm, fractured by the shakes, will take a long time to get into the sleeve. I shall run out, I shall throw my body into the street. Wild, I shall go crazy, lashing myself with despair. That mustn't happen, darling, kind one, let us say good-bye now. In any case, you see, my love is a heavy brass weight hanging on you, wherever you might run. Let me in my last cry sob out the

горечь обиженных жалоб.
Если быка трудом уморят —
он уйдет,
разляжется в холодных водах.
Кроме любви твоей,
мне
нету моря,
а у любви твоей и плачем не вымолишь отдых.
Захочет покоя уставший слон —
царственный ляжет в опожаренном песке.
Кроме любви твоей,
мне
нету солнца,
а я и не знаю, где ты и с кем.
Если б так поэта измучила,
он
любимую на деньги б и славу выменял,
а мне
ни один не радостен звон,
кроме звона твоего любимого имени.
И в пролет не брошусь,
и не выпью яда,
и курок не смогу над виском нажать.
Надо мною,
кроме твоего взгляда,
не властно лезвие ни одного ножа.
Завтра забудешь,
что тебя короновал,
что душу цветущую любовью выжег,
и суетных дней взметенный карнавал

bitterness of aggrieved complaints. If a bull is worked to death, he goes away, lies down in cold waters. Apart from your love I have no sea, even by weeping no rest can be begged from your love. If a tired elephant wants peace, majestic, he lies down on the burnt-out sand. Apart from your love I have no sun and I don't even know where you are and with whom. If you tormented a poet like this, he would change his beloved for money and fame, but not a single sound is joyful to me apart from the sound of your beloved name. And I shan't throw myself down a stair-well and I shan't take poison, and I will be unable to squeeze the trigger over my temple. Apart from your look, no knife's blade has power over me. Tomorrow you will forget that I crowned you, that I burnt out my blossoming soul with love, and a carnival, roused up by the vain days, will

растреплет страницы моих книжек...
Слов моих сухие листья ли
заставят остановиться,
жадно дыша?

Дай хоть
последней нежностью выстелить
твой уходящий шаг.

26 мая 1916   *Петроград*

* *
*

Ешь ананасы, рябчиков жуй,
День твой последний приходит, буржуй.

1917

Наш марш

Бейте в площади бунтов топот!
Выше, гордых голов гряда!
Мы разливом второго потопа
перемоем миров города.

Дней бык пег.
Медленна лет арба.
Наш бог бег.
Сердце наш барабан.

shake out the pages of my books... Will the dry leaves of my words be made to stop, eagerly breathing?

Let me at least spread out the last tenderness for your departing footsteps.

Eat pineapples, chew grouse: your last day is coming, bourgeois.

Our March

Beat the stamp of revolts into the squares! Higher, ridge of proud heads! One after another, we shall wash the worlds' cities with the flood of a second Deluge.

The days' bull is piebald. The years' cart is slow. Our god is a race. Our heart is a drum.

Есть ли наших золот небесней?
Нас ли сжалит пули оса?
Наше оружие — наши песни.
Наше золото — звенящие голоса.

Зеленью ляг, луг,
выстели дно дням.
Радуга, дай дуг
лет быстролётным коням.

Видите, скушно звезд небу!
Без него наши песни вьем.
Эй, Большая Медведица! требуй,
чтоб на небо нас взяли живьем.

Радости пей! Пой!
В жилах весна разлита.
Сердце, бей бой!
Грудь наша — медь литавр.

Ноябрь 1917

Сергею Есенину

Вы ушли,
       как говорится,
             в мир иной.
Пустота...
       Летите,
          в звезды врезываясь.

Is anything more heavenly than our golds? Will the bullet's wasp sting us? Our weapons are our songs. Our gold is ringing voices.

Lie down as greenery, meadow, spread a bottom for the days. Rainbow, give the yoke of the years to fast-flying horses.

You see, the stars' sky is bored! We weave our songs without it. Hey, Great Bear, demand that we be taken to heaven alive.

Drink joys! Sing! Spring has spread through the veins. Heart, beat battle! Our chest is the brass of kettledrums.

For Sergei Esenin
You have gone, as they say, to another world. Emptiness... You fly, cutting into stars

Ни тебе аванса,

             ни пивной.

Трезвость.

Нет, Есенин,

        это

            не насмешка.

В горле

      горе комом —

            не смешок.

Вижу —

         взрезанной рукой помешкав,

собственных

         костей

            качаете мешок.

— Прекратите!

        Бросьте!

            Вы в своем уме ли?

Дать,

     чтоб щеки

         заливал

            смертельный мел?!

Вы ж

     такое

        загибать умели,

что другой

       на свете

          не умел.

Почему?

     Зачем?

         Недоуменье смяло.

[...]

Дела много —

        только поспевать.

Надо

    жизнь

       сначала переделать,

No more advances or bars for you. Sobriety. No, Esenin, I'm not joking. Grief is a lump in the throat, not a laugh. I can see you, after waiting about with an arm cut open, swinging the sack of your own bones. — Stop it! Drop it! Are you mad? To let deadly chalk infuse the cheeks?! You could come up with things that nobody else in the world could. Why? What for? Bewilderment has crushed me. [...]

There's a lot to be done — you just have to get round to it. Life first has to be remade,

переделав —
                    можно воспевать.
Это время —
                    трудновато для пера,
но скажите
            вы,
                    калеки и калекши,
где,
      когда,
              какой великий выбирал
путь,
        чтобы протоптанней
                              и легше?
Слово —
          полководец
                    человечьей силы.
Марш!
        Чтоб время
                  сзади
                        ядрами рвалось.
К старым дням,
                чтоб ветром
                            относило
только
        путаницу волос.
Для веселия
              планета наша
                            мало оборудована.
Надо
      вырвать
              радость
                      у грядущих дней.
В этой жизни
              помереть
                        не трудно.
Сделать жизнь
                значительно трудней.

Январь — март 1926

and when it's remade, it can be celebrated. These times are a bit difficult for the pen, but tell us, cripples male and female, where, when did which great man choose a path that was the most trodden and easiest? The word is the commander of human force. March! Let time behind us be shredded by cannon balls. Let the wind carry off to the old days only a tangle of hair. Our planet is badly equipped for fun. Joy must be torn from future days. Dying is not hard in this life, making life is significantly harder.

Из поэмы «Разговор с фининспектором о поэзии»

Гражданин фининспектор!
                         Простите за беспокойство.
Спасибо...
           не тревожьтесь...
                             я постою...
У меня к вам
             дело
                   деликатного свойства:
о месте
        поэта
              в рабочем строю.
В ряду
       имеющих
                лабазы и угодья
   и я обложен
               и должен караться.
Вы требуете
            с меня
                   пятьсот в полугодие
   и двадцать пять
                   за неподачу деклараций.
Труд мой
         любому
                 труду
                       родствен.
Взгляните —
            сколько я потерял,
какие
      издержки
               в моем производстве
   и сколько тратится
                      на материал.
Вам,
     конечно, известно
                       явление «рифмы».

From 'Conversation with a Tax Inspector about Poetry'
Citizen Tax Inspector, pardon me for disturbing you. Thanks... don't worry... I can stand... I've come to see you about a matter of a delicate nature: a poet's position in the workers' social system. Like owners of warehouses and agricultural land I too am being taxed and penalised. You are demanding five hundred per half year from me and twenty-five for not returning my declarations. My labour is like any other form of labour. Look how much I've lost, what expenses there are in my production and how much is spent on material. You are of course familiar with the phenomenon of 'rhymes'.

Скажем,
        строчка
                окончилась словом
                        «отца»,
и тогда
        через строчку,
                слога повторив, мы
ставим
        какое-нибудь: *ламцадрица-цá.*
Говоря по-вашему,
              рифма —
                    вексель.
Учесть через строчку! —
                вот распоряжение.
И ищешь
        мелочишку суффиксов и флексий
в пустующей кассе
            склонений
                и спряжений.
Начнешь это
        слово
            в строчку всовывать,
а оно не лезет —
            нажал и сломал.
Гражданин фининспектор,
              честное слово,
поэту
      в копеечку влетают слова.
Говоря по-нашему,
              рифма —
                  бочка.
Бочка с динамитом.
            Строчка —
                фитиль.
Строка додымит,
        взрывается строчка, —

Say, a line ended with the word 'father's', and then two lines on repeating the syllables we put something like 'la-di-da-blathers'. To use your terms, rhyme's a promissory note: to be called in two lines' time, that's the rule. And you search for small change of suffixes and inflexions in the meagre till of declensions and conjugations. If you start pushing this word into a line and it won't go, press too hard and you'll break it. Citizen Tax Inspector, honestly, a poet pays dearly for words. To use our language, rhyme's a barrel. A barrel of dynamite. The word is the fuse. When a line burns out, it blows up —

и город
        на воздух
                строфой летит.
Где найдешь,
         на какой тариф,
рифмы,
        чтоб враз убивали, нацелясь?
Может,
       пяток
           небывалых рифм
только и остался
              что в Венецуэле.
И тянет
      меня
          в холода и в зной.
Бросаюсь,
        опутан в авансы и в займы я.
Гражданин,
         учтите билет проездной!
— Поэзия
       — вся! —
           езда в незнаемое.
Поэзия —
       та же добыча радия.
В грамм добыча,
         в год труды.
Изводишь
      единого слова ради
тысячи тонн
       словесной руды.
Но как
     испепеляюще
          слов этих жжение
рядом
     с тлением
         слова-сырца.
Эти слова
       приводят в движение

and a town flies into the air like a stanza. Where, and at what rate, will you find rhymes to kill outright, on aim. Maybe only Venezuela has a handful of unused rhymes left. And I am drawn to extremes of cold and heat. I rush, tangled in advances and loans. Citizen Inspector, deduct my season ticket! Poetry — all of it! — is a trip to the unknowable. Poetry is like mining radium. You get a gram for a year's labour. For a single word you work thousands of tonnes of verbal ore. But how incinerating is the burning of these words compared with the smouldering of raw word material! These words set in motion

тысячи лет
                миллионов сердца.
Конечно,
                различны поэтов сорта.
У скольких поэтов
                    легкость руки!
Тянет,
        как фокусник,
                        строчку изо рта
и у себя
          и у других.
Что говорить
                 о лирических кастратах?!
Строчку
        чужую
                вставит — и рад.
Это
     обычное
                воровство и растрата
среди охвативших страну растрат.
Эти
     сегодня
            стихи и оды,
в аплодисментах
                   ревомые ревмя,
войдут
       в историю
                  как накладные расходы
на сделанное
          нами —
                   двумя или тремя.
Пуд,
        как говорится,
                   соли столовой
съешь
        и сотней папирос клуби,

for thousands of years the hearts of millions. Of course there are various sorts of poet. How many poets have lightness of touch! A poet can, like a conjuror, pull a line out of his own and others' mouth. And what about lyrical eunuchs?! They put in someone else's line and are pleased. This the usual thieving and embezzlement among the embezzlement sweeping the country. These verses and odes, bawled out today to applause, will go down in history as the overheads on what was done by two or three of us. You have to eat forty pounds of table salt, as they say, and puff a hundred cigarettes

чтобы
　　　добыть
　　　　　　　драгоценное слово
из артезианских
　　　　　　　людских глубин.
И сразу
　　　ниже
　　　　　　налога рост.
Скиньте
　　　с обложенья
　　　　　　　　нуля колесо!
Рубль девяносто
　　　　　　сотня папирос,
рубль шестьдесят
　　　　　　　столовая соль.
В вашей анкете
　　　　　　вопросов масса:
— Были выезды?
　　　　　　　Или выездов нет? —
А что,
　　　если я
　　　　　　десяток пегасов
загнал
　　　за последние
　　　　　　　　15 лет?!
У вас —
　　　　в мое положение войдите —
про слуг
　　　　и имущество
　　　　　　　　с этого угла.
А что,
　　　если я
　　　　　　народа водитель
и одновремённо —
　　　　　　　народный слуга?
Класс
　　　гласит
　　　　　из слова из нашего,

to get a precious word from artesian human depths. And already the increase is lower than the tax. Knock a wheel-like zero off the assessment! One rouble ninety for a hundred cigarettes, one rouble sixty for table salt. There are lots of questions in your form: 'Was business travel involved, or not?' And what if I have ridden ten Pegasuses into the ground over the last 15 years?! You have under my abode — see it from my point of view — things on servants and property. But what if I am a leader of the people and at the same time the people's servant? Our words give the working class their voice,

а мы,
        пролетарии,
                двигатели пера.
Машину
        души
            с годами изнашиваешь.
Говорят:
        в архив,
                исписался,
                        пора! —
Всё меньше любится,
                всё меньше дерзается,
и лоб мой
        время
                с разбега крушѝт.
Приходит
        страшнейшая из амортизаций —
амортизация
            сердца и души.
И когда
        это солнце
                разжиревшим боровом
взойдет
        над грядущим
                без нищих и калек, —
я
    уже
        сгнию,
                умерший под забором,
рядом
        с десятком
                моих коллег.
[...]

Апрель — май 1926

and we proletarians are motors of the pen. With the years you wear out the soul's machine. They say: 'Shelve him, he's written himself out, it's high time!' I feel less and less like loving, less and less like daring and time is taking a running jump to wreck my brow. The most terrible write-off of write-offs is coming: that of the heart and soul. And by the time this sun, like a fattened hog, rises over a future with no beggars or cripples, I shall have rotted, dead in a ditch, next to a dozen of my colleagues. [...]

Из поэмы «Во весь голос»

Уважаемые
            товарищи потомки!
Роясь
     в сегодняшнем
                 окаменевшем говне,
наших дней изучая потемки,
вы,
    возможно,
              спросите и обо мне.
И, возможно, скажет
            ваш ученый,
кроя эрудицией
            вопросов рой,
что жил-де такой
            певец кипяченой
и ярый враг воды сырой.
Профессор,
         снимите очки-велосипед!
Я сам расскажу
        о времени
             и о себе.
Я, ассенизатор
        и водовоз,
революцией
         мобилизованный и призванный,
ушел на фронт
         из барских садоводств
поэзии —
        бабы капризной.
Засадила садик мило,
дочка,
    дачка,
       водь
         и гладь —

At the Top of My Voice
Dear comrade posterity, rummaging in today's fossilised shit, studying our days' dark crannies, you may even ask a question about me. And possibly, your scholar, trumping a swarm of questions with erudition, will say there was this singer of boiled water and implacable enemy of unboiled. Professor, take off your bicycle-like glasses! I shall talk of time and myself. I, the sewage man and water-carrier, mobilised and summoned by the revolution, went to the front from the lordly horticulture of poetry — a fickle woman. She planted her garden nicely — daughter, dacha, water and smooth surfaces —

сама садик я садила,
сама буду поливать.
Кто стихами льет из лейки,
кто кропит,
                набравши в рот, —
кудреватые Митрейки,
                мудреватые Кудрейки —
кто их к чёрту разберет!
Нет на прорву карантина —
мандолинят из-под стен:
«Тара-тина, тара-тина,
т-эн-н...»
Неважная честь,
                чтоб из этаких роз
мои изваяния высились
по скверам,
                где харкает туберкулез,
где блядь с хулиганом
                        да сифилис.
И мне
        агитпроп
                в зубах навяз,
и мне бы
        строчить
                романсы на вас —
доходней оно
                и прелестней.
Но я
        себя
                смирял,
                        становясь
на горло
                собственной песне.
Слушайте,
                товарищи потомки,

'I planted the garden myself, I'll water it myself.' Some pour verses from a watering can, others drip them from a full mouth — curly-haired Mitreikas, clever little Kudreikos — who can make head or tail of them? There's no quarantine for this mass: they serenade you at the bottom of the walls: 'Tara-tina, tara-tina, t-en-n [*from Selvinskii's 'Gypsy Waltz on a Guitar'*].' It's not much credit for my sculptures to tower above such roses in the squares where tuberculosis spits blood, where the whore is with the hooligan and syphilis. Propaganda has stuck in my teeth too, and I wouldn't mind turning out romances against you — that's more profitable and charming. But I have subdued myself, by stepping on the throat of my own song. Listen, comrade posterity,

агитатора,
                 горлана-главаря.
Заглуша
           поэзии потоки,
я шагну
             через лирические томики,
как живой
              с живыми говоря,
Я к вам приду
                 в коммунистическое далеко́
не так,
            как песенно-есененный провитязь.
Мой стих дойдет
               через хребты веков
и через головы
              поэтов и правительств.
[...]

Декабрь 1929 — январь 1930

<Неоконченное>

1

Любит? не любит? Я руки ломаю
и пальцы
           разбрасываю разломавши
так рвут загадав и пускают
                  по маю
венчики встречных ромашек
пускай седины обнаруживает стрижка
                       и бритье

to the agitator, the loud-mouthed ringleader. By drowning out poetry's currents, I shall stride over lyrical tomes, talking to the living like a living being. I shall come to you in the communist distance not like a Esenin-ing-singing hero. My verse will get there over the mountain ranges of the centuries and over the heads of poets and governments. [...]

(Unfinished)
1. She loves me, she loves me not? I wring my hands and throw my fingers about after breaking them that's how they tell the future and then tear and throw on the May wind garlands of daisies that you come across let my hair-cut and shaving show up grey hairs.

Пусть серебро годов вызванивает
                                    уймою
надеюсь верую вовеки не придет
ко мне позорное благоразумие

II

Уже второй
                должно быть ты легла
А может быть
                и у тебя такое
Я не спешу
                И молниями телеграмм
мне незачем
                тебя
                        будить и беспокоить

III

море уходит вспять
море уходит спать
Как говорят инцидент исперчен
любовная лодка разбилась о быт
С тобой мы в расчете
И не к чему перечень
взаимных болей бед и обид

IV

Уже второй должно быть ты легла
В ночи Млечпуть серебряной Окою

Let the years' silver ring out in plenty I hope, I believe never will there come to me disgraceful prudence.

2 It's after one you will have gone to bed or perhaps you are in the same state I'm in no hurry and I have no reason to wake you and disturb you with express telegrams.

3. The sea ebbs, the sea goes off to sleep. As they say, the incident is over[*peppered*] the ship of love has smashed into everyday life. You and I are quits and there is no point listing mutual pains troubles and hurts.

4. It is past one you'll have gone to bed. The Milkway is like the silvery Oka in the night

Я не спешу и молниями телеграмм
Мне незачем тебя будить и беспокоить
как говорят инцидент исперчен
любовная лодка разбилась о быт
С тобой мы в расчете и не к чему перечень
взаимных болей бед и обид
Ты посмотри какая в мире тишь
Ночь обложила небо звездной данью
в такие вот часы встаешь и говоришь
векам истории и мирозданию

                              V

Я знаю силу слов я знаю слов набат
Они не те которым рукоплещут ложи
От слов таких срываются гроба
шагать четверкою своих дубовых ножек
Бывает выбросят не напечатав не издав
Но слово мчится подтянув подпруги
звенит века и подползают поезда
лизать поэзии мозолистые руки
Я знаю силу слов Глядится пустяком
Опавшим лепестком под каблуками танца
Но человек душой губами костяком

1928–1930

I'm in no hurry and I have no reason to wake you and disturb you with express telegrams as they say the incident is over[*peppered*] the ship of love has smashed into everyday life. You and I are quits and there is no point listing mutual pains troubles and hurts. Just you look at the silence in the world. Night has taxed the sky which pays in stars at such hours you get up and talk to ages to history and to the cosmos.

5. I know words' force I know words' tocsin. They are not what the theatre boxes applaud. Words like these tear coffins open and make them stride on their four oak legs. Sometimes they throw them out, not printing, not publishing them. But the word rushes on, tightening its saddle-girth, it rings for centuries and trains creep up to lick poetry's horny hands. I know words' force. It looks like nothing much, like a petal fallen under a dance's heels. But man in his soul, lips, bones…

ГЕОРГИЙ ВЛАДИМИРОВИЧ ИВАНОВ
GEORGII VLADIMIROVICH IVANOV

* *
*

1

Друг друга отражают зеркала,
Взаимно искажая отраженья.

Я верю не в непобедимость зла,
А только в неизбежность пораженья.

Не в музыку, что жизнь мою сожгла,
А в пепел, что остался от сожженья.

2

Игра судьбы. Игра добра и зла.
Игра ума. Игра воображенья.
«Друг друга отражают зеркала,
Взаимно искажая отраженья...»

Мне говорят — ты выиграл игру!
Но все равно. Я больше не играю.
Допустим, как поэт я не умру,
Зато как человек я умираю.

1950

---

1. Mirrors reflect one another, mutually distorting the reflections.

I believe not in the invincibility of evil but only in the inevitability of defeat.

Not in the music which has burnt up my life but in the ash which is left over from the burning.

2. A play of fate. A play of good and evil. A play of wit. A play of the imagination. 'Mirrors reflect each other, mutually distorting the reflections.'

I am told — you've won the game! But it makes no difference. I am not playing any more. It may be that as a poet I shall not die, but as a human being I am dying.

Из цикла «Rayon de rayonne»

6

Зазеваешься, мечтая,
Дрогнет удочка в руке —
Вот и рыбка золотая
На серебряном крючке.

Так мгновенно, так прелестно —
Солнце, ветер и вода,
Даже рыбке в речке тесно,
Даже ей нужна беда:

Нужно, чтобы небо гасло,
Лодка ластилась к воде,
Чтобы закипало масло
Нежно на сковороде.

10

Имя тебе непонятное дали,
Ты забытье.
Или — точнее — цианистый калий
Имя твое.
                                        Георгий Адамович

Как вы когда-то разборчивы были,
О, дорогие мои.
Водки не пили, ее не любили,
Предпочитали Нюи.

From 'Rayon de rayonne'
6. You stand there gaping, dreaming, and the rod shudders in your hand — now the golden fish too is on the silver hook.
   So momentarily, so charmingly — sun, wind and water, even the fish found the river too small, even she needed disaster:
   It is necessary for the sky to go out, for the boat to cling to the water, for the oil to boil gently in the frying-pan.

10.   They gave you an incomprehensible name, you are oblivion. Or,
                more precisely, potassium cyanide is your name. *Georgii Adamovich*
How fussy you used to be, oh my dears. You didn't drink vodka, you didn't like it, you preferred Nuits St Georges.

Стал нашим хлебом — цианистый калий,
Нашей водой — сулема.
Что ж? Притерпелись и попривыкали,
Не посходили с ума.

Даже напротив — в бессмысленно-злобном
Мире — противимся злу:
Ласково кружимся в вальсе загробном
На эмигрантском балу.

14

На полянке поутру
Веселился кенгуру —
Хвостик собственный кусал,
В воздух лапочки бросал.

Тут же рядом камбала
Водку пи́ла, ром пила́,
Раздевалась догола,
Напевала тра-ла-ла,
Любовалась в зеркала…

— Тра-ла-ла-ла-ла-ла-ла,
Я флакон одеколону,
Не жалея, извела,
Вертебральную колонну
Оттирая добела!..

1949–1954

Potassium cyanide has become our bread, mercuric chloride our water. Well? We've learnt to put up, we've got used to it, we haven't all gone mad.

Quite the opposite — in a senselessly spiteful world we resist evil: we fondly whirl in a sepulchral waltz at an émigré ball.

14. In a clearing in the morning a kangaroo played — it bit its own tail, it flung its paws in the air.

Right next to it a plaice drank vodka, drank rum, took all its clothes off, sang tra-la-la, admired itself in the mirror…

— Tra-la-la-la-la-la-la, I have gone the whole hog and used up a flask of eau de cologne, rubbing my vertebral column clean till it's white!..

* *
*

Не станет ни Европы, ни Америки,
Ни Царскосельских парков, ни Москвы —
Припадок атомической истерики
Всё распылит в сияньи синевы.

Потом над морем ласково протянется
Прозрачный, всепрощающий дымок...
И Тот, кто мог помочь и не помог,
В предвечном одиночестве останется.

There will be no more Europe or America, Tsarskoe Selo parks or Moscow — an attack
of atomic hysteria will atomise the lot in the azure's radiance.

Then over the sea there will caressingly stretch a transparent all-forgiving veil of
smoke... And He Who could have helped and didn't will be left in præternal solitude.

СЕРГЕЙ АЛЕКСАНДРОВИЧ ЕСЕНИН
SERGEI ALEKSANDROVICH ESENIN

Лисица

А. М. Ремизову

На раздробленной ноге приковыляла,
У норы свернуласяв кольцо.
Тонкой прошвой кровь отмежевала
На снегу дремучее лицо.

Ей всё бластился в колючем дыме выстрел.
Колыхалася в глазах лесная топь.
Из кустов косматый ветер взбыстрил
И рассыпал звонистую дробь.

Как желна, над нею мгла металась,
Мокрый вечер липок был и ал.
Голова тревожно подымалась,
И язык на ране застывал.

Желтый хвост упал в метель пожаром,
На губах — как прелая морковь...
Пахло инеем и глиняным угаром,
А в ощур сочилась тихо кровь.

1916

The Vixen   *For A. M. Remizov*

She hobbled on a shattered leg, she rolled up into a ring by her den. With a thin stitch the blood marked off a slumbering face on the snow.

She still saw in a vision the shot in the prickly smoke, the forest bog swayed in her eyes, the shaggy wind from the bushes quickened and scattered the resonant lead shot.

The mist rushed over her like a black woodpecker, the wet evening was sticky and crimson. Her head rose anxiously, and her tongue went cold on the wound.

The yellow tail fell like a fire into the blizzard, it was like rotten carrots on her lips... There was a smell of hoar-frost and fumes from burnt clay, and the blood slowly oozed into her closed eyes.

* * *

О пашни, пашни, пашни,
Коломенская грусть,
На сердце день вчерашний,
А в сердце светит Русь.

Как птицы, свищут версты
Из-под копыт коня.
И брызжет солнце горстью
Свой дождик на меня.

О край разливов грозных
И тихих вешних сил,
Здесь по заре и звездам
Я школу проходил.

И мыслил и читал я
По Библии ветров,
И пас со мной Исайя
Моих златых коров.

1918

* * *

Я обманывать себя не стану,
Залегла забота в сердце мглистом.
Отчего прослыл я шарлатаном?
Отчего прослыл я скандалистом?

O ploughed fields, ploughed fields, ploughed fields, sadness of Kolomna, yesterday is on my heart, while Russia shines in my heart.

Like birds, the kilometres whistle under the horse's hooves, and the sun sprinkles a handful of its rain on me.

O region of dreaded floods and quiet spring forces, here I have been at the school of dawn and stars.

And I have thought and read by the winds' Bible, and Isaiah grazed my golden cows with me.

I shan't try to deceive myself, care has got into my foggy heart. Why am I reputed to be a charlatan, why am I reputed to be a trouble-maker?

Не злодей я и не грабил лесом,
Не расстреливал несчастных по темницам.
Я всего лишь уличный повеса,
Улыбающийся встречным лицам.

Я московский озорной гуляка.
По всему тверскому околотку
В переулках каждая собака
Знает мою легкую походку.

Каждая задрипанная лошадь
Головой кивает мне навстречу.
Для зверей приятель я хороший,
Каждый стих мой душу зверя лечит.

Я хожу в цилиндре не для женщин —
В глупой страсти сердце жить не в силе, —
В нем удобней, грусть свою уменьшив,
Золото овса давать кобыле.

Средь людей я дружбы не имею,
Я иному покорился царству.
Каждому здесь кобелю на шею
Я готов отдать мой лучший галстук.

И теперь уж я болеть не стану.
Прояснилась омуть в сердце мглистом.
Оттого прослыл я шарлатаном,
Оттого прослыл я скандалистом.

1922

I am no villain and did not rob in forests, I did not shoot wretches in the dungeons. I am just a street scapegrace smiling at anyone he meets.

I am a provocative Moscow playboy. Anywhere in the alleys of the central Tverskaia police district every dog knows my carefree gait.

Every bedraggled horse nods its head when it sees me. I am a good friend to animals, my every verse heals the animal's soul.

Not for women do I wear a top hat — my heart is too weak to live in stupid passion — a top hat is better, lessening one's sadness, for giving a mare the gold of oats.

Among people I have no friendship, I have submitted to another empire. I am ready to put my best tie on the neck of any dog here.

And now I shall no longer be ill. The cloudiness in my foggy heart has cleared. This is why I am reputed to be a charlatan, this is why I am reputed to be a trouble-maker.

Письмо матери

Ты жива еще, моя старушка?
Жив и я. Привет тебе, привет!
Пусть струится над твоей избушкой
Тот вечерний несказанный свет.

Пишут мне, что ты, тая тревогу,
Загрустила шибко обо мне,
Что ты часто ходишь на дорогу
В старомодном ветхом шушуне.

И тебе в вечернем синем мраке
Часто видится одно и то ж:
Будто кто-то мне в кабацкой драке
Саданул под сердце финский нож.

Ничего, родная! Успокойся.
Это только тягостная бредь.
Не такой уж горький я пропойца,
Чтоб, тебя не видя, умереть.

Я по-прежнему такой же нежный
И мечтаю только лишь о том,
Чтоб скорее от тоски мятежной
Воротиться в низенький наш дом.

Я вернусь, когда раскинет ветви
По-весеннему наш белый сад.

A Letter to Mother

Are you still alive, my old woman? I am too. Greetings to you, greetings. May that ineffable evening light stream over your cottage.

They write to tell me that, hiding your worry, you have become very sad for me, that you often walk onto the road in an old-fashioned decrepit jerkin.

And that in the blue evening darkness you often see the same thing — as if someone in a pub brawl had stuck a sheath-knife into my chest.

It's all right, mother dear! Calm yourself. This is only a depressing hallucination. I am not such a wretched drunk as to die without seeing you.

I'm the same affectionate son as before and all that I dream of is to return as soon as I can from rebellious anguish to our low-ceilinged home.

I shall return when our white orchard stretches out its branches as it does in the spring.

Только ты меня уж на рассвете
Не буди, как восемь лет назад.

Не буди того, что отмечталось,
Не волнуй того, что не сбылось, —
Слишком раннюю утрату и усталость
Испытать мне в жизни привелось.

И молиться не учи меня. Не надо!
К старому возврата больше нет.
Ты одна мне помощь и отрада,
Ты одна мне несказанный свет.

Так забудь же про свою тревогу,
Не грусти так шибко обо мне.
Не ходи так часто на дорогу
В старомодном ветхом шушуне.

1924

* * *

Мы теперь уходим понемногу
В ту страну, где тишь и благодать.
Может быть, и скоро мне в дорогу
Бренные пожитки собирать.

Милые березовые чащи!
Ты, земля! И вы, равнин пески!

But don't wake me at daybreak any more as you did eight years ago.

Don't wake what is no longer dreamed, don't disturb what didn't come to pass — I have had to experience too early in life loss and tiredness.

And don't tell me how to pray. You mustn't! There is no more going back to the past. You alone are my help and joy, you alone are my ineffable light.

So forget about your worry, don't be so sad about me. Don't walk so often onto the road in a decrepit old-fashioned jerkin.

We are now gradually departing to the country of quiet and grace. Perhaps I too will soon have to gather my transitory belongings for the journey.

Beloved groves of birch trees! You, too, earth! And you too, the sands of the plains!

Перед этим сонмом уходящих
Я не в силах скрыть моей тоски.

Слишком я любил на этом свете
Всё, что душу облекает в плоть.
Мир осинам, что, раскинув ветви,
Загляделись в розовую водь.

Много дум я в тишине продумал,
Много песен про себя сложил,
И на этой на земле угрюмой
Счастлив тем, что я дышал и жил.

Счастлив тем, что целовал я женщин,
Мял цветы, валялся на траве
И зверье, как братьев наших меньших,
Никогда не бил по голове.

Знаю я, что не цветут там чащи,
Не звенит лебяжьей шеей рожь.
Оттого пред сонмом уходящих
Я всегда испытываю дрожь.

Знаю я, что в той стране не будет
Этих нив, златящихся во мгле.
Оттого и дороги мне люди,
Что живут со мною на земле.

1924

Faced with this host of the departing I am unable to conceal my anguish.

In this world I was too fond of everything that clothes the soul in flesh. Peace to the aspens which, spreading out their branches, stare into the rosy waters!

I have thought many thoughts in the silence, I have composed many songs about myself, and on this sullen earth I am happy to have breathed and lived.

I am happy to have kissed women, trampled flowers, sprawled on the grass and never to have hit wild animals, as our lesser brethren, over the head.

I know that no groves flower there, no rye stalks like swan's necks ring out. That is why faced with the host of the departing I always experience trembling.

I know that in that land there will not be these cornfields golden in the mist. That is why people too are dear to me, because they live with me on earth.

* * *

Отговорила роща золотая
Березовым, веселым языком,
И журавли, печально пролетая,
Уж не жалеют больше ни о ком.

Кого жалеть? Ведь каждый в мире странник —
Пройдет, зайдет и вновь оставит дом.
О всех ушедших грезит конопляник
С широким месяцем над голубым прудом.

Стою один среди равнины голой,
А журавлей относит ветер в даль,
Я полон дум о юности веселой,
Но ничего в прошедшем мне не жаль.

Не жаль мне лет, растраченных напрасно,
Не жаль души сиреневую цветь.
В саду горит костер рябины красной,
Но никого не может он согреть.

Не обгорят рябиновые кисти,
От желтизны не пропадет трава,
Как дерево роняет тихо листья,
Так я роняю грустные слова.

И если время, ветром разметая,
Сгребет их все в один ненужный ком...

The golden grove has stopped speaking its merry birch language, and the cranes, flying sadly over, no longer feel sorry for anybody.

Whom can one be sorry for? For every man passes the world as a wanderer, dropping in and then leaving the house. The hemp-field and the wide moon over the blue pond dream of all the departed.

I stand alone in the middle of a bare plain, and the wind carries the cranes off afar. I am full of thoughts of a merry youth, but I regret nothing in the past.

I do not miss the years wasted pointlessly, I do not regret my soul's lilac blossoming. A bonfire of red rowan berries burns in the garden, but it cannot give anyone warmth.

The bunches of rowan berries will not be scorched, the grass will not die of yellowness. As a tree quietly sheds its leaves, so I shed sad words.

And if time, as it blows them away in the wind, rakes them into one unwanted pile...

Скажите так... что роща золотая
Отговорила милым языком.

1924

Из поэмы «Черный человек»

Друг мой, друг мой,
Я очень и очень болен.
Сам не знаю, откуда взялась эта боль.
То ли ветер свистит
Над пустым и безлюдным полем,
То ль, как рощу в сентябрь,
Осыпает мозги алкоголь.

Голова моя машет ушами,
Как крыльями птица.
Ей на шее ноги
Маячить больше невмочь.
Черный человек,
Черный, черный,
Черный человек
На кровать ко мне садится,
Черный человек
Спать не дает мне всю ночь.

[...]
«Не знаю, не помню,
В одном селе,
Может, в Калуге,

just say this... the golden grove has stopped speaking the language I loved.

From 'The Man in Black '
My friend, my friend, I am very, very ill. I myself don't know where this pain came
from. Is it the wind whistling over an empty deserted field, or, like a grove in
September, is alcohol crumbling my brain?
   My head flaps its ears as a bird flaps its wings. It cannot bear any more to stagger on
my neck. The man in black, black, black, the man in black sits next to me on the bed, the
man in black won't let me sleep all night.
   [...] 'I don't know, I don't remember, in some village or other, it could be in Kaluga,

А может, в Рязани,
Жил мальчик
В простой крестьянской семье,
Желтоволосый,
С голубыми глазами...

И вот стал он взрослым,
К тому ж поэт,
Хоть с небольшой,
Но ухватистой силою,
И какую-то женщину,
Сорока с лишним лет,
Называл скверной девочкой
И своею милою».

«Черный человек!
Ты прескверный гость.
Эта слава давно
Про тебя разносится».
Я взбешен, разъярен,
И летит моя трость
Прямо к морде его,
В переносицу...

. . . .

...Месяц умер,
Синеет в окошко рассвет.

or maybe Riazan, in a simple peasant family lived a boy, yellow-haired and blue-eyed...
And so he grew up and is also a poet, though with small but nimble powers, and some woman of over forty he called a nasty little girl and his darling.'
'Man in black! You are a horrible visitor. You have long had this reputation.' I am enraged, infuriated, and my cane flies right at his ugly mug, to the bridge of his nose...

. . . . .

...The moon has died, the daybreak can be seen, dark-blue, through the little window.

Ах ты, ночь!
Что ты, ночь, наковеркала?
Я в цилиндре стою,
Никого со мной нет.
Я один...
И разбитое зеркало...

14 ноября 1925

* * *

До свиданья, друг мой, до свиданья.
Милый мой, ты у меня в груди.
Предназначенное расставанье
Обещает встречу впереди.

До свиданья, друг мой, без руки, без слова,
Не грусти и не печаль бровей, —
В этой жизни умирать не ново,
Но и жить, конечно, не новей.

Декабрь 1925

Oh night! Night, what have you twisted? I am standing in a top hat, there is nobody with me. I am alone... And there is a smashed mirror...

Good-bye, my friend, good-bye. Dear friend, you are in my breast. A predestined parting is a promise of a meeting to come.
Good-bye, my friend, no handshake or words, don't be sad and don't sorrow your brows — dying is nothing new in this life, but living, of course, is no newer.

НИКОЛАЙ МАКАРОВИЧ ОЛЕЙНИКОВ
NIKOLAI MAKAROVICH OLEINIKOV

Хвала изобретателям

Хвала изобретателям, подумавшим о мелких и смешных
                                 приспособлениях:
О щипчиках для сахара, о мундштуках для папирос,
Хвала тому, кто предложил печати ставить в удостоверениях,
Кто к чайнику приделал крышечку и нос,
Кто соску первую построил из резины,
Кто макароны выдумал и манную крупу,
Кто научил людей болезни изгонять отваром из малины,
Кто изготовил яд, несущий смерть клопу.
Хвала тому, кто первый начал называть котов и кошек
                                 человеческими именами,
Кто дал жукам названия точильщиков, могильщиков и
                                 дровосеков,
Кто ложки чайные украсил буквами и вензелями,
Кто греков разделил на древних и на просто греков.
Вы, математики, открывшие секреты перекладывания спичек,
Вы, техники, создавшие сачок — для бабочек капкан,
Изобретатели застежек, пуговиц, петличек
И ты, создатель соуса-пикан!
Бирюльки чудные, — идеи ваши — мне всего дороже!
Они томят мой ум, прельщают взор...
Хвала тому, кто сделал пуделя на льва похожим
И кто придумал должность — контролер!

1932

In Praise of Inventors
Praise be to the inventors who thought about minor and funny gadgets: about sugar
tongs, cigarette holders, praise to him who suggested stamping certificates, who put a lid
and a spout on the teapot, who first made a rubber dummy, who invented macaroni and
semolina, who taught people to drive out diseases with a brew of raspberries, who made
the poison that brings death to bedbugs. Praise to the man who first began calling cats,
male and female, by human names, who gave beetles the names of borers, sextons and
woodcutters, who decorated tea-spoons with letters and patterns, who divided Greeks
into ancient and ordinary Greeks. You mathematicians, who have discovered the secrets
of re-stacking matches, you technicians, who have created the net, a trap for butterflies,
inventors of catches, buttons, loops and you, creator of Worcester sauce! Wondrous
trifles — your ideas — are dearer than anything to me! They make my mind languid,
they fascinate my eyes. Praise be to the man who made a poodle look like a lion and
who thought up the job of ticket inspector!

* * *

Неуловимы, глухи, неприметны
Слова, плывущие во мне, —
Проходят стороной — печальны, бледны, —
Не наяву, а будто бы во сне.
Простой предмет — перо, чернильница, —
Сверкая, свет прольют иной.
И день шипит, как мыло в мыльнице,
Пленяя тусклой суетой.
Чужой рукой моя рука водила:
Я слышал то, о чем писать хотел,
Что издавало звук шипенья мыла, —
Цветок засохший чистотел.

1937

Elusive, muffled, inconspicuous are the words that drift within me, — they pass to one side, sad, pale, not while I am awake but as though in my sleep. A simple object — a pen, an inkwell, — flashing, will shed a different light. And the day hisses like soap in a soap-holder, enchanting one with its dim bustle. My hand has directed someone else's hand: I have heard what I wanted to write about, what emitted the sound of soap hissing, — a dried-up celandine flower.

НИКОЛАЙ РОБЕРТОВИЧ ЭРДМАН
NIKOLAI ROBERTOVICH ÈRDMAN

Хитров рынок

Не слушайся, бродяга, матери,
Пускай с тобой не говорит жена, —
Язык у женщины, что меч без рукояти,
Бряцает попусту в истрепанных ножнах.

Пуховая постель — их парусник рыбачий,
А вместо невода — венчальная фата.
Будь проклят крик, которым выворачивал
Ты им разинутые губы живота.

Чтоб молоко твое вскипало беспокойней,
Они натапливают бедер изразцы;
За то, что мать тебя сумела, как подойник,
На десять месяцев поставить под сосцы.

Учись бродяжничать размашисто и праздно,
Из сердца выветри домашнее тепло.
Ах, разве может быть кому-нибудь обязана
Твоя на каторгу сколоченная плоть?

Тебе ль в бревенчатый заковываться панцирь,
Носить железных крыш тяжелые щиты?
Нет, если есть еще в России хитрованцы,
Нам нечего с тобой бояться нищеты.

Khitrovka Thieves' Market
Tramp, don't obey your mother, let your wife not talk to you, — women's tongues are like swords without handles, they jangle pointlessly in worn-out sheaths.

A downy bed is their fisherman's sail-boat, and instead of nets they have the wedding veil. Cursed be the shout by which you turned inside out their bellies' parted lips.

So that your milk boiled more restlessly, they heat up the tiles of their hips; because your mother managed to put you, like a milk-pail, for ten months beneath her teats.

Learn to roam the roads boldly and idly, let domestic warmth waft away from your heart. Oh, can your flesh, knocked up for penal servitude, really be obliged to anybody?

Is it for you to be fettered in a log armour, to wear the heavy shield of iron roofs? No, if there are still Khitrovka market men in Russia, you and I have no need to fear poverty.

И лучше где-нибудь в разбойничьем притоне
Пропить бессовестно хозяйское добро,
Чем кровь свою разбить червонцем о червонец,
Чем тела своего растратить серебро.

Поставь же голову увереннее на ноги,
Пока в полях под оттепельный вздрог
Снимает ветер снежные портянки
С испачканных ступней проселочных дорог.

Шаги бродяжные нигде не успокоятся,
Их не связать весне веревками травы,
Пока твои виски, как два молотобойца,
Грохочут в кузнице просторной головы.

Когда же мир глазам совсем отхорошеет
И льдина месяца застрянет на мели,
Простой ремень, с сука опущенный до шеи,
Тебя на тыщу верст поднимет от земли.

И всё пройдет, и даже месяц сдвинется,
И косу заплетет холодная струя.
Земля, земля, веселая гостиница
Для проезжающих в далекие края.

1923

And it is better shamelessly to spend on drink your master's goods somewhere in a bandit's dive than to smash your blood, gold coin against gold coin, than to squander your body's silver.

So put more surely your head on its feet, while in the fields the wind, to the quivering of the thaw, removes the snowy bindings from the soiled feet of the country roads.

A tramp's footsteps will not find peace anywhere, spring shall not bind them with the grass's ropes, so long as your temples, like two blacksmith's strikers, thunder in the smithy of the spacious head.

And when the world loses all its attraction for the eyes and the moon's ice-floe is stranded on a sand bank, a simple strap, lowered from a branch to the neck, will lift you a thousand miles from the earth.

And everything will pass, and even the moon will move on, and a cold stream will plait the hair. Earth, earth, merry hotel for those travelling to distant regions.

НИКОЛАЙ АЛЕКСЕЕВИЧ ЗАБОЛОЦКИЙ
NIKOLAI ALEKSEEVICH ZABOLOTSKII

Болезнь

Больной, свалившись на кровать,
Руки не может приподнять.
Вспотевший лоб прямоуголен —
Больной двенадцать суток болен.
Во сне он видит чьи-то рыла,
Тупые, плотные, как дуб.
Тут лошадь веки приоткрыла,
Квадратный выставила зуб.
Она грызет пустые склянки,
Склонившись, библию читает,
Танцует, мочится в лоханки
И голосом жены больного утешает.

«Жена, ты девушкой слыла.
Увы, моя подруга,
Как кожа нежная была
В боках твоих упруга!
Зачем же лошадь стала ты?
Укройся в белые скиты
И, ставя Богу свечку,
Грызи свою уздечку!»

Но лошадь бьется, не идет,
Наоборот, она довольна.
Уж вечер. Лампа свет лиет

Illness

The patient, collapsed onto the bed, cannot lift up his arm. His brow, covered in sweat, is rectangular — the patient has been ill for twelve days and nights. He dreams he sees people's ugly gobs, as obtuse, fleshy as oak trees. Now a horse has opened its eyelids, has poked out a square tooth. It gnaws at empty phials, bending over, it reads the Bible, dances, urinates into the tubs and consoles the patient in his wife's voice.

'Wife, you were supposed to be a girl. Alas, my beloved, how taut was the tender skin in your flanks! Why have you become a horse? Hide yourself in white monastic refuges and, lighting a candle to God, gnaw at your bridle!'

But the horse fights, doesn't go; in fact, it's pleased. It's evening. A lamp pours light

На уголок застольный.
Восходит поп среди двора,
Он весь ругается и силы напрягает,
Чугунный крест из серебра
Через порог переставляет.
Больному лучше. Поп хохочет,
Закутавшись в святую епанчу.
Больного он кропилом мочит,
Потом с тарелки ест сычуг,
Наполненный ячменной кашей,
И лошадь называет он мамашей.

1928

Ивановы

Стоят чиновные деревья,
Почти влезая в каждый дом.
Давно их кончено кочевье,
Они в решетках, под замком.
Шумит бульваров теснота,
Домами плотно заперта.

Но вот все двери растворились,
Повсюду шепот пробежал:
На службу вышли Ивановы
В своих штанах и башмаках.
Пустые гладкие трамваи
Им подают свои скамейки.

onto the corner with the table. A priest arises in the middle of the courtyard, he is busy cursing and gathering his strength, he moves a cast-iron cross made of silver across the threshold. The patient feels better. The priest laughs loudly, wrapped up in his holy mantle. He sprinkles the patient with his aspergillum, then eats off a plate a rennet bag stuffed with barley porridge, and calls the horse mummy.

The Ivanovs
The officious trees stand, almost pushing into each house; their nomadic wandering is long over — they are behind railings, locked in. The crowded boulevards roar, they are hemmed in tight by buildings.
But now all doors have opened, everywhere a whisper has spread: the Ivanovs have left for work in their trousers and shoes. The smooth empty trams offer them their seats.

Герои входят, покупают
Билетов хрупкие дощечки,
Сидят и держат их перед собой,
Не увлекаясь быстрою ездой.

А там, где каменные стены,
И рев гудков, и шум колес,
Стоят волшебные сирены
В клубках оранжевых волос.
Иные, дуньками одеты,
Сидеть не могут взаперти.
Прищелкивая в кастаньеты,
Они идут. Куда идти,
Кому нести кровавый ротик,
У чьей постели бросить ботик
И дернуть кнопку на груди?
Неужто некуда идти?

О мир, свинцовый идол мой,
Хлещи широкими волнами
И этих девок упокой
На перекрестке вверх ногами!
Он спит сегодня, грозный мир:
В домах спокойствие и мир.

Ужели там найти мне место,
Где ждет меня моя невеста,
Где стулья выстроились в ряд,

the heroes get in, buy stiff cardboard tickets, sit holding them in front of them, unexcited by the rapid motion.

Where there are stone walls, the roar of car horns and noise of wheels, magical sirens stand in tangles of orange hair. Some, dressed like country girls, cannot sit locked up. Clicking their castanets, they walk. Where shall I go, to whom shall I offer by blood-red little mouth, by whose bed throw off my overshoe and pull open the button on my breast? Is there really nowhere to go?

O world, my leaden idol, lash your wide waves and lay these tarts to rest on the crossroads, upside down! It's asleep today, the dreadful world, there is calm and peace in the houses.

Will I really find a place there, where my bride awaits me, where chairs are lined up,

Где горка — словно Арарат —
Имеет вид отменно важный,
Где стол стоит и трехэтажный
В железных латах самовар
Шумит домашним генералом?

О мир, свернись одним кварталом,
Одной разбитой мостовой,
Одним проплеванным амбаром,
Одной мышиною норой,
Но будь к оружию готов:
Целует девку — Иванов!

1928

Из поэмы «Торжество Земледелия»

2. Страдания животных

Смутные тела животных
Сидели, наполняя хлев,
И разговор вели свободный,
Душой природы овладев.

«Едва могу себя понять, —
Молвил бык, смотря в окно. —
На мне сознанья есть печать,
Но сердцем я старик давно.

where the cabinet, like Mt Ararat, has a thoroughly solemn appearance, where a table and a three-storeyed samovar in iron armour makes a noise like a domestic general?

O world, curl up into a street block, into smashed paving, into a barn covered with spit, into a mouse hole, but be ready to take up arms: a tart is being kissed by Ivanov!

From 'The Triumph of Agriculture'
2. The Animals' Suffering
The animals' confused bodies sat, filling the stable, and they had a free conversation, having mastered nature's soul.

'I can hardly understand myself,' said the bull, as he looked through the window. 'I have the seal of consciousness on me, but in my heart I have long been an old man.

Как понять мое сомненье?
Как унять мою тревогу?
Кажется, без потрясенья
День прошел, и слава Богу!
Однако тут не всё так просто.
На мне печаль как бы хомут.
На дно коровьего погоста,
Как видно, скоро повезут.
О стон гробовый!
Вопль унылый!
Там даже не построены могилы:
Корова мертвая наброшена
На кости рваные овечек;
Подале, осердясь на коршуна,
Собака чей-то труп калечит.
Кой-где копыто, дотлевая,
Дает питание растенью.
И череп сорванный седлает
Червяк, сопутствуя гниенью.
Частицы шкурки и состав орбиты
Тут же всё лежат-лежат,
Лишь капельки росы, налиты
На них, сияют и дрожат».

Ответил конь:
«Смерти бледная подкова
Просвещенным не страшна.
Жизни горькая основа
Смертным более нужна.
В моем черепе продолговатом
Мозг лежит, как длинный студень.

How can my doubt be understood? How can my anxiety be calmed? I feel the day has passed without shock, and thank God. However not all is so simple here. Grief is like a yoke on me. Soon, clearly, I shall be taken to the bottom of the cows' cemetery. Oh sepulchral groans! Melancholy outcry! Graves haven't even been built there: a dead cow has been flung on the torn bones of sheep; further off, snarling at the kite, a dog cripples someone's corpse. Here and there a hoof, rotting away, gives nutriment to a plant, and a worm, a fellow-traveller to rotting, saddles a torn off skull. Bits of skin and parts of an eye socket just lie there all the time, only dewdrops poured on them shine and quiver.'

The horse replied: 'Death's pale horseshoe holds no terror for the enlightened. Mortals have more need of life's bitter basis. In my oblong skull a brain lies like elongated aspic.

В своем домике покатом
Он совсем не жалкий трутень.
Люди! Вы напрасно думаете,
Что я мыслить не умею,
Если палкой меня дуете,
Нацепив шлею на шею.
Мужик, меня ногами обхватив,
Скачет, страшно дерясь кнутом,
И я скачу, хоть некрасив,
Хватая воздух жадным ртом.
Кругом природа погибает,
Мир качается, убог,
Цветы, плача, умирают,
Сметены ударом ног.
Иной, почувствовав ушиб,
Закроет глазки и приляжет,
А на спине моей мужик,
Как страшный бог, руками и ногами машет!
Когда же, в стойло заключен,
Стою, устал и удручен,
Сознанья бледное окно
Мне открывается давно.
И вот, от боли раскорячен,
Я слышу: воют небеса.
То зверь трепещет, предназначен
Вращать систему колеса.
Молю, откройте, откройте, друзья,
Ужели все люди над нами князья?»
[...]

1929–1930

In its rounded house it is not a pitiful drone at all. People! You are wrong to believe that I cannot cogitate, if you thrash me with a stick, having put a breast-band on my neck. A peasant, his legs gripping me, gallops, lashing horribly with the knut, and I gallop, though ugly, my hungry mouth gasping for air. All around nature is dying, the world is rocking, impoverished, flowers are dying, weeping, swept away by a blow of the legs. One flower, feeling the blow, will shut its eyes and lie flat, while the peasant on my back, like a terrible god, waves his arms and legs! But when, shut up in the stall, I stand tired and oppressed, the mind's pale window is long opened for me. And now, bow-legged with pain, I hear: the heavens howl. Now a beast trembles, predestined to turn the wheel's system. I beg, reveal, reveal it, friends: are all people really lords over us?'

Время

1

Ираклий, Тихон, Лев, Фома
Сидели важно вкруг стола.
Над ними дедовский фонарь
Висел, роняя свет на пир.
Фонарь был пышный и старинный,
Но в виде женщины чугунной.
Та женщина висела на цепях,
Ей в спину наливали масло,
Дабы лампада не погасла
И не остаться всем впотьмах.

2

Благообразная вокруг
Сияла комната для пира.
У стен — с провизией сундук,
Там — изображение кумира
Из дорогого алебастра.
В горшке цвела большая астра.
И несколько стульев прекрасных
Вокруг стояли стен однообразных.

3

Так в этой комнате жилой
Сидело четверо пирующих гостей.
Иногда они вскакивали,

Time

1. Iraklii, Tikhon, Lev, Foma were sitting gravely around a table. Over them grandfather's lamp hung, shedding light on the feast. The lamp was luxurious and antique, but in the form of a cast-iron woman. The woman hung from chains, oil was poured into her back so that the lamp did not go out and nobody stayed in the dark.

2. Fine looking all round, the room shone for the feast. By the walls was a trunk full of provisions, opposite was a picture of an idol made of expensive alabaster. In a pot a large aster blossomed. And several fine chairs stood around the monotonous walls.

3. Thus four feasting guests were sitting in this living room. Sometimes they leapt up,

Хватались за ножки своих бокалов
И пронзительно кричали «Виват!».
Светила лампа в двести ватт.
Ираклий был лесной солдат,
Имел ружья огромную тетерю,
В тетере был большой курок.
Нажав его перстом, я верю,
Животных бить возможно впрок.

4

Ираклий говорил, изображая
Собой могучую фигуру:
«Я женщин с детства обожаю.
Они представляют собой роскошную клавиатуру,
Из которой можно извлекать аккорды».
Со стен смотрели морды
Животных, убитых во время перестрелки.
Часы двигали свои стрелки.
И, не сдержав разбег ума,
Сказал задумчивый Фома:
«Да, женщины значение огромно,
Я в том согласен безусловно,
Но мысль о времени сильнее женщин. Да!
Споем песенку о времени, которую мы поем всегда».

grasped the stems of their wine glasses and shouted penetratingly 'Vivat!'. The two-hundred-watt lamp shone. Iraklii was a forest soldier, he had an enormous blockhead of a rifle, in this blockhead was a big trigger. By pulling it with a finger, I believe, you could kill a supply of animals.

4. Iraklii spoke, giving a representation of a powerful figure: 'Since childhood I have adored women. They are a luxurious keyboard, from which chords can be struck.' The faces of animals, killed during the crossfire, looked from the walls, the clock moved its hands. And, not restraining the flight of his mind, thoughtful Foma said: 'Yes, woman's significance is enormous, I absolutely agree with that, but the thought of time is stronger than women. Yes! Let us sing the ditty about time which we always sing.'

5

Песенка о времени

Легкий ток из чаши А
Тихо льется в чашу Бе,
Вяжет дева кружева,
Пляшут звезды на трубе.

Поворачивая ввысь
Андромеду и Коня,
Над землею поднялись
Кучи звездного огня.

Год за годом, день за днем
Звездным мы горим огнем,
Плачем мы, созвездий дети,
Тянем руки к Андромеде

И уходим навсегда,
Увидавши, как в трубе
Легкий ток из чаши А
Тихо льется в чашу Бе.

6

Тогда ударил вновь бокал,
И разом все «Виват!» вскричали,
И им в ответ, устроив бал,
Часы пять криков прокричали.
Как будто маленький собор,

---

5. *The Ditty about Time.* A light current from cup A pours quietly into cup B, the maiden knits lace, the stars dance on the chimney.

Turning Andromeda and the Horse upwards, piles of starry fire have risen over the earth.

Year by year, day by day we burn with the starry fire. We weep, children of constellations, we stretch our hands to Andromeda

And we part forever, having seen a light current from cup A flow quietly into cup B.

6. Then he struck the glass again, and as one all shouted out 'Vivat!', and responding to them, arranging a ball, the clock shouted out five shouts. Just like a small cathedral,

Висящий крепко на гвозде,
Часы кричали с давних пор,
Как надо двигаться звезде.
Бездонный времени сундук,
Часы — творенье адских рук!
И всё это прекрасно понимая,
Сказал Фома, родиться мысли помогая:
«Я предложил бы истребить часы!»
И, закрутив усы,
Он посмотрел на всех спокойным глазом.
Блестела женщина своим чугунным тазом.

7

А если бы они взглянули за окно,
Они б увидели великое пятно
Вечернего светила.
Растенья там росли, как дудки,
Цветы качались выше плеч,
И в каждой травке, как в желудке,
Возможно свету было течь.
Мясных растений городок
Пересекал воды поток.
И, обнаженные, слагались
В ладошки длинные листы,
И жилы нижние купались
Среди химической воды.

hanging firmly from a nail, the clock had shouted since old times how the star should move. A bottomless trunk of time, the clock is a creature of hellish hands! And understanding all this very well, Foma said, helping a thought to be born: 'I would suggest destroying the clock!' And, twisting his moustache, he looked at everyone with a peaceful eye. The woman shone with her cast-iron pelvis.

7. But if they had looked through the window, they would have seen a big stain of the evening star. Plants grew like musical pipes, the flowers swayed higher than the shoulder, and in each herb, as in a stomach, it was possible for light to flow. A town of meaty plants was crossed by a current of water. And, laid bare, the long leaves were folded into palms, and the lower sinews bathed amid chemical water.

8

И, с отвращеньем посмотрев в окошко,
Сказал Фома: «Ни клюква, ни морошка,
Ни жук, ни мельница, ни пташка,
Ни женщины большая ляжка
Меня не радуют. Имейте все в виду:
Часы стучат, и я сейчас уйду».

9

Тогда встает безмолвный Лев.
Ружье берет, остервенев,
Влагает в дуло два заряда,
Всыпает порох роковой
И в середину циферблата
Стреляет крепкою рукой.
И все в дыму стоят, как боги,
И шепчут, грозные: «Виват!»
И женщины железной ноги
Горят над ними в двести ватт.
И все растенья припадают
К стеклу, похожему на клей,
И с удивленьем наблюдают
Могилу разума людей.

1933

8. And looking with revulsion through the window, Foma said: 'Neither cranberry nor cloudberry, nor beetle, nor mill, nor bird, nor woman's great thigh gives me joy. Bear it in mind, all of you: the clock is striking and I shall now depart.'

9. Then silent Lev arises, going berserk, he takes his rifle, puts two cartridges in the barrel, pours in the fatal powder and shoots with his strong hand at the middle of the dial. And all stand in smoke, like gods, and whisper, dreadful, 'Vivat!' And the iron woman's legs glow over them at two hundred watts. And all the plants fall against the glass, which is like glue, and observe with amazement the grave of people's reason.

Вчера, о смерти размышляя

Вчера, о смерти размышляя,
Ожесточилась вдруг душа моя.
Печальный день! Природа вековая
Из тьмы лесов смотрела на меня.

И нестерпимая тоска разъединенья
Пронзила сердце мне, и в этот миг
Всё, всё услышал я — и трав вечерних пенье,
И речь воды, и камня мертвый крик.

И я, живой, скитался над полями,
Входил без страха в лес,
И мысли мертвецов прозрачными столбами
Вокруг меня вставали до небес.

И голос Пушкина был над листвою слышен,
И птицы Хлебникова пели у воды.
И встретил камень я. Был камень неподвижен,
И проступал в нем лик Сковороды.

И все существованья, все народы
Нетленное хранили бытие,
И сам я был не детище природы,
Но мысль ее! Но зыбкий ум ее!

1936

Yesterday, thinking about death
Yesterday, thinking about death, my soul was suddenly embittered. Sad day! Age-old nature looked at me from the darkness of the forests.

And an unbearable anguish of disconnection pierced my heart, and that instant I heard everything, everything — the evening grasses' singing, the water's speech and the stone's dead shout.

And I, alive, roamed over the fields, entered the forest without fear, and dead men's thoughts in transparent pillars rose around me to the heavens.

And I could hear Pushkin's voice over the foliage, and Khlebnikov's birds sang by the water. And I met a stone. The stone was motionless, and Skovoroda's face showed through it.

And all existences, all peoples retained an everlasting being, and I myself was not a child of nature, but its thought! but its vibrant mind!

Лесное озеро

Опять мне блеснула, окована сном,
Хрустальная чаша во мраке лесном.

Сквозь битвы деревьев и волчьи сраженья,
Где пьют насекомые сок из растенья,
Где буйствуют стебли и стонут цветы,
Где хищная тварями правит природа,
Пробрался к тебе я и замер у входа,
Раздвинув руками сухие кусты.

В венце из кувшинок, в уборе осок,
В сухом ожерелье растительных дудок
Лежал целомудренной влаги кусок,
Убежище рыб и пристанище уток.
Но странно, как тихо и важно кругом!
Откуда в трущобах такое величье?
Зачем не беснуется полчище птичье,
Но спит, убаюкано сладостным сном?
Один лишь кулик на судьбу негодует
И в дудку растенья бессмысленно дует.

И озеро в тихом вечернем огне
Лежит в глубине, неподвижно сияя,
И сосны, как свечи, стоят в вышине,
Смыкаясь рядами от края до края.

The Forest Lake
Transfixed by sleep, the crystal chalice in the forest gloom shone for me again.

Through the battles of trees and conflicts of wolves, where insects drink sap from a plant, where stalks go wild and flowers groan, where predatory nature rules creatures, I made my way to you and froze by the entrance, parting the dry bushes with my hands.

In a wreath of water lilies, in headgear of sedges, in a dry necklace of vegetable pipes lay a piece of chaste moisture, a refuge for fishes and a haven for ducks. But it was strange how quiet and solemn it was all round! Where does such majesty come from in the forest thickets? Why does the avian regiment not rage, but sleep, lulled by voluptuous dreams? Only the sandpiper protests at fate and senselessly blows on the pipe of a plant.

And in the tranquil glow of evening the lake lies in the depths, radiating and immobile, and, like candles, pines stand in the heights, closing ranks from edge to edge.

Бездонная чаша прозрачной воды
Сияла и мыслила мыслью отдельной.
Так око больного в тоске беспредельной
При первом сиянье вечерней звезды,
Уже не сочувствуя телу больному,
Горит, устремленное к небу ночному.
И толпы животных и диких зверей,
Просунув сквозь елки рогатые лица,
К источнику правды, к купели своей
Склонялись воды животворной напиться.

1938

Я трогал листы эвкалипта

Я трогал листы эвкалипта
И твердые перья агавы,
Мне пели вечернюю песню
Аджарии сладкие травы.
Магнолия в белом уборе
Склоняла туманное тело,
И синее-синее море
У берега бешено пело.

Но в яростном блеске природы
Мне снились московские рощи,
Где синее небо бледнее,
Растенья скромнее и проще.
Где нежная иволга стонет

The bottomless chalice of transparent water shone and thought a separate thought. Thus a sick man's eye in boundless anguish at the first radiance of the evening star, no longer sympathising with the sick man's body, burns, fixed on the night sky. And crowds of animals and wild beasts, sticking their horned faces through the fir trees, towards the source of truth, to their baptismal font, bent down to drink their fill of life-giving water.

I was touching eucalyptus leaves
I was touching eucalyptus leaves and the agava's firm feathers; Ajaria's sweet herbs were singing an evening song for me. A magnolia in white attire bent down its misty body, and the blue, blue sea sang furiously by the shore.

But in the frantic radiance of nature I dreamt of the groves of Moscow, where the blue sky is paler, where plants are more modest and simple, where the tender oriole laments

Над светлым видением луга,
Где взоры печальные клонит
Моя дорогая подруга.

И вздрогнуло сердце от боли,
И светлые слезы печали
Упали на чаши растений,
Где белые птицы кричали.
А в небе, седые от пыли,
Стояли камфарные лавры
И в бледные трубы трубили,
И в медные били литавры.

1947

Некрасивая девочка

Среди других играющих детей
Она напоминает лягушонка.
Заправлена в трусы худая рубашонка,
Колечки рыжеватые кудрей
Рассыпаны, рот длинен, зубки кривы,
Черты лица остры и некрасивы.
Двум мальчуганам, сверстникам ее,
Отцы купили по велосипеду.
Сегодня мальчики, не торопясь к обеду,
Гоняют по двору, забывши про нее,
Она ж за ними бегает по следу.

over the meadow's bright vision, where my dear friend casts down her sad eyes.

And my heart shuddered with pain, and bright tears of grief fell on the chalices of the plants, where the white birds cried. But in the sky stood camphor laurels, grey with dust, and they trumpeted into pale trumpets and struck brass kettledrums.

The Ugly Little Girl
Amidst the other children playing she reminds one of a little frog. Her thin shirt is tucked into her shorts, the reddish rings of her curls are scattered, her mouth is too long, her teeth are crooked, her facial features are too sharp and ugly. The two boys, the same age as her, each have a bicycle their fathers bought them. Today the boys, in no hurry for lunch, race round the yard, having forgotten about her, and she runs after them.

Чужая радость так же, как своя,
Томит ее и вон из сердца рвется,
И девочка ликует и смеется,
Охваченная счастьем бытия.

Ни тени зависти, ни умысла худого
Еще не знает это существо.
Ей всё на свете так безмерно ново,
Так живо всё, что для иных мертво!
И не хочу я думать, наблюдая,
Что будет день, когда она, рыдая,
Увидит с ужасом, что посреди подруг
Она всего лишь бедная дурнушка!
Мне верить хочется, что сердце не игрушка,
Сломать его едва ли можно вдруг!
Мне верить хочется, что чистый этот пламень,
Который в глубине ее горит,
Всю боль свою один переболит
И перетопит самый тяжкий камень!
И пусть черты ее нехороши
И нечем ей прельстить воображенье, —
Младенческая грация души
Уже сквозит в любом ее движенье.
А если это так, то что́ есть красота
И почему ее обожествляют люди?
Сосуд она, в котором пустота,
Или огонь, мерцающий в сосуде?

1955

Others' joy, like her own, wearies her and is bursting from her heart, and the little girl rejoices and laughs, gripped by the happiness of being.

Not a shadow of envy, nor any bad intention does this creature yet know. Everything in the world is so immeasurably new for her, everything is so alive that is for others dead. I do not even want to think, as I observe her, that there will be a day when she, sobbing, sees with horror that among her girl friends she is just the poor ugly one! I want to believe that the heart is not a toy, that it is unlikely to be broken just like that! I want to believe that this pure flame, which burns in her depths, will alone overcome all its pain and will melt the heaviest stone! And even if her features are ugly and she has nothing to seduce the imagination with — her soul's childlike grace already transfuses her every movement. And if this is so, then what is beauty, and why do people deify it? Is it a vessel, in which there is emptiness, or the fire flickering in a vessel?

Где-то в поле возле Магадана

Где-то в поле возле Магадана,
Посреди опасностей и бед,
В испареньях мерзлого тумана
Шли они за розвальнями вслед.
От солдат, от их луженых глоток,
От бандитов шайки воровской
Здесь спасали только околодок
Да наряды в город за мукой.
Вот они и шли в своих бушлатах —
Два несчастных русских старика,
Вспоминая о родимых хатах
И томясь о них издалека.
Вся душа у них перегорела
Вдалеке от близких и родных,
И усталость, сгорбившая тело,
В эту ночь снедала души их.
Жизнь над ними в образах природы
Чередою двигалась своей.
Только звезды, символы свободы,
Не смотрели больше на людей.
Дивная мистерия вселенной
Шла в театре северных светил,
Но огонь ее проникновенный
До людей уже не доходил.
Вкруг людей посвистывала вьюга,
Заметая мерзлые пеньки.

Somewhere in open country near Magadan
Somewhere in open country near Magadan, amid dangers and misfortunes, in the fumes of the frozen mist they followed the heavy wide sledge. From the soldiers, from their tinplate throats, from the thieving gang of bandits, here they were saved only by the aid posts and by the details sent to town to fetch flour. Now they were walking in their convict's jackets — two unfortunate old Russian men, remembering the cottages where their families lived and pining for them from afar. All their souls were burnt out far from their kith and kin, and tiredness, which bent their bodies, devoured their souls this night. Above them, in images of nature, life moved in its usual order. Only the stars, symbols of freedom, no longer looked at people. The wondrous mystery-play of the universe was being performed in the northern luminaries' theatre, but its piercing fire reached people no more. Around the people the blizzard was whistling, sweeping over frozen stumps.

И на них, не глядя друг на друга,
Замерзая, сели старики.
Стали кони, кончилась работа,
Смертные доделались дела...
Обняла их сладкая дремота,
В дальний край, рыдая, повела.
Не нагонит больше их охрана,
Не настигнет лагерный конвой,
Лишь одни созвездья Магадана
Засверкают, став над головой.

1956

Противостояние Марса

Подобный огненному зверю,
Глядишь на землю ты мою,
Но я ни в чем тебе не верю
И славословий не пою.
Звезда зловещая! Во мраке
Печальных лет моей страны
Ты в небесах чертила знаки
Страданья, крови и войны.
Когда над крышами селений
Ты открывала сонный глаз,
Какая боль предположений
Всегда охватывала нас!
И был он в руку — сон зловещий:

And on these stumps, not looking at each other, the old men sat down, freezing to death. The horses stood still, work was over, mortal deeds were finished... Sweet drowsiness embraced them, led them, sobbing, into a distant region. The guards would not round them up any more, the camp escort would not strike at them, only the constellations of Magadan alone would flash, standing over their heads.

The Opposition of Mars
Like a fiery beast, you look at my land, but I don't trust you in anything and sing no songs of praise. Ominous star! In the gloom of my country's sad years you drew signs in the sky of suffering, blood and war. When you opened a sleepy eye over the villages' roofs, what pain of conjectures always overcame us! And the ominous dream came true:

Война с ружьем наперевес
В селеньях жгла дома и вещи
И угоняла семьи в лес.
Был бой и гром, и дождь и слякоть,
Печаль скитаний и разлук,
И уставало сердце плакать
От нестерпимых этих мук.
И над безжизненной пустыней
Подняв ресницы в поздний час,
Кровавый Марс из бездны синей
Смотрел внимательно на нас.
И тень сознательности злобной
Кривила смутные черты,
Как будто дух звероподобный
Смотрел на землю с высоты.
Тот дух, что выстроил каналы
Для неизвестных нам судов
И стекловидные вокзалы
Средь марсианских городов.
Дух, полный разума и воли,
Лишенный сердца и души,
Кто о чужой не страждет боли,
Кому все средства хороши.
Но знаю я, что есть на свете
Планета малая одна,
Где из столетия в столетье
Живут иные племена.
И там есть муки и печали,
И там есть пища для страстей,
Но люди там не утеряли

War with a rifle at the ready burned houses and things in the villages and drove families into the forest. There was battle and thunder and rain and sleet, the misery of wandering and separations, and the heart tired of weeping for these unbearable torments. And over the lifeless wilderness, raising his eyelashes at the late hour, bloody Mars from the blue abyss looked carefully at us. And a shadow of vicious purpose twisted the vague features, as though a beast-like spirit were looking down on the earth from above. The spirit which built canals for vessels unknown to us, and glass-like stations amidst the Martian towns. A spirit, full of reason and will, devoid of any heart or soul, who does not suffer for the pain of others, for whom all means are good. But I do know that there is in the world one small planet, where over centuries other tribes have lived. There also torments and griefs exist, there also passions find food but the people there have not lost

Души естественной своей.
Там золотые волны света
Плывут сквозь сумрак бытия,
И эта малая планета —
Земля злосчастная моя.

1956

Из поэмы «Рубрук в Монголии»

2. Дорога Чингисхана

Он гнал коня от яма к яму,
И жизнь от яма к яму шла
И раскрывала панораму
Земель, обугленных дотла.

В глуши восточных территорий,
Где ветер бил в лицо и грудь,
Как первобытный крематорий,
Еще пылал Чингизов путь.

Еще дымились цитадели
Из бревен рубленных капелл,
Еще раскачивали ели
Останки вывешенных тел.

their natural soul. There golden waves of light drift through the twilight of being, and this little planet is my unfortunate land.

From 'Rubrouck in Mongolia'
2. Genghis Khan's Road
He rode the horse hard from post to post, and life from post to post went on and revealed a panorama of lands charred to embers.

   In the remoteness of the Eastern territories, where the wind struck his face and chest, like a primordial crematorium Genghis's route still blazed.

   The citadels of hewn-log chapels still smoked, the remains of hanged bodies were still swinging on the fir trees.

Еще на выжженных полянах,
Вблизи низинных родников,
Виднелись груды трупов странных
Из-под сугробов и снегов.

Рубрук слезал с коня и часто
Рассматривал издалека,
Как, скрючив пальцы, из-под наста
Торчала мертвая рука.

С утра не пивши и не евши,
Прислушивался, как вверху
Визгливо вскрикивали векши
В своем серебряном меху.

Как птиц тяжелых эскадрильи,
Справляя смертную кадриль,
Кругами в воздухе кружили
И простирались на сто миль.

Но, невзирая на молебен
В крови купающихся птиц,
Как был досель великолепен
Тот край, не знающий границ!

Европа сжалась до предела
И превратилась в островок,
Лежащий где-то возле тела
Лесов, пожарищ и берлог.

On the burnt out fields near the plains springs you could still see piles of strange corpses from under the snow drifts and the snows.

Rubrouck would dismount and often look from a distance at a dead hand with twisted fingers sticking out of the thin crust of ice over the snow.

Without food or drink since morning, he would listen to the squirrels shrilly shrieking high up in their silvery fur.

At the squadrons of heavy birds marking out a deadly quadrille, swirling in circles in the air and stretching out for a hundred miles.

But, despite the litany of the birds bathing in blood, how splendid this country, that knew no boundaries, had been until now!

Europe had shrunk to the minimum and had turned into a tiny island lying somewhere by the body of forests, burnt out lands and animals' dens.

Так вот она, страна уныний,
Гиперборейский интернат,
В котором видел древний Плиний
Жерло, простершееся в ад!

Так вот он, дом чужих народов
Без прозвищ, кличек и имен,
Стрелков, бродяг и скотоводов,
Владык без тронов и корон!

Попарно связанные лыком,
Под караулом, там и тут
До сей поры в смятенье диком
Они в Монголию бредут.

Широкоскулы, низки ростом,
Они бредут из этих стран,
И кровь течет по их коростам,
И слезы падают в туман.
[...]

1958

So here it was, the land of melancholy, the Hyperborean barracks, in which Pliny the Ancient had seen an orifice stretching into hell!

So here it was, the home of alien peoples without sobriquets, nicknames or names, of sharpshooters, tramps and cattle-herders, of rulers without thrones or crowns!

Tied with bark-rope in pairs, under guard, here and there they still wander towards Mongolia in wild confusion.

Broad cheekboned, short in stature, they wander out of these countries, and blood is flowing down their scabs, and tears fall into the mist.

ДАНИИЛ ХАРМС
DANIIL KHARMS

Жене

Давно я не садился и не писал
я расслабленный свисал
Из руки перо валилось
на меня жена садилась
я отпихивал бумагу
цаловал свою жену
предо мной сидящу нагу
соблюдая тишину.
цаловал жену я в бок
в шею в грудь и под живот
прямо чмокал между ног
где любовный сок течёт
а жена меня стыдливо
обнимала тёплой ляжкой
и в лицо мне прямо лила
сок любовный как из фляжки
я стонал от нежной страсти
и глотал тягучий сок
и жена стонала вместе
утирая слизи с ног.
и прижав к моим губам
две трепещущие губки
изгибалась пополам
от стыда скрываясь в юбке.
По щекам моим бежали
струйки нежные стократы
и по комнате летали

To My Wife

I hadn't sat down and written for a long time, relaxed I slumped. The pen dropped out of
my hand, my wife sat on me, I pushed the paper aside, kissed my wife who was sitting
naked in front of me observing silence. I kissed my wife on the flank, on the neck, on
her breast and under her belly, I plumped a kiss straight between her legs where love's
juice flows, and my wife shyly embraced me with her warm thigh and poured straight
into my face love juice as from a phial. I groaned from tender passion and swallowed
the viscous juice, and my wife groaned together with me, wiping the mucous from her
legs. And pressing to my lips two quivering labia, she bent double, hiding in her skirt
from shame. Down my cheeks ran tender streams a hundred fold and over the room flew

женских ласок ароматы.
Но довольно! Где перо?
Где бумага и чернила?
Аромат летит в окно,
в страхе милая вскочила.
Я за стол и ну писать
давай буквы составлять
давай дергать за верёвку
Смыслы разные сплетать.

3 января 1930

* * *

открыв наук зелёный том
я долго плакал, а потом
его закрыл и бросил в реку.
Науки вредны человеку.
науки втянут нас в беду
возьмёмтесь лучше за еду.

1933

the aromas of woman's caresses. But enough! Where's the pen? where's the paper and the ink? The aroma flies through the window, my darling leapt up in fear. I got back to the desk and started writing, let us compose the letters [*of the alphabet*], let us jerk the string. Plait various meanings.

Opening a green volume of sciences I wept for a long time, and then shut it and threw it in the river. Sciences are harmful to man. Sciences will get us into trouble, let us rather get down to food.

* * *

Я плавно думать не могу
Мешает страх
Он прорезает мысль мою
Как лучь
В минуту пó два, пó три раза
Он сводит судоргой моё сознание
Я ничего теперь не делаю
И только мучаюсь душой.

Вот грянул дождь,
Остановилось время,
Часы беспомощно стучат
Расти трава, тебе не надо время.
Дух Божий говори, Тебе не надо слов.

Цветок папируса, твоё спокойствие прекрасно
И я хочу спокойным быть, но всё напрасно.

12 августа 1937   *Детское Село*

I cannot think smoothly, fear gets in the way. It cuts through my thought like a ray. Two or three times a minute fear reduces my mind to a spasm. I now do nothing, I just suffer torment in my soul.

Now the rain has come pouring down, time has stopped, the clock strikes helplessly. Grow, grass, you don't need time. Speak, God's Spirit, You need no words.

Papyrus flower, your tranquillity is beautiful, I want to be tranquil too, but it's all in vain.

Из дома вышел человек

Из дома вышел человек
С дубинкой и мешком
 И в дальний путь,
 И в дальний путь
Отправился пешком.

Он шел всё прямо и вперед
И всё вперед глядел.
 Не спал, не пил,
 Не пил, не спал,
Не спал, не пил, не ел.

И вот однажды на заре
Вошел он в темный лес.
 И с той поры,
 И с той поры,
И с той поры исчез.

Но если как-нибудь его
Случится встретить вам,
 Тогда скорей,
 Тогда скорей,
Скорей скажите нам.

1937

A Man Left Home

A man left home with an oak staff and a sack on a long journey, on a long journey he set off on foot.

He kept going straight and ahead, and kept looking ahead. He didn't sleep, he didn't drink, he didn't drink, he didn't sleep, he didn't sleep, drink or eat.

And then one day at sunset he entered a dark forest. And since then, since then, since then he has vanished.

But if somehow you happen to meet him, then as quick as you can, as quick as you can, as quick as you can, tell us.

АРСЕНИЙ АЛЕКСАНДРОВИЧ ТАРКОВСКИЙ
ARSENII ALEKSANDROVICH TARKOVSKII

* *
*

Меловой да соляной
Твой Славянск родной,
Надоело быть одной —
Посиди со мной...

Стол накрыт на шестерых,
Розы да хрусталь,
А среди гостей моих
Горе да печаль.

И со мною мой отец,
И со мною брат.
Час проходит. Наконец
У дверей стучат.

Как двенадцать лет назад,
Холодна рука
И немодные шумят
Синие шелка.

И вино звенит из тьмы,
И поет стекло:
«Как тебя любили мы,
Сколько лет прошло!»

Улыбнется мне отец,
Брат нальет вина,
Даст мне руку без колец,
Скажет мне она:

Your native Slaviansk is chalk and salt, I'm tired of being alone, sit a while with me...
The table is laid for six, roses and crystal, and among my guests are woe and grief.

And my father is with me and so is my brother. An hour passes. Finally there is a knock at the door.

As twelve years ago, the hand is cold and unfashionable blue silks rustle.

And wine rings from the dark and glass sings: 'How we loved you, how many years have passed!'

My father will smile at me, my brother will pour wine, she will give me a hand without rings and tell me:

— Каблучки мои в пыли,
Выцвела коса,
И поют из-под земли
Наши голоса.

1940

Первые свидания

Свиданий наших каждое мгновенье,
Мы праздновали, как Богоявленье,
Одни на целом свете. Ты была
Смелей и легче птичьего крыла,
По лестнице, как головокруженье,
Через ступень сбегала и вела
Сквозь влажную сирень в свои владенья
С той стороны зеркального стекла.

Когда настала ночь, была мне милость
Дарована, алтарные врата
Отворены, и в темноте светилась
И медленно клонилась нагота,
И, просыпаясь: «Будь благословенна!» —
Я говорил и знал, что дерзновенно
Мое благословенье: ты спала,
И тронуть веки синевой вселенной
К тебе сирень тянулась со стола,
И синевою тронутые веки
Спокойны были, и рука тепла.

'My heels are dusty, my plait has faded, and our voices sing from under the earth.'

First Meetings
Alone in all the world, we celebrated each moment of our meetings as an Epiphany. You were bolder and lighter than a bird's wing, downstairs, like vertigo, you ran two steps at a time and led me through damp lilac into your domain beyond the looking glass.

When night came, grace was granted to me, the altar gates were opened and in the darkness nakedness shone and slowly bent down and, waking up: 'Be blessed!' I would say and knew that my blessing was insolent: you slept, and in order to touch your eyelids with the universe's blue, the lilac stretched out from the table, and your eyelids, touched by blue, were peaceful and your hand was warm.

А в хрустале пульсировали реки,
Дымились горы, брезжили моря,
И ты держала сферу на ладони
Хрустальную, и ты спала на троне,
И — Боже правый! — ты была моя.
Ты пробудилась и преобразила
Вседневный человеческий словарь,
И речь по горло полнозвучной силой
Наполнилась, и слово *ты* раскрыло
Свой новый смысл и означало: *царь.*

На свете всё преобразилось, даже
Простые вещи — таз, кувшин, — когда
Стояла между нами, как на страже,
Слоистая и твердая вода.

Нас повело неведомо куда.
Пред нами расступались, как миражи,
Построенные чудом города,
Сама ложилась мята нам под ноги,
И птицам с нами было по дороге,
И рыбы подымались по реке,
И небо развернулось пред глазами...

Когда судьба по следу шла за нами,
Как сумасшедший с бритвою в руке.

1962

And rivers pulsed in the crystal, mountains smoked, seas glimmered, and you held in your palm a crystal sphere, and you slept on a throne, and — Just God! — you were mine. You woke up and transformed the everyday human dictionary, and speech was filled to the throat with sonorous strength and the word *thou* revealed its new sense and meant *Tsar.*

In the world everything was transformed, even simple things — a bowl, a pitcher, — when layered and firm water stood between us, as if on guard.

We were led to an unknown place. Making way for us, towns constructed by a miracle parted like mirages. The mint lay down itself beneath our feet, and the birds were travelling with us, and fish rose up the river, and the sky unfolded before our eyes...

When fate followed us, like a madman with a razor in his hand.

СЕРГЕЙ ВЛАДИМИРОВИЧ МИХАЛКОВ
SERGEI VLADIMIROVICH MIKHALKOV

* * *

В девицах Кошечка жила.
Она разборчивой слыла
И выбрать жениха по вкусу не могла:
Тот — чересчур усат, тот — худ, а этот лыс!
Один не ест мышей, другой боится крыс!
А третий — просто кот: как вечер, он в окошко —
На каждом чердаке ждет не дождется Кошка!
За этого идти — уж больно он ревнив,
За ним состаришься до срока!
Уж этот всем хорош, да, говорят, ленив:
Весь день на печке, рыжий лежебока!..
Так наша Кошечка в девицах и жила.
Но вдруг... котяток принесла!
И в этот вечер многие коты
Сидели по домам, поджав свои хвосты...

A Pussy Cat lived a single life. She had the reputation of being fussy and couldn't choose a groom to suit her. One was far too whiskery, another too thin, and a third was bald! One doesn't eat mice, another is afraid of rats! And a third was an ordinary tom-cat, every evening he'd be out of the window — in every attic a female cat would be waiting impatiently for him. If you married this one — he is awfully jealous — married to him you'd grow old before your time! Now this one is good all round but, they say, he's idle: all day he's on the stove, the ginger lazybones!.. So our Pussy Cat went on living a single life. But suddenly... she had kittens! And that evening many tom-cats sat at home with their tails between their legs...

НАУМ КОРЖАВИН
NAUM KORZHAVIN

Памяти Герцена

Баллада об историческом недосыпе
(Жестокий романс по одноименному произведению В. И. Ленина)

Любовь к Добру разбередила сердце им.
А Герцен спал, не ведая про зло...
Но декабристы разбудили Герцена.
Он недоспал. Отсюда все пошло.

И, ошалев от их поступка дерзкого,
Он поднял страшный на весь мир трезвон.
Чем разбудил случайно Чернышевского,
Не зная сам, что этим сделал он.

А тот со сна, имея нервы слабые,
Стал к топору Россию призывать, —
Чем потревожил крепкий сон Желябова,
А тот Перовской не дал всласть поспать.

И захотелось тут же с кем-то драться им,
Идти в народ и не страшиться дыб.
Так началась в России конспирация:
Большое дело — долгий недосып.

In Memory of Herzen. A Ballad about Historic Sleep Deficit
(A Cruel Ballad on the lines of the work of the same title by V. I. Lenin)
Love of the Good stirred up their hearts; Herzen was asleep, not knowing about evil...
But the Decembrists woke up Herzen. He hadn't had enough sleep. That started it all.

And, crazed by their brazen act, he raised a terrible racket the whole world could hear.
By doing so he accidentally woke Chernyshevskii, not realising what he had thus done.

And Chernyshevskii, half asleep, having weak nerves, began calling on Russia to take
to the axe, — thus he disturbed Zheliabov's deep sleep and Zheliabov didn't let
Perovskaia sleep her fill.

And they wanted there and then to fight someone, to go to the people and not fear the
rack. Thus secret organisations began in Russia. A long-term lack of sleep is a serious
thing.

Был царь убит, но мир не зажил заново.
Желябов спал, уснул несладким сном.
Но перед этим побудил Плеханова,
Чтоб тот пошел совсем другим путем.

Все обойтись могло с теченьем времени.
В порядок мог втянуться русский быт...
Какая сука разбудила Ленина?
Кому мешало, что ребенок спит?

На тот вопрос ответа нету точного.
Который год мы ищем зря его...
Три составные части — три источника
Не проясняют здесь нам ничего.

Да он и сам не знал, пожалуй, этого,
Хоть мести в нем запас не иссякал.
Хоть тот вопрос научно он исследовал, —
Лет пятьдесят виновного искал.

То в «Бунде», то в кадетах... Не найдутся ли
Хоть там следы. И в неудаче зол,
Он сразу всем устроил революцию,
Чтоб ни один от кары не ушел.

The Tsar was killed, but the world did not start living anew. Zheliabov slept, fallen into a bitter sleep. But before this he had roused Plekhanov to follow quite another path.

Everything might have come right in the course of time. Russian life could have been pulled into order... What bitch woke up Lenin? Who couldn't bear the child sleeping?

There is no precise answer to this question. How many years have we been seeking it in vain... Three composite parts — three sources shed light on nothing for us here.

Anyway, he himself probably didn't know this, although the supply of vengeance never went dry in him. Although he had studied the question scientifically, — for fifty years he sought the guilty man.

Either in the [*Jewish*] 'Bund' or in the Constitutional Democrats... Might there not be traces there, perhaps? And spiteful in his failure, he immediately started a revolution for everybody so that nobody should escape punishment.

И с песней шли к Голгофам под знаменами
Отцы за ним — как в сладкое житье...
Пусть нам простятся морды полусонные,
Мы дети тех, кто недоспал свое.

Мы спать хотим... И никуда не деться нам
От жажды сна и жажды всех судить...
Ах, декабристы!.. Не будите Герцена!..
Нельзя в России никого будить.

And our fathers followed him to Golgothas with banners and songs, as if to a sweet
life... May our half-sleepy faces be forgiven us, we are the children of those who never
slept their fill.
    We want to sleep... And we have no escape from a thirst for sleep and a thirst to judge
everybody... Oh, Decembrists!.. Don't wake Herzen!.. In Russia you mustn't wake
anybody.

ИОСИФ АЛЕКСАНДРОВИЧ БРОДСКИЙ
IOSIF ALEKSANDROVICH BRODSKII

Романс Скрипача

Тогда, когда любовей с нами нет,
тогда, когда от холода горбат,
достань из чемодана пистолет,
достань и заложи его в ломбард.

Купи на эти деньги патефон
и где-нибудь на свете потанцуй
(в затылке нарастает перезвон),
ах, ручку патефона поцелуй.

Да, слушайте совета Скрипача,
как следует стреляться сгоряча:
не в голову, а около плеча!
Живите только плача и крича!

На блюдечке я сердце понесу
и где-нибудь оставлю во дворе.
Друзья, ах, догадайтесь по лицу,
что сердца не отыщется в дыре,

проделанной на розовой груди,
и только патефоны впереди,
и только струны-струны, провода,
и только в горле красная вода.

1961

The Violinist's Romance
When we have no loves with us, when you are hunched with the cold, get the pistol out of the suitcase, get it and take it to the pawnbroker's.

Buy a gramophone with the money and dance a bit somewhere in the world (the resonance wells up in the back of your neck), oh, kiss the gramophone's pick-up.

Yes, listen to the Violinist's advice, how shooting yourself on impulse should be done: not in the head but around the shoulder! Live only weeping and shouting!

I shall carry my heart on a saucer and leave it somewhere outside. Friends, oh, guess by my face that no heart will be found in the hole

Made in my pink chest, and only gramophones are ahead, and only strings-strings, wires, and only red water in my throat.

Инструкция заключенному

1

В феврале далеко до весны,
ибо там, у него на пределе,
бродит поле такой белизны,
что темнеет в глазах у метели.
И дрожат от ударов дома,
и трепещут, как роща нагая,
над которой бушует весна,
белизной седину настигая.

2

В одиночке при ходьбе плечо
следует менять при повороте,
чтоб не зарябило, и еще
чтобы свет от лампочки в пролете
падал переменно на виски,
чтоб зрачок не чувствовал суженья.
Это не избавит от тоски,
но спасет от головокруженья.

3

В одиночке желание спать
исступленье смиряет кругами,
потому что нельзя исчерпать
даже это пространство шагами.

Instructions to the Prisoner
1. In February spring is far off, for there, at February's border, a field of such whiteness wanders that the blizzard's eyes go dark. And the blows make houses shake and quiver, like the naked grove over which spring rages, striking grey hair with whiteness.

2. When walking in solitary confinement the shoulder should be changed on turning, so your eyes don't blur, and also so that the light from the lamp on the stairwell falls on alternate temples, so that the pupil of your eye does not feel any narrowing. This will not spare you from anguish but it will save you from vertigo.

3. In solitary confinement the desire to sleep subdues extreme despair that comes from circles, because it is impossible to exhaust even this space with footsteps.

Заключенный, приникший к окну,
отражение сам и примета
плоти той, что уходит ко дну,
поднимая волну Архимеда.

Тюрьмы строят на месте пустом.
Но отборные свойства натуры
вытесняются телом с трудом
лишь в объем гробовой кубатуры.

4. Перед прогулкой по камере

Сквозь намордник пройдя, как игла,
и по нарам разлившись, как яд,
холод вытеснит ночь из угла,
чтобы мог соскочить я в квадрат.

Но до этого мысленный взор
сонмы линий и ромбов гурьбу
заселяет в цементный простор
так, что пот выступает на лбу.

Как повсюду на свете — и тут
каждый ломтик пространства велит
столь же тщательно выбрать маршрут,
как тропинку в саду Гесперид.

14–17 февраля 1964

The prisoner, nestling against the window, is himself a reflection and a token of the flesh which is going to the bottom, raising Archimedes' wave.

Prisons are built on empty places. But it is hard for the body to squeeze out the properties of its nature into just the cubic volume of a coffin.

4. Before a Stroll around the Cell

Passing like a needle through the hood placed over the window, and spreading over the bunks like a poison, the cold will squeeze the night out of the corner, so that I can leap down into a square.

But before this my mind's eye populates the cement space with a host of lines and a horde of rhomboids, so that sweat breaks out on my forehead.

As anywhere in the world, so here every slice of space orders one to choose a route just as carefully as a path in the garden of the Hesperides.

Фонтан

Из пасти льва
струя не журчит и не слышно рыка.
Гиацинты цветут. Ни свистка, ни крика.
Никаких голосов. Неподвижна листва.
И чужда обстановка сия для столь грозного лика,
и нова.
Пересохли уста,
и гортань проржавела: металл не вечен.
Просто кем-нибудь наглухо кран заверчен,
хоронящийся в кущах, в конце хвоста,
и крапива опутала вентиль. Спускается вечер;
из куста
сонм теней
выбегает к фонтану, как львы из чащи.
Окружают сородича, спящего в центре чаши,
перепрыгнув барьер, начинают носиться в ней,
лижут лапы и морду вождя своего. И чем чаще,
тем темней
грозный облик. И вот
наконец он сливается с ними и резко
оживает и прыгает вниз. И все общество резво
убегает во тьму. Небосвод
прячет звезды за тучу, и мыслящий трезво
назовет
похищенье вождя
— так как первые капли блестят на скамейке —

The Fountain

From the lion's maw no stream burbles and no roaring is heard. Hyacinths bloom. Not a
whistle, not a shout. No voices. The foliage is motionless. And this setting is alien and
new for so dreadful a face. Lips have dried up, and the throat has rusted: metal is not
everlasting. Simply, the tap, which is kept in the bushes, at the end of the tail, has been
turned right off by somebody and nettles have entangled the valve. Evening descends;
out of the bush a host of shadows runs out toward the fountain, like lions out of thicket.
They surround their kinsman who is asleep in the middle of the bowl, jumping over the
barrier they begin to rush about in it and they lick their leader's paws and face. And the
more frequently, the darker the dreadful face becomes. And now at last he merges with
them and comes brusquely to life and leaps down. And the whole company merrily runs
off into the darkness. The sky is hiding the stars behind a cloud, and a soberly thinking
man will call the leader's abduction — since the first drops are shining on the bench —

назовет похищенье вождя приближеньем дождя.
Дождь спускает на землю косые линейки,
строя в воздухе сеть или клетку для львиной семейки
без узла и гвоздя.
Теплый
дождь
моросит.
Как и льву, им гортань не остудишь.
Ты не будешь любим и забыт не будешь.
И тебя в поздний час из земли воскресит,
если чудищем был ты, компания чудищ.
Разгласит
твой побег
дождь и снег.
И, не склонный к простуде,
все равно ты вернешься в сей мир на ночлег.
Ибо нет одиночества больше, чем память о чуде.
Так в тюрьму возвращаются в ней побывавшие люди,
и голубки — в ковчег.

1967

will call the leader's abduction the approach of rain. The rain drops oblique rulers onto
the earth, making without knots or nails a net or a cage in the air for the lion family.
Warm rain drizzles. Like the lion, you will not get a throat chill from it. You will not be
loved and you will not be forgotten. And at a late hour you will be resurrected, if you
were a monster, by a company of monsters. Rain and snow will spread the news of your
flight. And, not susceptible to chills, you will nevertheless return to stay a night in this
world. For there is no greater solitude than the memory of a miracle. Thus people who
have been in prison return there, and doves return to the ark.

24 декабря 1971 года

V. S.

В Рождество все немного волхвы.
    В продовольственных слякоть и давка.
Из-за банки кофейной халвы
    производит осаду прилавка
грудой свертков навьюченный люд:
    каждый сам себе царь и верблюд.

Сетки, сумки, авоськи, кульки,
    шапки, галстуки, сбитые набок.
Запах водки, хвои и трески,
    мандаринов, корицы и яблок.
Хаос лиц, и не видно тропы
    в Вифлеем из-за снежной крупы.

И разносчики скромных даров
    в транспорт прыгают, ломятся в двери,
исчезают в провалах дворов,
    даже зная, что пусто в пещере:
ни животных, ни яслей, ни Той,
    над Которою — нимб золотой.

Пустота. Но при мысли о ней
    видишь вдруг как бы свет ниоткуда.
Знал бы Ирод, что чем он сильней,
    тем верней, неизбежнее чудо.
Постоянство такого родства —
    основной механизм Рождества.

---

24 December 1971   *For V. S.*

At Christmas everyone is something of a magus. There is slush and a crowd in the food shops. For the sake of a tin of coffee halva, the people, loaded with a pile of parcels, start a siege of the counter: each one is his own king and camel.

Net bags, handbags, string bags, paper parcels, hats, neckties twisted sideways. The smell of vodka, conifer needles and cod, of tangerines, cinnamon and apples. A chaos of faces, and you can't see the path to Bethlehem for the pearly grains of snow.

And the distributors of modest gifts leap into buses and trams, break through the doors, disappear in the chasms of the courtyards, even knowing that there is nothing in the cave: neither animals nor a manger nor She over Whom there is a golden halo.

Emptiness. But at the thought of it you suddenly seem to see light from nowhere. Herod should have known that the stronger he was the surer, the more inevitable the miracle. The constancy of such a relationship is the basic mechanism of Christmas.

То и празднуют нынче везде,
что Его приближенье, сдвигая
все столы. Не потребность в звезде
пусть еще, но уж воля благая
в человеках видна издали,
и костры пастухи разожгли.

Валит снег; не дымят, но трубят
трубы кровель. Все лица как пятна.
Ирод пьет. Бабы прячут ребят.
Кто грядет — никому непонятно:
мы не знаем примет, и сердца
могут вдруг не признать пришлеца.

Но, когда на дверном сквозняке
из тумана ночного густого
возникает фигура в платке,
и Младенца, и Духа Святого
ощущаешь в себе без стыда;
смотришь в небо и видишь — звезда.

1972

This is what is celebrated everywhere now as His approach, by moving all the tables together. Maybe no need for a star yet, but certainly good will can be seen from afar in men, and the shepherds have lit their bonfires.

The snow falls heavily: the roof chimneys do not smoke, but trumpet. All faces are like stains. Herod drinks. Women hide the children. Nobody can understand who is coming: we don't know the signs, and hearts may suddenly be unable to recognise the newcomer.

But when out of the thick night fog, in the draught in the doorway, a figure in a head-scarf appears, you feel in yourself without shame both the Infant and the Holy Spirit; you look at the sky and see — a star.

Темза в Челси

I

Ноябрь. Светило, поднявшееся натощак,
замирает на банках с содой в стекле аптеки.
Ветер находит преграду во всех вещах:
в трубах, в деревьях, в движущемся человеке.
Чайки бдят на оградах, что-то клюют жиды;
неколесный транспорт ползет по Темзе,
как по серой дороге, извивающейся без нужды.
Томас Мор взирает на правый берег с тем же
вожделеньем, что прежде, и напрягает мозг.
Тусклый взгляд из себя прочней, чем железный мост
Принца Альберта; и, говоря по чести,
это лучший способ покинуть Челси.

II

Бесконечная улица, делая резкий крюк,
выбегает к реке, кончаясь железной стрелкой.
Тело сыплет шаги на землю из мятых брюк,
и деревья стоят, точно в очереди за мелкой
осетриной волн; это все, на что
Темза способна по части рыбы.
Местный дождь затмевает трубу Агриппы.
Человек, способный взглянуть на сто
лет вперед, узрит побуревший портик,
который вывеска «бар» не портит,
вереницу барж, ансамбль водосточных флейт,
автобус у галереи Тэйт.

The Thames at Chelsea
I. November. The heavenly body, risen on an empty stomach, stops dead over jars of soda in a chemist's window. The wind finds a barrier in all things: in chimneys, trees, a moving person. Seagulls keep guard on the fences, the yids peck at something; buses without wheels crawl up the Thames as along a grey road that winds needlessly. Thomas Moore gazes at the right bank with the same longing as before and taxes his brains. A dim look from within is more reliable than Prince Albert's iron bridge; and, quite frankly, this is the best way to leave Chelsea.

II. And endless street, making a sharp turn, runs out to the river, ending with an iron pointer. The body drops from crumpled trousers its footsteps onto the ground, and trees stand as though queuing for the waves' little sturgeons; this is all the Thames is capable of in the fish department. The local rain eclipses Agrippa's trump. A man able to look a hundred years ahead will see a portico gone brown which is not spoiled by the sign 'Bar', a string of barges, an ensemble of drainpipe flutes, a bus by the Tate Gallery.

III

Город Лондон прекрасен, особенно в дождь. Ни жесть
для него не преграда, ни кепки и ни корона.
Лишь у тех, кто зонты производит, есть
в этом климате шансы захвата трона.
Серым днем, когда вашей спины настичь
даже тень не в силах и на исходе деньги,
в городе, где, как ни темней кирпич,
молоко будет вечно белеть на дверной ступеньке,
можно, глядя в газету, столкнуться со
статьей о прохожем, попавшем под колесо;
и только найдя абзац о том, как скорбит родня,
с облегченьем подумать: это не про меня.

IV

Эти слова мне диктовала не
любовь и не Муза, но потерявший скорость
звука пытливый, бесцветный голос;
я отвечал, лежа лицом к стене.
«Как ты жил в эти годы?» — «Как буква 'г' в 'ого'».
«Опиши свои чувства». — «Смущался дороговизне».
«Что ты любишь на свете сильней всего?» —
«Реки и улицы — длинные вещи жизни».
«Вспоминаешь о прошлом?» — «Помню, была зима.
Я катался на санках, меня продуло».
«Ты боишься смерти?» — «Нет, это та же тьма;
но, привыкнув к ней, не различишь в ней стула».

III. London Town is beautiful, especially in the rain. Neither tin, nor cloth caps nor a
crown are a barrier for London. In this climate only those who manufacture umbrellas
have a chance of seizing the throne. On a grey day, when even a shadow is too weak to
catch up with you, and money is running out, in a city where, however dark the bricks,
milk will be eternally white on the door-step, you can, by looking at the paper, come
across an item about a passer-by who fell under the wheels of a car; and only by finding
a paragraph on the relatives' grieving can you think with relief: it's not about me.

IV. These words were dictated to me not by love or the Muse, but by an inquisitive,
colourless voice which had lost the speed of sound; I replied, lying with my face to the
wall. 'How have you lived these years?' — 'Like the letter "t" in "often".' 'Describe
your feelings.' — 'I was taken aback by the high prices.' 'What do you love most of all
in the world?' — 'Rivers and streets — life's long things.' 'Do you recall the past?' —
'I remember it was winter. I rode my sledge, I caught a chill.' 'Do you fear death?' —
'No, it's just the dark; but, when you're used to it, you can't make out a chair in it.'

V

Воздух живет той жизнью, которой нам не дано
уразуметь — живет своей голубою,
ветреной жизнью, начинаясь над головою
и нигде не кончаясь. Взглянув в окно,
видишь трубы и шпили, кровлю, ее свинец;
это — начало большого сырого мира,
где мостовая, которая нас вскормила,
собой представляет его конец
преждевременный... Брезжит рассвет, проезжает почта.
Больше не во что верить, опричь того, что
покуда есть правый берег у Темзы, есть
левый берег у Темзы. Это — благая весть.

VI

Город Лондон прекрасен, в нем всюду идут часы.
Сердце может только отстать от Большого Бена.
Темза катится к морю, разбухшая, точно вена,
и буксиры в Челси дерут басы.
Город Лондон прекрасен. Если не ввысь, то вширь
он раскинулся вниз по реке как нельзя безбрежней.
И когда в нем спишь, номера телефонов прежней
и текущей жизни, слившись, дают цифирь
астрономической масти. И палец, вращая диск
зимней луны, обретает бесцветный писк
«занято»; и этот звук во много
раз неизбежней, чем голос Бога.

1974

V. Air lives the life we are fated not to understand — it lives its blue, windy life, beginning over our heads and ending nowhere. Looking through the window you see chimneys and spires, a roof, its lead; this is the beginning of the big damp world, where the paved road that raised us is its premature end... Daybreak glimmers, the post drives past. There is nothing to believe in any more, except that while the Thames has a right bank the Thames has a left bank. That is a gospel.

VI. London Town is beautiful, it has clocks working everywhere. The heart can only lag behind Big Ben. The Thames rolls to the sea, swollen like a vein, and the tugs at Chelsea bawl out basses. London Town is beautiful. It has spread out, if not up, then in width, down the river as boundless as can be. And when you sleep there, your former and current life's telephone numbers, merging, give a digit of astronomical magnitude. And the finger turning the winter moon's dial obtains a colourless bleep 'engaged'; and this sound is many times more inevitable than the voice of God.

* * *

Я родился и вырос в балтийских болотах, подле
серых цинковых волн, всегда набегавших по две,
и отсюда — все рифмы, отсюда тот блеклый голос,
вьющийся между ними, как мокрый волос,
если вьется вообще. Облокотясь на локоть,
раковина ушная в них различит не рокот,
но хлопки полотна, ставень, ладоней, чайник,
кипящий на керосинке, максимум — крики чаек.
В этих плоских краях то и хранит от фальши
сердце, что скрыться негде и видно дальше.
Это только для звука пространство всегда помеха:
глаз не посетует на недостаток эха.

1976

* * *

Я входил вместо дикого зверя в клетку,
выжигал свой срок и кликуху гвоздем в бараке,
жил у моря, играл в рулетку,
обедал черт знает с кем во фраке.
С высоты ледника я озирал полмира,
трижды тонул, дважды бывал распорот.
Бросил страну, что меня вскормила.
Из забывших меня можно составить город.

I was born and grew up in the Baltic marshes, by grey zinc waves, always breaking in twos, that is where all the rhymes come from, as does the jaded voice curling between them like a wet hair, if it curls at all. Propped on an elbow, the ear's cochlea makes out in them not a rumbling but flapping of canvas, of shutters, of hands, a kettle boiling on a primus stove, at most the cries of seagulls. In these flat regions what preserves the heart from falsification is that you can't hide anywhere and you can be seen from far off. Only for sound is space always a hindrance: the eye will never protest at the lack of an echo.

Instead of a wild beast, I have entered a cage, I have burnt out my stretch and my nickname with a nail in the barracks, I have lived by the sea, played roulette, dined with God knows whom in a dinner jacket. From a glacier's heights I surveyed half the world, I have nearly drowned three times, I have been ripped open twice. I have abandoned the country that had reared me. A town could be made of the people who have forgotten me.

Я слонялся в степях, помнящих вопли гунна,
надевал на себя что сызнова входит в моду,
сеял рожь, покрывал черной толью гумна
и не пил только сухую воду.
Я впустил в свои сны вороненый зрачок конвоя,
жрал хлеб изгнанья, не оставляя корок.
Позволял своим связкам все звуки, помимо воя;
перешел на шепот. Теперь мне сорок.
Что сказать мне о жизни? Что оказалась длинной.
Только с горем я чувствую солидарность.
Но пока мне рот не забили глиной,
из него раздаваться будет лишь благодарность.

24 мая 1980

* * *

Только пепел знает, что значит сгореть дотла.
Но я тоже скажу, близоруко взглянув вперед:
не всё уносимо ветром, не всё метла,
широко забирая по двору, подберет.
Мы останемся смятым окурком, плевком, в тени
под скамьей, куда угол проникнуть лучу не даст,
и слежимся в обнимку с грязью, считая дни,
в перегной, в осадок, в культурный пласт.

I have mooched about in steppes which remember the yells of the Hun, I have put clothes on which are coming back into fashion, I have sown rye, I have covered barns with tarred paper and have drunk everything except dry water. I have allowed into my dreams the prisoner escort's burnished eye, eaten the bread of exile, not leaving the crusts. I have allowed my vocal chords any sound except a howl; I have switched to a whisper. Now I am forty. What can I say of life? That it has turned out to be long. I feel solidarity only with grief. But until my mouth has been stuffed with clay, only gratitude will sound forth from it.

Only ash knows what it means to burn to cinders. But I too will say, myopically looking ahead: not everything goes with the wind, the broom, sweeping wide over the yard, will not pick up everything. We shall stay as a squashed fag-end, a gob of spit, in the shade under the bench where the angle won't let a ray of light penetrate, and embracing dirt, we shall lie, counting the days, as we change into compost, a deposit, a habitation layer.

Замаравши совок, археолог разинет пасть
отрыгнуть; но его открытие прогремит
на весь мир, как зарытая в землю страсть,
как обратная версия пирамид.
«Падаль!» — выдохнет он, обхватив живот,
но окажется дальше от нас, чем земля от птиц,
потому что падаль — свобода от клеток, свобода от
целого: апофеоз частиц.

1986

Приглашение к путешествию

Сначала разбей стекло с помощью кирпича.
Из кухни пройдешь в столовую (помни: там две ступеньки).
Смахни с рояля Бетховена и Петра Ильича,
отвинти третью ножку и обнаружишь деньги.

Не сворачивай в спальню, не потроши комод,
не то начнешь онанировать. В спальне и в гардеробе
пахнет духами; но, кроме тряпок от
Диора, нет ничего, что бы толкнуть в Европе.

Спустя два часа, когда объявляют рейс,
не дергайся; потянись и подави зевоту.

Soiling his trowel, an archaeologist will let his jaw drop for a belch; but his discovery will roll like thunder over the whole world, like a passion buried in the earth, like a reverse version of the pyramids. 'Carrion!' he will sigh, clutching his belly, but he will find himself further from us than the earth is from the birds, because carrion is freedom from cells, freedom from the whole: the apotheosis of particles.

Invitation to a Voyage
First smash the glass with the help of a brick. You will pass from the kitchen to the dining-room (remember: there are two steps there). Sweep Beethoven and Tchaikovsky off the grand piano, unscrew the third leg and you'll find money.
    Don't turn off into the bedroom, don't ransack the chest of drawers, or else you'll start masturbating. In the bedroom and the wardrobe there is a smell of perfume; but, apart from rags by Dior there's nothing worth flogging in Europe.
    Two hours later, as the flight is announced, don't twitch; stretch and suppress a yawn.

В любой толпе пассажиров, как правило, есть еврей
с пейсам и с детьми: примкни к его хороводу.

Наутро, когда Зизи распахивает жалюзи,
сообщая, что Лувр закрыт, вцепись в ее мокрый волос,
ткни глупой мордой в подушку и, прорычав «Грызи»,
сделай с ней то, от чего у певицы садится голос.

1993

* * *

Ты не скажешь комару:
«Скоро я, как ты, умру».
С точки зренья комара,
человек не умира.

Вот откуда речь и прыть —
от уменья жизни скрыть
свой конец от тех, кто в ней
насекомого сильней,

в скучный звук, в жужжанье, суть
какового — просто жуть,
а не жажда юшки из
мышц без опухоли и с,

Any crowd of passengers, as a rule, has a Jew with side-curls and children: latch on to his round-dance.

Next morning when Zizi flings open the blinds, telling you that the Louvre is shut, grab hold of her wet hair, shove her stupid gob into the pillow and, grunting 'Bite it', do to her what makes a singer's voice break.

You wouldn't tell a mosquito: 'Soon, like you, I shall die.' From a mosquito's point of view, man doesn't die.

This is where speech and flair come from — from life's skill at hiding its end from those who are stronger than an insect

In a dreary sound, buzzing, the essence of which is simple horror, and not the thirst of a soup made of muscles with or without tumours,

либо — глубже, в рудный пласт,
что к молчанию горазд:
всяк, кто сверху языком
внятно мелет — насеком.

1993

or — deeper, in the layer of ores which is adept at silence: everyone who rabbits on meaningfully from above is insect.

НИНА ЮРЬЕВНА ИСКРЕНКО
NINA IURIEVNA ISKRENKO

Секс-пятиминутка

Он   взял   ее   через   пожарный   кран
И через рот   посыпался гербарий
Аквариум нутра   мерцал и падал в крен
Его рвало   обеими ногами
Мело-мело   весь уик-энд в. Иране
Он взял ее
на весь вагон

Он ел ее органику   и нефть
забила бронхи узкие от гона
Он мякоть лопал   и хлестал из лона
И в горле у него кипела медь
    Мело-мело   весь месяц   из тумана
Он закурил
решив передохнуть

Потом он взял ее через стекло
через систему линз   и конденсатор
как поплавок зашелся дрожью сытой
Когда он вынимал ~~евое гребло~~   свое сверло
    Мело-мело
Мело

Sex — A Quickie
He   took   her   through   a   fire   hydrant and through the mouth   the herbarium was
spilled The aquarium of innards   glimmered and fell at an angle. He vomited   with
both legs. Snow swept and swept   the whole week-end in Iran He took her so the whole
carriage heard

He ate her organics   and the crude oil blocked his bronchi which were narrow from
the rut He devoured the soft tissue   and swilled from her loins And in his throat the
copper boiled The snow swept and swept   all month long   from the mist He lit a
cigarette, deciding to take a break

Then he took her through glass through a system of lenses   and a condenser like a
fisherman's float he went numb with sated shudders When he took out ~~his paddle~~   his
drill The snow swept and swept It swept

Потом отполз   и хрипло крикнул ФАС
И стал смотреть   что делают другие
Потом он вспомнил кадр из «Ностальгии»
и снова взял ее   уже через дефис
        Мело-мело   с отвертки на карниз
На брудершафт   Как пьяного раба
завертывают на ночь в волчью шкуру
Он долго ковырялся с арматурой
        Мело-мело
Он взял ее в гробу
И как простой   искусствоиспытатель
он прижимал к желудку костный мозг
превозмогая пафос   и кишечный смог

он взял ее   уже почти без роз
почти без гордости   без позы   в полный рост
через анабиоз
и выпрямитель

И скрючившись ~~от мерзости~~   от нежности   и мата
он вынул душу   взяв ее   как мог
через Урал   Потом закрыл ворота
и трясся до утра   от холода и пота
не попадая в дедовский замок
        Мело-мело   от пасхи до салюта

Then he crawled off   and hoarsely shouted 'Grab her' and started looking   at what others were doing Then he recalled a frame from *Nostalgia* and took her again   this time through a hyphen The snow swept and swept   from the screwdriver to the ledge to drink *Bruderschaft*   As a drunken slave is wrapped up for the night in a wolf skin For a long time he poked around with the fittings The snow swept and swept He took her in a coffin and like an ordinary   art-experimenter he was squeezing her bone marrow to his stomach fighting down the pathos and the intestinal smog

He took her   this time with almost no roses almost with no pride   with no pose   full height through anabiosis and a rectifier

And curled up ~~with abomination~~   with tenderness   and foul language he took out her soul   having taken her   as best he could through the Urals   Then he shut the gates and shook until morning   from cold and sweat failing to find grandfather's lock The snow swept and swept   from Easter to the May-Day salvo.

Шел мокрый снег   Стонали бурлаки
И был невыносимо ~~генитален~~   гениален
его   кадык
                переходящий
                        в голень
как пеликан   с реакцией Пирке
не уместившийся в футляры готовален
    Мело-мело   Он вышел из пике

Шел мокрый снег   Колдобило   Смеркалось
Поднялся ветер   Харкнули пруды
В печной трубе раскручивался дым
насвистывая оперу Дон фаллос
    Мело-мело   Он вышел из воды
Сухим   Как Щорс
И взял ее еще раз

Sleet was falling   The barge haulers groaned And his Adam's apple transposing to a shin was unbearably ~~genital~~ genius like a pelican with a Pirquet reaction too big to fit into the cases for the preparation instruments The snow swept and swept   He came out of the dive

Sleet was falling   It made pits   It got dark A wind arose   Ponds cleared their throats Smoke twisted round in the stove pipes whistling the opera Don Phallos Snow swept and swept   He came out of the water dry   Like [*Red Army commander*] Shchors and took her once more.

INDEX OF TITLES AND FIRST LINES

INDEX OF POETS

CONTENTS

CONTENTS

POSTSCRIPT

THE GARNETT PRESS is not a profit-making publishing house. Its editors and authors receive no payment. Any surplus of income over expenditure is used to subsidise academic editions, such as our 1999 edition of the *Diary of A. S. Suvorin.*

We shall allocate, however, one third of any surplus money accruing from the sale of this anthology against payments to holders of copyright in Russian poets who were alive after 1973 or who are the authors of poems first published after that date.

Copyright holders are invited to register their interest with the Garnett Press at Queen Mary College (University of London), London E1 4NS, U.K.

THE
GARNETT BOOK
OF RUSSIAN VERSE

ЛР № 071895 от 09.06.99.
Формат 60x90/16. Печать офсетная.
Бум. офсет № 1. Гарнитура Cyrillic II.
Усл. печ. л. 48,5. Заказ № 5750

The Garnett Press, Queen Mary College,
Mile End Road, London E1 4NS

Издательство Независимая Газета
101000, Москва, ул. Мясницкая, д.13

ОАО "Типография "Новости"
107005, Москва, ул. Ф. Энгельса, 46

ISBN 0-9535878-2-7

9 780953 587827

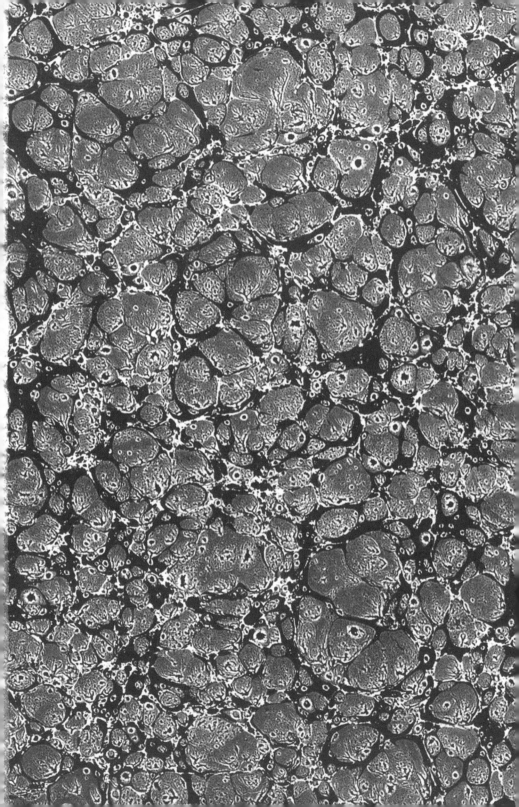